Dieux de la pluie

JAMES LEE BURKE

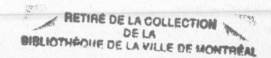
Dieux de la pluie

Traduit de l'anglais (États-Unis)
par Christophe Mercier

RIVAGES/THRILLER

Collection dirigée par François Guérif

RIVAGES

Retrouvez l'ensemble des parutions
des Éditions Payot & Rivages sur

payot-rivages.fr

Titre original : *Rain Gods*
(Simon & Schuster, New York)

À la mémoire de James Brown Benbow,
Dan Benbow et Weldon Mallette.

Alors Jésus, ayant appelé ses douze disciples, leur donna puissance sur les esprits impurs pour les chasser, et pour guérir toutes les langueurs et toutes les maladies…

Jésus envoya ces douze, après leur avoir donné les instructions suivantes : N'allez point vers les gentils, et n'entrez pas dans les villes des Samaritains ; Mais allez plutôt aux brebis perdues de la maison d'Israël.

Et dans les lieux où vous irez, prêchez en disant : le royaume des cieux est proche.

Évangile selon Matthieu, X, 1-7
(Traduction de Lemaître de Sacy)

1

À la fin d'une écrasante journée de juillet au sud-ouest du Texas, dans un hameau de bord de route dont toute l'économie avait été liée à une usine de pâte contre les cafards que l'EPA[1] avait fermée vingt ans plus tôt, un jeune homme au volant d'une voiture dépourvue de vitres s'arrêta près d'une station-service désaffectée en stuc bleu et blanc, où, pendant la Grande Dépression, on vendait de l'essence Pure[2], et qui servait maintenant de refuge aux chauves-souris et aux boules d'amarante sèche. À côté de la station-service se trouvait un garage rustique dont les planches desséchées s'étaient effondrées sur un pick-up rouillé, aux quatre pneus lisses et dégonflés. Au croisement, un feu de signalisation était suspendu à un câble horizontal tendu entre deux poteaux électriques, ses cabochons de plastique explosés au .22 long rifle.

Le jeune homme entra dans une cabine téléphonique et s'essuya le visage du revers de la main. Sa chemise en jean était raide de sel et ouverte sur la poitrine, ses cheveux tondus ras, comme un GI. Il sortit de son jean une bouteille sans étiquette dont il dévissa la capsule. Il avait sur le côté droit du visage une cicatrice rose, boursouflée, aussi claire et brillante que du plastique, et qui semblait moins faire partie de la peau qu'être collée dessus. Le mescal était jaune et épaissi par un ver qui, lorsqu'il inclina la bouteille pour en porter le goulot à sa bouche, sembla luire dans le soleil couchant. Dans la cabine, il sentit son cœur s'accélérer, et des

---

1. Agence de protection de l'environnement. (*Toutes les notes sont du traducteur.*)
2. Compagnie pétrolière américaine.

filets de sueur couler de ses aisselles à l'élastique de son sous-vêtement. Son index tremblait en pressant les touches du téléphone.

« Je vous écoute », dit une répartitrice.

Le paysage ondulant, de la couleur d'un biscuit sec, s'étendait à l'infini, la monotonie des rocs et des arbres à créosote, des buissons et du sable et des mesquites, interrompue ici et là par une éolienne cliquetant dans le vent.

« Il y a eu des coups de feu. Dans le coin, la nuit dernière. Un tas de coups de feu, dit-il. Je les ai entendus dans le noir. J'ai vu les éclairs.

– Ça s'est passé où ?

– Près de la vieille église. Je crois que c'est là que ça s'est passé. J'étais en train de boire. J'ai vu ça du bout de la route. Ça m'a filé les foies. »

Il y eut un silence. « Et là, vous êtes en train de boire, monsieur ?

– Pas vraiment. Enfin, pas trop. Juste quelques gorgées de jus de vers mexicain.

– Dites-nous où vous êtes, et nous enverrons un véhicule. Vous voulez bien attendre le véhicule ?

– Je n'ai rien à voir là-dedans. Il passe beaucoup de dos mouillés[1] par ici. Il y a des océans d'ordures le long de la frontière. Des couches sales, des chaussures moisies, de la nourriture pourrie, des tennis sans lacets. Pourquoi ils retirent les lacets de leurs tennis ?

– Vous voulez parler des clandestins ?

– Je dis que j'ai entendu des coups de feu. Rien de plus. J'ai peut-être entendu un coffre se refermer. J'en suis sûr, même. Il a claqué dans la nuit.

– D'où appelez-vous, monsieur ?

– De là où j'ai entendu les coups de feu.

_____

1. *Wetbacks* : ouvriers mexicains passant la frontière clandestinement.

– Donnez-moi votre nom, je vous prie.

– Comment on appelle un type assez stupide pour penser qu'il faut faire ce genre de chose ? Dites-moi, m'dame, s'il vous plaît ? »

Il essaya de raccrocher brutalement, mais il rata le crochet. Le récepteur se balança dans la cabine tandis que le jeune homme à la cicatrice rose zébrée s'éloignait, de la poussière s'engouffrant dans sa voiture par les fenêtres dépourvues de vitres.

Vingt-quatre heures plus tard, au crépuscule, le ciel vira au turquoise ; puis les bandes de nuages noirs à l'horizon furent éclairées à contre-jour par une lueur rouge évoquant la lumière d'une forge, comme si la fraîcheur du soir allait rester en suspension pour que, pendant la nuit, la chaleur du soleil l'emporte et éclate à l'aube du lendemain. En face de la station-service abandonnée, un homme de grande taille qui pouvait avoir soixante-dix ans, en treillis de coupe western, bottes faites main, ceinturon à l'ancienne et Stetson gris perle, gara son pick-up devant ce qui semblait être la carcasse d'une mission espagnole. Le toit était effondré, les portes avaient été arrachées de leurs gonds par des sans-abri ou des vandales adolescents, portées à l'intérieur, brisées et utilisées pour faire du feu. Le seul arbre du hameau au bord de la route était un saule géant, qui ombrageait un côté de l'église et créait sur les murs de stuc un effet étrange d'ombre et de lumière rouge, comme si un feu d'herbes s'approchait du bâtiment et s'apprêtait à le consumer.

En réalité, l'église n'avait pas été construite par les Espagnols ni par les Mexicains, mais par un industriel devenu l'homme le plus haï d'Amérique après que les services de sécurité de son usine, aidés de membres de la milice du Colorado, eurent massacré onze enfants et deux femmes lors d'une grève des mineurs, en 1914. Plus tard, l'industriel s'était réinventé en philanthrope et en humaniste, et avait réhabilité le nom de sa famille en construisant des églises à travers tout le pays. Mais les mineurs n'avaient pas créé de syndicat, et cette église-là s'était transformée en un symbole roussi que peu de gens associaient aux deux femmes et aux onze enfants qui avaient tenté de se cacher dans une cave tandis que la tente de toile au-dessus d'eux faisaient pleuvoir flammes et cendres sur leurs têtes.

L'homme de grande taille avait dans son holster un revolver bleu sombre à la crosse nacrée. Instinctivement, il retira son chapeau en entrant dans l'église et attendit que ses yeux s'adaptent à la pénombre. Un entrepreneur avait arraché et emporté le plancher de chêne, et en dessous la terre était verte et fraîche à cause du manque de soleil, durcie, parfois bosselée, sentant l'humidité et les crottes de souris. Éparpillées à l'intérieur de l'église, brillant comme des dents en or, il y avait des dizaines de douilles de cuivre.

L'homme s'accroupit, faisant crisser sa ceinture et craquer ses genoux. De la pointe d'un stylo-bille, il ramassa une douille. Comme les autres, il s'agissait d'une douille de .45. Il s'éclaircit la gorge et cracha sur le côté, incapable d'échapper à l'odeur que le vent venait de soulever au-dehors. Il se redressa, sortit par la porte du fond et vit un champ ratissé par un bulldozer, la terre couleur cannelle écrasée et marquée par les bandes d'acier de la machine.

L'homme retourna à son pick-up, sur le plateau duquel il prit un râteau et une pelle à long manche. Il pénétra dans le champ, appuya de tout le poids de sa jambe et de sa hanche sur l'extrémité métallique de la pelle, heurta un rocher, puis déplaça la pelle à un autre endroit et fit une nouvelle tentative. La pelle, cette fois-ci, s'enfonça jusqu'à la semelle de sa botte, comme si, au lieu de s'enfoncer dans de la terre, elle s'enfonçait dans du marc de café. Quand il retira la pelle, l'odeur qui monta à ses narines fit se contracter sa gorge pour résister au flux de bile qui lui montait de l'estomac. Il mouilla un bandana sorti de la cantine de son pick-up, l'entortilla sur la moitié inférieure de son visage et se le noua derrière la tête. Puis il traversa lentement le champ, enfonçant dans le sol le manche de son râteau. Tous les trois ou quatre pas, à la même profondeur, il sentait une espèce de résistance molle, comme un sac de nourriture pour animaux dont la toile a pourri et s'est déchirée, la terre sèche retombant dans le trou à chaque fois qu'il retirait de la surface le manche de bois. Le vent était complètement tombé. L'air était vert des derniers feux du soleil, le ciel traversé par des oiseaux, l'atmosphère souillée par une puanteur croissante qui semblait monter de ses semelles à ses vêtements. L'homme renversa le râteau, prenant garde à ne pas toucher l'extrémité qu'il avait enfoncée dans le sol, et commença à gratter un creux qu'une bête sauvage, avec ses griffes, avait déjà marqué de croisillons.

L'homme avait beaucoup de souvenirs de sa première vie, dont il parlait rarement. Il y avait des images de collines enneigées au sud du fleuve Yalou, et de soldats chinois morts dans leurs uniformes molletonnés, éparpillés au hasard sur les pentes, et de F-80 volant en rase-mottes dans un ciel chargé, bombardant le périmètre pour repousser les mortiers et les armes automatiques chinoises. Les blessures des morts américains entassés à l'arrière des camions paraissaient des roses givrées par la neige.

Dans son sommeil, l'homme entendait toujours des clairons dans les collines, et leur écho était aussi froid que des balles qui résonnent sur de la pierre.

Les dents arachnéennes du râteau arrachèrent à la terre une boucle de cheveux noirs. L'homme, qui s'appelait Hackberry Holland, baissa les yeux sur le trou. Il effleura de son râteau les contours de la forme ronde qu'il avait dégagée. Puis, soit en raison du manque de compacité autour du corps, ou parce qu'il se trouvait au-dessus d'autres cadavres, la terre commença à glisser, révélant le visage de la personne, ses oreilles, son cou, ses épaules, dévoilant l'opalescence cireuse d'un sourcil, un rictus imitant la surprise, un œil fermé, l'autre

15

aussi nu qu'une bille d'enfant, une boule de terre serrée dans son poing.

Elle avait des os délicats, comme une personne-jouet, son corsage noir un véritable réceptacle de chaleur, totalement inadapté au climat. Il se dit qu'elle n'avait pas plus de dix-sept ans, et qu'elle était encore vivante quand elle avait été recouverte de terre. Et c'était une Asiatique, et pas une Latina comme il s'y attendait.

Pendant la demi-heure suivante, jusqu'à ce que toute lueur ait quitté le ciel, il continua à ratisser et à creuser dans le champ qui, visiblement, avait été gratté jusqu'à la couche dure par une lame de bulldozer, puis comblé par la terre qui débordait, avant d'être tassé et aplani aussi soigneusement que si on avait dû y construire une maison.

Il revint à son pick-up, jeta son râteau et sa pelle sur le plateau, puis prit sa radio portable sur le siège passager. « Maydeen, ici le shérif Holland. Je suis derrière la vieille église, à Chapala Crossing. J'ai découvert les sépultures de victimes d'homicide, neuf pour l'instant. Toutes des femmes. Appelle les Fédés, et aussi les comtés de Brewster et de Terrell. Dis-leur qu'on a besoin de leur aide.

– Tu es bouleversé. Répète-moi ça ? J'ai bien entendu ? Tu as dit neuf homicides ?

– Un vrai massacre. Toutes les victimes sont des Asiatiques, certaines à peine plus âgées que des gamines.

– Le type qui a fait le 911, il a rappelé.

– Qu'est-ce qu'il a dit ?

– Je ne pense pas qu'il se soit trouvé près de l'église par hasard. À mon avis, il suinte la culpabilité.

– Il t'a donné son nom ?

– Il a dit qu'il s'appelait Pete. Rien de plus. Pourquoi tu n'as pas appelé ? J'aurais pu t'envoyer de l'aide. Tu es sacrément trop vieux pour des conneries comme ça, Hack. »

Parce qu'à un certain âge, on finit par accepter, par ne se fier qu'à soi et par se passer des autres, pensa-t-il. Mais il se contenta de répondre : « Maydeen, je t'en prie, évite de parler comme ça dans la radio. »

Pete Flores n'avait jamais vraiment compris pourquoi la fille vivait avec lui. Elle avait les cheveux châtains, coupés court et bouclés aux extrémités, la peau claire, des yeux bleu-vert enfoncés, ce qui leur donnait une qualité mystérieuse qui intriguait les hommes, et faisait qu'ils fixaient son dos bien après qu'elle fut passée près d'eux. Au *diner* où elle travaillait, sa conduite était empreinte d'une grâce que les habitués, pour la plupart des chauffeurs routiers, percevaient, respectaient et protégeaient. Trois soirs par semaine, elle suivait des cours dans un Junior College[1] au siège du comté, et le semestre précédent elle avait publié une nouvelle dans le magazine littéraire du collège. Elle s'appelait Vikki Gaddis, et elle jouait d'une J-200 Gibson à grosse caisse que son père, musicien country à temps partiel à Medicine Lodge, Kansas, lui avait donnée quand elle avait douze ans.

Sa voix rauque et son accent n'étaient ni acquis, ni feints. Parfois, quand elle chantait au *diner* en s'accompagnant de sa guitare, les clients se levaient de leurs chaises et de leurs tabourets pour l'applaudir. Il lui arrivait aussi de se produire au night-club voisin, même si les clients ne savaient comment réagir quand elle chantait *Will The Circle Be Unbroken ?*[2] et *Keep on the Sunny Side of Life*[3].

Elle dormait encore lorsque Peter entra dans leur maison de location en bois, dépourvue de peinture, posée dans l'ombre

---

1. Établissement d'enseignement supérieur où l'on obtient un diplôme en deux ans.
2. Hymne chrétien (1907), maintes fois repris, notamment par Bill Monroe et Johnny Cash accompagné par la Carter Family.
3. Chanson traditionnelle, reprise notamment par la Carter Family et par Johnny Cash.

bleue d'une colline quand le soleil se levait à l'horizon, aussi chaud et étouffant qu'un jaune d'œuf brisé, et que la lumière striait le paysage dénudé. Un début de gueule de bois tirait le visage et le crâne de Pete, l'intérieur de sa tête encore rempli des bruits du bar en bord de route où il était allé. Il se lava le visage à l'évier, l'eau coulant fraîche d'un robinet alimenté par une citerne en aluminium montée sur pilotis derrière la maison. La colline qui bloquait le soleil, presque comme en un acte de miséricorde, semblait faite de rouille et de cendres, et était semée de broussailles et de mesquites dont les racines poussaient à peine assez profondément pour trouver l'humidité. Il savait que Vikki n'allait pas tarder à se lever, qu'elle l'avait sans doute attendu la veille au soir, avant de s'endormir d'un sommeil irrégulier, sachant ou ne sachant pas où il se trouvait. Il voulut lui préparer son petit déjeuner, comme en une sorte de repentance, ou pour faire semblant d'agir normalement. Il remplit d'eau la cafetière, et l'effet conjugué d'obscurité et de froid à l'intérieur du métal fut, d'une certaine façon, un baume temporaire à la chaleur qui martelait dans sa tête.

Il barbouilla de margarine l'intérieur d'une poêle, prit deux œufs et un morceau de jambon dans la glacière dont Vikki et lui se servaient comme d'un réfrigérateur. Il cassa les œufs dans la poêle, posa à côté le jambon et une tranche de pain au levain, et laissa la poêle chauffer sur le réchaud à gaz. L'odeur du petit déjeuner qu'il voulait préparer à Vikki lui monta au visage et, par la porte de derrière, il se précipita dans le jardin pour ne pas vomir sur ses vêtements.

Il se retint aux flancs d'un abreuvoir, l'estomac maintenant vide, le dos tremblant, la pression lui serrant le crâne comme un bandeau, son haleine comme une insulte à l'air pur et frais du matin. Il crut entendre le souffle vrombissant d'hélicoptères et le lourd brinquebalement d'un véhicule blindé gravissant une pente, ses pneus broyant du sable, un

CD de *Burn, Motherfucker, Burn*[1], braillant dans le réseau interne. Il fixa les étendues lointaines, mais la seule chose vivante qu'il vit, c'était les charognards flottant haut dans le vent, tournant en lents cercles tandis que la terre se réchauffait et que l'odeur de la mort montait dans le ciel.

Il rentra dans la maison et se rinça la bouche, puis fit glisser le petit déjeuner de Vikki sur une assiette. Les œufs étaient brûlés sur les bords, les jaunes crevés, durs et tachés de graisse noire. Il s'assit sur une chaise et se mit la tête entre les jambes, la cuisine tournant autour de lui. Par la porte entrebâillée de la chambre, à travers la lumière bleue et la poussière qui montait dans la brise, il voyait sa tête sur l'oreiller, ses yeux fermés, ses lèvres entrouvertes par son souffle. La pauvreté du décor dans lequel il l'avait installée lui fit honte. Les fentes dans le linoléum étaient incrustées de poussière, les meubles disparates achetés chez Goodwill, les murs d'un vert nauséeux. À l'exception de Vikki Gaddis, tout ce qu'il touchait était, d'une certaine façon, le prolongement de son propre échec.

Elle ouvrit les yeux. Pete se redressa sur la chaise, essayant de sourire, ses traits rendus raides et peu naturels par l'effort.

« J'ai préparé le petit déjeuner, mais je l'ai saboté, dit-il.

– Où étais-tu, mon cœur ?

– Tu sais bien, un peu plus haut », dit-il avec un geste en direction de la nationale. Il attendit qu'elle parle, mais elle ne dit rien. « Pourquoi des gens jettent-ils des tennis en gardant les lacets ? demanda-t-il.

– De quoi tu parles ?

– Aux endroits par où passent les clandestins, il y a des ordures et des déchets partout. Ils jettent leurs vieilles

---

1. « Brûle, enculé, brûle » (refrain de « Burn MF », de Five Finger Death Punch, groupe de metal américain formé en 2005).

19

tennis, mais d'abord ils retirent les lacets. Pourquoi ils font ça ? »

Maintenant elle était debout, remontant son jean sur sa culotte, regardant ses doigts tandis qu'elle le boutonnait sur son ventre plat.

« C'est parce qu'ils n'ont pas grand-chose d'autre, non ? dit-il en réponse à sa propre question. Ces malheureux n'ont que la parole du coyote qui les fait traverser. Triste destin, non ?

– Dans quoi t'es-tu fourré, Pete ? »

Il se noua les doigts entre les cuisses, et les serra si fort qu'il sentit le sang s'arrêter dans ses veines. « Un type était prêt à me donner trois cents dollars pour conduire un camion jusqu'à San Antone[1]. Il m'a dit de ne pas m'inquiéter de ce qu'il y avait à l'arrière. Il m'a donné cent dollars d'avance. Il m'a dit que c'était juste quelques personnes qui voulaient rejoindre leur famille. Je me suis renseigné sur le type. Ce n'est pas une mule. Les mules ne prennent pas de camion pour passer de la came, non ?

– Tu t'es renseigné sur lui ? Auprès de qui t'es-tu renseigné sur lui ? dit-elle en le regardant, lâchant ses vêtements.

– Des mecs que je connais, des mecs qui traînent au bar. »

Le visage de Vikki était sans expression, portant encore les traces des plis de l'oreiller, tandis qu'elle s'approchait du réchaud et se versait elle-même une tasse de café. Elle était pieds nus, la blancheur de sa peau tranchant sur la crasse du linoléum. Il alla dans la chambre et prit sous le lit ses pantoufles, qu'il lui apporta. Il les posa à côté de ses pieds, attendant qu'elle les enfile.

« Des hommes sont venus ici, hier soir, dit-elle.

– Quoi ? » Le sang quitta ses joues, le faisant paraître plus jeune encore que ses vingt ans.

---

1. San Antonio.

«Deux sont venus à la porte. Un autre est resté dans la voiture, gardant le contact allumé. Celui qui a parlé avait des yeux bizarres, comme s'ils n'allaient pas ensemble. Qui est-ce ?

– Qu'est-ce qu'il a dit ?»

Pete n'avait pas répondu à sa question, mais le cœur de Vikki battait la chamade et elle lui dit : «Qu'il y avait eu un malentendu. Que tu t'étais enfui dans le noir, ou quelque chose comme ça. Qu'il te doit de l'argent. Pendant tout le temps qu'il parlait, il avait un grand sourire. Je lui ai serré la main. Il m'a tendu la main, et je l'ai serrée.

– On a l'impression qu'il a des plaques sur le visage, comme s'il avait un œil qui brillait et pas l'autre, c'est ça ?

– C'est bien ça. Qui est-ce, Pete ?

– Il s'appelle Hugo. Il a été un moment avec moi dans la cabine du camion. Il avait une Thompson dans un sac en toile. Le chargeur vibrait. Il a sorti la Thompson, il l'a regardée et l'a remise dans le sac. Il a dit : "Ce petit bijou appartient à l'homme le plus dangereux du Texas."

– Il avait une quoi, dans le sac ?

– Un fusil-mitrailleur de la Seconde Guerre mondiale. On était arrêtés dans le noir. Il s'est mis à parler dans un talkie-walkie. Un type a dit : "La ferme. Efface l'ardoise." Je suis sorti pour pisser, puis j'ai franchi un fossé et j'ai continué à marcher.

– Il a serré ma main fort, très fort. Attends, pourquoi tu t'es enfui ?

– Hugo t'a fait mal à la main ?

– Je t'ai posé une question. Ces types sont des trafiquants de came ?

– Non, bien pire que ça. Je suis vraiment dans la merde, Vikki. J'ai entendu des coups de feu dans le noir. J'ai entendu des gens qui gémissaient à l'intérieur. C'était des femmes, certaines même peut-être encore des gamines.»

Comme elle ne répondait pas et que son expression devenait aussi vide que si elle faisait face à un inconnu, il essaya de lui

21

prendre la main pour l'examiner. Mais elle se dirigea vers la moustiquaire de la cuisine, le dos tourné, les bras croisés sur la poitrine, ses yeux exprimant une tristesse insondable tandis qu'elle regardait fixement la lumière dure qui s'étendait sur le paysage.

2

Le strip club de Nick Dolan se trouvait à mi-chemin entre Austin et San Antonio, une maison victorienne de trois étages refaite à neuf, fraîchement peinte en blanc, au milieu des chênes et des pins, le balcon et les fenêtres décorés de guirlandes de Noël qui restaient toute l'année. Depuis la nationale, on aurait dit un lieu de fête, avec le parking gravillonné bien éclairé et le petit restaurant mexicain relié au bâtiment principal par une allée couverte, signalant aux passants que Nick ne vendait pas seulement des nichons et de la fesse, qu'on était chez un gentleman, que les femmes étaient les bienvenues, et même les familles, si elles en avaient assez de la route et voulaient faire un bon repas pour un prix raisonnable.

Nick avait renoncé à son casino flottant à La Nouvelle-Orléans, et avait quitté sa ville natale car il n'appréciait pas d'avoir des problèmes avec les restes de l'ancienne Mafia, ni de devoir donner de pots-de-vin à tous les politiciens de l'État, toujours prêts à tendre la main, y compris le gouverneur, emprisonné depuis. Nick ne discutait pas le monde, ni la nature vénale des hommes, ni l'iniquité qui semble être le lot de la plupart d'entre eux. Mais il n'aimait pas l'hypocrisie. Il vendait aux gens ce qu'ils voulaient, qu'il s'agisse de jeu, d'alcool, de cul sur un plateau doré, ou de la liberté de satisfaire tous leurs fantasmes dans un environnement sans risque, où il ne leur serait pas demandé de comptes concernant leurs désirs secrets. Mais dès qu'un raz-de-marée d'indignation morale commençait à poindre à l'horizon, Nick savait qui allait se faire écraser sur la plage.

Pourtant, en plus de l'hypocrisie ambiante, il avait un autre problème : il s'était fait gruger à la naissance, doté d'un corps obèse et courtaud dans lequel il devait vivre, avec des bras

23

flasques, un cou court, des pieds palmés et, pour couronner le tout, une mauvaise vue qui l'obligeait à porter d'épaisses lunettes rondes avec lesquelles il ressemblait à un poisson rouge regardant à travers les parois d'un aquarium.

Il portait des chaussures à talonnettes, des vestes de sport aux épaules rembourrées, et des bijoux de prix et de bon goût. Pour ses chemises et ses cravates, il payait un minimum de soixante-quinze dollars. Ses jumelles fréquentaient un établissement privé et prenaient des cours de piano, de danse classique et d'équitation. Son fils s'apprêtait à entrer à l'Université du Texas. Sa femme jouait au bridge au country-club, s'entraînait chaque jour dans un club de gym et ne voulait pas connaître le détail des sources de revenus de Nick. Elle payait ses propres factures avec le produit de ses actions et obligations. L'amour avait, depuis longtemps, en grande partie disparu de leur mariage, mais elle ne le harcelait pas, elle était une bonne mère, et tout le monde lui trouvait bon caractère, alors de quoi Nick aurait-il pu se plaindre ? Pieds palmés ou pas pieds palmés, on jouait avec les cartes qu'on avait reçues.

Nick ne discutait pas, et ne luttait pas contre la nature des choses. Il était plein d'entrain, assumant si nécessaire le rôle de l'imbécile peu sûr de lui. Il n'essayait pas de séduire ses « filles » et ne se faisait aucune illusion sur la nature de leur loyauté. Les chrétiens born again[1] parlaient toujours d'« honnêteté ». La vision « honnête » que Nick avait de lui-même et de ses rapports avec le monde était la suivante : il était un homme entre deux âges trop gros, petit, dégarni, qui connaissait ses limites et savait rester à sa place. Il vivait dans un pays puritain obsédé par le sexe et qui ne cessait de glousser à ce sujet, comme des gamins qui découvrent leur bite à la piscine de l'YMCA. Si quiconque en doutait, se disait-il, il suffisait

---

1. Chrétiens « régénérés » après une révélation.

d'allumer la télévision pendant les heures de grande écoute et de voir les conneries que regardent les enfants.

Selon Nick, le seul véritable péché de ce pays était sa faillite financière. La respectabilité s'achète avec un carnet de chèques. C'était cynique, de dire ça ? Et la famille Kennedy, pendant la Prohibition, elle avait fait fortune en vendant des bibles ? Et le Sénat des États-Unis, il était dirigé par des pauvres ? Et y avait-il beaucoup de présidents américains diplômés de l'université municipale de Trou-du-Cul-du-Monde, Idaho ?

Mais pour l'instant, Nick avait un problème qui n'aurait jamais dû s'introduire dans sa vie, qu'il n'avait rien fait pour mériter ; et les années de brutalités qu'il avait subies dans une cour de récréation du Neuvième District de la paroisse d'Orléans auraient d'ailleurs dû servir de paiement anticipé pour tous les péchés qu'il commettrait ensuite. Le problème en question venait de pénétrer dans le club, de s'asseoir au bar et de commander un verre d'eau gazeuse avec de la glace, accompagné d'un jus de cerise, matant les filles autour des barres de pole dance, la peau de son visage comme un masque de cuir, les lèvres épaisses, dissimulant toujours un sourire, l'intérieur de sa tête fait d'os qui paraissaient mal assemblés. Le problème s'appelait Hugo Cistranos, et il filait les chocottes à Nick Dolan.

Si seulement Nick avait pu quitter la salle du club et se réfugier dans la sécurité de son bureau, au-delà des tables remplies d'étudiants, d'ouvriers divorcés et de types en costumes chic prétendant venir pour s'amuser… Il aurait pu appeler quelqu'un, passer un accord, s'excuser, proposer une restitution, il suffisait d'un coup de téléphone, quoi que ça pût lui coûter. C'est ce que faisaient les hommes d'affaires quand ils étaient confrontés à des problèmes insurmontables. Ils passaient un coup de téléphone. Il n'était pas responsable des actes d'un psychopathe. À vrai dire, il ne savait même pas exactement ce que le psychopathe avait fait.

Et c'était *justement* ça le problème. S'il ne savait pas ce qu'avait vraiment fait le malade mental, comment pouvait-il en être tenu pour responsable ? Nick n'avait rien à voir là-dedans : il était juste un homme d'affaires qui essaie de se débarrasser de ses concurrents qui le menacent de faire couler ses services d'escort girls à Houston et à Dallas, d'où provenaient 40 % de ses revenus.

Juste entrer dans le bureau, se disait-il. Ignorer la façon dont les yeux d'Hugo foraient sa tempe, son cou, son dos, l'épluchant de ses vêtements et de sa peau, béquetant la moindre graine de dignité que possédait encore son âme. Ignorer son attitude de propriétaire, le sourire satisfait indiquant qu'il possédait Nick, connaissait ses pensées et ses faiblesses, qu'il pouvait l'atteindre quand il le voulait, et dénoncer le petit garçon obèse, terrorisé, qui se faisait voler l'argent de son déjeuner par les gosses noirs dans la cour de l'école.

Le souvenir de cette époque dans le Neuvième District fit monter une bouffée de chaleur dans la poitrine de Nick, une lueur d'énergie martiale qui lui fit serrer le poing, surpris lui-même du potentiel que recelait peut-être le corps de ce gros garçon. Il se retourna et regarda Hugo en face. Puis, les yeux tout grands ouverts, Nick s'approcha de lui, écartant sa cigarette allumée de sa veste de sport, la bouche sèche, le cœur comme parcouru de charançons. Les filles en haut des barres, leurs corps semés de paillettes, leurs visages comme des crêpes au bout d'une tige, se transformèrent en animations enveloppées de fumée, dont il n'avait jamais connu le nom, dont les vies n'avaient rien à voir avec la sienne, même si toutes quêtaient ses faveurs et l'appelaient toujours Nick sur le ton qu'elles auraient pris pour s'adresser à un oncle bienveillant. Nick Dolan était tout seul.

Il posa sa main droite sur le bar, sans s'asseoir, la cendre de sa cigarette tombant sur son pantalon. Hugo fit un grand sourire en suivant des yeux la trace de la fumée, depuis la cigarette de Nick jusqu'à la tache de nicotine nichée entre son index et son majeur. «Tu fumes toujours trois paquets par jour ? demanda Hugo.

– Je viens de me faire poser un patch, dit Nick en soutenant le regard d'Hugo, se demandant s'il venait de mentir ou de dire la vérité, se sentant, dans tous les cas, petit, idiot, lamentable.

– Les Marlboro vont te mettre dans une caisse. Rien que les produits chimiques.

– Tout le monde doit mourir un jour.

– Les produits chimiques cachent le goût de la nicotine, de façon qu'on ne pense pas aux dommages qu'elle cause à l'organisme. Des taches sur les poumons, des taches sur le foie. Et ça continue pendant le sommeil, sans même qu'on s'en rende compte.

– Je m'apprête à partir. Tu avais quelque chose à me dire ?

– Ouais, on peut appeler ça quelque chose. On va dans ton bureau ?

– La femme de ménage est en train d'y passer l'aspirateur.

– C'est logique. Rien de tel que de passer l'aspirateur dans un night-club aux heures de pointe. Donne-moi le nom de l'entreprise de nettoyage, que je ne fasse pas l'erreur de les appeler. Je vais sortir avec toi. Tu devrais voir le ciel, les éclairs partout dans les nuages. Viens fumer au grand air.

– Ma femme m'attend pour dîner.

– C'est drôle, parce que tu es connu pour toujours fermer toi-même la boîte, et compter le moindre penny dans la caisse.

– Tu sous-entends quelque chose ? »

Hugo prit une gorgée d'eau gazeuse et mâcha une cerise, l'air pensif. «Non, pas de sous-entendu, Nicholas.» Sa langue était rouge vif. Il s'essuya la bouche avec une serviette en papier et regarda la traînée de couleur. «J'ai embauché un extra à propos duquel je voudrais te demander un conseil. Un môme qui devient vraiment pénible.» Il se pencha et serra l'épaule de Nick, le visage irradiant la chaleur et l'affection. «Je pense qu'il va pleuvoir. L'air frais te fera du bien. Ça enlèvera toute la nicotine de tes vêtements.»

Dehors, l'air était tel qu'Hugo l'avait dit, parfumé de la possibilité d'un orage et de l'odeur des pastèques, dans un champ, de l'autre côté des chênes verts au fond de la propriété de Nick. Nick précéda Hugo dans un espace entre une Buick et le gros SUV noir d'Hugo. Hugo mit un bras sur le pare-chocs de son véhicule, empêchant Nick de voir le club. Il portait une chemise de sport, un pantalon blanc à plis et des chaussures italiennes cirées. Dans l'éclat électrique des lampadaires, son avant-bras tendu était raide et pâle, sillonné de veines vertes.

« Il manque neuf nanas à Artie Rooney, dit Hugo.

— Je ne suis pas au courant », dit Nick.

Hugo se gratta la nuque. Il avait les cheveux d'un blond cendré, striés de roux, comme de la teinture d'iode, gominés et peignés en arrière si bien que le haut de son front avait un aspect poli, semblable à la proue d'un bateau. « "Effacer l'ardoise." Pour toi, qu'est-ce que ça veut dire, Nicholas ?

— Je m'appelle Nick.

— La question reste la même, Nick.

— Ça signifie "On oublie". Ça signifie "On débranche". Ça ne veut pas dire piquer une crise.

— Voyons un peu si je te comprends bien. On kidnappe les putes thaïes de Rooney, on met au moins un de ses coyotes dans un trou, et ensuite on libère une bande de salopes hystériques sur un chemin de terre, pour que je puisse soit finir avec une injection, soit passer les quarante années à venir dans une prison fédérale ?

— Qu'est-ce que tu as dit, à propos d'un coyote ? »

Nick sentait quelque chose clignoter dans sa tête, un obturateur qui s'ouvrait et se refermait d'un coup sec, un mauvais branchement dans son cerveau ou dans son subconscient, un mécanisme défectueux qui, sa vie durant, ne l'avait pas empêché de parler, et ne lui avait pas fourni les mots qu'il fallait dire jusqu'à ce qu'il soit trop tard, le laissant seul et vulnérable à la merci de ses adversaires. Pourquoi avait-il posé une question ? Pourquoi s'était-il exposé à en savoir plus à propos de ce qu'Hugo, sur un chemin obscur, avait fait à une fournée de femmes asiatiques impuissantes, peut-être même des gamines ? Nick avait l'impression que son ectoplasme s'écoulait à travers la semelle de ses chaussures.

« Je ne comprends rien, Hugo. Je n'ai aucune idée de ce dont on est en train de parler », dit-il, ses yeux évitant le visage d'Hugo, ses mots comme des cendres humides dans sa gorge.

Hugo regarda dans le vague et tira sur un de ses lobes. Sa bouche était serrée, son sourire s'échappant de son nez comme de l'air d'un joint en caoutchouc. « Vous êtes tous pareils, dit-il.

– Qui, "vous" ?

– Ne rien voir, ne rien entendre. Vous embauchez des gens pour le faire à votre place. Tu me dois quatre-vingt-dix mille, Nicholas, dix mille pour chaque unité que j'ai dû enlever à Artie, et dont j'ai dû me débarrasser. Tu me dois aussi sept mille pour les frais de transport. Et tu me dois cinq mille supplémentaires pour les frais de fonctionnement. Les intérêts sont d'un et demi par semaine.

– Les *intérêts* ? Quels intérêts ? Tu as perdu la tête ?

– Et il y a cet autre problème, un môme que j'ai embauché dans un bar de poivrots.

– Quel môme ?

– Pete Je-Ne-Sais-Quoi. Qu'est-ce que ça peut faire ? Il s'est barré.

– Non, je n'ai rien à voir avec ça. Fous-moi la paix.

– Et là ça devient un peu compliqué. J'ai été dans le trou à rats où il vit. Il y avait une fille. Elle m'a vu. Alors maintenant, le problème, c'est elle. Tu m'écoutes bien ? »

Nick reculait, secouant la tête, essayant de se dégager de l'espace fermé qui semblait ôter toute lumière de ses yeux. « Je rentre à la maison. Je connais Artie Rooney depuis des années. Je peux arranger ça. C'est un homme d'affaires. »

Hugo sortit son peigne de poche et, d'une main, se le passa dans les cheveux. « Artie Rooney m'a proposé sa vieille Caddy pour te mettre à la diète. Te forcer à l'abstinence totale. Perte de poids garantie de quinze à vingt livres par jour. Dans ta caisse à toi, tu vois ? Tu sais pourquoi il t'aime pas, Nicholas ? Parce que c'est un vrai Irlandais, et pas un tocard qui change son nom de Dolinski en Dolan. Je passerai demain prendre mon fric. Je le veux en billets de cinquante, et pas de numéros qui se suivent. »

Les mots allaient trop vite. « Pourquoi tu as refusé l'offre d'Artie Rooney ? demanda Nick, parce qu'il fallait qu'il dise quelque chose.

– J'ai déjà une Caddy. »

Deux minutes plus tard, Nick rentrait dans son night-club. Le martèlement des quatre musiciens était loin d'être aussi fort que les battements de son cœur et que le raclement de ses poumons tandis qu'il essayait d'aspirer de l'air à côté de la cigarette qu'il avait aux lèvres.

« Nick, tu es tout pâle. Mauvaises nouvelles ? lui demanda le barman.

– Tout va bien », dit Nick.

Quand il s'assit sur le tabouret, titubant, ses pieds palmés étaient si gonflés d'hypertension qu'il pensa que ses chaussures allaient faire craquer ses lacets.

Avant de se mettre enfin au lit, Hackberry Holland était entré dans la cabine de douche comme dans le seul refuge efficace contre ce qu'il avait vu derrière l'église, se lavant les cheveux, se grattant la peau à vif, se tenant le visage sous l'eau bouillante aussi longtemps qu'il put le supporter. Mais l'odeur des corps exhumés l'avait suivi dans son sommeil, et toute la journée du lendemain jusqu'au crépuscule suivant, tandis que l'obscurité s'installait, les collines crépitantes d'électricité, le klaxon d'un poids lourd résonnant loin sur la nationale, comme le clairon d'une guerre oubliée.

Des agents fédéraux avaient fait la plus grande partie du travail sur la scène du crime, délimitant un champ funéraire, des lampes à faisceaux larges, des communications par satellite impliquant sans doute le gouvernement mexicain aussi bien que les superviseurs de leurs propres services, à Washington. Ils s'étaient montrés polis avec lui, et même respectueux, à leur façon sommaire, mais ils le considéraient à l'évidence comme une curiosité, sinon pour un passant ou un témoin de hasard. À l'aube, quand tous les corps exhumés eurent été mis en sacs et enlevés, tandis que les agents remballaient leur matériel, un homme en costume, avec des cheveux blancs et de minces capillaires rouges et bleus sur les joues, s'approcha d'Hackberry et lui serra la main pour lui dire au revoir, un sourire forcé aux lèvres, comme s'il se préparait à poser une question qui n'était pas destinée à être vexante.

« On m'a dit que vous étiez autrefois avocat pour l'ACLU[1], dit-il.

– À un moment donné, il y a bien des années.

– Ça fait un sacré changement de carrière.

– Pas vraiment.

– Il y a une chose que je ne vous ai pas dite. Un de nos agents a trouvé des os enterrés dans le sol depuis longtemps.

– Peut-être des ossements indiens, dit Hack.

– Pas si vieux que ça.

– Peut-être que le tireur s'est déjà servi de ce site. Le bulldozer a été apporté sur un camion. Il est reparti de la même façon. C'est peut-être un type très organisé. »

Mais l'agent du FBI chargé de l'exhumation, qui s'appelait Ethan Riser, ne l'écoutait pas. « Pourquoi êtes-vous resté ici à dégager tous ces corps vous-même ? Pourquoi ne nous avez-vous pas appelés plut tôt ?

– Pendant la guerre de Corée, j'ai été fait prisonnier. J'ai été à Paks Palace. Et en quelques autres lieux. »

L'agent acquiesça, puis dit : « Pardonnez-moi, mais je ne vois pas le rapport.

– Il y avait des kilomètres de refugiés sur les routes, qui

---

1. American Civil Liberties Union.

presque tous se dirigeaient vers le sud. Les colonnes étaient infiltrées par des soldats nord-coréens en civil. Parfois nos F-80 recevaient l'ordre de tuer tout le monde sur la route. Nous devions creuser leurs tombes. Je ne pense pas que ça ait jamais été raconté.

– Vous voulez dire que vous ne nous faites pas confiance ? demanda l'agent, qui souriait toujours.

– Non, monsieur. Jamais je ne dirais une chose pareille. »

L'agent regarda le long rouleau de la campagne, les feuilles des mesquites se soulevant dans la brise comme de la dentelle verte. « Par ici, ça doit être comme de vivre sur la lune », dit-il.

Hackberry ne répondit pas, et retourna à son pick-up, la douleur d'une vieille blessure au dos irradiant du bas de sa colonne.

À la fin des années 1960, il avait essayé d'aider un ami latino, connu pendant la guerre, qui avait été tabassé, transformé en un tas de loques sanglantes sur un piquet de grève des United Farm Workers[1], et accusé d'agression sur un officier de police. À cette époque, Hackberry, tous les jours de la semaine, en était à une demi-bouteille de Jack Daniel's en milieu d'après-midi. Il était aussi candidat au Congrès, et très en proie à l'ambition politique et à son propre cynisme, deux choses qui masquaient la culpabilité, la dépression et le mépris de soi-même rapportés du camp de prisonniers dans un endroit de Corée du Nord appelé No Name Valley.

À la prison, où son ami devait finalement être assassiné, Hackberry avait rencontré Rie Velasquez, elle aussi une organisatrice des United Farm Workers, et il n'avait plus jamais été le même. Il avait pensé pouvoir échapper à la mort de son ami et à la rencontre de cette fille nommée Rie. Mais il se trompait

---

1. Organisation syndicale agricole créée en Californie en 1962.

sur les deux points. Sa première rencontre avec elle avait été immédiatement marquée par l'agressivité, et pas à cause de ses idéaux à elle, ni de son attitude directe. Ce qui le gênait, c'était son absence de peur et son indifférence à l'opinion des autres, et même à son propre destin. Pire, elle donnait l'impression qu'elle était prête à l'accepter s'il n'exigeait pas qu'elle les prenne au sérieux, lui ou ses opinions politiques.

Elle était intelligente, elle avait été à l'université, et elle était d'une beauté frappante. Il avait inventé toutes les raisons possibles pour la revoir, passant au QG du syndicat, lui offrant de la ramener en voiture, essayant de minimiser son radicalisme et son cadre de références de gauchiste, comme si en accepter la moindre part aurait été tirer le fil d'un pull-over, en l'occurrence détricoter tout son propre système de valeurs. Mais il n'avait jamais affronté le problème principal, à savoir que la cause des travailleurs pauvres qu'elle représentait était légitime, et qu'ils étaient terrorisés à la fois par les producteurs et par les officiers de police, parce qu'ils voulaient créer un syndicat.

La conversion politique d'Hackberry Holland n'avait pas eu lieu lors d'un meeting syndical, ni au cours d'une messe dans une sympathique église catholique, et il n'avait pas non plus connu l'expérience d'une lumière aveuglante sur le chemin de Damas. C'est un shérif irritable qui avait provoqué la radicalisation d'Hackberry Holland en lui balançant un coup de matraque sur la tête, avant d'essayer de le tuer à coups de pied. Quand Hackberry avait repris conscience sur le sol de ciment d'une cellule de comté, la tête à quelques centimètres d'une grille de vidange striée d'urine, il n'avait plus aucun doute quant à l'utilité des révolutionnaires debout devant la prison, recrutant de nouveaux adeptes.

Rie était morte d'un cancer de l'utérus dix ans plus tôt, et leurs fils jumeaux avaient quitté le Texas, l'un comme oncologue à l'hôpital Mayo, à Phoenix, l'autre comme skipper dans les Keys de Floride. Hackberry avait vendu le ranch sur la

33

Guadalupe River où ils avaient élevé leurs enfants, et s'était installé sur la frontière. Si on lui avait demandé la raison pour laquelle il avait renoncé au lieu verdoyant qu'il aimait pour une vie dans un désert balayé de poussière et un poste mal payé dans un chef-lieu de comté aux rues, trottoirs et bâtiments craquelés par la chaleur, Hackberry n'aurait pu donner d'explication, du moins aucune explication dont il pût parler à quiconque.

La vérité, c'est que le matin, il ne pouvait se lever d'un lit entouré d'objets qu'elle avait touchés, tandis que le vent qui gonflait les rideaux renforçait le vide de la maison, écrasait les solives, les lattes, les traverses et les murs de plâtre les uns contre les autres, remplissait la maison d'un degré de silence qui lui donnait l'impression que quelqu'un claquait violemment des paumes contre ses tympans. Il ne pouvait, en se réveillant, redécouvrir tout cela, et l'absence de Rie et celle des enfants qu'il imaginait toujours comme de petits garçons, sans conclure qu'il avait été victime d'un terrible vol, qui avait laissé dans son cœur une blessure dont il ne guérirait jamais.

Un prêcheur baptiste avait demandé à Hackberry s'il en voulait à Dieu.

« Dieu n'a pas fait la mort, répondit Hackberry.

– Qui, alors ?

– Le cancer est une maladie créée par l'ère industrielle.

– Je pense que vous êtes un homme en colère, Hack. Je pense que vous devriez lâcher un peu de lest. Je pense que vous devriez célébrer l'existence de votre femme, et ne pas pleurer sur ce que vous ne pouvez changer. »

Je pense que vous devriez suivre vous-même le conseil que vous me donnez, pensa Hackberry. Mais il ne prononça pas ces mots à voix haute.

Maintenant, dans l'éclat bleu des premières heures de l'aube, tandis que les étoiles se fondaient dans le ciel, il essayait de prendre son petit déjeuner sur sa galerie sans penser aux rêves qu'il avait faits juste avant son réveil. Non, « rêves » n'était

34

pas le mot exact. Dans les rêves, il y a des séquences, des mouvements, des voix. Mais avant d'ouvrir les yeux dans l'austérité de sa chambre, tout ce dont Hackberry se rappelait, c'était la gravité des blessures sur les corps des neuf femmes et jeunes filles qu'il avait découverts enfouis par un bulldozer derrière l'église. Combien de personnes avaient-elles conscience de ce qu'une cartouche de .45 pouvait faire aux os et aux tissus humains ? Combien avaient vu les dégâts qu'une mitraillette de .45 pouvait faire au visage de quelqu'un, ou à sa boîte crânienne, ou à sa poitrine, ou à sa cage thoracique ?

Une brise venait du sud, et même si l'herbe de Saint-Augustin était sèche et raide, elle avait au commencement de l'aube une pâle aura verdâtre, et les fleurs de son jardin étaient variées et brillantes de rosée. Il n'avait pas envie de penser aux victimes enterrées derrière l'église. Non, ça n'était pas non plus exactement ça. Il n'avait pas envie de penser à la terreur et à l'impuissance qu'elles avaient éprouvées avant qu'on ne les aligne pour les assassiner. Il ne voulait pas ruminer sur toutes ces choses, parce qu'il les avait lui-même connues quand il avait été obligé de se tenir avec ses compagnons de captivité sur une bande de terrain couverte de neige, par une température de zéro degré, et d'attendre qu'un gardien chinois décharge sa mitraillette à bout portant dans leur poitrine, dans leur visage. Mais en raison de la nature versatile de la soif de sang de leur bourreau, Hackberry avait été épargné et forcé d'assister à la mort des autres, et parfois il regrettait d'être demeuré parmi les vivants, et de ne pas avoir rejoint les morts.

Il était persuadé que regarder un exécuteur dans les yeux au cours des dernières secondes d'une vie était peut-être le pire sort que pouvait connaître un être humain. Cette perception ultime du visage du mal détruisait non seulement l'espoir, mais toute la foi qu'on pouvait avoir en ses frères humains. Il ne voulait pas lutter avec ces bonnes âmes qui choisissent de penser que nous descendons du même noyau familial, nos ancêtres pauvres, nus, maladroits dans l'Éden, et qui, par orgueil ou par curiosité avaient péché en mangeant le fruit défendu. Mais il était depuis longtemps arrivé à la conclusion que certaines expériences subies aux mains de nos frères humains étaient bien la preuve que nous ne descendions pas tous du même arbre.

Ou du moins telles étaient les images que le sommeil d'Hackberry, souvent, lui offrait aux premières lueurs de l'aube, aussi insensées qu'elles pussent paraître.

Il but sa tasse de café, recouvrit son assiette d'une feuille de papier sulfurisé, et la remit dans le réfrigérateur. Tandis qu'il reculait dans son allée pour prendre avec son pick-up la route de campagne, il n'entendit pas le téléphone sonner dans sa maison.

Il arriva en ville, se gara derrière la prison-bureau qui lui servait de quartier général et entra par la porte de derrière. Son premier adjoint, Pam Tibbs, était déjà à son bureau, en jean, chemise kaki à manches courtes, ceinturon et bottes de cowboy, l'air inexpressif. Elle avait des cheveux épais couleur acajou, aux extrémités bouclées, avec des traces de gris qu'elle ne teignait pas. Ce qu'elle avait de plus énigmatique, c'était ses yeux. Il leur arrivait de s'éclairer soudain de bienveillance, de chaleur ou de réflexion, mais on ne savait jamais exactement de quoi. Elle avait été îlotier à Abilene et Galveston, et avait rejoint le service quatre ans plus tôt, pour se rapprocher de sa mère qui était dans une maison de retraite dans le coin. Pam avait un diplôme de l'Université de Houston, où elle avait suivi des cours du soir, mais elle parlait peu de son passé ni de sa vie privée, et donnait aux autres l'impression qu'ils ne devaient pas insister. Le fait que, récemment, Hackberry l'ait nommée premier adjoint n'avait pas forcément été bien accueilli par tous ses collègues.

«Bonjour», dit Hackberry.

Pam leva les yeux sans répondre.

« Quelque chose qui ne va pas ? demanda-t-il.

« – Un dénommé Clawson, de la Police de l'immigration et des frontières, vient de partir. Il a laissé sa carte sur ton bureau.

– Qu'est-ce qu'il voulait ?

– Sans doute te botter le cul.

– Pardon ?

– Il veut savoir pourquoi tu n'as pas demandé de l'aide quand tu as découvert les corps.

– Il t'a demandé ça ?

– Il semble penser que je suis la cafteuse du service.

– Qu'est-ce que tu lui as répondu ?

– D'aller se faire voir. »

Hackberry se dirigea vers son bureau. Par la fenêtre il voyait le drapeau se tendre sur le mât métallique dans la cour, le soleil caché par des nuages qui n'apportaient pas de pluie, les rafales de poussière dans une rue défoncée bordée de bâtiments en stuc et en pierre qui ne remontaient pas au-delà des années 1920.

« Je l'ai entendu parler dans son portable, dehors », dit Pam dans son dos.

Quand il se retourna, elle le dévisageait en se mordillant le coin des lèvres.

« Tu veux bien cracher le morceau, s'il te plaît ?

– Ce type est un connard.

– Je ne sais pas laquelle est la pire, toi ou Maydeen. Vous voulez bien arrêter de parler comme ça, quand vous êtes au boulot ?

– Je l'ai entendu parler dehors dans son portable. Je crois qu'ils connaissent l'identité du témoin qui a signalé la fusillade. Ils pensent que toi aussi, tu la connais. Ils pensent que tu le protèges.

– Pourquoi je protégerais quelqu'un qui appelle le 911 ?

– Tu as un cousin qui s'appelle William Robert Holland ?

– Et alors ?

– J'ai entendu Clawson prononcer ce nom, c'est tout. J'ai eu l'impression que ce Holland pouvait être un parent à toi, et que peut-être il connaît l'identité de celui qui a appelé le 911. Je n'ai entendu qu'une partie de la conversation.

– Ne bouge pas d'ici », dit Hackberry. Il entra dans son bureau et trouva la carte de l'agent de la Police de l'immigration et des frontières exactement au milieu de son sous-main. Un numéro de portable était noté en haut. L'indicatif de zone était le 713, Houston. Il pianota le numéro sur son téléphone.

« Clawson, dit une voix d'homme.

– Ici le shérif Holland, désolé de vous avoir raté ce matin. En quoi puis-je vous aider ?

– J'ai essayé d'appeler chez vous, mais votre répondeur n'était pas branché.

– Il ne fonctionne pas toujours. Que voulez-vous savoir ?

– Un laps de temps conséquent s'est écoulé entre le moment où vous avez découvert les corps près de l'église et celui où vous avez appelé notre répartiteur. Vous pouvez m'expliquer pourquoi ?

– Je ne comprends pas votre question.

– Vous vouliez les déterrer tout seul ?

– On manque de main-d'œuvre.

– Êtes-vous parent avec un ancien Texas Ranger du nom de…

– Billy Bob Holland. Ouais, nous sommes parents. Il est avocat. Moi aussi, mais je n'exerce plus.

– C'est intéressant. Il faut que nous parlions un peu, shérif Holland. Je n'aime pas arriver sur une scène de crime des heures après que la police locale l'a passée au peigne fin.

– Pourquoi l'ICE[1] est-elle mêlée à une enquête pour homicides ? » demanda Hackberry. Il entendait cliqueter la chaîne sur le mât, une poubelle cogner sèchement sur un trottoir. « Connaissez-vous l'identité de celui qui a appelé le 911 ?

– Je ne peux pas vous parler de ça maintenant.

_____

1. Immigration and Customs Enforcement.

– Pardonnez-moi, monsieur, mais j'ai l'impression que vous considérez une conversation comme un monologue, dans lequel les autres répondent à vos questions. Ne venez plus embêter mes adjoints.

– Qu'est-ce que vous avez dit ? »

Hackberry reposa le récepteur sur son socle et retourna dans le bureau principal. Pam Tibbs leva les yeux de ses papiers, le visage coupé par un rayon de soleil. Ses yeux d'un brun sombre, intelligents, étaient fixés sur les siens, attendant.

« C'est toi qui conduis », dit-il.

Lorsqu'elle gara le véhicule à la station d'essence Pure abandonnée, en face de la carcasse de stuc de la vieille église, l'air était humide et chaud. Hackberry sortit côté passager et regarda la cabine téléphonique au bord de la surface de ciment. Les parois de plastique transparent étaient aspergées et rayées de graffitis ; le téléphone lui-même avait été dévissé et retiré. Le soleil était passé derrière un nuage, les collines devenues sombres comme une contusion.

« Les Fédés ont emporté le téléphone ? demanda Pam.

– Ils vont l'épousseter, ainsi que toutes les pièces qu'il y a à l'intérieur, et nous mettre hors jeu par la même occasion.

– À qui appartient le terrain derrière l'église ?

– À un consortium du Delaware. Ils l'ont acheté à l'usine de pâte à cafards quand elle a été fermée par le Superfund[1]. Mais je ne pense pas qu'ils jouent un rôle dans cette affaire.

– Où les assassins ont-ils pris le bulldozer pour enterrer les corps ? Ils devaient assez bien connaître le coin. Il n'y avait pas d'empreintes sur les douilles ?

– Aucune.

---

1. « Superfund » est le nom d'usage du *Comprehensive Environmental Response, Compensation, and Liability Act*, une loi fédérale américaine visant à nettoyer les sites souillés par des déchets dangereux.

« – Pourquoi a-t-on pu vouloir tuer ces femmes ? Quel genre de salaud est capable d'une chose pareille ?

– Quelqu'un qui ressemble à ton facteur. »

Le soleil sortit des nuages et inonda le paysage d'une lumière tremblante. Le front de Pam était moite de transpiration, sa peau bronzée et grenue. Elle avait de petites lignes blanches au coin des yeux. Pour une raison ou pour une autre, à cet instant elle paraissait plus vieille que son âge. « Je ne crois pas à ces histoires.

– À quelles histoires ?

– Que les massacreurs vivent parmi nous sans se faire remarquer. Que ce sont des gens comme les autres, qui ont juste une vis trop serrée à l'arrière de leur tête. Pour moi, ils sont entourés de néons d'avertissement. Les gens choisissent de ne pas voir ce qui est sous leur nez. »

Hackberry regarda son profil. Il ne trahissait aucune expression. Mais en des moments comme celui-là, quand la parole de Pam Tibbs montait légèrement en intensité, qu'un fil de fer chauffé au rouge traversait ses mots, il restait silencieux, le regard plein de respect. « Prête ? dit-il.

– Oui, monsieur », dit-elle.

Ils enfilèrent des gants de polyéthylène et commencèrent à longer chacun un côté du chemin, fouillant au milieu de l'herbe, des gravillons éparpillés, des blagues à tabac vides, des vieux papiers desséchés, du verre brisé, des capotes abandonnées, des cannettes de bière, des bouteilles de vin et de whisky. À cinq cents mètres de la cabine téléphonique, ils changèrent de côté et revinrent sur leurs pas jusqu'à la cabine, puis continuèrent sur deux cents mètres dans la direction opposée. Pam Tibbs descendit dans une dépression herbeuse et ramassa une bouteille plate en verre blanc sans étiquette. Elle passa un doigt à travers le goulot et la secoua délicatement. « Le ver est encore à l'intérieur, dit-elle.

– Tu as déjà vu une bouteille de cette forme ? demanda Hack.

– Chez Ouzel Flagler. Ouzel essaie toujours de faire les choses simplement. Pas de timbre fiscal, ni d'étiquette, pour éviter la

40

paperasse », dit-elle. Elle laissa tomber la bouteille dans un grand sac zippé.

Ouzel Flagler tenait un bar clandestin dans une cabane en planches à côté du bungalow de brique 1920 dans lequel il habitait avec sa femme. Le bungalow s'était tassé d'un côté et fendu au centre, ce qui donnait l'impression que les grandes fenêtres de part et d'autre du porche fixaient la route comme un homme qui louche. Derrière la maison s'étendait un large arroyo, des affleurements de roche jaune saillant des pentes érodées. L'arroyo se fondait dans une étendue plate qui scintillait de chaleur, bordée au loin par des montagnes pourpres. Le terrain d'Ouzel était jonché de matériel de construction hors d'usage et de vieux camions qu'il avait remorqués, et ne vendait ni ne réparait jamais. Pourquoi donc collectionnait-il des hectares de camelote en train de rouiller au milieu des arbres à créosote ?

Ses longhorns avaient les yeux chassieux et étaient atteints d'éparvin, leurs côtes aussi saillantes que les rayons des roues d'une carriole, leurs naseaux, leurs oreilles et leurs anus auréolés de moucherons. Les cerfs et les coyotes se prenaient dans le fil de fer de la barrière effondrée qui entourait ses poteaux de cèdre. Son mescal venait sans doute du Mexique, directement jusqu'à l'arroyo derrière sa maison, mais personne n'en était certain et tout le monde s'en fichait. Le mescal d'Ouzel était bas de gamme, aurait pu assommer un cheval, et personne, du moins au cours des dernières années, n'en était mort.

Pour la meth qui passait par sa propriété, c'était une autre histoire. Les gens qui avaient de la sympathie pour Ouzel pensaient qu'il avait conclu un accord avec le diable quand il s'était lancé dans la vente clandestine du mescal ; ils pensaient que ses nouveaux associés étaient des tueurs au sang froid, et qu'ils avaient entraîné Ouzel profondément dans le ventre de la bête. Mais c'était Ouzel qui portait ce fardeau, pas eux.

Il scruta à travers la porte-moustiquaire de la cabane. Il portait une chemise blanche habillée inattendue, aux manches bouffantes, une cravate aux couleurs du drapeau et un pantalon repassé. Mais les manières d'Ouzel avaient du mal à compenser son obésité, ses épaules étroites, et les chaînes pourpres de vaisseaux enflammés que la maladie de Buerger faisait apparaître sur sa nuque et en haut de sa poitrine, et qui lui donnaient l'air d'un charognard grotesquement arqué sur une perche.

La poussière chassée par le véhicule du shérif s'incrusta dans la moustiquaire. Ouzel sortit, arborant un sourire forcé, dans l'espoir de parler dans le soleil et dans le vent, et pas à l'intérieur, où il n'avait pas encore rangé ses bouteilles de la nuit dernière.

« J'ai besoin de votre aide, Ouzel, dit Hackberry.

– Oui, monsieur. Tout ce que je peux faire pour vous, répondit Ouzel en regardant innocemment la bouteille de mescal que le shérif lui tendait dans un sac zippé.

– Je pourrais sans doute trouver quelques empreintes là-dessus, les envoyer à l'AFIS[1] et me donner de la peine pour des broutilles. Ou vous pourriez me dire simplement si un certain Pete vous a acheté du mescal. Ou je pourrais relever les empreintes, et m'apercevoir que la bouteille porte à la fois les vôtres et celles de Pete, ce qui signifie que je devrais revenir, et vous expliquer ce que ça coûte de mentir à un représentant de la loi qui enquête sur un homicide.

– Vous voulez un soda, ou quelque chose ? proposa Ouzel.

– Le ver dans cette bouteille est encore humide, donc je doute qu'elle se soit trouvée dans ce fossé depuis plus de deux jours. Nous savons tous les deux que cette bouteille vient de votre bar. Aidez-moi, Ouzel. Ce dont on est en train de parler en ce moment, c'est beaucoup plus lourd que ce que vous pouvez assumer.

---

1. Automated Fingerprints Identification System.

42

– Ces femmes orientales, à Chapala Crossing ? C'est pour ça que vous êtes là ?

– Certaines étaient des gamines. Elles ont été abattues à la mitraillette, puis enfouies par un bulldozer. Au moins l'une d'entre elles était sans doute encore vivante. »

Ouzel baissa les yeux. «Elles étaient vivantes ?

– Que vous est-il arrivé à la main ? demanda Hackberry.

– Ça ?» dit Ouzel. Il toucha le sparadrap et la gaze autour de son poignet et de ses doigts. «Le gamin du supermarché m'a claqué la portière dessus.

– Comment il s'appelle ? demanda Pam.

– Pardon m'dame ?

– Mon neveu travaille à l'IGA[1]. Vous êtes en train de dire que c'est peut-être mon neveu qui vous a écrasé les doigts sans rien dire à personne ?

– Ça s'est passé à Alpine. »

Une lourde femme dans une robe d'été qui couvrait à peine ses énormes mamelles arriva par la porte de derrière, regarda le véhicule de patrouille, et rentra à l'intérieur.

«Les Fédés sont venus ici ? demanda Hack.

- Non, monsieur, pas de Fédés.

– Mais quelqu'un d'autre est venu, non ?

– Non, monsieur, juste des gens du voisinage qui sont passés, ce genre de choses. Personne ne me fait d'ennuis.

– Ces hommes vous tueront, vous et votre femme. Si vous les avez rencontrés, vous savez que je vous dis la vérité. »

Ouzel regarda sa propriété, tous les engins à la peinture écaillée, les niveleuses, les bulldozers, les pelleteuses, les tracteurs, les chimiquiers dont le liquide s'échappait sur son terrain. «C'est le bazar, ici, non ? dit-il.

– Qui est Pete ? demanda Hackberry.

– J'ai vendu une pinte de mescal à un gosse qui s'appelle

---

1. Chaîne de supermarchés.

43

Pete Flores. Il est en partie mexicain, je crois. Il a dit qu'il avait été en Irak. Il est entré un jour sans chemise. Ma femme a été lui en chercher une à moi.

– Vous avez un code vestimentaire ? demanda Pam.

– Si vous le rencontrez, regardez son dos. Et quand vous aurez fait ça, prenez un sac pour vomir.

– Où est-ce qu'il habite ? demanda Hackberry.

– Je sais pas, et je m'en fiche.

– Dites-moi qui a blessé votre main.

– Ça va être une journée chaude et sans vent, shérif, et il y a peu de chances qu'il pleuve. Je préférerais que ça ne soit pas comme ça, mais il y a dans le coin des choses qui ne changent jamais.

– Vous feriez mieux d'espérer qu'on n'ait pas à revenir ici », dit Pam.

Hackberry et Pam remontèrent dans la voiture. Ouzel commença à s'éloigner, puis il entendit Hackberry baisser la vitre côté passager. « Y a-t-il du matériel en état de fonctionnement sur votre propriété ? demanda-t-il.

– Non, monsieur.

– Vous pouvez me dire pourquoi vous gardez ici toutes ces saloperies ? »

Ouzel se gratta la joue. « Il y a des endroits où tout représente une amélioration », dit-il.

3

Depuis son portable, Vikki Gaddis appela le *diner* à l'arrêt de bus, et dit à son patron qu'elle ne viendrait pas travailler ce soir, et qu'à vrai dire elle arrêtait, et si elle pouvait passer prendre son salaire, en liquide si possible, parce qu'elle serait en route pour El Paso, ce qui était un mensonge, avant l'ouverture de la banque, le lendemain matin.

Le propriétaire, Junior Vogel, écarta l'écouteur de son oreille et le souleva, afin qu'il capte tout le volume sonore du comptoir, des tables, du juke-box, des cuisiniers agitant la cloche au passe-plat tout en faisant claquer des plateaux sur la surface de Formica pour que la serveuse les prenne. «Tu te ferais au moins cinquante dollars en pourboires. Allez, rends-moi service, Vikki.

– Je fais mes bagages. Je serai là à onze heures. Junior?

– *Quoi ?*

– En liquide, d'accord ? C'est important.

– Tu me laisses tomber, petite. » Il raccrocha, sans colère, mais il raccrocha quand même, sachant que dans les trois heures à venir, elle s'inquiéterait de la façon dont elle serait payée, et craindrait qu'il ne soit pas là lors de son passage.

Il était dix heures cinquante et un quand elle prit la nationale en direction de l'arrêt de bus, le vent soufflant sur elle à travers les fenêtres dépourvues de vitres, le sable de la route lui piquant le visage quand la caisse vibrait sur son châssis. Le sol de la voiture était couvert d'ordures presque à hauteur de chevilles – des boîtes en polystyrène, des gobelets en carton, des guenilles pleines de graisse, une bombe insecticide, un pistolet à calfeutrer, un vieux journal noir de traces de pieds. Six semaines plus tôt, un copain d'armée de Pete, un Indien imbibé de peyotl de la réserve de Pima, lui avait laissé la voiture contre quarante dollars, un pack de six Diet-Coke et un couteau de poche. Les plaques étaient valides, la batterie était bonne, le moteur tournait au moins sur six des huit cylindres.

Pete avait dit qu'il la changerait pour acheter une bonne voiture d'occasion à Vikki dès qu'il aurait trouvé un travail sur une plate-forme dans le golfe du Mexique. Sauf qu'il avait déjà eu deux emplois off-shore, et que dans les deux cas le responsable du personnel de la compagnie avait décidé qu'un homme dont le dos ressemble à une peau d'alligator rouge, et qui hurle dans son sommeil, n'était sans doute pas fait pour la vie en communauté.

Elle avait quitté la route secondaire pour la nationale depuis sept kilomètres, quand un véhicule solitaire, soit qu'il l'ait suivie sur la nationale, soit qu'il ait surgi de nulle part, resta derrière elle pendant ou moins six ou sept minutes. Elle ne dépassait pas le soixante-dix, à cause des courants d'air par les fenêtres, et ça faisait un moment que le véhicule qui la suivait aurait dû la doubler. Elle accéléra jusqu'à quatre-vingts, quatre-vingt-dix, les basses collines arrondies semées de buissons noirs défilant à toute vitesse à côté de la voiture. Les phares, l'un légèrement plus haut que l'autre, devinrent de plus en plus petits dans le rétroviseur, avant de se dissoudre en une lueur derrière une colline.

Elle sentait l'odeur nocturne du désert, semblable à celle de fleurs humides écrasées entre les pages d'un vieux livre. Elle apercevait la surface lisse d'un lit de rivière à sec, la boue brillant sous la lune, la végétation verte le long de la rive se courbant dans la brise. Elle avait passé les treize premières années de sa vie dans le pays de Red Butte, au sud-ouest du Kansas, mais même si d'autres les dénigraient elle aimait le Texas, sa musique, ses habitants, et elle aimait Pete, même si d'autres voyaient en lui le triste et misérable produit de la guerre, et, pour finir, elle aimait la vie qu'elle imaginait pour eux si seulement son amour se révélait plus fort que toutes les forces qui semblaient décidées à le détruire.

Quand elle avait des pensées comme ça, elle se demandait si elle n'était pas pompeuse et prétentieuse, menée par l'ego et l'orgueil. Elle se demandait si le vent noir parfumé par le désert et moucheté par le sable de la route n'était pas un avertissement à propos de la nature de l'aveuglement. La plus grande vanité n'était-elle pas, peut-être, de croire que l'amour d'un être pût modifier le destin d'un autre, en l'occurrence celui d'un jeune Texan, gentil et innocent, qui avait joué un rôle dans un massacre ?

Les images que ces derniers mots suscitaient en elle lui donnèrent envie de pleurer.

Une lumière éblouissante apparut dans le rétroviseur. Un véhicule qui roulait en pleins phares arrivait rapidement sur la deux-voies, faisant dans un virage une large embardée sur la bande jaune. Le reflet de ses phares fut comme une flamme dans ses yeux. Une Trans Am la dépassa, expédiant par ses fenêtres poussière, chaleur de la route et fumées d'échappement. Les vitres de la Trans Am étaient relevées, mais pendant un bref instant elle vit les formes courbées de deux hommes à l'avant ; le chauffeur portait un haut-de-forme. Aucun d'eux ne semblait la regarder. Pour tout dire, l'homme sur le siège passager paraissait garder la tête volontairement tournée. Au loin, elle voyait le relais routier et ses guirlandes de lumières, le night-club décrépi juste à côté, quelques poids lourds garés près des pompes Diesel, leurs cabines allumées. Elle se rendit compte que lorsque la Trans Am avait accéléré en direction de son pare-chocs arrière, elle s'était arrêtée de respirer. Elle expira, son cœur se réfugiant dans un endroit froid au fond de sa poitrine.

Puis la voiture aux phares mal alignés se trouva à nouveau derrière elle. Mais cette fois elle n'aurait pas peur. Elle écarta son pied de l'accélérateur et vit l'aiguille du compteur descendre à quatre-vingts, soixante-quinze, puis soixante-dix, soixante. La voiture derrière elle s'écarta pour la doubler péniblement. Quand elle passa à côté d'elle, elle vit un homme seul derrière le volant. Ses vitres étaient à demi baissées, ce qui signifiait que son climatiseur était coupé et qu'il économisait la moindre goutte d'essence, comme elle.

Pete s'était fait emmener à Marathon, où il espérait convaincre un lointain cousin, qui avait un parc de voitures d'occasion, de lui en vendre une à crédit. Si le cousin refusait, Vikki devait quand même retrouver Pete à Marathon, et ils se perdraient ensemble dans une ville, Houston ou Dallas. Ou ils prendraient peut-être la route du Colorado ou du Montana. Tout ce qu'ils possédaient se trouvait dans le coffre, ou sur le siège arrière de la voiture, entouré de scotch ou tenu par des ficelles. Au-dessus de l'entassement de cartons sur le siège arrière se trouvait sa Gibson J-200 Sunburst.

Le portable carillonna sur le siège. Elle l'ouvrit et le plaça contre son oreille. «Où es-tu ? demanda-t-elle.

– Au parc d'occasions. Je nous ai dégotté une Toyota avec cent mille bornes au compteur. Les pneus sont bons et elle ne dégage pas de vapeur d'essence. Tu as eu ton salaire ?

– Je suis presque arrivée au *diner*.» Elle se tut. Un peu plus loin, la Trans Am s'arrêtait devant le night-club. Un carré de lumière venue du relais routier glissa sur le visage et les épaules du passager. «Est-ce qu'un de ces types, à l'église, avait une barbe rousse ou orange ?

– Non, dit Pete. Attends une seconde. Je n'en suis pas sûr. Un des types dans le noir avait une barbe. Pourquoi ?

– Des types viennent de s'arrêter au bar. Le chauffeur porte un chapeau comme le Chapelier fou, dans *Batman*.» Ses pneus commencèrent à mordre sur le gravillon du parking. «Ils me regardent. *Réfléchis bien*, Pete. As-tu vu un type avec une barbe orange ?

– Ne t'approche pas d'eux.

– Il faut que je sois payée. On n'a plus d'argent, dit-elle, sentant croître son irritation et sa frustration.

– Merde pour le fric. Junior pourra nous l'envoyer. On s'en sortira.

– Avec quoi ? »

Comme elle n'obtenait pas de réponse, elle regarda l'écran du portable. Elle n'avait plus de réseau.

Juste devant elle, l'homme qui conduisait la voiture aux phares asymétriques se gara devant le *diner* et entra. Il était mince, de taille moyenne, et portait une vieille veste de costume, alors que c'était l'été.

Elle se gara à côté de sa voiture, une Nissan usagée, et coupa son moteur. Les deux hommes étaient sortis de la Trans Am. Ils s'étiraient en bâillant devant le night-club. Dans les années 1940, c'était une salle de danse, et les lumières colorées de l'intérieur brillaient à travers une fenêtre de la forme d'une coupe à champagne au-dessus de l'entrée. Un auvent de toile en lambeaux s'étendait au-dessus de dalles de calcaire, flanquées par deux énormes pots de céramique dans lesquels étaient plantés des yuccas. Un unique palmier, sombre et immobile, se découpait contre la fille rose et vert du néon ; un pied en l'air, chaussé d'une botte, elle tenait une guitare. Au loin, derrière le club, il y avait une faille géologique où la terre semblait s'effondrer dans l'obscurité, plate, immense, à couper le souffle, comme si une mer intérieure s'était évaporée au cours de la nuit, laissant ses profondeurs biseautées, lisses comme de la glaise humide.

Si seulement Pete n'avait pas accepté de ces hommes un travail que personne sain d'esprit n'aurait accepté. Si seulement Pete avait eu confiance en ce qu'ils pourraient faire ensemble, s'ils essayaient.

L'homme à la barbe orange portait une chemise en jean coupée aux aisselles. Ses bras étaient musclés et bronzés, et sur l'un d'eux une ancre bleue était tatouée dans un cercle d'étoiles rouges et bleues. Il dévissa la capsule d'une bouteille de bière et porta un toast à Vikki. Il écarta la bouteille de sa bouche, prit sa chemise entre deux doigts et s'essuya les lèvres. « Un peu ventée, votre voiture, non ? dit-il.

– J'ai votre immatriculation. Je vais la laisser à mon patron, à l'intérieur.

– Je vous veux pas de mal », dit-il en souriant.

Elle se dirigea vers la porte du *diner*, une bouteille Thermos vide accrochée à un doigt.

« Venez prendre un verre avec nous », dit-il dans son dos.

Quand elle entra, Junior était derrière la caisse, le visage aussi ridé et usé qu'un pruneau, ses pattes taillées au rasoir évasées sur ses joues. Il parlait au conducteur de la Nissan. « Mon livreur n'est pas venu aujourd'hui, alors je n'ai plus beaucoup de lait. Désolé, mais je ne peux pas vous en vendre.

– Où est la boutique la plus proche ? » demanda le conducteur de la Nissan. Il avait les cheveux rasés sur les tempes, longs et peignés en arrière sur le dessus.

« En ville, dit Junior.

– C'est fermé. Il est plus de onze heures.

– Pourquoi n'en avez-vous pas acheté avant la fermeture ?

– On en avait une brique dans la glacière du Super 8. Mais il a tourné. Ma petite fille a trois mois, monsieur. Qu'est-ce que je vais faire ? »

Junior soupira. Il alla à la cuisine et en revint avec une brique d'un litre et demi de lait entier, qu'il posa sur le comptoir.

« Combien je vous dois ? demanda le conducteur de la Nissan.

– Deux dollars. »

Le conducteur de la Nissan posa un unique billet sur le comptoir de verre et se mit à compter par-dessus les pennies, les nickels et les dimes. Il épuisa la monnaie qu'il avait dans une poche, et commença à fouiller dans l'autre.

« Laissez tomber, dit Junior.

– Je dois vous payer.

– Vous êtes chrétien ?

– Oui.

– Vous donnerez ça à la quête.

– Dieu vous bénisse, monsieur. »

Junior fit un signe de tête, les lèvres serrées. Il regarda l'homme sortir sur le parking, puis se tourna vers Vikki. «Au suivant, dit-il.

– Je suis désolée de te lâcher sans préavis. Je sais que tu as beaucoup de boulot, dit-elle.

– C'est ce garçon, n'est-ce pas?

– J'ai besoin de mon argent, Junior.»

Il jeta un coup d'œil à des chiffres griffonnés sur un morceau de papier à côté de la caisse. «Tu vas recevoir cent quatre-vingt-trois dollars et quatre cents, mais il va falloir que tu acceptes un chèque. J'en ai besoin pour l'IRS[1] et quatre autres organismes où je cotise pour toi.

– Si t'arrêtais de te conduire comme une merde?»

Il leva les sourcils, puis souffla par le nez. Il poussa vers elle un livre de comptes et ouvrit le tiroir-caisse. «J'ai vu que ce type avec la barbe essayait de te faire des avances, dehors, dit-il en lui comptant son argent.

– Tu le connais?

– Non.

– Il est sans doute bourré.» Elle s'apprêtait à dire autre chose. Elle regarda derrière elle. Elle voyait la Trans Am à côté du night-club. Les deux hommes n'étaient pas dedans, ni sur le parking.

Junior lui tendit les billets et les pièces qu'il avait sortis du tiroir et y ajouta dix dollars. «Et ça, ça vient du pot des pourboires. Prends soin de toi, petite.»

Elle leva la Thermos. «Je peux?

– Pourquoi tu me poses la question?»

Elle alla derrière le comptoir et ouvrit le robinet à café au-dessus de sa Thermos, qu'elle remplit de café bouillant. Elle ouvrit et ferma les yeux, se rendant soudain compte de sa fatigue.

---

1. Internal Revenue Service.

51

Elle alla aux toilettes, puis ressortit. L'homme à la barbe orange était assis sur le siège passager de son véhicule, mangeant avec une petite fourchette un plat mexicain dans un carton de polystyrène, la portière ouverte, les pieds sur les gravillons. On ne voyait pas le conducteur, mais le moteur tournait et un trousseau de clefs vibrait dans le démarreur.

« Il y a trois jours, je faisais partie de l'escorte d'un destroyer à Fort Lauderdale, dit l'homme à la barbe orange. J'ai fait quatre fois le tour du monde aller-retour. Ça veut dire que j'ai fait huit fois le tour du monde. Qu'est-ce que vous en pensez ? Vous avez déjà fait le tour du monde ?

– *Moi*, je l'ai fait, dit Junior depuis la porte du *diner*. Vous voulez me parler de vos voyages ? J'ai été champion poids moyen de la flotte du Pacifique. Vous êtes plein de jus de tomate ?

– Pardon ?

– Vous saignez facilement ? Continuez à ennuyer ma serveuse, et vous verrez ce qui vous arrive. »

Vikki monta dans sa voiture et fit le tour du parking, mais elle dut attendre d'avoir laissé passer un poids lourd avant de pouvoir rejoindre la nationale. Dans son rétroviseur, elle vit l'homme au chapeau haut de forme sortir du night-club et monter dans la Trans Am. Il portait un jean avec des bretelles et un T-shirt blanc, et son torse était trop long pour ses jambes. L'homme à la barbe referma sa portière, et jeta par la fenêtre la boîte en polystyrène et ce qui restait à l'intérieur.

Vikki appuya sur l'accélérateur, pied au plancher, la sécurité des lumières électriques du relais routier et du *diner* disparaissant derrière elle. Un journal s'envola de l'asphalte comme un oiseau aux ailes géantes, s'engouffra par le pare-brise et s'entortilla au sommet du siège passager avant de tourbillonner dans la voiture. D'une main, elle écrasa le fouillis de pages et essaya de voir qui était derrière elle. Il y avait maintenant plusieurs paires de phares dans son rétroviseur, et elle n'aurait pu dire si l'une d'elles appartenait à l'homme à la barbe orange.

Un camion la doubla, puis une décapotable, avec une adolescente assise au sommet du siège arrière, les bras étendus dans le vent, le menton levé, son corsage moulant sa poitrine, comme si les étoiles, l'éclat du désert et la chaude beauté nocturne de l'instant avaient été créés spécialement pour elle.

Quand Vikki prit le virage suivant, les phares du véhicule qui la suivait se reflétèrent sur une colline et elle vit nettement la Trans Am, basse, aux lignes pures, avec de bons pneus, un moteur puissant, sonore, régulier. Elle écrasa la pédale de l'accélérateur, mais sa voiture ne répondait pas. Au contraire, les pistons eurent un raté et une bulle de fumée noire d'huile explosa du pot d'échappement. Elle avait l'impression d'être dans un mauvais rêve, dans lequel elle savait qu'elle devait fuir un ennemi, alors qu'elle avait les jambes à moitié enfouies dans la vase.

Quelle idiote elle avait été. Pourquoi n'avait-elle pas affronté les deux hommes devant Junior ? Pourquoi n'avait-elle pas réglé le problème devant le *diner*, et même appelé les flics, si elle avait dû en arriver là ?

Elle ouvrit son portable sur sa cuisse, essayant de composer de son pouce le numéro du *diner*. Devant elle, elle vit la Nissan garée sur le bas-côté, le capot ouvert, le père de la fillette de trois mois à genoux, glissant un cric sous le pare-chocs arrière.

Elle ralentit et s'arrêta derrière lui. Il leva les yeux dans la lumière de ses phares, le visage blafard, déformé, les yeux humides, sa tête étroite, son long nez et ses cheveux gominés comme ceux d'un homme en décalage avec son époque, un homme pour qui la perte était inéluctable, et l'ineptie un mode de vie. Elle laissa ses veilleuses allumées et coupa le moteur.

La Trans Am passa en trombe, le passager barbu levant deux pouces à son intention, son ami au haut-de-forme penché sur le volant.

Mais le conducteur de la Nissan était concentré sur Vikki, le regard levé sur elle, clignant des yeux pour essayer de la distinguer dans l'obscurité. « Qui êtes-vous ? dit-il.

53

– Je vous ai vu au *diner*. Il vous fallait du lait pour votre petite fille. Tout va bien ? »

Elle le dominait de sa taille. Il avait étalé un mouchoir sur le gravillon pour se mettre à genoux dessus, mais n'avait pas retiré sa veste. Il venait de placer le cric sous l'arrière du châssis, mais aucun des pneus ne semblait à plat.

« Je pense que j'ai une cloque sur mon pneu. Je l'entendais claquer. Parfois ils font ça juste avant d'éclater », dit-il. Il se releva, s'essuyant un genou. « Le problème, c'est que j'avais oublié que je n'ai pas de roue de secours. » À cause de la gomina, on aurait dit que ses cheveux avaient été coiffés humides, et ils brillaient sur son col, comme s'il venait de prendre une douche fraîche. La peau de son visage avait de petites boursouflures, de la taille d'une morsure de taon. Il regarda la route vide derrière lui. Au loin, la lumière de deux pleins phares rebondit d'une colline dans le ciel. « On est au Super 8, en ville. Ma femme doit penser que je me suis fait enlever. Le mari de ma sœur a un magasin de chaussures à Del Rio. Je suis censé aller travailler pour lui après-demain. »

Il attendait qu'elle parle. Les étoiles étaient fumeuses, comme de la glace qui fond sur du velours noir, et le vent commençait à souffler en rafales à travers un arroyo derrière elle. Elle croyait sentir des fleurs qui s'épanouissent la nuit, une ganse d'eau ourlant le lit d'une rivière décolorée par la lune, un cône alluvial de sable humide marqué par des sabots et par des griffes d'animaux.

« M'dame ? » dit-il.

Elle ne parvenait pas à se concentrer. Que lui demandait-il ?

« Vous voulez que je vous ramène à votre motel ? proposa-t-elle.

– Je peux peut-être y arriver. C'est moi qui m'inquiétais pour vous.

– Pardon ?

– J'avais l'impression que ces types dans la Trans Am vous

harcelaient. Vous les connaissez ? Ce sont eux qui viennent de passer, non ?

– Je ne sais pas qui c'est. Vous voulez que je vous dépose ? »

Qu'est-ce qu'il avait dit ? Il avait posé une question à propos des deux hommes dans la Trans Am, mais quand ils étaient passés, c'est elle qu'il regardait, et pas eux. Maintenant il semblait réfléchir, avec l'expression d'un idiot qui considère avec humour ses choix aux dépens d'un autre. Les phares qui avaient découpé une colline à l'horizon disparurent et la forme de la colline se fondit dans l'obscurité. « Je peux y aller tout doucement avec ce pneu tel qu'il est, je pense. Mais c'était gentil à vous de vous arrêter. Vous êtes très attirante. Il n'y a pas beaucoup de femmes seules sur la route, de nuit, qui se seraient arrêtées pour aider un homme en détresse.

– J'espère que votre nouveau boulot vous plaira », dit-elle. Elle se retourna et se dirigea vers sa voiture. Elle sentait sa nuque la picoter. Puis elle entendit un bruit qui ne correspondait pas à la situation, qui ne correspondait à rien de ce que lui avait dit le conducteur.

Il avait ouvert un portable, dans lequel il parlait. Elle monta dans sa voiture et mit le contact. Le moteur tourna pendant peut-être deux secondes, puis toussa et cala. Elle tourna à nouveau la clef, appuyant sur l'accélérateur. L'odeur d'essence du carburateur noyé lui monta au visage. Elle coupa le contact, pour ne pas vider la batterie. Elle posa les mains sur le volant et les laissa absolument immobiles, le regard vide de toute expression, pour que l'homme ne puisse rien y lire. Il s'approcha de sa fenêtre, laissant tomber le portable dans la poche de sa veste, prenant de son autre main un objet glissé à l'arrière de sa ceinture.

Elle dévissa le gobelet de plastique de la Thermos, puis le bouchon et la bande de caoutchouc à l'intérieur, commença à verser du café dans le gobelet. Quand la silhouette de l'homme boucha la fenêtre, son cœur s'arrêta.

« On m'appelle le Prêcheur, dit-il.

– Ah bon ?

– Il faut que tout le monde ait un nom. Le mien, c'est le Prêcheur. Sortez à côté de moi, m'dame. Il faut qu'on s'en aille très rapidement.

– Dans vos rêves, dit-elle.

– Je vous promets que je ferai tout ce que je pourrai pour vous. Ça ne servira à rien de discuter. Tout le monde doit rentrer à l'écurie. Mais pour vous, ça ne se passera pas forcément ce soir. Vous êtes une femme gentille. Je ne l'oublie pas. »

Elle jeta le café sur lui. Mais il l'avait prévu et recula rapidement, se protégeant le visage d'un bras. Dans son autre main, il tenait un revolver en titane brut, avec une crosse gainée de caoutchouc noir. Il n'était pas beaucoup plus large que sa paume.

« Je peux pas vous en vouloir. Mais il est temps que vous montiez dans le coffre de mon automobile. Je n'ai jamais frappé une femme. Je n'ai pas envie que vous soyez la première. »

Elle regarda droit devant elle, essayant de réfléchir. Qu'est-ce qu'elle ne voyait pas ? Qu'est-ce qu'elle ne se rappelait pas ? Quelque chose qu'elle avait à sa portée, quelque chose de magique, quelque chose que Dieu ou un pouvoir supérieur ou un chaman indien mort dans le désert avait déjà mis à sa disposition, si seulement elle pouvait se rappeler de quoi il s'agissait.

« Je n'ai rien qui puisse vous intéresser, dit-elle.

– Vous avez joué votre jeu, madame. C'est sur vous que ça retombera, pas sur moi, dit-il en ouvrant la portière. Maintenant, sortez de cette voiture et suivez-moi. Rien n'est jamais aussi catastrophique qu'on le pense. »

Parmi les détritus sur le sol, elle sentit le froid d'un cylindre de métal toucher sa cheville nue. Elle abaissa la main droite et ramassa la bombe insecticide, dont le fabricant garantissait qu'elle pouvait atteindre un nid à six mètres de distance. Vikki dirigea l'embout directement sur le visage du conducteur de la Nissan et appuya sur le bouton en plastique.

Un jet de liquide visqueux gris plomb le toucha à la bouche, au nez, et dans les deux yeux. Il hurla et commença à s'essuyer les yeux et le visage avec les manches de sa veste, tournant sur lui-même, déséquilibré, tout en essayant de s'accrocher à son pistolet et d'ouvrir les yeux suffisamment pour voir où elle était. Elle sortit de la voiture et, tout en reculant, dirigea à nouveau le spray sur le visage de l'homme, lui aspergeant la nuque, le touchant à nouveau quand il essaya de se retourner. Il se cogna au véhicule et roula sur le sol, battant des pieds, laissant tomber le revolver dans l'herbe.

Elle essaya de remonter dans la voiture, mais il était à quatre pattes, lui agrippant les chevilles, ses yeux gonflés à moitié fermés. Elle tomba en arrière et sentit son avant-bras cogner sèchement le revolver. Elle le ramassa, serrant dans sa paume sa forme dure et froide, et se remit péniblement debout. Mais il revint sur elle, s'accrochant à une de ses jambes, lançant le poing dans ses parties génitales.

Elle dirigea le revolver vers le bas. C'était un Smith & Wesson Airweight .38, qui contenait cinq balles. Elle était surprise à la fois par sa légèreté, sa dureté, la façon dont on le tenait bien en main. Elle visa l'arrière du mollet de l'homme et tira. L'arme eut un recul dans sa main ; un éclair sortit du canon. Elle vit l'étoffe du pantalon de l'homme frémir, et même fumer pendant une seconde. Puis elle eut l'impression que toute la jambe de son pantalon devenait noire de sang.

Mais elle n'en avait pas fini avec celui qui se faisait appeler le Prêcheur. Il émit du fond de la gorge une espèce de grincement, comme si à la fois il ravalait sa douleur et voulait se donner de la force, et de tout son poids il se jeta sur elle, lui bloquant les genoux de ses bras. Elle tomba dans l'herbe et lui frappa la tête avec le revolver, lui entaillant légèrement le crâne. Puis elle lui enfonça le canon dans l'oreille. « Vous voulez que je vous asperge la chemise de cervelle ? » demanda-t-elle.

Il ne céda pas. Elle baissa le revolver et visa le dessus de sa chaussure, mais ne parvint pas à placer correctement son doigt pour appuyer sur la gâchette. Elle mit le pouce sur le chien, le tira en arrière et actionna la détente. Le canon émit une deuxième explosion sonore ; un jet de sang jaillit de la semelle de la chaussure de l'homme. Il se redressa sur les hanches et se prit le pied à deux mains, la mâchoire pendante, le visage du même rouge douloureux qu'un crabe bouilli.

Elle monta dans la voiture et mit le contact. Cette fois, le moteur démarra ; elle passa une vitesse et commença à reprendre la direction de la nationale.

« Mon père était officier de police à Medicine Lodge. J'avais dix ans quand il m'a appris à tirer. La prochaine fois, tu ne t'en tireras pas aussi facilement, connard », dit-elle.

Par la vitre passager, elle lança le .38 dans l'obscurité, avant de rouler sur le portable de l'homme, qu'elle écrasa. Puis elle appuya sur l'accélérateur, pied au plancher, un nuage de fumée d'huile d'un bleu-noir montant derrière elle.

4

Personne ne pouvait être à ce point malchanceux, se disait Nick Dolan. Il avait emmené sa femme, ses filles et son fils à leur maison de vacances sur la Comal River, en dehors de New Braunfels, dans l'espoir de gagner du temps pour imaginer un moyen de se débarrasser à la fois d'Hugo Cistranos et d'Artie Rooney, en particulier d'Hugo, à qui il avait refusé les milliers de dollars que l'autre lui réclamait.

Sa maison de vacances était en stuc blanc, avec un toit couvert de carreaux bleus, une cour avec un puits, des citronniers et des orangers, un jardin en terrasses et un escalier de pierre qui descendait jusqu'à la rivière. Le fond de la rivière était fait de pierre à savon, sans algues ; elle coulait, verte et fraîche, alimentée par des torrents, même au mois d'août, et baignée par les ombres des arbres géants qui poussaient le long de la rive. Peut-être que s'il pouvait profiter de quelques jours loin de problèmes qu'il n'avait pas créés, dont personne n'aurait voulu, ces ennuis cesseraient-ils tout seuls ? Pourquoi pas ? Nick Dolan n'avait jamais fait volontairement de mal à quiconque.

Mais quand il regarda par la fenêtre et vit un homme au crâne rasé, poli, sortir d'une voiture du gouvernement, il comprit que le complot cosmique destiné à rendre sa vie misérable était encore en marche, et même avec un turbopropulseur, et que, où qu'il soit, le Destin allait lui délivrer un message spécial pour lui dire qu'il l'avait dans l'os.

L'homme du gouvernement devait mesurer au moins 1,95 mètre, les épaules semblables à du béton dans sa chemise blanche, le front noueux, les yeux comme des piscines lumineuses derrière des lunettes octogonales sans monture, des yeux qui pour Nick évoquaient des extra-terrestres.

Quand Nick ouvrit la porte, l'homme du gouvernement tendait déjà sa carte. « Isaac Clawson, Police de l'immigration et des frontières. Vous êtes Nick Dolan ?

– Non, il se trouve juste que je lui ressemble, et que je vis à cette adresse, répondit Nick.

– J'aurais besoin de quelques minutes de votre temps.

– Pour quelle raison ? »

Le soleil brillait, chaud et lumineux sur l'herbe de Saint-Augustin, et l'air miroitait d'humidité. Du dos du poignet, Isaac Clawson essuya son front en sueur. Dans son autre main, il serrait un porte-documents plat, à fermeture éclair, ses énormes doigts étalés dessus comme une banane épluchée. « Vous voulez bien faire quelque chose pour votre pays, monsieur ? Ou vous préférez que j'aggrave la procédure d'un cran ou deux ? Par exemple que je vous introduise dans notre processus de citation à comparaître devant un grand jury ?

– Quoi donc ? Je n'ai pas payé l'assurance risques pour le mec qui tond ma pelouse ? »

Les yeux de Clawson restaient rivés sur ceux de Nick. La présence physique de l'homme semblait irradier de la chaleur et une violence refoulée, un fumet de testostérone, une odeur astringente de déodorant. Son formalisme, sa cravate, sa chemise blanche, ses grosses lunettes octogonales semblaient à Nick un piètre déguisement pour un homme qui avait sans doute des instincts de brute.

« Mes enfants jouent au ping-pong dans la salle de jeux. Ma femme prépare le déjeuner. On va parler dans mon bureau, d'accord ? » proposa Nick.

Il y eut un silence. « Très bien », dit Clawson.

Ils traversèrent un vestibule donnant dans une maison jumelle, qui servait de bureau à Nick. Plus bas, sur la rivière, Nick pouvait voir un chapelet de gens flotter sur des chambres à air gonflées se diriger vers un rapide. Nick s'assit dans un profond fauteuil pivotant en cuir, derrière son bureau, regardant machinalement les collections de livres commandés par correspondance pour remplir ses étagères murales. Clawson s'assit en face de lui, son torse allongé aussi raide qu'un balai. Nick sentait monter à sa gorge la tension de sa poitrine.

«Vous connaissez Arthur Rooney? demanda Clawson.

– À La Nouvelle-Orléans, tout le monde connaissait Artie Rooney. Il avait une agence de détectives privés. Les gens au cimetière connaissaient Artie Rooney. C'est lui qui les avait mis là.

– Rooney emploie-t-il des prostituées thaïes?

– Comment je pourrais le savoir?

– Parce que vous faites le même boulot.

– Je possède un night-club. Je suis associé à quelques services d'escort girls. Si ça ne plaît pas au gouvernement, vous n'avez qu'à changer la loi.

– Je ne suis pas très patient avec les gens comme vous, monsieur Dolan, dit Clawson en ouvrant la fermeture éclair du porte-documents. Regardez ces photos. Quoi qu'elles soient en dessous de la réalité. Dans une photo, on ne peut pas mettre l'odeur de décomposition.

– Je ne veux pas les voir.

– Si, vous le voulez, dit Clawson qui se leva et posa sur le bureau de Nick huit instantanés en noir et blanc. Le tireur ou les tireurs ont utilisé des cartouches de .45. Cette fille, ici, paraît avoir quinze ans. Regardez la fille qui s'en est pris une dans la bouche. Quel âge ont vos filles?

– Je n'ai rien à voir avec ça.

– Peut-être. Ou peut-être que si. Mais vous êtes un maquereau, monsieur Dolan, exactement comme Arthur Rooney. Vous vendez de la maladie, vous poussez à l'addiction aux drogues et à la pornographie. Vous êtes un parasite qui devrait être effacé de la planète à la paille de fer.

– Vous n'avez pas le droit de me parler comme ça.

– Allez vous faire foutre.»

Nick balaya les photos de son bureau et les fit tomber sur le sol. «Sortez d'ici. Et reprenez ces photos.

– Elles sont à vous. Nous en avons plein d'autres. Le FBI interroge vos stripteaseuses. J'espère que ce que je vais entendre correspondra avec ce que vous m'avez dit.

– Ils font quoi ? Vous êtes de l'ICE. Qu'est-ce que vous foutez là ? Je ne fais pas entrer clandestinement des gens dans le pays. Je ne suis pas un terroriste. Qu'est-ce qui vous prend ? »

Clawson remonta la fermeture éclair de son porte-documents vide et regarda autour de lui. « C'est joli, ici. Ça me rappelle un restaurant mexicain où je mangeais, à Santa Fe. »

Après le départ de Clawson, Nick resta assis, comme engourdi, dans son fauteuil pivotant, ses oreilles résonnant comme des timbales. Puis il entra dans la salle de bains de sa femme et prit une de ses pilules de nitroglycérine, persuadé que son cœur allait le lâcher.

Quand sa femme l'appela pour déjeuner, il ramassa les photos que l'agent de l'ICE avait laissées, les fourra dans une enveloppe kraft et les enterra au fond d'un tiroir de son bureau. À table, dans le solarium, il chipotait avec sa nourriture en essayant de ne pas trahir son inquiétude, sa peur et sa tristesse.

Les grands-parents de sa femme étaient des Juifs russes de la plaine sibérienne et elle, son fils et les jumelles de quinze ans avaient encore les magnifiques cheveux noirs, la peau mate et les traits asiates qui, même à plus de soixante-dix ans, caractérisaient la grand-mère. Nick n'arrêtait pas de regarder ses filles, et au lieu de leurs visages, il voyait ceux des femmes et des jeunes filles exhumées, sur les photos, le rouge à lèvres barbouillé sur la bouche de l'une d'elles, des grains de terre encore pris dans ses cheveux.

« Tu n'aimes pas le thon ? demanda Esther, sa femme.

– Le quoi ? répondit-il stupidement.

– La nourriture que tu mâches comme si c'était du carton humide.

– C'est bon, mais j'ai mal aux dents, c'est tout.

« – Qui c'était, ce type ? » demanda Jesse, son fils. C'était un garçon maigre, pâle, aux bras flasques, les côtes aussi saillantes que s'il portait un corset. Il avait un QI de 160. Dans l'annuaire du lycée, sous sa photo, on lisait juste : « Comité d'organisation, dernière année » et « Président du club d'échecs ». Le club d'échecs comptait trois autres membres.

« Quel type ? demanda Nick.

– Le type qui ressemble à un pénis à l'envers, dit Jesse.

– Tu n'es pas trop vieux pour recevoir une gifle, dit Esther.

– C'est un homme de l'Immigration. Il voulait des renseignements à propos de certains de mes employés latinos au restaurant, dit Nick.

– Tu as pris les chambres à air ? » demanda Ruth, l'une des jumelles.

Nick regarda devant lui d'un air absent. « J'ai oublié.

– Tu nous avais promis que tu viendrais avec nous dans les rapides, dit Kate, l'autre jumelle.

– La rivière est encore haute. Il y a des remous au bout. Je les ai vus. C'est profond, juste là où il y a une entaille sous la rive. Je pense qu'on devrait attendre un peu. »

Les deux filles fixèrent leur assiette d'un air maussade. Il sentait les yeux de sa femme sur le côté de son visage. Mais ce qui l'embêtait, ce n'était pas la déception de ses filles, ni la désapprobation tacite de sa femme. Il savait que sa promesse rompue aurait pour unique conséquence que les filles descendraient quand même les rapides, avec des lycéens trop âgés pour elles, et qui ne seraient que trop heureux de fournir les chambres à air et les mains pour les guider. Dans sa tête, il voyait déjà les remous attendre ses filles, de l'écume blanche tourbillonnant au-dessus de leur gouffre sombre.

« J'irai chercher les chambres à air, dit Nick. Mangez lentement, pour ne pas avoir de crampes. »

Il retourna à son bureau et ferma la porte à clef. Qu'allait-il faire ? Il n'arrivait même pas à imaginer un moyen de se débarrasser sans risque des photographies, du moins pas en plein jour. L'ICE avait son nom, Hugo Cistranos tournait autour de lui comme un requin, et sa conscience l'élançait comme une glande infectée. Il ne voyait pas une personne au monde qu'il aurait pu appeler au secours.

Il s'assit à son bureau, la tête entre les mains. Combien de temps se passerait-il avant qu'Hugo Cistranos n'arrive à sa porte, réclamant de l'argent, laissant entendre que Nick était un lâche, faisant des remarques sur son addiction à la nicotine, sur son poids, sur sa mauvaise vue, sur son incapacité à assumer la catastrophe qu'avaient suscitée ses mots imprudents : « Efface l'ardoise. »

S'asseoir et attendre que la catastrophe lui tombe dessus était stupide. Il avait entendu cent fois l'histoire de gens qui avaient « abandonné » le contrôle pendant des périodes d'adversité. Et merde. Il parcourut son répertoire et composa un numéro sur le téléphone de son bureau.

« Comment t'as eu ce numéro ? demanda une voix avec l'accent de La Nouvelle-Orléans.

– C'est toi qui me l'as donné, Artie.

– Alors, que j'aille me faire foutre.

– Hugo Cistranos m'a dit que que tu lui avais offert ta Caddy pour me buter ?

– Il ment. Je tiens à ma Caddy. C'est une voiture de collection.

– Hugo est un tas de choses, mais il n'est pas menteur.

– Tu devrais le savoir. Hugo est ton employé, pas le mien. J'embauche pas de psychopathes.

– Je ne suis pas coupable de ce que tu penses.

– Ah ouais ? Alors, de quoi ? De quoi pourrais-tu être coupable, Nicholas ? »

Nick entendait les fils du téléphone bourdonner dans le silence.

« Tu veux pas le dire ? Je pense pas que ma ligne soit sur écoute. Si tu peux pas te décharger de tes péchés sur ton vieux pote Artie Rooney, à qui tu peux te fier, Nicholas ?

– On dit Nick. Tu as dit à Hugo que mon nom de famille est Dolinski ?

– C'est pas vrai ?

– Si, c'est vrai, parce que mon grand-père a dû en changer pour que lui et sa famille ne finissent pas en savonnettes. Ils ont dû en changer pour que les suceurs de bites irlandais antisémites du Département d'État de Roosevelt ne les virent pas du pays.

– C'est une histoire très triste, Nick. Tu pourrais peut-être la vendre pour en faire une dramatique télé ? Est-ce que ton grand-père ne vendait pas des lacets en porte-à-porte le long de Magazine Street ?

– C'est exact. Avec Tennessee Williams. Ils tenaient aussi ensemble une soupe populaire dans le Vieux Carré. On trouve son nom dans plusieurs livres sur Tennessee Williams. »

Nick entendit rire Artie. « Ton grand-père et un chanteur country mondialement connu vendaient de la soupe aux alcoolos ? C'est connu, les riches font souvent ça, dit Artie. Quand tu passes à Houston ou à Dallas, viens me voir. Sans toi, la vie n'est pas drôle. Au fait, dis à Hugo qu'il me doit du fric. Et, à ce propos, toi aussi. »

Il raccrocha.

Nick décida que cette angoisse et ce découragement ne prendraient pas le contrôle du reste de sa journée. Il loua en ville de grandes chambres à air, assez grosses pour faire flotter un piano. Il s'arrêta à la pâtisserie et acheta un cake aux carottes, nappé d'un glaçage blanc et enrubanné d'une chaîne de fleurs roses et vertes. Il mit dans des glaçons un litre et demi de glace à la pêche. Il enfila une paire de sandales de plage et un short de boxe violet en rayonne qui lui descendait aux genoux, accompagna ses enfants au bord de la rivière et passa dans les chambres à air une longue corde de nylon, les reliant de façon qu'elles ne se séparent pas quand elles flotteraient en direction des rapides.

Nick était le premier de la chaîne, engoncé dans sa chambre à air, son ventre aussi blanc que celui d'un poisson, le visage entouré de Ray-Ban bandeau. L'ombre des arbres glissait au-dessus d'eux, l'éclat du soleil s'éparpillant dans leurs feuilles.

Il posa la nuque sur le caoutchouc dont la chaude odeur chimique avait quelque chose de réconfortant, le courant lui picotant la colonne, ses poignets traînant dans l'eau. Devant lui, un barrage partiel orientait le courant vers un étroit passage. Il entendait le bruit du rapide monter en volume et en intensité et sentait la force de l'eau rediriger sa course.

Soudain, ses enfants et lui glissèrent sur les vagues à travers l'ouverture, rebondissant dans l'eau blanchie par des geysers d'écume, leurs cris de joie se joignant à ceux des autres flotteurs, le soleil aussi aveuglant que la torche d'un soudeur.

Le tourbillon près de l'entaille sous la rive disparut derrière eux, incapable d'attirer dans sa gueule Nick et sa famille.

Ils tirèrent leurs chambres à air sur un banc de sable et payèrent un jeune avec un pick-up pour qu'il les reconduise en amont, afin qu'ils puissent recommencer. Ils restèrent dans l'eau jusqu'au crépuscule, filant comme des pros à travers les rapides. À la fin de la journée, Nick était couvert de coups de soleil, ses cheveux et son short trop grand crissant de sable, son cœur gonflé de fierté pour lui, ses enfants, les choses qu'il possédait et la belle vie qu'il pouvait offrir à sa famille.

Ils mangèrent le cake et la glace à la pêche sur une couverture au bord de la rivière, tandis que le soleil s'éteignait en une petite étincelle dans des nuages de pluie à l'ouest. Il sentait dans le vent une odeur d'allume-feu et de viande grillée, voyait des lanternes japonaises accrochées dans les arbres de ses voisins, et entendait la musique d'une garden-party que quelqu'un donnait de l'autre côté de l'eau. La lumière de l'été était emprisonnée haut dans le ciel, comme si la nature avait dompté ses propres règles. D'une certaine façon, la saison était devenue éternelle et, d'une certaine façon, l'idée même de mortalité avait été évacuée de la vie de Nick.

Il remonta avec ses enfants les degrés de pierre menant à sa maison, puis alla dans son bureau, sortit du tiroir l'enveloppe kraft contenant les photos, prit une boîte d'allume-feu et une plaquette d'allumettes à côté du barbecue. Quand il revint au bord de la rivière, le ciel était pourpre, rempli d'oiseaux qui semblaient ne pas avoir d'endroit où se poser, et il crut sentir une odeur de gaz dans les arbres. La surface de la rivière semblait plus épaisse, ses profondeurs plus froides. La pelouse bleu-vert de la maison sur l'autre rive était maintenant jonchée de gobelets de bière et d'assiettes en carton ; l'orchestre continuait à jouer, comme une radio que quelqu'un aurait oublié d'éteindre.

Les coups de soleil sur son visage et sous ses aisselles lui faisaient très mal. Il sortit les photos de l'enveloppe, les roula en cône, et il passa l'allume-feu le long des bords. Quand il frotta une allumette, la flamme remonta rapidement le long du cône jusqu'à ses doigts. Il essaya de séparer les photos et de les laisser brûler sans les lâcher ni se faire mal à la main. Mais elles s'éparpillèrent dans l'herbe, les visages de toutes ces femmes et de ces jeunes filles le fixant, la chaleur noircissant le papier au milieu, faisant se recourber le bord des photos, dissolvant les cheveux, les chairs, les yeux, les dents, en une flamme chimique.

L'odeur de poils brûlés sur le dessus de sa main lui monta au visage et, dans sa tête, il vit un four au sud-ouest de la Pologne, ses portes métalliques béantes, et à l'intérieur du four il vit un souffle de vent réduire en cendres les restes de ses filles.

Un Latino avait appelé le 911 à propos d'un homme ivre, ou blessé, qui titubait dans le noir au bord de la route.

« Cet homme faisait du stop ? demanda le répartiteur.

– Non, il est à côté d'une voiture. Il est tombé.

– Il a été heurté par un véhicule ?

– Comment je le saurais ? Il est pas en bon état, ça c'est sûr. Il essaie de monter dans la voiture. Ça y est, il y retourne.

– Où il retourne ?

– Par terre. Non, je retire ce que j'ai dit. Il s'est relevé et il se traîne à l'intérieur. Seigneur, un camion vient de passer. Le mec va être en purée.

– Redites-moi d'où vous appelez. »

Celui qui appelait donna le numéro d'une borne, mais évidemment, dans la lumière misérable, il lut mal les chiffres et l'adjoint qui fut envoyé sur place se trouva sur une bande de route vide, des boules d'amarante rebondissant sur le terre-plein central.

Quand Hackberry Holland eut appris d'Ouzel Flagler le nom de Pete Flores, il appela la compagnie d'électricité, où quelqu'un lui dit qu'il trouverait P. J. Flores en haut d'un chemin à une vingtaine de kilomètres du chef-lieu du comté, dans une maison dont l'électricité devait être coupée dans trois jours pour non-paiement.

Il était sept heures trente et une quand Hackberry et Pam Tibbs remontèrent un chemin de pierre jusqu'à une parcelle de terre sèche où une maison en bois était posée à l'ombre d'une colline, sa porte de devant ouverte, les rideaux se gonflant à l'intérieur des montants des fenêtres. Il n'y avait aucun véhicule derrière, ni sur le chemin. Un corbeau était posé sur la citerne. Quand Hackberry et Pam Tibbs mirent le pied sur la galerie, il battit des ailes et monta dans le ciel.

« Je suis le shérif Holland ! cria Hackberry. Il faut que je parle à Pete Flores. Sortez sur la galerie, s'il vous plaît. »

Pas de réponse.

Hackberry franchit la porte le premier. Le vent semblait remplir l'intérieur de la maison d'une façon qui lui rappela sa propre maison après la mort de sa femme, comme si un vol terrible venait d'être commis, auquel le seul remède était le silence. Il s'enfonça dans la maison, ses bottes résonnant sur le plancher. Sur la table de la cuisine était posée une assiette avec un sandwich au fromage à moitié mangé. Des miettes sèches étaient répandues sur l'assiette. Un robinet gouttait dans une casserole sale dans l'évier. Un sac à ordures, doublé et scotché, était posé sur le porche de derrière, comme si quelqu'un avait prévu de l'emporter à la benne au bord de la route, ou de l'enterrer, et avait été interrompu.

L'armoire à pharmacie et le placard de la chambre étaient vides, des cintres éparpillés sur le sol. Le rouleau de papier-toilette avait été retiré de son axe. Hackberry regarda par la moustiquaire de devant, et vit dans la cour un petit garçon latino sur une bicyclette. Le garçon n'avait pas plus de dix ou onze ans, et il observait le fusil à pompe fixé au tableau de bord du véhicule de patrouille. La bicyclette du gamin était vieille, avec des gros pneus, et elle était trop grande pour lui.

« Tu sais où se trouve Pete Flores ? demanda Hackberry en avançant sur la galerie.

– Il est pas chez lui ? demanda le garçon.

– Je crois que non. »

Le garçon ne dit rien. Il remonta sur la bicyclette, l'air absent.

« Je suis le shérif Holland. Pete m'aide pour une petite affaire. Tu sais où il pourrait être ?

– Non, m'sieur. miss Vikki est pas là non plus ?

– Non, il n'y a personne.

– Alors comment ça se fait que vous êtes dans leur maison ? »

Hackberry s'assit sur les marches et ôta son chapeau. Il redressa le feutre sur la calotte. Il leva la tête dans le soleil qui passait par-dessus la colline. « Comment tu t'appelles ?

– Bernabe Segura.

– Pete a peut-être des ennuis, Bernabe. Quel est le nom de famille de miss Vikki ?

– Gaddis.

– Tu sais où je pourrais la trouver ? »

Le regard du petit garçon était voilé, comme s'il fixait une image enfouie derrière ses paupières.

« Tu m'écoutes, Bernabe ?

– Il y avait des hommes ici hier soir. Ils avaient des lampes torches. Ils sont entrés dans la maison.

– Alors, tu es venu ici pour voir Pete ?

– Aujourd'hui, on devait aller chercher des pointes de flèches.

– Tu n'aurais pas dû venir ici tout seul. Où est ton père ?

– J'en ai pas. » Bernabe tapa sur son guidon. « C'est Pete qui m'a donné ce vélo.

– Où pourrais-je trouver miss Vikki, Bernabe ? »

Junior Vogel s'appuya sur le comptoir. « Je le savais, dit-il.

– Vous saviez quoi ? » demanda Hackberry

Junior prit un torchon sur le comptoir, s'essuya les mains et le jeta en direction d'un container de plastique jaune rempli de torchons et de tabliers sales. « C'est ce satané gamin avec qui elle vit. Pete Flores. Qu'est-ce qu'il a fait ?

– À ma connaissance, rien. On a juste besoin qu'il nous donne des renseignements.

– Vous plaisantez ? Quand ce gosse est pas bourré, il a la gueule de bois. Quand elle a quitté le *diner*, je savais qu'elle avait des ennuis. J'aurais dû intervenir.

– Je ne suis pas certain de vous suivre.

– Elle est venue chercher son chèque. Mais il se passait deux ou trois choses en même temps. Comme un mauvais présage ou un truc comme ça. Je sais pas comment dire. Un type voulait acheter du lait pour son bébé. Puis deux types dans une Trans Am ont commencé à s'en prendre à elle. Sur le coup, j'ai pas compris. »

Pam Tibbs regarda le profil d'Hackberry Holland, puis Junior, puis à nouveau Hackberry. « On n'a aucune idée de ce dont vous parlez, monsieur. Vous pouvez parler plus clairement ?

– Ce type a dit qu'il avait une chambre au Super 8, et qu'il lui fallait du lait pour sa petite fille de trois mois. Je lui ai demandé pourquoi il était pas allé à la supérette. Il m'a dit qu'il était plus de onze heures, et que le magasin était fermé. Alors j'ai pris un litre et demi dans mon réfrigérateur, et je lui ai dit de me donner deux dollars. Mais il avait pas les deux dollars. Comment un type peut-il vouloir acheter du lait et traverser le Texas avec sa famille s'il a même pas deux dollars dans sa poche ?

« Pendant que j'étais occupé avec lui, les deux hommes de la Trans Am harcelaient Vikki. J'ai jamais aucun ennui ici, mais soudain tout me tombait dessus à la fois, vous me suivez, maintenant ? Les ivrognes et les grandes gueules n'embêtent pas mes employées, en particulier Vikki. Tout le monde le sait. "Orchestré", voilà le mot que je cherchais. Je pense que tout ça était orchestré.

– Vous avez le numéro de permis d'un de ces types ? demanda Hackberry.

– Non. »

Hackberry posa sa carte de visite sur le comptoir de verre.

« Si vous avez des nouvelles de Vikki, ou si vous revoyez un de ces types, appelez-nous, dit-il.

– Qu'est-il arrivé à Vikki ? demanda Junior. Vous m'avez rien dit.

– Nous ignorons où elle est. Pour autant qu'on le sache, vous êtes la dernière personne à l'avoir vue », dit Hackberry.

Junior Vogel poussa un soupir, la paume de sa main sur sa tête. « Quand j'ai regardé par la fenêtre, le type au lait était devant elle. Les deux salopards de la Trans Am ont pris de l'essence et sont partis dans la même direction. J'ai eu tout ça sous les yeux et j'ai rien fait. »

Tandis qu'ils roulaient sur la nationale en direction de la ville, le ciel était gris de poussière. C'est Pam Tibbs qui conduisait.

« J'ai parlé à mon cousin Billy Bob Holland, dit Hackberry. C'est un ancien Texas Ranger, et maintenant il est homme de loi dans l'ouest du Montana. Il connaît Pete Flores depuis son enfance. Il dit que Pete était le meilleur petit garçon qu'il ait connu. Il dit aussi qu'il était le plus intelligent.

– Ces temps-ci, il n'est pas difficile pour un brave gosse de s'attirer des ennuis.

– Billy Bob dit qu'il parierait que ce gosse est innocent de tout méfait, du moins du type de méfaits dont on parle.

– Mon père était au Vietnam. À son retour, il était psychotique. Il s'est pendu dans une cellule de prison. » Pam regardait droit devant elle, ses mains sur le volant dans la position dix heures-deux heures, le regard aussi vide qu'une statue de bois.

« Arrête-toi sur le bas-côté, dit Hackberry.

– Pourquoi ?

– Ce maton nous fait signe. »

Les détenus venaient d'une prison sous contrat, et portaient des combinaisons orange. Ils étaient enchaînés en une longue file sur la rigole, ramassant des déchets qu'ils fourraient dans des sacs de vinyle qu'ils nouaient et laissaient sur l'accotement. Un bus vert aux fenêtres grillagées était garé un peu plus loin, ainsi qu'un camion diesel à plateau, avec un van accroché au pare-chocs arrière. Un maton à cheval se tenait à l'arrière et un autre en tête de la file qui travaillait le long de la route. Un homme non armé en uniforme gris, avec un passepoil rouge sur le col et sur les poches, était debout en haut de la rigole, attendant la voiture de patrouille. Il portait des lunettes d'aviateur teintées de jaune et un élégant chapeau de cow-boy en paille. Son uniforme était moucheté de brins de paille soufflés du sol. Son cou et son visage étaient profondément ridés, comme la peau d'une tortue. Ni Hackberry ni Pam ne le connaissaient.

« Que se passe-t-il, cap ? demanda Hackberry en sortant de sa voiture.

– Vous voyez ce jeune Latino, là-bas, entièrement tatoué avec des lettres gothiques ?» Sur la poche du capitaine était épinglée une plaque de métal sur laquelle on lisait RICKER.

«Eh bien ? dit Hackberry.

– Il a tué un patron de bar avec un couteau, parce que le gars ne voulait pas rendre au gamin la monnaie qu'il avait perdue dans le flipper. Devinez ce qu'il vient de trouver derrière ces rochers ? Quand il me l'a tendu, j'ai failli en chier dans mon froc.

– Qu'est-ce qu'il a trouvé ?» demanda Hackberry.

Le capitaine sortit de sa poche un revolver en acier. «C'est un Airweight .38, à cinq balles. Deux coups ont déjà été tirés. Ne vous inquiétez pas. Le percuteur est sur une chambre vide. »

Hackberry sortit de la poche de sa chemise un stylo à bille qu'il glissa dans le pontet, et prit le revolver des mains de Ricker. Pam Tibbs sortit un sac zippé de la voiture et y mit le revolver.

«Je n'aurais pas dû le manipuler ? demanda Ricker.

– Vous avez fait ce qu'il fallait. Je vous remercie de nous avoir fait signe, dit Hackberry.

– Et ce n'est pas tout. Venez voir par là», dit Ricker. Il les précéda et leur montra un carré d'herbe, là où, pendant la saison des pluies, de l'eau s'écoulait de la route dans la rigole. «Je suppose qu'en ce moment même, il manque une pinte ou deux à quelqu'un. »

Sur une large surface, l'herbe était mouchetée de sang, qui à certains endroits avait formé une flaque séchée sur le dessus de la terre. Pam Tibbs s'accroupit et examina l'herbe, les brins brisés, les creux et les endroits où les taches de sang donnaient l'impression qu'un corps avait été tiré. Elle se releva et prit le chemin de la voiture, dans la direction du relais routier et du *diner*, avant de s'accroupir à nouveau. «Je dirais qu'il y a eu ici deux véhicules, shérif, dit-elle. Selon moi, la victime a reçu la balle à peu près ici, à proximité du premier véhicule, puis

73

elle a été traînée, ou s'est traînée elle-même, jusqu'au véhicule numéro deux. Mais pourquoi le tireur a-t-il jeté l'arme ?

– Elle n'était peut-être pas à lui, ou à elle, plutôt, dit Hackberry.

– Vous voulez prendre mes empreintes et celles de ce gamin latino, pour pouvoir nous exclure quand vous nettoierez l'arme ? demanda Ricker.

– Ouais. Et il faut qu'on boucle la scène de crime. Des Fédés viendront sans doute vous parler un peu plus tard.

– Qu'est-ce que les Fédés pourraient bien me vouloir ?

– Vous avez entendu parler de toutes ces Asiatiques qui ont été assassinées ?

– Quel rapport ? Je suis assez triste comme ça, shérif.

– Alors on est deux. Bienvenue dans le Nouvel Empire américain, capitaine. »

5

Allongé sur un lit avec vue sur un poulailler, un enclos avec six chèvres à l'intérieur, et les ruines rouillées d'un moulin à vent dépourvu d'ailes, dans lesquelles étaient enchevêtrées des broussailles sèches apportées par le vent, l'homme surnommé le Prêcheur n'arrivait pas à se sortir la femme de la tête, ni l'odeur de sa peur, de sa sueur et de son parfum pendant qu'il luttait avec elle sur le sol, ni son expression quand elle lui avait tiré une balle de .38 sur le dessus du pied, et qu'un jet de sang avait giclé de sa semelle. Son expression ne traduisait ni le choc, ni la pitié, comme le Prêcheur s'y serait attendu. C'était une expression de triomphe.

Non, ça n'était pas ça non plus. Ce qu'il avait vu sur son visage, c'était du mépris et du dégoût. Elle lui avait cramé les yeux avec une bombe insecticide, lui avait pris son arme, lui avait tiré dessus à bout portant, avait écrasé son portable sous son pneu, et l'avait laissé saignant comme un animal blessé au bord de la route. Elle avait aussi pris le temps de l'appeler connard, et de l'informer qu'il s'en était bien tiré. Elle avait fait tout ça à un homme dont certains considéraient qu'en termes de potentiel, il n'était qu'un cran en dessous du fléau de Dieu.

L'épaisseur de bandages et de sparadrap sur son mollet sentait la pommade médicinale et le sang séché, mais les pilules antidouleur qu'il avait prises et l'injection du vétérinaire avaient engourdi ses nerfs jusqu'à la cheville. Le plâtre sur son pied était une autre affaire. Il avait l'impression d'avoir du ciment humide sur la peau, et la chaleur, la sueur et le frottement qu'il générait lui causaient une terrible douleur. Vingt minutes auparavant, l'électricité était tombée en panne et le ventilateur sur sa table de nuit s'était arrêté. Maintenant il sentait la chaleur et l'humidité s'intensifier dans les murs, le toit de métal se dilater, tintant comme une corde de banjo.

« Mets-moi encore un peu de glace sur le pied, dit-il à Jésus, le Latino propriétaire de la maison.

– Elle a fondu.

– Tu as appelé la compagnie d'électricité ?

– On n'a pas le téléphone, patron. Quand il fait cette chaleur, on a des coupures. L'électricité revient quand ça se rafraîchit. »

Le Prêcheur appuya la nuque contre l'oreiller et fixa le plafond. La pièce était étouffante, et il sentait une puanteur de plus en plus forte monter de l'intérieur de la blouse d'hôpital qu'il portait depuis deux jours. Quand il fermait les yeux, il voyait à nouveau le visage de la fille, qui l'emplissait à la fois de désir et de ressentiment pour la passion sexuelle qu'elle excitait en lui. Hugo lui avait apporté son .45 automatique. C'était un modèle de 1911, à la ligne simple, toujours fiable, d'une efficacité que la plupart des gens n'imaginaient pas. Le Prêcheur passa la main sous son matelas et palpa la dureté de la carcasse du .45. Il pensait à la fille, à ses arcades sourcilières proéminentes, à ses cheveux châtains bouclés aux extrémités, à sa langue et à ses dents quand elle ouvrait la bouche. Il garda longtemps en tête cette dernière image.

« Dis à ta femme d'aller chercher une éponge et de venir me laver, dit-il.

– Je peux vous baigner.

– J'ai l'air d'un *maricón* ? dit le Prêcheur avec un grand sourire.

– Je lui demanderai, patron.

– Ne lui *demande pas*. Dis-lui de le faire. Hugo t'a donné assez d'argent, non ? Pour toi, et ta famille, et le vétérinaire qui me laisse autant souffrir ? Vous avez été bien payés, non, Jésus ? Il t'en faut plus ?

– C'est *bastante*.

– Hugo t'a donné *bastante* pour t'occuper du gringo. "*Bastante*", ça veut dire "assez", non ? Comment je dois comprendre ça ? Assez pour faire quoi ? Pour me trahir ? Peut-être parler de moi à ton prêtre ? » Le regard du Prêcheur se fit brumeux et amusé.

Les cheveux de Jésus étaient aussi noirs et brillants que de la peinture, coiffés comme ceux d'un matador, sa peau pâle, ses mains petites, ses traits fragiles, comme ceux d'un poète espagnol atteint de consomption. Il n'avait pas plus de trente ans, mais sa fille avait au moins dix ans et son énorme femme aurait pu être sa mère. Allez comprendre, se dit le Prêcheur.

Ce soir-là l'électricité revint, mais le Prêcheur ne parvenait pas à se débarrasser de son cafard et de ses doutes concernant son environnement et ses gardes-malade. « Ton nom est une sorte de blasphème, dit-il à Jésus.

— Est quoi ?

— Essaie de faire des phrases complètes. N'oublie pas le sujet. "Est" est un verbe, pas un nom. Tes parents t'ont donné le nom du Seigneur, mais tu acceptes de l'argent pour cacher un gringo et enfreindre les lois de ton pays.

— Je dois faire ce que j'ai à faire, patron.

— Conduis-moi dehors. Et ne me mets pas à un endroit où je sente l'odeur de ces chèvres. »

Jésus monta le fauteuil roulant pliable près du lit, y installa le Prêcheur, puis le convoya à l'abri de la maison, son .45 sur les genoux. La vue vers le sud était magnifique. Le ciel était couleur lavande, les étendues désertiques bornées non par des frontières terrestres, mais par les découpures arbitraires de l'ombre et de la lumière. Peu de gens auraient trouvé une vue pareille spirituellement réconfortante, mais le Prêcheur, si. Les lits de rivières à sec étaient préhistoriques, les ravins semés de rochers de la couleur des pommes ratatinées, des prunes, des abricots. Le Prêcheur voyait des morceaux de bois que la pluie, le vent et la chaleur avaient sculptés, déformés et durcis en objets décolorés qu'on aurait pu prendre pour des ossements de dinosaures. Le désert était immuable, aussi enveloppant qu'une divinité, serein dans sa magnificence, remontant à l'Éden, témoignage de la prévisibilité et du grand dessein dans toute la création, comme une maîtresse qui attire à elle ceux qui ne craignent pas de la pénétrer, de la conquérir et de l'utiliser.

« Tu as déjà entendu parler d'Herbert Spencer ? demanda le Prêcheur.

– Qui ? dit Jésus.

– C'est bien ce que je pensais. Déjà entendu parler de Charles Darwin ?

– *Claro que si.*

– C'est Herbert Spencer qui a compris le fonctionnement de la société, pas Darwin. Darwin n'était pas un sociologue, ni un philosophe. Tu piges ça ?

– Tout ce que vous voulez, patron.

– Pourquoi tu souris ?

– Je pensais que vous faire une plaisanterie.

– Tu penses que je veux que tu sois d'accord avec moi ?

– Non, patron.

– Parce que si c'était le cas, ça serait une insulte. Mais tu n'es pas comme ça, hein ?»

Jésus baissa la tête et croisa les bras, les traits tirés par la fatigue et l'incapacité à comprendre la rhétorique alambiquée du Prêcheur. Une brume pourpre se déposait sur les mesas et le vaste plateau qui s'étendait vers le sud, la poussière montant du *hardpan*[1], les arbres à créosote devenant sombres dans le crépuscule. Non loin de là, Jésus vit un coyote creuser dans le terrier d'un spermophile, expédiant de ses griffes la terre derrière lui, enfonçant son museau dans le trou.

« Vous avez de la famille ? Des gens qui peuvent aider s'occuper de vous, patron ?» demanda Jésus.

---

1. Couche de sol dense et épaisse, en grande partie imperméable à l'eau.

Il n'aurait pas dû poser cette question. Le Prêcheur leva la tête comme aurait pu le faire un poisson quand il vient se nourrir à la surface. Il y eut dans ses yeux une perle de lumière, inattendue et énigmatique, comme une allumette de cuisine humide qui s'enflamme. « J'ai l'air d'un homme qui n'a pas de famille ?

— Je pensais que peut-être il y a quelqu'un que vous voulez que j'appelle.

— Un homme insémine une femme. La femme expulse l'enfant de son utérus. Maintenant, on a donc un père, une mère et un enfant. C'est une famille. Tu es en train de dire que je suis différent ?

— Je voulais rien dire, patron.

— Rentre.

— Quand il fait frais, les moustiques sortent. Ils vont vous prendre et vous emporter, patron. »

L'expression du Prêcheur parut se disloquer.

« J'ai compris, patron. Quand vous êtes prêt à manger, ma petite fille a fait de la soupe et des tortillas spécial pour vous », dit Jésus.

Jésus entra par-derrière, sans dire un mot de plus avant d'être dans la maison. Le Prêcheur regarda le coyote extraire un spermophile de son trou et courir pesamment sur le *hardpan*, la nuque raide, le spermophile lui pendant de la gueule. La femme de Jésus s'approcha de la fenêtre et regarda la silhouette du Prêcheur, le poing serré sur la bouche. Son mari l'écarta et ferma les rideaux, même si la maison était surchauffée par le réchaud à gaz de la cuisine.

Le matin, un homme au visage tanné avec une barbe orange et des tatouages bleus sur les bras amena une petite voiture pour le Prêcheur, puis repartit dans un autre véhicule avec un compagnon. La fillette de Jésus apporta au Prêcheur son repas sur un plateau, qu'elle posa sur ses genoux, mais sans partir.

« Mon pantalon est sur la chaise. Prends un demi-dollar dans la poche », dit-il.

La fillette prit deux quarters et referma la main dessus. Elle avait un visage ovale et brun, comme sa mère, les cheveux d'un châtain sombre, avec un ruban bleu.

« V's avez pas de famille ? demanda-t-elle.

– Tu poses trop de questions pour une gamine de ton âge, et quelqu'un devrait te donner des cours de grammaire.

– Je suis désolée que vous avez reçu une balle. »

Le regard du Prêcheur monta du visage de la fillette à la cuisine, où Jésus et sa femme, qui lui tournaient le dos, lavaient des assiettes dans une cuvette d'eau grasse. « J'ai eu un accident de voiture. Personne n'a tiré sur moi », dit-il.

Elle effleura le plâtre du bout des doigts. « Maintenant on a glace. Je la mettrai sur votre pied », dit-elle.

Ainsi, Jésus avait ouvert sa gueule devant sa femme et sa fille, pensa le Prêcheur. Ainsi, la petite fille pourrait dire à toutes ses amies qu'un gringo avec deux trous faits par des balles payait pour demeurer dans leur maison.

Que faire ? se demanda-t-il en fixant le plafond.

Tard dans l'après-midi, il eut un rêve fiévreux. Il tirait avec une mitraillette Thompson, le fût et le magasin cylindrique tournés sur le côté, de façon que le recul projette le canon horizontalement, et non pas vers le haut, dirigeant l'angle de tir parallèlement au sol plutôt qu'au-dessus des formes qu'il distinguait dans l'obscurité.

Il se réveilla brusquement dans la chaude lueur jaune de la pièce. Il ne savait plus trop où il était. Il entendait des mouches bourdonner, la clochette d'une chèvre, et il sentait l'odeur de l'eau croupie dans une mare. Il prit un linge humide dans une cuvette sur sa table de nuit et s'en essuya le visage. Il s'assit sur le bord du matelas, le sang redescendant dans son pied, et attendit que les images de son rêve libèrent son esprit.

Par la porte de la cuisine, il voyait Jésus, sa femme et sa petite fille assis autour de la table. Ils mangeaient des tortillas dans lesquelles ils avaient roulé des légumes marinés, le visage penché sur leurs bols, des miettes leur tombant de la bouche. Ils lui évoquaient des Indiens d'une autre ère, mangeant dans une grotte.

Pourquoi Jésus avait-il bavardé devant la gosse ? se demanda le Prêcheur. Peut-être a-t-il l'intention de bavarder devant un plus large public, peut-être devant le *jefe* et ses sacs à merde de métis en kaki, à la prison.

Le Prêcheur sentait la fraîcheur de la carcasse du .45 qui dépassait de sous son matelas. Ses béquilles étaient appuyées à une chaise en bois, dans le coin. Par la fenêtre, il apercevait la petite voiture marron clair qu'Hugo lui avait fait amener.

Le vétérinaire revenait dans la soirée. Le vétérinaire, Jésus, sa femme et la fillette seraient tous dans la maison en même temps.

Cette connerie, c'était de la faute d'Hugo Cistranos, pas de la sienne, pensa le Prêcheur. Comme la séance derrière l'église en stuc. C'est Hugo qui avait mis le feu aux poudres. Le Prêcheur n'avait pas inventé la façon dont tourne le monde. La capacité du coyote à arracher le spermophile à son terrier était ancrée dans ses gènes. Une plaine inondable vieille de cent millions d'années, qui se fondait dans l'infini, ne contenait qu'un seul type d'objet significatif : les os minéralisés de tous les mammifères, reptiles et oiseaux qui avaient fait tout le nécessaire pour survivre. Si quiconque en doutait, il lui suffisait de plonger un seau au bout d'une perche dans l'un de ces anciens lits de rivière qui, au crépuscule, ressemblent à du mastic calcifié.

À la nuit tombante, Jésus apporta son dîner au Prêcheur.

«À quelle heure vient le véto ? demanda le Prêcheur.

– Lui pas véto. *Es médico*, patron. Lui être ici bientôt.

– Réponds à ma question. Quand est-ce qu'il vient ?

– Peut-être quinze minutes. Vous aimer bien la nourriture ?

– Donne-moi mes béquilles.

– Vous lever ? »

Tourné vers le haut, le visage du Prêcheur ressemblait aux contours d'une hache.

« Je vais les chercher, patron », dit Jésus.

La femme de Jésus avait lavé à la main le pantalon du Prêcheur, sa chemise, ses chaussettes et ses sous-vêtements, remis dans les poches la monnaie, les clefs et le canif, soigneusement installé les vêtements sur la chaise en bois près du mur. Le Prêcheur avança péniblement jusqu'à la chaise, prit ses vêtements et se rassit sur le matelas. Puis, lentement, il s'habilla, évacuant de son esprit les événements qui se dérouleraient dans la maison au cours des prochaines minutes.

Il n'avait pas rentré sa chemise, qu'il avait laissé dépasser de son pantalon. Par la fenêtre de devant, il vit le pick-up du vétérinaire, à la peinture écaillée, brinquebaler dans les ornières, brassant dans l'air un nuage de fine poussière blanche. Le Prêcheur dégagea le .45 de sous son matelas et le glissa à l'arrière de sa ceinture, avant de descendre sa chemise pour cacher la crosse. Le vétérinaire se gara derrière la maison et coupa le moteur, à l'instant même où la poussière soulevée par son véhicule entrait dans la maison et traversait les moustiquaires. Le Prêcheur se souleva sur ses béquilles et commença à avancer péniblement vers la cuisine, où Jésus, sa femme et la petite fille étaient assis à table, attendant le vétérinaire, qui tenait un pack de six Coca-Cola couverts de buée.

Le vétérinaire n'était pas rasé et portait un costume effiloché trop étroit pour lui, une cravate tachée et une chemise blanche à laquelle manquait un bouton au niveau du nombril. Il était atteint de myopie, ce qui l'amenait à plisser les yeux et à froncer les sourcils et, en conséquence, les gens du village le considéraient comme un homme studieux et éduqué, digne de respect.

« Vous avez l'air très bien, avec vos vêtements propres, *señor*. Voulez-vous que je change vos bandages ? J'ai apporté d'autres sédatifs pour vous aider à dormir », dit le vétérinaire au Prêcheur.

Le vétérinaire s'encadrait dans la porte-moustiquaire, le soleil rouge de fin d'après-midi créant un nimbe autour de ses cheveux non coupés et de ses joues couvertes d'une barbe de trois jours.

Le Prêcheur se stabilisa et dégagea sa main droite de sa prise sur la béquille. Il déplaça lentement la main derrière lui, de façon à ne pas perdre son équilibre, ses phalanges effleurant la masse du .45 coincé dans sa ceinture. « Je ne pense pas avoir besoin de quoi que ce soit cette nuit », dit-il.

Ils le fixaient tous sans rien dire, l'ampoule nue du plafond éclatant en échardes jaunes, réduisant les différences de leurs vies en flaques d'ombre à leurs pieds. Le Prêcheur entendait une voix dans sa tête : *Maintenant, maintenant, maintenant.*

« Rosa vous a fait des biscuits au beurre de cacahuète », dit Jésus.

Était-ce le prénom de la petite fille, ou le prénom de la femme ?

« Répète-moi ça ?

– Ma petite fille vous a fait un présent, patron.

– Je suis diabétique. Je ne peux pas manger de sucre.

– Vous voulez vous asseoir ? On dirait que vous avez mal, patron. »

La main droite du Prêcheur s'ouvrait et se fermait derrière son dos. Il se mordit légèrement la lèvre inférieure. « Quelle distance y a-t-il entre le chemin et la nationale ?

– Dix minutes, pas plus. »

Le Prêcheur déglutit et passa sa paume sur la crosse du .45, puis son regard se perdit, et il sentit une tension, comme une fissure qui divisait en deux la peau de son visage. Il sortit son portefeuille de sa poche arrière et, à l'aide de ses béquilles, se traîna jusqu'à la table de la cuisine. Il ouvrit le portefeuille sur la table et commença à compter des billets : « Il y a là onze cents dollars, dit-il. Avec ça, vous ferez l'éducation de la petite, vous lui achèterez des vêtements décents, vous ferez soigner ses dents, vous l'enverrez chez un médecin, et pas chez un charlatan. Vous la nourrirez bien, et vous brûlerez un cierge pour remercier le Ciel d'avoir une petite fille comme ça. Vous me comprenez ?

– Vous ne devoir pas me dire ces choses, patron.

– Et vous lui achèterez un livre de grammaire, et aussi un pour vous. »

Le Prêcheur remit le portefeuille dans sa poche, traversa la cuisine à pas lourds sur ses béquilles, franchit la porte-moustiquaire et sortit dans le jardin, sous un ciel pourpre et rouge sang qui semblait rempli du croassement de charognards.

Il s'affala derrière le volant de la Honda et démarra le moteur. Jésus sortit par la porte de derrière, une cannette de Coca-Cola dans la main.

« Certains ne savent pas quand s'arrêter, dit le Prêcheur entre ses dents.

– Patron, vous pouvez parler à Rosa ? Elle pleure.

– À propos de *quoi* ?

– Elle vous a entendu parler en dormant. Elle pense que vous allez en enfer.

– Tu ne comprends pas, c'est ça ?

– Comprendre quoi, patron ?

– Il est juste là, tout autour de nous, dans la brume du soir. On y est déjà, dit le Prêcheur, avec un geste vers la plaine que l'ombre gagnait.

– Vous êtes un gringo pas ordinaire, patron. »

En se réveillant dans l'aube bleue d'un samedi matin, Hackberry Holland regarda par la fenêtre de sa chambre et vit l'agent du FBI, Ethan Riser, dans son jardin, qui admirait ses parterres. Les cheveux de l'agent du FBI étaient aussi blancs et drus que du coton, et les capillaires de sa mâchoire ressemblaient à des fils bleus et rouges. Le jet iridescent de l'arroseur automatique de Hackberry avait déjà taché le costume pâle de Riser, mais il paraissait si concentré sur les parterres qu'il s'en rendait à peine compte.

Hackberry enfila un pantalon de treillis et un T-shirt, et sortit pieds nus sur le porche de derrière. Des peupliers étaient plantés au fond de sa propriété, pour couper le vent, et dans l'ombre qu'ils faisaient sur l'herbe, il voyait une biche et son faon qui le regardaient, leurs yeux bruns et humides dans la pénombre.

« Vous vous levez tôt, hein ? dit-il à l'agent du FBI.

– Je travaille aussi le dimanche. Moi et le pape.

– Que voulez-vous, monsieur ?

– Je peux vous inviter à petit-déjeuner ?

– Non, mais vous pouvez entrer. »

Tandis que l'agent s'asseyait à la table de la cuisine, Hackberry alluma la cafetière, cassa une demi-douzaine d'œufs dans une énorme poêle, et y ajouta deux côtes de porc. « Vous aimez les céréales ? demanda-t-il.

– Non merci. »

Devant la cuisinière, Hackberry remplit un bol de Rice Krispies, y ajouta du lait froid et commença à manger pendant que les œufs et la viande cuisaient. Ethan Riser s'appuya le menton sur la main et fixa le vide, essayant de ne pas regarder sa montre et de ne pas manifester son impatience. Ses yeux étaient d'un bleu glacé, impavides, ne trahissant ni doute ni culpabilité. Il s'éclaircit légèrement la gorge.

« Mon père était un botaniste et un acteur shakespearien, dit-il. Dans son jardin, il faisait pousser toutes les fleurs dont parle Shakespeare. Il lisait aussi Voltaire, et il était persuadé qu'il pouvait cultiver son propre jardin et se couper du reste du monde. C'est la raison pour laquelle c'était quelqu'un de tragique.

– Que vouliez-vous me dire, monsieur ? dit Hackberry en posant son bol de céréales dans l'évier.

– Il y avait deux séries d'empreintes sur le .38 Airweight que vous a donné le surveillant des détenus en bord de route. Une des deux correspond aux empreintes de Vikki Gaddis, que nous avons trouvées dans sa maison. Pour l'autre série, nous avons remonté sa trace par la banque de données des permis de conduire de Californie. Ce sont celles d'un certain Jack Collins. Il n'a pas de casier judiciaire. Mais nous avons entendu parler de lui. Il est surnommé le Prêcheur. Vous m'écoutez ?

– Dès que j'aurai pris un peu de café.

– Je vois.

– Vous prenez du sucre, ou du lait ?» demanda Hackberry.

Ethan Riser croisa les bras et regarda par la fenêtre les biches au milieu des peupliers.

«Ce que vous avez, dit-il.

– Servez-vous, dit Hackberry.

– Merci. On l'appelle le Prêcheur parce qu'il se prend pour la main gauche du Seigneur, celle qui donne la mort.» Ethan Riser attendait, commençant à manifester son agitation. «Ça ne vous impressionne pas ?

– Avez-vous déjà connu un sociopathe qui ne se croit pas d'une importance cosmique ? Que faisait ce type avant de devenir la main gauche du Seigneur ?

– Il s'occupait de dératisation. »

Hackberry commença à verser du café dans deux tasses, essayant de dissimuler son expression.

«Vous trouvez ça drôle ? dit Riser.

– Moi ?

– Vous avez dit que vous étiez à Pak's Palace. J'ai effectué quelques recherches. C'était une fabrique de briques, où le major Pak suspendait des GI à des poutres et les battait pendant des heures avec une matraque. Vous étiez l'un d'eux ?

– Quelle importance que j'aie été ou non l'un d'eux ? Ça s'est passé. La plupart de ces types ne sont pas revenus.» Hackberry fit glisser les œufs et la viande de la poêle sur une assiette, qu'il posa sur la table. Il la posa plus violemment qu'il n'en avait l'intention.

«Nous avons appris que ce type, le Prêcheur, est tueur à gages le long de la frontière. Nous avons appris qu'il ne fait pas de quartier. Par là, c'est une zone de feu à volonté. Il y a plus de gens tués à Coahuila et Nuevo León qu'en Irak. Vous le saviez ?

– Tant que ça ne se passe pas dans mon comté, ça ne m'intéresse pas.

– Il vaudrait mieux que ça vous intéresse. Peut-être Collins a-t-il déjà tué Pete Flores et la fille Gaddis. S'il est à la hauteur de sa réputation, il va revenir effacer ses traces. Vous me comprenez bien, shérif ? »

Hackberry souffla sur son café et en but une gorgée. « Mon grand-père était un Texas Ranger. Il a fait tomber John Wesley Harding[1] de sa selle, l'a tabassé à coups de pistolet, et l'a mis en prison.

– Qu'est-ce que ça veut dire ?

– Quand on cherche des ennuis aux gens qu'il ne faut pas, on s'attire un tas de problèmes, voilà ce que ça veut dire. »

Ethan Riser le dévisagea, à la limite de l'impolitesse. « J'ai entendu dire que vous étiez un dur à cuire. J'ai entendu dire que vous pensiez pouvoir vivre selon vos règles à vous.

– Ça va refroidir. Mangez.

– Je termine. Après le 11 septembre, le Service d'immigration et de naturalisation a été fondu avec les Douanes, pour former l'ICE. Il s'agit de l'un des organismes d'application de la loi les plus efficaces que nous ayons dans le Homeland Security. La grande majorité de ses membres sont des professionnels, et ils sont bons. Mais il y a dans le coin un type difficile à gérer.

– Ce Clawson ?

– C'est ça, Isaac Clawson. Il y a des années, deux tueurs en série agissaient dans le nord de l'Oklahoma. Ils faisaient des descentes dans le Kansas, le pays de Toto et Dorothy et de la

---

1. Légendaire hors-la-loi de l'Ouest (1853-1895), surtout connu aujourd'hui pour avoir donné son nom à un album de Bob Dylan (1967).

route en briques jaunes[1]. Comme vous êtes en train de manger, je ne vous décrirai pas ce qu'ils faisaient à la plupart de leurs victimes. La fille de Clawson travaillait la nuit dans une supérette. Ces types les ont enlevés, elle et son fiancé, et les ont enfermés dans le coffre d'une voiture. Par pure méchanceté, ils ont mis le feu à la voiture et les ont fait brûler vifs.

– Vous êtes en train de me dire que Clawson est un cow-boy?

– Je vais dire les choses comme ça : il aime travailler seul. »

Hackberry avait posé son couteau et sa fourchette. Par la porte de derrière, il laissa son regard errer sur les peupliers. Le ciel était sombre, de la poussière arrivait d'un champ, le sommet des peupliers se courbait dans le vent.

« Vous vous sentez bien, shérif ?

– Bien sûr. Pourquoi cette question ?

– Vous étiez aide-soignant à Chosin[2] ?

– Ouais.

– Le pays a une grosse dette envers les hommes et les femmes comme vous.

– À moi, ils ne me doivent rien, dit Hackberry.

– Il fallait que je vienne vous voir, ce matin.

– Je le sais. »

Ethan Riser se leva pour partir, puis s'arrêta à la porte.

« J'aime beaucoup vos fleurs », dit-il.

Hackberry secoua la tête, sans répondre.

Il emballa les côtes de porc dans du papier d'aluminium et les mit dans le réfrigérateur, puis enfila un chapeau de feutre gris cerclé de sueur, prit l'assiette et alla vider les œufs dans le jardin, pour son chien de chasse, deux chats de gouttière qui n'avaient pas de nom, et un opossum qui vivait sous la maison. Il rentra dans la cuisine, sortit un sac de maïs du réfrigérateur,

---

1. Allusion au *Magicien d'Oz*.
2. Bataille de la guerre de Corée (décembre 1950).

alla jusqu'aux peupliers, et répandit le maïs dans l'herbe pour la biche et son faon. L'herbe était haute et verte à l'abri des arbres, creusée par le vent qui soufflait du sud. Hackberry s'accroupit et regarda manger la biche, son visage baigné d'ombre, ses yeux semblables à ceux d'un homme qui regarde fixement un feu éteint.

6

Nick Dolan avait l'impression qu'il avait peut-être échappé à la foudre. Hugo Cistranos ne s'était pas montré au club, et ne l'avait pas suivi dans sa résidence secondaire sur la Comal River. Peut-être Hugo parlait-il plus qu'il n'agissait et allait-il disparaître. Peut-être Hugo serait-il consumé par ses propres démons, comme la flamme d'une bougie qui s'enfonce et meurt dans sa propre cire. Peut-être que Nick allait enfin bénéficier d'une trêve de la part des pouvoirs cosmiques qui, pendant la plus grande partie de sa vie, l'avaient obligé à courir comme un hamster dans sa roue.

Nick habitait juste à la sortie de San Antonio, dans un quartier de maisons de 700 à 1 000 m², pour la plupart en pierre, aux jardins bordés d'épaisses haies vertes, aux trottoirs ombragés. Le code du quartier était strict, et les pick-up, les caravanes, les mobile homes, et même les véhicules spécialement conçus pour le transport des handicapés, n'avaient pas le droit de stationner la nuit dans les rues ni dans les allées. Mais Nick appréciait moins le luxe quasiment bucolique de son quartier que la clôture en lattis et le patio qu'il avait lui-même construits derrière sa maison.

Les immenses palmiers avaient été apportés de Floride, leurs racines emballées dans de la toile de jute humide, les excavations dans lesquelles ils devaient être plantés aspergées de blanchaille morte et de guano de chauve-souris. La vigne qui poussait sur les lattis avait été transplantée du jardin de la vieille maison de son grand-père, à La Nouvelle-Orléans. Les dalles avaient été découvertes lors de la construction d'un viaduc, et apportées chez Nick par un entrepreneur ami ; dans quatre d'entre elles étaient gravés des blasons espagnols du XVIIᵉ siècle. Les haies fleurissaient au printemps et restaient en fleurs jusqu'en décembre. Au milieu de son patio, il y avait une table de bambou au plateau de verre et des chaises de bambou, le tout à l'ombre d'arbres orchidées de Hong Kong plantés dans des tonneaux de bois rouge sciés en deux.

Quand la fraîcheur tombait, Nick adorait s'asseoir à la table, en tenue de tennis blanche, un verre de gin tonic et de glace pilée à la main, une tranche d'orange à cheval sur le bord du verre, et lire un best-seller dont il pouvait placer le titre dans une conversation. Ce soir, le vent s'était levé, le ciel couleur lavande scintillait d'éclairs de chaleur, les tiges fraîchement coupées des fleurs de sa haie ressemblaient à des milliers d'yeux roses et pourpres embusqués parmi les feuilles. Nick n'avait fumé que dix-neuf cigarettes dans la journée, un record. Il pouvait rendre grâce pour bien des choses. Peut-être même avait-il un avenir.

Dans le parfum de son enclos, il sentit qu'il commençait à somnoler, son gros livre lui échappant de la main.

Soudain ses yeux s'ouvrirent, sa tête eut un sursaut. Il se frotta le visage pour chasser le sommeil et se demanda s'il faisait un cauchemar. Hugo Cistranos se tenait au-dessus de lui, arborant un grand sourire, ses avant-bras épais et sillonnés de veines, comme s'il venait de soulever des haltères. «On dirait que t'as pris un coup de soleil, au bord de l'eau, dit-il.

– Comment es-tu entré dans mon jardin?

– Par la haie.

– Tu n'es pas fou, de te pointer comme ça?»

Le crâne de Nick l'élança. Il venait de recommencer, d'admettre sa culpabilité et sa complicité à propos d'une chose qu'il n'avait pas faite, laissant entendre qu'Hugo et lui avaient une relation d'une certaine sorte, fondée sur une expérience commune.

«Je voulais pas te gêner au club, et je voulais pas sonner et déranger ta famille. Qu'est-ce que je devais faire, Nicholas? On a une sacrée merde sur les bras.

– Je ne te dois pas d'argent.

– OK, tu en dois à mes sous-traitants. Dis ça comme tu veux. Pendant qu'on parle, les intérêts augmentent. Mon principal sous-traitant est le Prêcheur Jack Collins. C'est un cinglé de religion, qui a fait le boulot derrière l'église. Personne sait ce qui se passe dans sa tête et personne lui pose la question. Je viens de lui livrer sa Honda et de payer ses frais médicaux. Ces services sont aussi inscrits sur ta facture, Nicholas.

– Je ne me sers pas de ce nom.

– *No problemo*, Nick-o. Tu sais pourquoi j'ai dû payer les frais médicaux du Prêcheur ? Parce que cette salope lui a collé deux balles. »

Hugo posa une photo en couleurs sur le plateau de verre de la table. Nick baissa le regard sur le visage d'une fille aux arcades sourcilières proéminentes, ses cheveux châtains bouclés aux extrémités. « Déjà vu cette mignonne ? » demanda Hugo.

Le crâne de Nick l'élança à nouveau. « Non, dit-il.

– Et ce gosse ? » dit Hugo, posant une autre photo à côté de celle de la fille. Un soldat en uniforme de cérémonie de l'armée des États-Unis, avec dans le fond un drapeau américain en haut d'un mât, levait les yeux sur Nick.

« Je ne l'ai jamais vu non plus, dit Nick, s'appliquant à empêcher son regard de revenir à la photo de la fille.

– Tu as dit ça très vite. Regarde mieux.

– Je ne sais pas qui c'est. Pourquoi tu me montres ces photos ?

– Ce sont les deux gamins qui peuvent faire tomber pas mal de monde. Il faut les effacer, Nick. Et il faut aussi payer les gens, Nick. Ce qui veut dire que je vais devenir ton nouvel associé, Nick. J'ai les papiers sur moi. Vingt-cinq pour cent du club et du restaurant mexicain, et rien de plus. C'est une bonne affaire, mon petit pote.

– Va te faire foutre, Hugo », dit Nick, son visage se dilatant devant l'imprudence de sa propre rhétorique.

Hugo ouvrit une chemise en papier kraft et feuilleta plus d'un centimètre de documents, comme s'il leur donnait son ultime approbation, puis referma la chemise et la posa sur la table. «Détends-toi, finis ton verre, fume une cigarette, parles-en à ta femme. Pas de précipitation.» Il regarda sa montre.

«J'enverrai un chauffeur pour les papiers. Disons, demain après-midi, vers les trois heures. D'accord, petit pote?»

Nick avait espéré ne jamais revoir la nommée Vikki Gaddis. Les règles non négociables qu'il s'appliquait à lui-même en tant que directeur d'un club de strip-tease et propriétaire à distance de services d'escort girls à Dallas et à Houston étaient toujours restées les mêmes : on paie ses impôts, on protège ses «filles», et on ne les utilise jamais personnellement.

Les règles de Nick avaient évité des conflits avec l'IRS, et lui avaient valu un certain respect de la part de ses employées. Environ dix-huit mois plus tôt, il avait fait passer dans les journaux de San Antonio une annonce afin de recruter des musiciens pour le restaurant mexicain qu'il avait fait construire à côté de son strip club. Cinq jours plus tard, par un après-midi brûlant, alors qu'il était sorti sur le parking, Vikki Gaddis arrivait dans une voiture pourrie dont la carrosserie laissait échapper de la fumée par la moindre fente. Au début, il crut qu'elle cherchait un travail de stripteaseuse, avant de comprendre qu'elle n'avait pas vu l'annonce, mais qu'on lui avait dit qu'il cherchait quelqu'un pour chanter du folk.

«Vous faites erreur, dit Nick. J'ouvre un restaurant mexicain. J'ai besoin d'un peu d'animation pour les gens qui viennent dîner. Un truc mexicain.»

Il vit la déception dans son regard, une vague lueur de désespoir autour de sa bouche. Dans la chaleur, elle avait le visage humide et brillant. Des poids lourds dont le moteur cognait passaient sur la route dans le sifflement de leurs freins à air comprimé. Nick s'effleura le nez du dos du poignet. «Et si vous entriez dans le restaurant, qu'on discute un peu?» proposa-t-il.

Nick avait déjà engagé un groupe de cinq mariachis, avec des sombreros, des costumes de vaqueros de brocart, des ventres de buveurs de bière, des types moustachus avec une section de cuivres à faire craquer les tuiles du toit, et il n'avait pas besoin que quelqu'un vienne chanter du folk en anglais. Tandis qu'ils quittaient l'éclat du soleil pour gagner la fraîcheur artificielle du restaurant, la fille balançant sur sa hanche l'étui de sa guitare, il comprit qu'en lui avait toujours vécu un mari infidèle.

Elle portait un short blanc, un corsage bleu pâle et des sandales, et en s'asseyant devant son bureau, elle se pencha un peu trop et il se demanda si elle ne jouait pas avec lui.

«Vous chantez des chansons espagnoles ? demanda-t-il.

– Non, je joue beaucoup de morceaux de la Carter Family. Leur musique a fait un come-back quand Johnny Cash a épousé June. Puis l'intérêt s'est à nouveau éteint. Ils ont créé un style de picking très particulier, le "hammer on et pull off". »

Nick n'y comprenait rien et ouvrait la bouche en un demi-sourire. «Vous chantez comme Johnny Cash ?

– Non, les Carter ont eu une grande influence sur des gens comme Woody Guthrie. Attendez, je vais vous montrer. » Elle ouvrit son étui et en sortit une Gibson Sunburst. L'étui était tapissé de velours d'un rose pourpre et il en émanait une lueur virginale qui ne faisait qu'ajouter à la confusion des pensées de Nick concernant la fille et le filet de désir et de besoin dans lequel il s'engageait.

Elle fixa un médiator au bout de son pouce et commença à chanter un morceau qui parlait de fleurs couvertes d'une rosée couleur d'émeraude et d'un amant trahi et laissé à languir en un lieu plus ancien que le temps. Quand elle joua un accord, la blancheur de sa paume s'arrondit autour du manche ; elle relâcha une corde de basse avant de la frapper, puis de la libérer, créant une note glissante qui résonna dans la rosace. Nick était envoûté par sa voix, par la façon dont elle levait le menton en chantant, par les muscles qui bougeaient sur sa gorge.

94

«C'est magnifique, dit-il. Vous dites que ces Carter ont eu une influence sur Woody Herman?

– Pas exactement, dit-elle.

– J'ai déjà un orchestre, mais vous pourriez peut-être revenir dans quelques semaines. Si ça ne marche pas avec eux…

– Vous n'auriez pas une place de serveuse? demanda-t-elle en posant sa guitare.

– J'en ai deux de plus qu'il ne m'en faut. J'ai dû engager les sœurs de ma cuisinière, sinon elle m'aurait quitté.»

La fille referma les charnières de son étui et leva les yeux sur lui. « Merci, vous avez été très gentil», dit-elle.

Une image se formait dans la tête de Nick, qui lui mettait les reins en eau. «Écoutez, j'ai une boîte de nuit juste à côté. Giflez-moi si vous voulez. C'est bien payé, les filles qui travaillent pour moi ne sont pas forcées de faire ce qu'elles ne veulent pas faire, je vire les ivrognes et les types grossiers. J'essaie de faire en sorte que mon club reste un club de gentlemen, même s'il arrive parfois qu'il y entre des clochards. Je pourrais…

– Qu'est-ce que vous êtes en train de me dire?

– Qu'il y aurait une possibilité. Que peut-être vous traversez une mauvaise passe, et que je pourrais vous aider en attendant que vous trouviez un emploi de chanteuse.

– Je ne suis pas danseuse, dit-elle.

– Ouais, je le savais, dit-il, le visage tendu, brûlant. Je vous informais juste de ma situation. Je n'ai que cette solution-là. Moi-même, j'ai des enfants.» Il bafouillait, et sous le bureau ses mains tremblaient; même à lui, ses mots paraissaient dépourvus de sens.

Elle se leva, tendit la main vers la poignée de son étui, l'arrière de l'une de ses cuisses dorées strié d'une bande de lumière.

«Miss Gaddis…

– Appelez-moi Vikki

– Je ne pensais pas à mal. Je ne voulais pas vous offenser.

– Je pense que vous êtes un homme gentil, et ça m'a fait plaisir de vous rencontrer », dit-elle. Elle lui sourit, et à cet instant, pour avoir de nouveau vingt-cinq ans, Nick aurait passé les doigts, un par un, dans une scie circulaire.

Maintenant, assis parmi les treillis et les lattis, verts et chargés de la vigne plantée par son grand-père, un homme honnête et convenable qui avait vendu des lacets en porte-à-porte, il essayait de se persuader que la fille de la photo n'était pas Vikki Gaddis. Mais c'était bien elle, et il le savait, et il savait que si Hugo la tuait, son visage hanterait son sommeil pour le restant de ses jours. Et le militaire ? Nick avait reconnu sur sa poitrine l'insigne allongé bleu et argent de l'infanterie. Nick sentit les larmes monter, sans parvenir à savoir si c'était pour lui, pour les femmes thaïes abattues à la mitraillette par un certain Prêcheur Collins, ou pour Vikki Gaddis et son petit ami.

Il s'allongea au milieu de sa pelouse, les bras et les jambes étendus en croix, la poitrine écrasée d'un poids aussi lourd qu'une enclume de forgeron.

Quand Hackberry regarda par la fenêtre de son bureau et vit une voiture argentée brillante comme un miroir remonter la rue à toute vitesse, expédiant dans l'air de la poussière et des pages de journaux, le soleil se reflétant sur son pare-brise comme l'éclair cuivré d'une héliogravure, il comprit que soit un ivrogne, soit un étranger qui ne savait pas lire les panneaux de limitation de vitesse, soit un enquiquineur officiel, s'apprêtait à arriver en plein milieu d'après-midi, livraison gratuite le long du trottoir.

L'homme qui sortit de la voiture était aussi grand qu'Hackberry, sa chemise blanche amidonnée moulant son corps d'athlète, son crâne rasé et poli brillant dans le soleil de l'après-midi qui ressemblait à une flamme jaune. Un homme à la peau mate, coiffé comme un Apache du XIXᵉ siècle, était assis sur le siège arrière, courbé en avant, les deux bras ramenés entre les

96

jambes, comme s'il essayait d'attraper ses chevilles. Les yeux de l'homme à la peau mate étaient des fentes, ses lèvres violettes soit à force de chiquer, soit à cause des coups, sa nuque marquée de cicatrices d'acné.

Hackberry mit son chapeau de paille et avança dans l'ombre du bâtiment de grès qui faisait office de prison, et de bureau pour lui. L'homme au crâne rasé lui tendit sa carte d'identité. L'intensité de son regard dépourvu de paupières, la raideur de ses muscles faciaux rappelaient à Hackberry une corde de banjo fixée à une cheville de bois, la tension montant en un trémolo. L'homme se présenta : « Isaac Clawson, ICE. Je suis content de vous trouver là. Je n'aime pas partir en chasse d'un officier de la police locale dans son propre comté.

– Pourquoi Danny Boy Lorca est-il attaché au siège ?

– Vous le connaissez ? demanda Clawson.

– Je viens de vous dire son nom, monsieur.

– Ce que je veux dire, c'est "Est-ce que vous savez des choses sur lui" ?

– Environ une fois par mois, il sort du bar à côté et vient dormir dans la prison. Il rentre et sort tout seul.

– C'est le copain de cuite de Pete Flores. Il dit qu'il ne sait pas où se trouve Flores.

– On va bavarder un peu avec lui », dit Hackberry. Il ouvrit la portière arrière de la berline et se pencha à l'intérieur. L'odeur d'urine lui monta au visage. Sur la tempe droite de Danny Boy, il y avait une zone à vif, comme un morceau de fruit passé sur une râpe à carottes. Il y avait une tache noire sur son jean délavé, comme si un chiffon humide avait été appuyé sur son entrejambe.

« Tu as vu Pete Flores dans le coin ? demanda Hackberry.

– Ça fait peut-être deux semaines.

– Vous avez bu un peu de mescal ensemble ?

– Il mangeait au *diner* de Junior, sur la quatre voies. C'est là que sa copine travaille.

– On pense qu'il y a des types qui lui veulent du mal, Danny. Si tu nous aidais à le trouver, tu rendrais un grand service à Pete.

– J'l'ai pas vu depuis le jour que je vous ai dit. » Les yeux de Danny Boy quittèrent Hackberry pour aller sur Clawson, puis revinrent à Hackberry.

Hackberry se redressa et ferma la portière. « Je pense qu'il dit la vérité.

– Vous lisez dans la tête des types comme ça ?

– Avec lui, oui. Il n'a aucune raison de mentir. »

Clawson retira ses larges lunettes octogonales et les essuya avec un Kleenex, observant la rue, une profonde ride entre les yeux. «On peut entrer dans votre bureau ?

– C'est plein de fumée de cigarette. Qu'avez-vous fait à Danny Boy ?

– Je ne lui ai rien fait. Il est bourré. Il est tombé. Quand je l'ai ramassé, il a commencé à me balancer des coups de poing. Mais je ne lui ai rien fait. » Clawson ouvrit la portière arrière et prit une clef pour libérer Danny Boy de l'anneau inséré dans le sol. Puis il passa les doigts sous le bras de Danny Boy et le tira hors du siège arrière. «Casse-toi, dit-il.

– Vous voulez que je reste par là, shérif ? demanda Danny Boy.

– Je t'ai pas dit de te tirer d'ici ?» répondit Clawson. Il poussa Danny Boy, puis lui donna un coup de pied dans les fesses.

«Oh, là, dit Hackberry.

– Quoi, oh, là ? dit Clawson.

– Il faut vous calmer, monsieur Clawson.

– Agent Clawson. »

Hackberry respirait par le nez. Il voyait Pam Tibbs à la fenêtre du bureau. Il se tourna vers Danny Boy. «Va chez Grogan et bois deux coups à ma santé, dit-il. Le mot important, c'est "deux", Danny.

– J'ai pas besoin de boire. Je vais chercher quelque chose

à manger et rentrer chez moi. Si j'entends quelque chose à propos de Pete, je vous le dirai », dit Danny Boy.

Hackberry se retourna et se dirigea vers son bureau, ignorant la présence de Clawson. Il entendait le drapeau battre dans le vent, sa chaîne tintant contre le mât de métal.

« On n'a pas terminé, dit Clawson. Hier soir, quelqu'un a appelé plusieurs fois le 911 depuis une cabine près de San Antonio. Je vais vous en passer un morceau. »

Il sortit un petit magnétophone de la poche de son pantalon et appuya sur une touche. La voix enregistrée était celle d'un homme ivre, ou affligé d'un défaut d'élocution. « Dites au FBI qu'on offre de l'argent pour une certaine Vikki Gaddis. Ils vont la tuer, elle et son soldat. C'est au sujet de ces femmes thaïes assassinées. » Clawson coupa le magnétophone. « Vous connaissez cette voix ?

– Non, dit Hackberry.

– Je pense que celui qui appelait avait un crayon coincé entre les dents, et qu'en plus il était défoncé. Vous pouvez déceler un accent ?

– Je dirais qu'il n'est pas d'ici.

– Un autre élément d'information : un de nos médecins légistes a été plus loin dans l'autopsie des femmes thaïes. Elles avaient de la blanche de Chine dans le ventre, des ballons remplis de la plus pure que j'aie jamais vue. Certains des ballons avaient éclaté dans leur ventre avant leur mort. Je me demande si vous n'avez pas trébuché sur une zone de stockage, et pas sur un cimetière.

– Trébuché ?

– La littérature anglaise n'a jamais été mon point fort. Vous voulez qu'on parle sérieusement, ou pas ?

– Je ne crois pas que l'endroit derrière l'église était une zone de stockage. Ça n'a aucun sens.

– Alors qu'est-ce qui en a ?

– On m'a parlé du deuil que vous avez personnellement subie, monsieur. Je pense que je peux comprendre le degré de colère que vous éprouvez. Mais il n'est pas question que vous recommenciez à agresser verbalement, ou à brutaliser, qui que ce soit dans ce comté. On a terminé.

– Comment osez-vous parler de ma vie personnelle ? Comment osez-vous parler de ma fille, espèce de fils de pute ? »

À cet instant, Maydeen, la répartitrice, sortit et alluma une cigarette. Elle portait un uniforme d'adjoint. Elle avait de gros bras, de gros seins et de larges hanches, et son rouge à lèvres donnait l'impression d'une rose écrasée. « Hack ne nous permet pas de fumer dans le bâtiment », dit-elle, souriant jusqu'aux oreilles en inhalant profondément.

Le Prêcheur Jack Collins paya au chauffeur sa course depuis la piste d'atterrissage jusqu'à l'immeuble de bureaux et d'appartements en face de la baie de Galveston. Mais au lieu d'entrer immédiatement dans le bâtiment, il marqua une pause sur ses béquilles et regarda, de l'autre côté de Seawall Boulevard, les vagues s'abattre sur la plage, chacune d'elles ruisselant de sable, de végétation jaune, de crustacés morts et d'algues emmêlées de paquets de minuscules crabes et de vessies de mer dont les tentacules pouvaient s'enrouler autour de la patte d'un cheval et le brûler jusqu'aux genoux.

Une tempête se formait à l'horizon, vers le sud, comme un énorme nuage de gaz vert zébré d'éclairs silencieux. Le baromètre avait chuté et l'air avait pris la couleur du cuivre terni. Le Prêcheur humait l'odeur de sel dans le vent, et sentait les crevettes prises dans les vagues et abandonnées sur le sable parmi les sacs éventrés des méduses bleues. L'humidité était aussi claire que du verre filé, et en moins d'une minute elle vernissa ses avant-bras et son visage, et le vent la transforma en une brûlure glacée, pas très différente d'une langue amoureuse qui se déplace sur la peau.

Le Prêcheur franchit une porte vitrée sur laquelle on lisait AGENCE DE SÉCURITÉ REDSTONE. Une réceptionniste leva les yeux de son bureau et sourit aimablement au Prêcheur.

« Dites à monsieur Rooney que Jack est passé le voir, dit-il.

– Vous avez un rendez-vous, monsieur ?

– Quelle heure est-il ? »

La réceptionniste jeta un coup d'œil sur une grosse horloge au cadran incrusté de chiffres romains. « Il est quatre heures quarante-sept.

– C'est l'heure de mon rendez-vous avec monsieur Rooney. Vous pouvez lui dire ça. »

La femme approcha du téléphone une main hésitante puis interrompit son geste.

« C'était juste une mauvaise blague, m'dame. Ces béquilles sont de moins en moins confortables, dit le Prêcheur.

– Un instant. » Elle souleva le récepteur et appuya sur une touche. « Monsieur Rooney, Jack est là pour vous voir. » Il y eut un silence. « Il ne me l'a pas dit. » Un autre silence, plus long. « Quel est votre nom de famille, monsieur ?

– Mon nom complet est Jack Collins, sans initiale au milieu. »

Quand la réceptionniste eut transmis l'information, le silence dans la pièce devint presque aussi sonore que des vagues s'écrasant sur le rivage. Puis elle reposa le récepteur. Ses yeux ne trahissaient rien de ses pensées. « Monsieur Rooney a dit que vous montiez. L'ascenseur est sur votre gauche.

– Il vous a dit d'appeler quelqu'un ? demanda le Prêcheur.

– Je ne suis pas certaine de comprendre, monsieur ?

– Vous avez fait votre boulot, m'dame. Ne vous inquiétez pas. Mais je préférerais ne pas entendre l'ascenseur monter derrière moi avec la personne qu'il ne faut pas à l'intérieur. »

La réceptionniste regarda droit devant elle pendant peut-être trois secondes, prit son sac, et s'éclipsa par la porte de devant, sa robe se balançant sur ses mollets.

En sortant de l'ascenseur, le Prêcheur vit un homme en costume beige et chemise western rose assis dans un fauteuil pivotant derrière un immense bureau, encadré contre une vitre qui donnait sur la baie. Sur le bureau se trouvait un grand pot de plastique transparent rempli de sucres d'orge verts et bleus, tous enrobés de cellophane. Ses hanches débordaient de sa ceinture et donnaient l'impression qu'il fondait dans son fauteuil. Il avait des cheveux d'un blond pâle et une petite bouche irlandaise aux commissures tombantes. Sa peau était marbrée de taches brunes, certaines sombres, presque pourpres sur le bord, comme si son âme exsudait la maladie par tous les pores.

« Je peux vous aider ? dit-il.

– Peut-être. »

En bas, sur la plage, les nageurs sortaient de l'eau, tirant leurs flotteurs derrière eux, un maître nageur debout sur une chaise haute soufflant dans son sifflet, montrant du doigt une nageoire triangulaire qui filait à travers une vague à une vitesse incroyable.

« Je peux m'asseoir ? demanda le Prêcheur.

– Oui, allez-y, monsieur, dit Arthur Rooney.

– Dois-je vous appeler Artie ou monsieur Rooney ?

– Comme vous voulez.

– Hugo Cistranos travaille pour vous ?

– Il travaillait. Quand j'avais une agence de détectives à La Nouvelle-Orléans. Mais plus maintenant.

– Je pense que si.

– Pardon ?

– Vous voulez que je parle plus fort ?

– Hugo Cistranos ne travaille plus pour moi. C'est ce que je suis en train de vous dire. Quel est le problème, monsieur Collins ? »

Artie Rooney s'éclaircit la gorge, comme si son dernier mot était resté coincé dans son larynx.

« Vous savez qui je suis ?

– J'ai entendu parler de vous. On vous surnomme le Prêcheur, c'est ça ?

– Oui, monsieur, on m'appelle souvent comme ça. Mes amis.

– Nous venons juste de nous installer dans ce bureau. Comment avez-vous su que j'étais là ?

– J'ai passé quelques appels. Vous connaissez cette chanson, «I Get Around[1]», des Beach Boys ? Moi, je circule, même sur des béquilles. Une femme m'a fait quelques trous dans le corps.

– Désolé.

– J'ai été mêlé à un meurtre, avec quelques autres personnes. On nous a dit que ça venait d'un petit bonhomme qui dirige un club de strip-tease pour des fils à papa entre deux âges. On nous a dit que ce petit bonhomme ne veut pas payer sa facture. Il s'appelle Nick Dolan. Vous voyez de qui je parle ?

– Je connais Nick depuis trente-cinq ans. Il avait un casino flottant à La Nouvelle-Orléans. »

Le Prêcheur se mordilla un ongle et retira le morceau de peau de sa langue. « J'ai réfléchi à ce petit bonhomme qui a cette boîte pour fils à papa, à mi-chemin entre Austin et San Antone. Pourquoi un type comme ça aurait-il fait abattre une bande de femmes asiatiques ? »

Artie Rooney avait croisé les jambes et posé une main raide sur le bord de son bureau, son estomac dépassant par-dessus sa ceinture. « Vous parlez de ce massacre près de la frontière ? Je ne sais rien de cette affaire, monsieur Collins. Pour parler franchement, je ne vois pas où vous voulez en venir.

– Je ne suis pas un monsieur, ne m'appelez plus comme ça.

– Je ne voulais pas être impoli, ni vous insulter.

– Qu'est-ce qui vous fait croire que vous avez le pouvoir de m'insulter ?

– Pardon ?

– Vous avez un problème d'audition ? Qu'est-ce qui vous fait croire que vous êtes à ce point important que votre opinion m'intéresse ? »

---

1. «Je circule.»

Les yeux de Rooney glissèrent vers la porte de l'ascenseur.

«À votre place, je n'attendrais pas la cavalerie», dit le Prêcheur.

Rooney prit son téléphone et appuya sur une touche. Au bout de quelques secondes, il reposa le récepteur sans avoir parlé et s'enfonça dans son fauteuil. Il se mit le coude sur l'accoudoir de gauche, se tenant le menton, le battement de son pouls visible sur sa gorge. Il avait un cercle blanc autour des narines, comme s'il respirait un air réfrigéré. «Qu'avez-vous fait à ma secrétaire ?

– De l'autre côté du fleuve, une petite Mexicaine m'a dit que je pouvais aller au diable. Vous voulez que je vous dise ce que j'ai fait ?

– À la fille ? Vous êtes en train de me dire que vous avez fait quelque chose à une petite fille ?» La main de Rooney sembla flotter jusqu'à sa bouche, puis il la posa sur ses genoux.

«Je crois que vous avez monté une arnaque à ce Dolan. Je ne sais pas exactement de quoi il s'agit, mais on y voit vos empreintes de merde. Vous me devez beaucoup d'argent, monsieur Rooney. Si je vais en enfer, si j'y suis déjà, combien vaut mon âme, à votre avis ? Ne touchez plus à ce téléphone. Vous me devez un demi-million de dollars.

– Je vous dois *quoi* ?

– J'ai un don. Je reconnais toujours un lâche. Et je reconnais toujours un menteur, aussi. Je pense que vous êtes les deux à la fois.

– Qu'est-ce que vous faites ? Ne vous approchez pas.»

Sur la plage, une mère de famille, dans l'eau jusqu'aux hanches, arrachait son enfant à une vague, remontant la pente en courant, sa robe faisant comme un ballon autour d'elle, une expression de panique sur le visage.

«Ne vous levez pas. Si vous vous levez, ça ne fera qu'empirer les choses, dit le Prêcheur.

– Qu'allez-vous faire de ça ? Pour l'amour de Dieu, mec !

– À cause de vous, mon âme va se retrouver dans les

104

flammes. Et voilà que vous invoquez le nom de Dieu ! Posez votre main sur le buvard, et fermez les yeux.

– Je vous donnerai l'argent.

– En cet instant même, au fond de votre âme, vous croyez à ce que vous dites. Mais dès que je serai parti, vos mots ne seront plus que des cendres dans le vent. Écartez vos doigts, et appuyez très fort. Faites-le. Faites-le immédiatement. Ou je passerai ça sur votre visage et sur votre gorge. »

Les yeux fermés, Artie Rooney obéit à l'homme qui le dominait, appuyé sur ses béquilles. Puis le Prêcheur Jack Collins posa la lame de son rasoir de coiffeur sur le petit doigt de Rooney et, des deux mains, appuya dessus.

7

Nick avait entendu parler de « black-out », sans jamais vraiment savoir ce que ça voulait dire. Comment quelqu'un pouvait-il se mouvoir et agir sans garder aucun souvenir de ce qu'il avait fait ? Pour Nick, un « black-out » était surtout une manière de se défiler.

Mais après qu'Hugo Cistranos eut quitté le jardin de Nick, lui disant qu'il avait jusqu'au lendemain trois heures pour lui céder 25 % de son club et de son restaurant, Nick était descendu à la salle de jeux, avait verrouillé la porte pour que les enfants ne le voient pas, et s'était enivré.

Le lendemain, quand il se réveilla sur le sol, malade, tremblant, baignant dans l'odeur de ses propres viscères, il se rappela avoir regardé des dessins animés aux alentours de minuit, et avoir fourragé avec un pêne. Avait-il eu une crise de somnambulisme ? Il alla en bas de l'escalier et leva les yeux sur les marches. La porte était toujours verrouillée. Dieu merci, ni sa femme ni ses enfants ne l'avaient vu ivre. Nick ne pensait pas qu'un père ou qu'un mari pût faire pire que se montrer ivre devant sa femme et ses enfants.

Puis il vit ses clefs de voiture sur la table de ping-pong et commença à avoir des éclairs de lucidité, comme des éclats d'un miroir se reconstituant derrière ses yeux, chacun contenant une image qui devenait de plus en plus grosse et le remplissait de terreur, Nick au volant d'une voiture, Nick dans une cabine téléphonique, Nick parlant à un répartiteur des urgences, des phares balayant son pare-brise, des coups de klaxon irrités.

Avait-il été quelque part appeler le 911 ? Il monta pour prendre une douche, se raser et enfiler des vêtements propres. Sa femme et ses enfants étaient sortis, et dans le silence il entendait le vent secouer les feuilles sèches des palmiers contre les avant-toits. Depuis la fenêtre de la salle de bains, la lumière du soleil emprisonnée dans sa piscine tremblait et se réfléchissait comme la flamme blanc-bleu d'un chalumeau à acétylène. Tout le monde extérieur semblait surchauffé, affûté, tel un jardin planté de cactus et de buissons épineux, embaumant non le parfum des fleurs, mais celui des seaux de goudron et des fumées de diesel.

Qu'avait-il fait la nuit dernière ?

Avait-il dénoncé Hugo ? S'était-il dénoncé lui-même ?

Il s'assit devant son petit déjeuner, avala un comprimé d'aspirine et de vitamine B, les faisant passer avec du jus d'orange qu'il but directement à la brique, le front luisant de transpiration. Il alla dans son bureau, espérant trouver du soulagement dans la pénombre et la fraîcheur, la solitude de ses étagères remplies de livres, de ses meubles en acajou, des rideaux sombres et de la moquette qui s'enfonçait sous ses pieds. Un 11 digital d'un rouge vif clignotait sur le répondeur de son téléphone/fax. Le premier message était de sa femme, Esther : «On est au centre commercial. Je t'ai laissé dormir. Il faut qu'on parle. Tu es sorti au milieu de la nuit ? Qu'est-ce qui ne va pas, chez toi ?»

Les autres messages émanaient du restaurant et du club.

«Cheyenne dit qu'elle ne fera pas son numéro sur la barre en même temps que Farina. J'arrive pas à me dépêtrer de ces salopes, Nick. T'arrives quand ?»

«Uncle Charley's Meats nous a livré soixante-dix livres de poulet avarié. C'est la deuxième fois cette semaine. Ils disent que ça vient de nous. Ils ont déchargé sur le dock, et on l'a pas rentré à l'intérieur. Je peux pas le mettre dans le congélateur, et ça empeste dans toute la cuisine.»

«C'est encore moi. Elles se crêpaient le chignon dans la loge.»

«Le dépanneur est venu. Il a dit qu'on devait installer un

107

troisième évier. Il a dit aussi qu'il avait trouvé une souris morte dans la vidange du lave-vaisselle. »

« Nick, cette nuit, il est venu ici deux types avec qui j'ai eu des problèmes. L'un des deux avait des tatouages de la marine et une barbe de la couleur d'une borne à incendie. Il a dit qu'il allait travailler avec nous. Je les ai virés, mais ils ont dit qu'ils reviendraient. J'ai pensé qu'il fallait peut-être te le dire. C'est qui, ce connard ? »

« Salut, c'est moi. Il y a de la coke sur le réservoir des toilettes des femmes. J'avais demandé à Rabbit de nettoyer les chiottes nickel ce matin. Farina était dedans il y a dix minutes. Quand elle est sortie, on aurait dit qu'elle avait de la neige carbonique sur le nez. Nick, faire la nurse pour des putes cinglées, c'est pas mon métier. Elle veut ton numéro personnel. Tu veux que je le lui file ? Je peux pas gérer ce genre de problèmes. »

Nick appuya sur une touche et effaça tous les messages du répondeur, écoutés ou non.

Il était une heure moins dix-sept minutes. Le chauffeur d'Hugo serait à la maison à trois heures pour prendre les documents signés faisant d'Hugo Cistranos son associé. Les 25 % de parts cédées à Hugo ne seraient évidemment que le premier pas vers la cannibalisation de tout ce que Nick possédait. Il s'assit dans l'obscurité, ses oreilles pleines d'un bruit semblable à celui du vent dans un tunnel.

Il n'avait jamais avoué à personne la peur qu'il avait éprouvée dans la cour de récréation du Neuvième District. Les gamins noirs qui lui volaient l'argent de son déjeuner, qui le faisaient tomber sur le goudron, semblaient le prendre pour cible, lui et personne d'autre, comme si, en l'humiliant et en le forçant à avoir faim pendant l'heure du repas et pendant tout le reste de l'après-midi, ils reconnaissaient en lui à la fois la différence et la faiblesse qu'ils exorcisaient en eux-mêmes, se libérant, d'une certaine façon, de leur propre fardeau.

Mais pourquoi Nick ? Parce qu'il était juif ? Parce que son grand-père avait pris un nom irlandais ? Parce que ses parents le menaient à la synagogue dans un quartier plein de simples d'esprit qui, plus tard, seraient persuadés que *La Passion du Christ* était la preuve que son peuple était coupable de déicide ?

Peut-être.

Ou peut-être qu'ils sentaient la peur sur sa peau, comme un barracuda sent le sang qui s'écoule d'un mérou blessé.

« Fear », l'acronyme de Fuck Everything And Run[1], pensa-t-il tristement. Telle avait été l'histoire de sa jeunesse. Et c'était toujours le cas.

Il composa sur son téléphone fixe le numéro du portable de sa femme.

« Nick ? entendit-il dans le haut-parleur.

– Où êtes-vous ?

– Toujours au centre commercial, on s'apprête à déjeuner.

– Pose les enfants au country club et rentre à la maison. On passera les reprendre plus tard.

– Qu'y a-t-il ? Et ne me raconte pas d'histoires.

– Je veux te montrer où se trouvent certaines choses.

– Quelles choses ? De quoi tu me parles ?

– Rentre, Esther. »

Quand il eut raccroché, il se demanda s'il était aussi à bout qu'il le croyait. Il s'assit dans un profond fauteuil de cuir bien rembourré, et se prit la tête entre les mains. Vingt-trois ans plus tôt, le soir où il avait fait la connaissance d'Esther, il pleu-vait. Elle attendait le tramway sous la colonnade métallique au coin de Canal et de St. Charles Avenue, devant chez Pearl, où elle travaillait comme caissière de nuit après avoir passé la journée à étudier le métier d'infirmière auxiliaire à l'université de La Nouvelle-Orléans. Elle avait des gouttes de pluie dans

---

1. *Fear* : la peur. *Fuck Everything And Run* : Laisse tout tomber, et fous le camp.

les cheveux, et dans l'éclat de néon de la vitrine du restaurant, elle lui faisait penser à une étoile multicolore au milieu d'une constellation.

« Il y a une tempête qui arrive du lac Pontchartrain. Vous ne devriez pas rester là, lui avait-il dit.

– Qui êtes-vous ? lui avait-elle répondu.

– Je suis Nick Dolan. Vous avez entendu parler de moi ?

– Ouais, vous êtes un gangster.

– Non, c'est faux. Je suis un joueur. Je dirige un tripot pour Didoni Giacano.

– C'est bien ce que je disais. Vous êtes un gangster.

– Je préfère "criminel en col blanc". Accepteriez-vous qu'un criminel en col blanc vous reconduise en voiture ? »

Elle avait trop de rouge à lèvres, et quand elle fit la moue en hésitant, le cœur de Nick se gonfla, le forçant à respirer à fond.

« J'habite Uptown, juste à côté de Prytania, pas loin du cinéma, dit-elle.

– C'est bien ce que je pensais. Vous êtes une dame d'Uptown, dit-il avant de se rappeler que sa voiture était au garage, et qu'il était venu travailler en taxi. « À vrai dire, je n'ai pas pris ma voiture. Je vais appeler un taxi. Vous pouvez me prêter une pièce ? Je n'ai pas de monnaie. »

Il était une heure vingt-six quand Nick entendit Esther arriver dans l'allée et ouvrir la porte d'entrée verrouillée. « Où es-tu ? cria-t-elle.

– Dans le bureau.

– Pourquoi restes-tu assis dans le noir ?

– Tu as refermé la porte à clef ?

– Je ne m'en souviens plus. Tu es allé quelque part, cette nuit ? Tu as des ennuis ? J'ai regardé la voiture. Elle n'est pas cabossée.

– Assieds-toi.

– C'est un pistolet ? dit-elle d'une voix plus aiguë.

– Je le garde dans le bureau. Assieds-toi, Esther. Je t'en prie. Et écoute-moi. Tout ce que nous possédons est dans ce classeur. Tout est par ordre alphabétique. On a une demi-douzaine de comptes consolidés à Vanguard, des trucs détaxés à Sit Mutuals, et deux comptes off-shore dans les îles Caïman. Tous les bons du Trésor sont à court terme. En ce moment, les intérêts sont bas, mais l'an prochain le prix de l'essence fera baisser les obligations et monter les intérêts, et il y aura là-dedans quelques bons investissements.

– Je pense que tu fais une dépression nerveuse. »

Il se leva et lui prit les deux mains. « Assieds-toi et écoute-moi comme tu ne l'as encore jamais fait. Non, non, ne dis rien. Écoute-moi, Esther. »

Elle s'assit sur le gros pouf de cuir rouge sombre à côté du fauteuil et observa le visage de Nick. Il se rassit, se pencha en avant, les yeux fixés sur ses chaussures, ses mains tenant toujours celles d'Esther.

« J'ai fait des affaires avec des types dangereux, dit-il. Pas de simples voyous, mais des types sans aucune morale.

– Quels types ?

– L'un d'eux était un homme de main des Giacano. Il s'appelle Hugo Cistranos. Il travaillait pour Artie Rooney. Il est à louer, toujours à la limite. Hugo est une sorte de virus. L'argent contient des germes. Quand on fait des affaires, parfois on attrape les germes.

– Quel rapport entre ce type et le restaurant ou le night-club ?

– Hugo a fait quelque chose de très mal, quelque chose que je ne pensais pas que même quelqu'un comme lui pouvait faire.

– Quel rapport avec toi ? dit-elle en le coupant, peut-être trop commodément, peut-être parce qu'elle ne voulait pas savoir dans combien d'affaires Nick était impliqué.

– Si je t'en parle, tu t'y trouveras mêlée. Hugo dit que c'est ma faute. Il dit que c'est moi qui lui ai ordonné de le faire. Il essaie de nous faire chanter. Il risque de me tuer, Esther. »

Elle respirait plus vite, comme si les mots de son mari pompaient tout l'oxygène de la pièce. « Ce Hugo prétend qu'il a tué une personne sur ton ordre ?

– Plus qu'une personne.

– Plus que…

– Je dois m'occuper de ça cet après-midi, Esther. À trois heures.

– Quelqu'un risque de te tuer ?

– Peut-être.

– Alors, il faudra qu'il me tue aussi.

– Non, ce n'est pas la bonne façon de voir les choses. Tu dois conduire les enfants à la campagne. Hugo n'a aucune raison de leur faire du mal, ni à toi. Nous ne devons lui donner aucune raison de le faire.

– S'il veut te faire chanter, pourquoi voudrait-il te tuer ?

– Parce que je n'ai pas l'intention de lui payer quoi que ce soit.

– Qu'es-tu en train de manigancer, Nick ?

– Je ne le sais pas encore.

– Je vois ça à ton visage. C'est pour ça que tu as cette arme.

– Va à la rivière avec les enfants.

– Pour faire du mal à notre famille, ils devront marcher dans mon sang. C'est bien compris ? » dit-elle.

À trois heures pile, Nick sortit attendre sur le trottoir. Son quartier était marbré par les ombres des nuages de pluie qui cachaient le soleil. Une Chrysler bleue arriva au coin de la rue et approcha lentement, ses pneus cliquetant à cause du gravillon incrusté dans les rainures, comme les griffes d'une bête sauvage, le visage du chauffeur obscurci par le reflet vert sombre des arbres sur le pare-brise. La Chrysler s'arrêta le long du trottoir, et le chauffeur, un homme doté d'une barbe orange hirsute, baissa la vitre côté passager. « Ça va ? dit-il.

– J'ai essayé d'appeler Hugo et de vous éviter un trajet, mais son portable ne répond pas, dit Nick. Vous avez un autre numéro pour le joindre ?

– Je suis supposé récupérer des contrats signés », dit le chauffeur en ignorant sa question. Il avait les dents écartées, le teint rouge, comme celui d'un homme perpétuellement exposé aux coups de soleil, les poignets relâchés sur le volant. Il portait des bottes pointues brillantes, et une chemise imprimée à manches longues rentrée dans un pantalon de golf sans ceinture, les poils de sa poitrine débordant sur les revers repassés de sa chemise. « Pas de contrats signés, hein ?

– Pas de contrats signés », dit Nick.

Le chauffeur regarda dans le vide, puis ouvrit son portable et composa un numéro. « Ici Liam. Il veut te parler. Non, il les a pas. Il a pas dit pourquoi. Il est là devant sa maison. C'est là que je suis maintenant. Parle à ce mec, Hugo. »

Le chauffeur se pencha et, par la fenêtre, tendit le portable à Nick, en souriant, comme s'ils étaient deux amis ayant des intérêts communs. Nick approcha le portable de son oreille et rentra dans son jardin, passant entre deux citronniers explosant de fruits. Il sentait l'humidité et la chaleur monter de l'herbe de Saint-Augustin. Il entendait un bourdon près de sa tête. « Je n'ai pas refusé ton offre, mais avant de finaliser, il faut que nous ayons une discussion.

– Il ne s'agit pas d'une offre, Nicholas. "Offre" n'est pas le bon mot.

– Tu as parlé de ce type, le Prêcheur. C'est lui qui est censé me foutre les chocottes, c'est ça ? S'il joue un rôle là-dedans, il devra être là aussi.

– Être où ?

– À la discussion. Je veux le rencontrer.

– Si tu rencontres Jack Collins, en deux secondes tu seras transformé en nourriture pour les vers.

– Tu es train de me dire que tu ne peux pas contrôler ce type ? Je suis censé te donner 25 % de deux affaires pour ne rien craindre d'un mec que tu ne peux pas contrôler ?

– Tu me *donnes* rien. Tu me *dois* plus de cent mille dollars. Je les dois à d'autres gens. Si tu paies pas les intérêts, les intérêts me retombent dessus. Je paie pas d'intérêts pour les autres, Nick.

113

– Ton chauffeur est venu dans mon club hier soir ?

– Comment veux-tu que je le sache ?

– Un type répondant à sa description s'est fait virer. Il s'est pris la tête avec mon gérant. Il a affirmé qu'il allait travailler là. Tu veux qu'on ait cette discussion, ou pas ? Tu dis que ce Collins est un cinglé de religion. Si je le vois le premier, je lui répéterai ça. »

Suivit un long silence. « Peut-être que ta femme t'a taillé une pipe ce matin, et que t'es persuadé que t'es pas une pitoyable truffe. Mais la vérité est différente, Nick. T'es quand même une pitoyable truffe. Mais je vais appeler le Prêcheur. Et je vais faire rerédiger ces transferts de titres. Oublie les 25 %. Le nouveau partenariat sera à 50-50. Continue à m'emmerder, et ça sera 60-40. Et devine qui aura les 40. »

Hugo raccrocha.

« Tout est réglé ? » demanda le chauffeur par la fenêtre de la Chrysler.

Pete et Vikki avaient fait exactement cent kilomètres sur une nationale obscure quand la voiture que le cousin de Pete lui avait vendue à crédit perdit son vilebrequin sur le bitume, des étincelles crissant sous le châssis tandis que le véhicule dérapait sur le bas-côté dans la terre qui explosa autour d'eux comme de la craie molle.

Quand Pete appela son cousin, celui-ci lui dit que la voiture n'était pas garantie et que son garage d'occasions n'avait pas de service après-vente. Il précisa aussi que sa femme et lui partaient avec les enfants tôt le lendemain matin, pour une semaine de vacances à Orlando.

Vikki et Pete sortirent de la voiture deux valises, la guitare de Vikki et un sac de provisions, et se mirent à faire du stop. Un poids lourd tous feux allumés passa devant eux dans un grondement, puis un mobile home, puis un bus pénitentiaire, puis une vieille bagnole pleine de Mexicains ivres, la partie supérieure du véhicule découpée au chalumeau. Le véhicule suivant fut une ambulance, talonnée par une voiture de shérif, toutes sirènes hurlantes.

Deux minutes plus tard, un second véhicule de patrouille apparut loin sur la route, son gyrophare ondulant, sa sirène coupée. Il arrivait droit du sud, se découpant sur le fond des montagnes basses, les étoiles vaporeuses et chaudes contre le ciel d'un bleu sombre. La voiture parut ralentir, peut-être jusqu'à soixante ou soixante-dix kilomètres/heure, glissa à côté d'eux ; le chauffeur porta un micro à sa bouche, le visage tourné dans leur direction.

« Il appelle pour nous, dit Pete.

– Peut-être qu'il envoie une dépanneuse, dit Vikki.

– Non, c'est pas bon. » Pete écarquilla les yeux et s'essuya la bouche. « Il s'arrête. Je te l'avais dit. »

Le véhicule monta sur l'accotement de droite et resta immobile, ses roues avant dirigées vers la route, la lumière intérieure allumée.

« Qu'est-ce qu'il fait ? demanda Vikki.

– Il a sans doute notre signalement sur son tableau de bord. Ouais, le voilà. »

Les yeux humides, le cœur battant, ils fixèrent les phares du véhicule qui approchait. L'air semblait grumeleux de poussière, d'insectes, de moucherons, la chaussée, encore chaude du crépuscule, sentant l'essence et le caoutchouc. Puis, sans raison apparente, le véhicule fit demi-tour et repartit vers le nord, s'affaissant sur son train arrière.

« Il va revenir. Il faut qu'on s'éloigne de la nationale », dit Pete.

Ils traversèrent la chaussée et commencèrent à marcher, jetant un coup d'œil derrière eux sur leur voiture abandonnée, tirant dans l'obscurité tous leurs biens matériels. Une demi-heure plus tard, un Noir vêtu d'une salopette sans chemise s'arrêta et dit qu'il était en route pour chez lui, à cent kilomètres au sud-ouest. « C'est exactement là qu'on va », dit Pete.

Ils payèrent une semaine d'avance, vingt dollars la journée, à un motel en bord de route qui ressemblait au fantasme hollywoodien de la Highway 66 dans les années 1950 : une arche rose en plâtre, sur laquelle étaient peintes des roses, enjambant la route ; un *diner* en forme de caravane Airstream surmontée d'une reproduction de fusée en étain ; un bâtiment circulaire censé ressembler à un énorme cheeseburger, avec des passe-plats ; un drive-in et un golf miniature semé de détritus et de boules d'amarante, son chapiteau vide grêlé de plombs de chasse ; une coiffure de guerre en néon rouge, vert et violet, tout en haut de la façade en rondins du bar-restaurant ; trois carcasses de Cadillac piquées dans la terre, leurs ailerons coupant le vent.

«Ça m'a l'air d'un endroit sympa», dit Pete en s'asseyant sur le bord du lit, regardant le paysage par la fenêtre latérale. Il était pieds nus et sans chemise, et dans la pâle lumière du matin la peau de ses épaules et d'un côté de son dos avait la texture d'un abat-jour ridé par une chaleur intense.

«Qu'est-ce qu'on va faire, Pete ? On n'a pas de voiture, on est quasiment fauchés, et les flics nous recherchent sans doute à travers tout le Texas, dit Vikki.

– Jusque-là, on s'en est sortis, non ?» Pete commença à parler de son ami Billy Bob Holland, un ancien Texas Ranger qui était avocat dans l'ouest du Montana. «Billy Bob nous aidera à nous en sortir. Quand j'étais petit, ma mère ramenait souvent des hommes à la maison, en général tard le soir. La plupart étaient des bons à rien. Mais il y en a eu un qui était encore plus un bon à rien que tous les autres réunis. Une nuit, il nous a tabassés, ma mère et moi. Quand Billy Bob l'a appris, il est entré à cheval dans le saloon, il a jeté une corde sur le type, et l'a traîné sur le parking. Puis il lui a balancé un coup de pied au cul qui l'a expédié dans la stratosphère.

– Ton ami avocat ne peut pas aider un fugitif. Il peut juste te demander de te rendre.

– Jamais Billy Bob ne ferait une chose pareille.

– Il faut qu'on récupère ton chèque d'invalidité.

– Ça pose un problème, non ? » Pete se leva et appuya un bras contre le mur, le regard perdu à l'extérieur, le haut du torse en forme de V. « Ce chèque aurait dû arriver hier. Il doit être dans la boîte. Le gouvernement l'envoie toujours à la même date.

– Je peux demander à Junior d'aller le prendre et de nous le renvoyer.

– Junior ne me considère pas vraiment comme un membre de son fan-club. » Vikki était assise au petit bureau près de la télévision, face à la décrépitude de leur chambre : le papier peint marbré d'auréoles d'humidité, le climatiseur qui cliquetait sur le cadre de la fenêtre, le dessus-de-lit qu'elle craignait d'effleurer, la cabine de douche couverte de moisissure. « Il y a un autre moyen, dit-elle.

– Nous rendre ?

– On n'a rien fait de mal.

– J'ai déjà essayé. Cette fois-ci, ça ne passera pas.

– Tu as essayé de te rendre ?

– J'ai appelé un numéro du gouvernement, en 800. Ils m'ont passé différents bureaux, et pour finir, j'ai eu un type des Douanes et de l'Immigration. Il m'a dit qu'il s'appelait Clawson.

– Pourquoi tu ne m'en as pas parlé ?

– Ça ne s'est pas très bien passé. Il a dit qu'il voulait me voir, comme si tout ça se passait entre nous, qu'on était copains. Il parlait comme un robot. Tu sais ce qui arrive, quand les gens parlent comme des robots ? C'est qu'ils ne veulent pas qu'on sache ce qu'ils pensent.

– Qu'est-ce que tu lui as dit, Pete ?

– Que j'étais près de l'église quand la fusillade a commencé. Je lui ai dit que le type qui me payait trois cents dollars pour conduire le camion s'appelait Hugo. Je lui ai dit que je me sentais comme un putain de trouillard de m'être enfui pendant que toutes ces femmes se faisaient tuer. Il a dit qu'il fallait que je vienne faire une déclaration et que je serais protégé. Puis il a dit : "miss Gaddis est-elle avec vous ? On peut l'aider aussi."

117

J'ai dit : "Elle n'a rien à voir avec ça." Il a dit : "On a entendu parler des gens au relais routier, Pete. Nous pensons que soit ils l'ont tuée, soit qu'elle a tiré sur l'un d'eux. Peut-être qu'elle est morte, et qu'elle est allongée quelque part, sans sépulture. Il faut faire ce qu'il faut, soldat." »

Pete se rassit sur le lit et commença à remonter une manche de sa chemise, le nœud des muscles dans son dos se tendant comme du whipcord.

« Qu'est-ce que tu lui as dit ?

– D'aller se faire foutre. Quand les gens essaient de vous culpabiliser, c'est qu'ils veulent vous contrôler. Ça veut dire aussi qu'ils ont l'intention de vous expédier en taule dès qu'ils en auront l'occasion.

– Est-ce que le FBI peut identifier un appel téléphonique ?

– Ils peuvent localiser les antennes relais. Pourquoi ?

– Je vais appeler Junior.

– Je pense que c'est une mauvaise idée. Junior fait beaucoup de bruit, mais Junior s'occupe avant tout de Junior.

– Tu n'as que 30 % d'invalidité. Ça suffit à peine à payer le loyer. Qu'est-ce qu'on est censés faire ? Tout a commencé dans un bar où tu buvais avec des idiots qui se noient la cervelle dans le mescal. Pour trois cents dollars, tu as mis nos vies entre les mains de fous sanguinaires. »

Elle vit qu'il était blessé. Elle se détourna, les yeux fermés, les cils pleins de larmes. Puis, incapable de contrôler ses canaux lacrymaux, elle commença à se marteler des poings le haut de ses cuisses.

Cet après-midi-là, tandis que Pete dormait, Vikki longea la route et, de la cabine téléphonique, elle appela Junior au *diner*, en PCV. Elle lui parla du chèque d'invalidité et de leur situation financière désespérée. Elle lui dit aussi que l'homme à qui Junior avait vendu du lait avait tenté de la kidnapper et peut-être de la tuer.

« Je n'ai pas besoin d'en savoir autant, dit Junior.

– Tu parles sérieusement ? Ce type était dans ton *diner*. Il y avait aussi un type avec une barbe orange. Je pense qu'il était mêlé à ça.

– Le chèque est dans la boîte aux lettres devant la cabane où vous vivez ?

– Tu sais très bien où on habitait. Arrête de faire semblant.

– Le shérif est venu ici. Et aussi des Fédéraux. Ils pensaient que tu étais peut-être morte.

– Je ne suis pas morte.

– As-tu tiré sur ce type qui est venu acheter du lait ?

– Tu vas nous aider, oui ou non ?

– Ça ne s'appelle pas complicité, ou un truc comme ça ?

– Tu commences vraiment à m'enquiquiner, Junior.

– Donne-moi ton adresse. »

Elle hésita.

« Tu penses que je vais vous dénoncer ? » dit-il.

Elle lui donna l'adresse du motel, le nom de la ville, et le code postal. À chaque mot qu'elle prononçait, elle avait l'impression de se dépouiller d'un morceau d'armure.

Quand elle eut raccroché, elle alla au bar et demanda un verre d'eau au serveur. Le bar-restaurant était spacieux, frais et sombre, avec de gros ventilateurs sur pied qui ronronnaient, des têtes d'animaux empaillés fixées aux murs de rondins écorcés et polis. «Je vous ai mis dedans un peu de glace et de citron, dit le barman.

– Merci.

– Vous me paraissez paumés. Vous venez voir des parents dans le coin ? »

Elle déglutit la boisson glacée et souffla. «Non, je suis une actrice de Hollywood en tournage. Vous n'auriez pas besoin d'une serveuse ? »

Pam Tibbs passa du guichet de répartitrice au bureau d'Hackberry, frappant sur le montant de la porte avant d'entrer.

« Qu'y a-t-il ? demanda Hackberry en levant les yeux de quelques photos dans une enveloppe en papier kraft.

– Il y a des problèmes au *diner* de Junior.

– Envoie Félix ou R.C.

– Les problèmes, c'est avec cet agent de l'IRS, Clawson. »

Hackberry siffla entre ses dents.

« Je m'en occupe, dit Pam.

– Non.

– Ce sont des photos de ces Thaïes ? » Comme il ne répondait pas, elle continua : « Pourquoi tu regardes ça, Hack ? Dis une prière pour ces pauvres filles et arrête de te flageller.

– Certaines ont des vêtements sombres. Certaines portent sans doute leurs plus beaux habits. Elles n'étaient pas habillées pour un pays chaud. Elles pensaient aller ailleurs. Rien n'est logique, dans ce crime. »

Pam Tibbs regarda la rue, l'ombre des nuages qui se déplaçait sur les bâtiments de parpaings et de stuc et les trottoirs défoncés. Elle entendit Hackberry se lever.

« Clawson est-il toujours au *diner* ? demanda-t-il.

– À ton avis ? »

Il ne leur fallut que dix minutes pour arriver au *diner*, barre lumineuse clignotante, sirène éteinte. Le véhicule de fonction d'Isaac Clawson était garé entre le *diner* et le night-club voisin, les portes de derrière des deux bâtiments également ouvertes. Junior était sur le siège arrière, menotté dans le dos, tandis que Clawson se tenait debout à côté de la voiture, parlant dans un portable.

« Hack ? dit Pam.

– Calme-toi. »

Elle s'arrêta derrière le véhicule de Clawson et coupa le moteur. Mais elle n'ouvrit pas la portière. « Ce type t'a traité de fils de pute. Plus jamais il ne refera une chose pareille en ma présence », dit-elle.

Hackberry remit son chapeau, sortit sur le gravillon et s'approcha d'Isaac Clawson. Vers le sud, il voyait des vagues de chaleur onduler sur le sol, des tourbillons de poussière se tordre dans le vent, les crêtes des montagnes lointaines se découper sur un ciel d'un bleu immaculé. Il portait une chemise de coton à manches longues boutonnée aux poignets, comme il le faisait dans son bureau, quelle que soit la saison, et il sentait déjà des auréoles de sueur se former sous ses aisselles.

« Quel est le problème ? demanda-t-il à l'agent de l'ICE.

– Il n'y aucun problème, répondit Clawson.

– Et pour toi, Junior ? » demanda Hackberry.

Junior portait un pantalon blanc, un T-shirt blanc, et il avait encore son tablier de cuisine. Ses rouflaquettes évasées sur ses joues brillaient de sueur. « Il croit que je sais où se trouve Vikki Gaddis, dit-il.

– Tu le sais ? demanda Hackberry.

– Je dirige un *diner*. Je ne gère pas l'existence de gamins incapables d'éviter de s'attirer des ennuis.

– Tout le monde me dit que vous vous intéressiez à Vikki autrement que comme à une employée, dit Clawson. Elle est fauchée, elle est en fuite, et elle n'a pas de famille. Je pense que vous êtes la première personne à laquelle elle demanderait de l'aide. Vous voulez la voir morte ? Le meilleur moyen d'y arriver, c'est de continuer à jouer au muet avec nous.

– Je n'aime pas vos insinuations. J'ai une famille. Faites attention, dit Junior.

– Je pourrais vous parler un instant, agent Clawson ? demanda Hackberry.

– Ce que vous pouvez faire, c'est vous tirer, répliqua Clawson.

– Et si vous aviez un minimum de courtoisie profession-nelle ? » suggéra Pam Tibbs.

Clawson la dévisagea comme s'il la voyait pour la première fois. « Pardon ?

– Notre service travaille en collaboration avec le vôtre, non ? dit-elle.

– Et alors ? »

Pam détourna le regard, passa ses pouces dans sa ceinture, la bouche close, les yeux vides. Hackberry s'avança dans l'ombre, retira son chapeau, s'épongea le front avec sa manche. Clawson se frotta le nez, puis le suivit. «Allez-y, parlez, dit-il.

– Vous embarquez Junior? demanda Hackberry.

– Je pense qu'il ment. Vous feriez quoi, à ma place?

– Je lui laisserais le bénéfice du doute, du moins pour l'instant.

– Le bénéfice du doute? Vous trouvez dans votre comté neuf femmes et jeunes filles assassinées, et vous laissez le bénéfice du doute à un homme qui peut être le complice de la fuite d'un suspect? Vérifier ne me prendra qu'une minute ou deux.

– Humilier un homme comme Junior Vogel devant ses clients et ses employés ne vous apportera rien. Mettez-y un peu du vôtre. Je reviendrai lui parler plus tard. Ou, si vous voulez, vous pourrez revenir avec moi, et on lui parlera ensemble. Ce n'est pas un mauvais bougre.

– Vous semblez avoir une longue histoire dans l'art du compromis, shérif Holland. J'ai eu accès à votre dossier, au Service des affaires des vétérans.

– Vraiment? Et pourquoi avoir fait une chose pareille, monsieur?

– Vous avez été prisonnier de guerre en Corée du Nord. Vous avez été mis dans un de ces camps pour les progressistes, les prisonniers de guerre ayant coopéré avec l'ennemi.

– C'est un mensonge.

– Vraiment? Ce n'est pas l'impression que j'ai eue.

– J'ai passé six semaines dans un trou creusé dans le sol, en plein hiver, sous une grille d'égout fabriquée en Ohio. Je savais d'où elle provenait parce que je pouvais lire les lettres gravées sur la surface métallique. Je pouvais voir les lettres parce que chaque soir deux gardiens urinaient à travers la grille, ce qui enlevait la boue sur les lettres. J'ai passé ces semaines sous cette grille avec juste un casque pour me soulager. J'ai aussi vu mes meilleurs amis mitraillés, et leurs corps jetés dans des latrines en plein air. Cela dit, j'ignore si les documents que vous avez trouvés au Service des vétérans contenaient ces détails particuliers. Êtes-vous tombé sur des détails pareils, au cours de votre recherche, monsieur ? »

Clawson regarda sa montre. « Je ne pense pas pouvoir en supporter plus, dit-il. Je ne suis pas d'accord, mais je vais quand même libérer votre type. Je reviendrai, vous pouvez compter là-dessus.

– Tirez-vous, espèce de fils de pute prétentieux, dit Pam Tibbs.

– Répétez un peu ça ? demanda Clawson.

– Apprenez un peu les bonnes manières, ou vous regretterez de ne pas laver des pots de chambre en Afghanistan », dit Pam.

Hackberry remit son chapeau et s'éloigna en soufflant.

De l'autre côté de la nationale, à une échoppe de pastèques en plein air, un homme en jean noir, bottes noires cloutées non cirées, bretelles larges et T-shirt du Grateful Dead si souvent lavé qu'il en était devenu gris cendre, était assis à une table en planches par 36° à l'ombre, le vent soulevant la bâche de grosse toile au-dessus de sa tête. Un haut-de-forme était posé, à l'envers, sur le banc à côté de lui. Il creusait la chair de sa pastèque avec son couteau de poche, et du dos de la lame s'en fourrait chaque copeau dans la bouche tout en observant la scène qui se déroulait près du véhicule d'Isaac Clawson.

Quand les gens de l'autre côté de la route furent partis dans des directions différentes, il mit son chapeau et s'éloigna de l'échoppe du marchand de pastèques, pour se servir de son portable. Ses muscles dorsaux gonflés, son torse trop long, ses courtes jambes lui donnaient l'apparence d'une souche. Quelques instants plus tard, il revint à la table, mit ses écorces de pastèque dans un journal humide, et fourra journal et écorces dans une poubelle. Un nuage de mouches noires jaillit de la poubelle et monta à son visage, mais il ne sembla pas les remarquer, comme s'il s'agissait de vieilles amies.

8

Le saloon était ancien ; il datait du XIXe siècle. Le plafond d'origine en étain estampé était toujours en place et le long bar bordé de métal où buvaient John Wesley Harding et Wild Bill Longley[1], toujours en usage. Le Prêcheur Jack Collins était assis dans le fond, contre un mur, derrière la table de billard, sous un ventilateur aux pales de bois. Par une fenêtre latérale, il voyait un bouquet de bananiers, leurs feuilles perlées de gouttes d'humidité qui semblaient aussi lourdes et lumineuses que du mercure. Il regarda le serveur prendre sa commande à un passe-plat, derrière le bar, et la lui apporter. Puis il vida du ketchup, du poivre, du sel et de la sauce piquante de Louisiane sur la galette de bœuf, la purée instantanée et les haricots verts en boîte constituant son repas.

Il leva à peine les yeux quand la porte s'ouvrit et qu'Hugo Cistranos entra dans le saloon, quittant l'éclat brillant de midi pour se diriger vers la table du Prêcheur. Mais le Prêcheur resta impassible et ne donna pas l'impression de remarquer ce qui se passait autour de lui, que ce fût l'arrivée de son repas sur la table, ou le fait qu'Hugo se fût arrêté au bar pour commander deux bières pression qu'il posait maintenant devant lui.

« Quelle chaleur, dehors, dit Hugo qui s'assit, prit une gorgée de bière et poussa le deuxième bock vers le Prêcheur.

– Je ne bois pas, dit le Prêcheur.

– Désolé, j'avais oublié. »

Le Prêcheur continua à manger, sans demander à Hugo s'il voulait commander quelque chose.

« Tu manges souvent ici ? dit Hugo.

---

1. Un des hors-la-loi les plus meurtriers du Far West (1851-1878).

124

« – Quand ils ont le menu spécial.

– C'est le spécial, ça ?

– Non. »

Hugo n'essaya pas de comprendre. Il regarda la table de billard déserte sous un cône de lumière, les queues dans leur râtelier, un cylindre dur de craie sur la table, le vinyle rouge craquelé dans les boxes, le calendrier mural qui datait de trois ans, avec un dessin représentant Alamo, les buveurs de la journée, au bar, courbés d'un air morose sur leurs verres de bière. « T'es pas quelqu'un d'ordinaire, Jack », dit-il.

Le Prêcheur posa son couteau sur le bord de son assiette et laissa son regard dériver sur le visage d'Hugo.

« Ce que je veux dire, c'est que je suis content que tu sois prêt à collaborer avec moi pour le problème que j'ai avec Nick Dolan, dit Hugo.

– Je n'ai pas dit que j'allais le faire.

– Personne ne veut te forcer à faire quelque chose que tu n'as pas envie de faire, moi encore moins que personne.

– Une discussion avec le propriétaire d'un club de strip-tease ?

– Dolan veut te rencontrer. Tu es l'homme de la situation, Jack.

– J'ai un trou dans le pied et un autre dans le mollet. Je suis un éclopé. Tu crois que ça va l'amener à te payer l'argent qu'il te doit ? Tu peux pas t'en occuper toi-même ?

– On va prendre 50 % de son night-club et de son restaurant. Il y aura 10 % pour toi, Jack. C'est pour le paiement en retard de ce que je te dois. Plus tard, on parlera des services d'escort girls que Nick possède à Dallas et à Houston. Cinq minutes après qu'on se sera assis, il y aura sa signature en bas de cette nouvelle répartition des parts. C'est un petit Juif gras court sur pattes qui fait son numéro pour sa femme. Crois-moi, en te voyant, il va se chier dessus. Regarde les choses en face : tu sais comment foutre les chocottes, Jack. »

Hugo sala sa bière et but la mousse. Il avait une Rolex et

une chemise de sport repassée avec un motif en losanges. Il venait de se faire couper les cheveux et ses joues brillaient d'après-rasage. Il ne paraissait pas remarquer la bouche pincée du Prêcheur. «Où doit se dérouler la discussion? demanda le Prêcheur.

– Quelque part dans un restaurant tranquille. Peut-être dans le parc. Quelle importance?»

Le Prêcheur coupa un morceau de viande, piqua des haricots sur les dents de sa fourchette, et roula la viande et les haricots dans sa purée. Puis il posa la fourchette sans avoir pris sa bouchée et regarda les hommes alignés au bar, en train de boire, avachis sur leurs tabourets, leurs silhouettes comme des pinces à linge voilées sur un fil.

«Il a l'intention de nous descendre tous les deux, dit le Prêcheur.

– Nicholas Dolan? Avant de s'asseoir pour discuter, il faudra qu'il se mette des couches pour adultes.

– Tu lui as foutu la trouille, et tu veux qu'il ait encore plus la trouille?

– Avec Nick Dolan, ce n'est pas compliqué.

– Pourquoi les flics se servent-ils de balles à tête ronde? demanda le Prêcheur.

– Comment veux-tu que je le sache?

– Parce qu'un ennemi blessé, ou effrayé, est le pire ennemi qu'on puisse avoir. L'homme qui te tue est celui qui est capable de te trancher la gorge avant que tu te sois rendu compte qu'il a mis la main sur toi. La fille qui m'a aveuglé avec cette bombe insecticide et m'a collé deux balles. Tu ne penses pas que cette histoire parle d'elle-même?

– Je pensais t'avoir mis sur une bonne affaire, Jack, mais tout semble dire que je n'ai pas fait le bon choix.

– On va aller parler à Dolan, d'accord. Mais pas quand il s'y attendra, et pas parce que tu veux prendre le contrôle de ses affaires. On va parler à Dolan parce que tu as tout foutu en

126

l'air. Je pense que vous avez monté je ne sais quelle arnaque, Arthur Rooney et toi.

– Une arnaque, Arthur et moi ? Quelle idée. » Hugo secoua la tête et prit une gorgée de bière, les yeux baissés, les cils aussi longs que ceux d'une femme.

« Je lui ai rendu visite », dit le Prêcheur.

Un sourire trembla sur le visage d'Hugo, la peau autour de sa bouche blanchit. « Sans blague ?

– Il a un nouveau bureau à Galveston, juste au bord de l'eau. Tu ne lui as pas parlé ? » Le Prêcheur prit la fourchette et fit glisser dans sa bouche le mélange de viande, de haricots et de purée.

« Ça fait longtemps que je n'ai plus de rapports avec Artie. C'est un tricheur et un maquereau, exactement comme Dolan.

– J'ai l'impression que ce n'est peut-être pas pour Dolan que tu as détourné ces Asiatiques. Tu laisses juste Dolan penser ça, pour pouvoir le faire chanter et lui prendre ses affaires. C'était juste toi et Rooney, depuis le départ.

– Jack, j'essaie juste de te faire avoir ton argent. Comment puis-je gagner ta confiance ? Là, tu me peines vraiment.

– À quelle heure Dolan ferme-t-il son night-club ?

– Vers deux heures du matin.

– Fais une sieste, tu as l'air fatigué », dit le Prêcheur. Il se remit à manger, mais son plat avait refroidi et il repoussa son assiette. Il prit ses béquilles et entreprit de se relever.

« Que t'a dit Artie ? Donne-moi la possibilité de me défendre, dit Hugo.

– Monsieur Rooney essayait de retrouver son petit doigt sur le sol. Sur le coup, il n'avait pas grand-chose à dire. Passe me prendre à une heure et quart. »

Pete Flores ne rêvait pas toutes les nuits, ou du moins il ne faisait pas chaque nuit des rêves dont il se souvenait. Néanmoins, à chaque aube, il était possédé par la sensation d'avoir été l'unique spectateur dans un cinéma où on l'avait forcé à voir un film dont il ne maîtrisait pas le contenu et dont les images réapparaissaient plus tard, à la lumière du jour, de façon aussi inattendue qu'une verrière qui explose sans raison.

Les participants du film qu'il était forcé de regarder étaient des gens qu'il avait connus, et d'autres qui étaient à peine plus que des anonymes derrière une fenêtre, peut-être étaient-ils barbus, peut-être leur tête était-elle entortillée dans une étoffe à carreaux, des silhouettes apparaissant comme un tic à la limite de sa vision avant de disparaître derrière un mur qui soudain se trouvait juste un mur, derrière lequel il aurait pu y avoir une famille en train de manger.

Pete avait lu que l'esprit, inconsciemment, garde la mémoire de la naissance – la sortie de l'utérus, les mains qui vous délivrent et vous tirent dans la lumière aveuglante, la terreur de découvrir qu'on ne peut respirer par sa propre volonté, et la tape de la vie, qui permet à l'oxygène de surgir dans les poumons.

Dans le film de Pete, tout ça s'était passé. Sauf que l'accouchement avait eu lieu par la tourelle d'un véhicule blindé et que les mains qui délivrent étaient celles d'un sergent couvert de poussière portant sur la manche un insigne de la First Cav[1], qui avait arraché Pete à un enfer où il grillait vivant. De retour dans la rue, le sergent s'était penché, agrippant la main de Pete, essayant de le tirer loin du véhicule.

Mais alors même que des éclats de pierre pénétraient dans les fesses et le dos de Pete, et que des magasins de mitrailleuse explosaient à l'intérieur de son véhicule, il savait que son supplice et celui du sergent n'étaient pas terminés. Le hadji à la fenêtre semblait avoir de la toile de jute entortillée autour de tout le bas de son visage. Il tenait un AK-47 avec deux chargeurs bananes fixés l'un à l'autre qui dépassaient de la crosse.

---

1. « Première de cavalerie », unité de blindés américaine.

Le hadji arrosa la rue, soulevant la crosse au-dessus de sa tête pour obtenir un meilleur angle, le canon jaillissant sauvagement, faisant retentir des balles sur le véhicule, touchant le sergent au moins en trois endroits, l'abattant sur Pete, sa main serrant toujours la sienne.

Le troisième jour au motel, quand Pete s'éveilla de son rêve, la pièce était froide à cause de l'air conditionné, bleue à la dernière lueur de l'aube, silencieuse au milieu des chuchotements du désert. Vikki était toujours endormie, le drap et le dessus-de-lit remontés jusqu'aux joues. Il s'assit sur le bord du lit, essayant de se rappeler où il était, tremblant dans ses sous-vêtements, les mains entre les jambes. À travers les jalousies, il fixait une lointaine montagne brune encadrée dans un ciel couleur lavande. La montagne lui faisait penser à un volcan éteint, dépourvu de chaleur, mort au toucher, une formation géologique solide, prévisible et inoffensive. Peu à peu, les images d'une rue du tiers-monde semée de débris de pierres jaunes et grises, de détritus et de chiens morts et d'un véhicule blindé dont s'échappaient des volutes de fumée noire s'évanouirent de sa vision, et la chambre redevint l'endroit où il se trouvait.

Au lieu de toucher la peau de Vikki et de l'éveiller, il saisit entre ses doigts le coin supérieur de son pyjama. Il observa la façon dont le climatiseur agitait ses cheveux sur sa nuque, la façon dont elle respirait par la bouche, la façon dont la couleur remontait à ses joues pendant son sommeil, comme si la chaleur de son cœur s'étendait silencieusement à travers tout son corps.

Il n'avait pas envie de boire. Ou du moins il n'avait pas envie de boire ce jour-là. Il se rasa, se lava les dents et se peigna dans le cabinet de toilettes, la porte fermée derrière lui. Il enfila un jean propre et une chemise en coton imprimé, se glissa dans ses bottes, mit son chapeau de paille et porta sa Thermos au café situé au croisement.

Il mit dans son café quatre cuillerées de sucre et commanda un toast qu'il enduisit de confiture, six petites barquettes de plastique. Sur le mur, une enseigne Corona montrait une Latina en sombrero et tunique allongée sur un canapé dans un jardin édénique, des colonnes de marbre s'élevant à côté d'elle, avec dans le fond une montagne pourpre couverte de neige. Au bout du comptoir, une Mexicaine de cent kilos, au derrière comme un bac à douche, était penchée sur la glacière, qu'elle remplissait de bouteilles de bière, une par une, tournant son visage d'un côté, puis de l'autre, à chaque fois qu'elle abaissait une bouteille dans la glacière. Elle s'essuya les mains sur un torchon et retira du comptoir l'assiette sale de Pete, qu'elle mit dans un évier rempli d'eau grasse.

« Il arrive que ces bouteilles vous explosent au visage ? demanda Pete.

– Si le livreur les laisse au soleil, ou si elles sont secouées dans la caisse, ça arrive. Mais ça ne m'est pas arrivé à moi. Vous voulez encore un peu de café ?

– Non merci.

– La recharge est gratuite.

– Alors oui, m'dame. J'en reprendrai un peu. Merci.

– Vous y mettez beaucoup de sucre, hein ?

– Ça m'arrive.

– Vous voulez que je remplisse votre Thermos ? »

Elle était juste à côté de son coude, mais il avait oublié qu'il l'avait apportée avec lui. « Merci, c'est bon », dit-il.

Elle arracha un ticket à un bloc et le posa à l'envers à côté de sa tasse. Quand elle s'éloigna, il se sentit étrangement seul, comme si on lui avait préventivement arraché des mains un scénario. Elle reprit son travail, et il entendit les bouteilles cliqueter dans la glacière. Il paya à la caisse son café et son toast et, par la porte de devant, regarda le soleil éclairer le paysage, se levant au-dessus de montagnes arides qui semblaient avoir été transportées depuis l'Asie centrale et fixées sur la bordure sud des États-Unis.

Il retourna au comptoir. « Il va faire une sacrée chaleur. Je prendrais bien une petite bouteille fraîche pour mon déjeuner, dit-il.

– Je n'en ai pas de fraîches, dit la Mexicaine.

– Je la mettrai au-dessus du climatiseur du motel, dit-il. Donnez-m'en même deux. »

Elle mit deux bouteilles humides dans un sac de papier qu'elle lui tendit. Le haut de la chemise de Pete n'était pas boutonné et les yeux de la femme tombèrent sur la peau fripée de son épaule. « Vous étiez en Irak ? demanda-t-elle.

– J'étais en Afghanistan, et juste trois semaines en Irak.

– Mon fils est mort en Irak.

– Je suis désolé.

– Il est six heures et demie du matin, dit-elle en regardant les bouteilles qu'il avait à la main.

– Oui, je sais, m'dame. »

Elle s'apprêtait à dire autre chose, mais elle se retourna vers son travail, le regard voilé.

Il revint au motel et s'arrêta au comptoir. Dehors, il entendit un poids lourd changer de vitesse au feu, dans un crissement de métal. « On a du courrier ? demanda-t-il au réceptionniste.

– Non, monsieur.

– À quelle heure passe le facteur ?

– À la même heure qu'hier, vers dix heures.

– Je repasserai voir plus tard, dit Pete.

– Oui, monsieur, à dix heures il sera sûrement là.

– Il se pourrait que quelqu'un d'autre ne l'ait pas mis au bon endroit, dans un mauvais casier, non ?

– Tout ce que je trouverai à votre nom, je vous promets de le porter dans votre chambre.

– Ça viendra d'un nommé Junior Vogel.

– Oui, monsieur, je me souviendrai. »

À l'extérieur, Pete se mit à l'ombre du motel et regarda l'étendue majestueuse du paysage, la couleur rouge, orange et jaune des rochers, les arbres noueux et les broussailles dont les racines devaient se frayer un chemin à travers des scories pour trouver l'humidité. Il écrasa un moustique sur

131

sa nuque et l'observa. Le moustique était gorgé de sang et avait laissé sur sa paume une tache de la taille d'une pièce de monnaie. Pete essuya le sang sur son jean et commença à marcher le long de la deux voies qui ressemblait à un fragment déplacé de la vieille Highway 66. Il passa devant le parcours de golf miniature, obliqua par le drive-in abandonné, traversa les rangées de poteaux métalliques qui ne portaient plus de haut-parleurs, rangée après rangée, leur utilité abolie et oubliée, entourés par le bruit du vent et des amarantes.

Il marcha pendant peut-être vingt minutes, gravit une longue dénivellation jusqu'à un plateau sur lequel trois rochers de grès étaient posés l'un sur l'autre comme des biscuits. Il escalada les rochers, s'assit, les jambes ballantes, et posa à côté de lui le sac contenant les deux bouteilles de bière. Il regarda une demi-douzaine de busards tourner dans le ciel, les plumes de leurs ailes déployées battant dans le courant d'air chaud qui montait du *hardpan*. Tout en bas, il observa un armadillo avancer vers son terrier, au milieu des arbres à créosote, le poids de sa carapace blindée se balançant maladroitement au-dessus de ses pattes minuscules.

Il mit la main dans sa poche et sortit son couteau suisse. Du pouce et de l'index, il ouvrit la lame courte qui servait à la fois de tire-bouchon et d'ouvre-bouteilles. Il enleva le papier humide des bouteilles de bière, puis en posa une sur le rocher, suintant d'humidité et aspergée par la lumière ambrée du soleil. Il tint l'autre dans sa main gauche, et positionna l'ouvre-bouteilles. Au-dessous de lui, l'armadillo entra dans son terrier et réapparut accompagné de deux bébés, tous trois plissant les yeux dans l'éclat du soleil.

« Qu'est-ce que vous venez faire, les gars ? » dit Pete.

Pas de réponse.

Il décapsula la bouteille et laissa la capsule dégringoler en tintant le long des rochers jusqu'sur le sable. Il sentit la mousse monter par-dessus le col de la bouteille et glisser sur ses doigts, sur le dos de sa main et sur son poignet. Il regarda derrière lui et distingua l'écran du drive-in et, plus loin dans la rue, le bar-restaurant où Vikki, sous un nom d'emprunt, avait trouvé un travail de serveuse, de l'argent payé en sous-main. Il s'essuya la bouche de la main et sentit le goût du sel mêlé à celui de sa sueur.

Au pied de la table de rochers, la capsule de bière couleur de bronze poli semblait briller, de plus en plus chaude contre le sable gris. C'était le seul détritus qu'il pût voir. Il descendit des rochers, sa bouteille de bière dans une main, ramassa la capsule et la fourra dans sa poche. Les armadillos levaient la tête vers lui, leur regard aussi intense et obstiné que des épingles noires. «Vous êtes des potes, ou des Republican Guards[1], les gars?» demanda Pete.

Toujours pas de réponse.

Pete tendit la main vers la bouteille de bière sur les rochers, puis s'approcha du terrier. L'armadillo adulte et ses deux bébés se précipitèrent à l'intérieur.

«Vous allez voir, dit-il en s'accroupissant, une bouteille dans chaque main. Quiconque peut vivre dans cette chaleur a sans doute beaucoup plus que moi besoin de quelques bières. C'est ma tournée, les gars.»

Il versa la première bière dans le trou, puis fit sauter la capsule de la deuxième et en fit autant avec elle, la mousse coulant comme de longs doigts sur la pente du terrier. «Ça va, là-dedans? demanda-t-il en inclinant la tête pour voir l'intérieur du terrier. Je prends ça comme une réponse affirmative. Bien reçu, gardez vos casques et serrez les fesses.»

Il secoua les dernières gouttes des deux bouteilles, qu'il glissa dans ses poches une fois vides, et rentra en ville tranquillement, en se disant qu'il venait peut-être de franchir la porte menant à un jour nouveau, peut-être même à une nouvelle vie.

---

1. Troupes d'élite de l'armée irakienne.

133

À dix heures pile, il descendit au bureau du motel à l'instant où le facteur en sortait. «Vous avez quelque chose pour Gaddis ou Flores?» demanda-t-il.

Le facteur eut un sourire gêné. «Je ne suis pas censé le dire. Il y avait beaucoup de courrier pour le motel ce matin. Demandez à l'intérieur.»

Pete ouvrit la porte et la referma derrière lui, un *ding* électronique retentissant quelque part dans le fond. Le réceptionniste arriva par une porte couverte d'un rideau. «Comment ça va? demanda-t-il.

– Je ne sais pas trop.

– Désolé, je n'ai rien vu pour vous deux.

– Ça a dû arriver, pourtant.

– J'ai bien regardé, croyez-moi.

– Regardez encore.

– Il n'y a rien. J'aimerais vous dire le contraire, mais il n'y a rien.» Le réceptionniste observa le visage de Pete. «Votre chambre est payée pour deux nuits encore. Ça n'est pas si catastrophique, n'est-ce pas?»

Ce soir-là, Vikki emporta sa Gibson Sunburst avec elle au travail, et joua et chanta trois chansons avec l'orchestre. Le lendemain matin, il n'y avait pas de courrier pour elle ni pour Pete au bureau du motel. De la cabine téléphonique du restaurant, Pete appela Junior Vogel chez lui.

«Tu avais promis à Vikki de passer prendre mon chèque et de nous l'envoyer, dit-il.

– Je ne sais pas de quoi tu parles.

– T'es un sacré menteur. Qu'est-ce que t'as fait de mon chèque? Tu l'as laissé dans la boîte? Réponds-moi.

– Ne rappelle plus ici», dit Junior. Il raccrocha.

À deux heures du matin, Nick Dolan regardait ses derniers clients quitter le club. Généralement, il se demandait où ils allaient après avoir passé des heures à boire et à mater des femmes à moitié nues se produisant à quelques centimètres hors de leur portée. Leurs fantasmes les poussaient-ils à se réveiller en train de bander, insatisfaits, vaguement honteux, peut-être fâchés par la source de leur dépendance et de leur désespoir, peut-être prêts à tenter une excursion dans le côté sombre des choses ?

Y avait-il un lien entre ce qu'il faisait et les violences commises contre des femmes ? Une sans-abri avait été violée et tabassée par deux hommes à six pâtés de maisons de son club, un quart d'heure après la fermeture. On n'avait jamais identifié les coupables.

Mais pour finir, parce que ce sujet le dérangeait, Nick avait cessé de penser à ses clients et de s'inquiéter de leurs actions passées et présentes, de la même façon qu'un boucher ne pense pas à l'origine ni à l'histoire des formes blanches vidées et congelées pendues à des crochets dans sa chambre froide. L'admonition que Nick s'adressait le plus volontiers à lui-même restait intacte et indiscutée : *Ce n'est pas Nick Dolan qui a inventé le monde.*

Nick but un verre de lait au bar, pendant que ses « filles », ses barmaids, ses barmen, ses videurs, ses portiers, lui disaient bonne nuit et, un par un, sortaient rejoindre leurs voitures et leurs vies personnelles, dont il soupçonnait qu'elles étaient peu différentes de celles de n'importe qui, en dehors des narcotiques que, souvent, ses « filles » consommaient.

Il verrouilla la porte de derrière, mit l'alarme et verrouilla la porte d'entrée derrière lui en sortant. Il s'arrêta devant le club et examina le parking, une voiture qui passait de temps en temps sur la quatre voies, la grande vasque semée d'étoiles au-dessus de sa tête. Le vent qui soufflait à travers les arbres était parfumé, les nuages éclairés par la lune ; il y avait même une promesse de pluie dans l'air. Le .25 automatique qu'il avait pris dans son bureau était bien à l'abri dans la poche de son pantalon. Il n'y avait sur le parking d'autre véhicule que le sien. Sans qu'il sache pourquoi, il était frappé que la nuit ressemble moins à une nuit de fin d'été qu'à une nuit de printemps, un moment de nouveaux commencements, la saison des averses tropicales, des foires agricoles, des camps de base-ball, et des tapis de lupins bleus et de *castillejas* un peu plus haut sur la pente, au-dessus de la nationale.

Mais pour Nick, une autre raison rendait le printemps spécial : aussi blasé qu'il soit devenu, le printemps lui rappelait toujours l'innocence de son enfance, et l'innocence que ses enfants avaient partagée avec lui.

Il pensa au grand saule vert penché sur la Comal River, derrière sa propriété, et à la façon dont ses enfants avaient aimé nager à travers ses vrilles feuillues, s'accrochant à une branche juste au bord du courant, défiant Nick de plonger avec eux, leur visage plein de respect et d'affection pour le père qui les protégeait du monde.

Si seulement Nick pouvait défaire le destin de ces femmes thaïes. Que disait la voix de Yahvé ? « Je suis l'alpha et l'oméga. Je suis le commencement et la fin. Je suis Celui qui fait toutes choses nouvelles. » Mais Nick doutait que les neuf femmes et jeunes filles dont la bouche avait été remplie de terre lui accordent si facilement leur absolution.

Il traversa le parking jusqu'à sa voiture, regardant la cime des arbres se pencher dans le vent, la lune comme un plateau d'argent derrière un nuage, ses pensées, un enchevêtrement qu'il ne parvenait pas à démêler. Derrière lui, il entendit démarrer le moteur d'une voiture, des pneus arrachant des gravillons avant d'atteindre une surface plus dure. Avant qu'il ait eu le temps de se retourner, le SUV d'Hugo était à sa hauteur, Hugo sur le siège passager, et au volant un jeune en haut-de-forme.

« Monte, Nick. On va aller petit-déjeuner », dit Hugo en baissant la vitre.

Un homme que Nick ne connaissait pas était assis à l'arrière, une paire de béquilles à côté de lui.

« Non merci, répondit Nick.

– Il *faut* que tu montes avec nous. Vraiment, il le faut », dit Hugo qui sortit de la voiture et ouvrit la portière arrière.

L'homme assis contre l'autre portière fixait maintenant Nick intensément. Il avait les cheveux gominés, partagés par une raie qui faisait une ligne grise bien nette sur son crâne, coiffés comme auraient pu l'être ceux d'un acteur des années 1940. Il avait la tête étroite, un long nez, une bouche petite et pincée. Un journal était soigneusement plié sur ses genoux, sa main droite posée juste à l'intérieur du pli. « J'aimerais que vous me parliez », dit l'homme.

Le vent était tombé et le froissement des feuilles avait cessé. L'air semblait compact, humide, comme de la laine mouillée sur la peau. Nick entendait son pouls battre dans ses oreilles.

« Ne mettez pas votre main dans votre poche, monsieur Dolan, dit l'homme.

– Vous êtes celui qu'on appelle le Prêcheur ? demanda Nick.

– Certains m'appellent comme ça.

– Je ne vous dois pas d'argent.

– Qui a dit le contraire ?

– Hugo.

– Hugo, ce n'est pas moi. Qu'avez-vous dans votre poche, monsieur Dolan ?

– Rien.

– Ne mentez pas.

– Quoi ?

– Et ne soyez pas non plus insincère.

– Je ne sais pas ce que signifie ce mot.

– Soit vous me parlez maintenant, soit vous me verrez plus tard, moi ou Bobby Lee.

– Qui est Bobby Lee ?

– Je vous présente Bobby Lee, dit le Prêcheur en montrant le chauffeur. C'est peut-être un descendant du général. Vous avez dit à Hugo que vous vouliez me rencontrer. Ne vous avilissez pas en prétendant le contraire. »

137

Nick entendait dans sa tête une fanfare de cuivres. « Eh bien voilà, je vous ai rencontré. Je suis satisfait. Maintenant, je rentre chez moi.

– Je crains que non », dit le Prêcheur.

Nick eut l'impression qu'un garrot se serrait autour de sa poitrine, empêchant le sang d'arriver à son cœur. *Affronte ça maintenant, quand Esther et les enfants ne sont pas là*, dit une voix en lui.

« Vous avez dit quelque chose ? demanda le Prêcheur.

– Ouais. J'ai des amis. Certains sont des flics. Parfois, ils viennent ici. Dans mon restaurant, ils mangent gratis.

– Et alors ? »

Nick n'avait pas de réponse. En fait, il ne se rappelait plus rien de ce qu'il avait pu dire. « Je ne suis pas un criminel. Je n'ai rien à voir avec ça.

– On peut peut-être devenir amis. Mais d'abord, il faut me parler », dit le Prêcheur.

Nick serra les dents, monta dans le SUV, et entendit la portière claquer derrière lui. Le jeune au haut-de-forme engagea à fond le SUV sur la route de service. La montée en puissance du moteur expédia Nick contre le siège et il perdit le contrôle de la ceinture de sécurité qu'il essayait de mettre. Le Prêcheur continuait à l'observer, ses yeux noisette exprimant la curiosité de quelqu'un qui étudie une gerbille dans une cage métallique. La main de Nick effleura les contours durs du .25 automatique dans sa poche.

Le Prêcheur frappa des phalanges contre son plâtre. « Je me suis montré inattentif, dit-il.

– Ah ouais ? dit Nick. Inattentif à quoi ?

– J'ai sous-estimé une jeune femme. Elle avait l'air d'une lycéenne, mais elle m'a donné une leçon d'humilité, dit le Prêcheur. Pourquoi vouliez-vous me rencontrer ?

– Vous essayez tous de vous emparer de mes affaires.

– J'ai l'air d'un restaurateur, ou d'un propriétaire de strip club ?

– Il y a pire. »

Le Prêcheur regardait le paysage défiler. Il ferma les yeux, comme pour les reposer. Quelques instants plus tard, il les rouvrit et se pencha en avant, peut-être pour étudier un point de repère. D'un doigt, il se gratta la joue, avant de recommencer à observer Nick. Puis il parut prendre une décision et tapota l'arrière du siège du chauffeur. «La route sur la gauche, dit-il. Traverse la *cattle guard*[1], et suis la piste. Tu verras une grange et un étang, et une maison avec des bardeaux. La maison sera vide. Si tu vois une voiture, ou des lumières allumées, fais le tour.

– C'est bon, Jack, dit le chauffeur.

– Que se passe-t-il? demanda Nick.

– Tu voulais une discussion, on va avoir une discussion, dit Hugo depuis le siège passager.

– Sortez le pistolet de votre poche avec deux doigts et posez-le sur le siège », dit le Prêcheur. Sa main droite restait à moitié glissée dans le pli du journal sur ses genoux. Il avait la bouche légèrement entrouverte, la tête inclinée.

«Je n'ai pas d'arme. Mais si j'en avais une, je ne vous la donnerais pas.

– Vous ne savez pas obéir? dit le Prêcheur.

– Si, sinon je ne serais pas là, répondit Nick.

– Si vous nous aviez pris par surprise, vous aviez prévu de nous descendre, Hugo et moi. Vous m'avez manqué de respect. Vous m'avez traité comme si j'étais un ignorant.

– Je ne vous ai jamais vu. Comment aurais-je pu vous manquer de respect?» dit Nick, évitant de réagir à la remarque initiale du Prêcheur.

Le Prêcheur se suçota une dent. «Vous êtes attaché à votre famille, monsieur Dolan?

– À votre avis?

_____

1. Grille à même la route, laissant passer les voitures, mais pas le bétail.

139

– Répondez à ma question.

– J'ai une bonne famille. Je travaille pour la nourrir. C'est pour ça que je·n'ai pas besoin d'une merde pareille.

– Vous respectez vos serments ?

– C'est dingue.

– Je suis persuadé que vous êtes un bon père de famille. Je suis persuadé que vous aviez prévu de nous buter, Hugo et moi, quitte à vous prendre une balle. Pour votre famille, vous vous prendriez une balle, n'est-ce pas ? »

Nick avait l'impression d'être conduit dans un piège, mais il ne savait pas de quelle façon. Le Prêcheur lut le trouble sur son visage.

« Ça fait de vous un homme dangereux, dit le Prêcheur. Vous m'avez mis dans une situation difficile. Vous n'auriez pas dû faire ça. Et vous n'auriez pas dû non plus me prendre de haut. »

Nick, le cœur dans les talons, vit les yeux du chauffeur qui l'observaient dans le rétroviseur. L'extrémité de ses doigts s'écarta de quelques centimètres de la forme du .25 auto et s'approcha de sa poche. Il jeta un coup d'œil à la main droite du Prêcheur, en partie dissimulée sous le journal plié. Le journal faisait un angle, dirigé droit sur la cage thoracique de Nick.

Le SUV quitta la route de service, passa par une trouée dans une rangée de pins, brinquebala sur une *cattle guard*, et arriva sur des terres hérissées de mauvaises herbes et de piquets de barrière en cèdre sans barbelés. Nick voyait le clair de lune briller sur un étang et, au-delà de l'étang, une maison sombre avec des bêtes dans l'enclos. Il croisa les bras sur sa poitrine, enfouissant ses mains sous ses aisselles pour les empêcher de trembler. Le chauffeur, Bobby Lee, regarda à nouveau Nick dans le rétroviseur, les joues creusées comme s'il aspirait la salive de sa bouche.

« Je savais qu'on en arriverait là, dit Nick.

– Je ne vous suis pas, dit le Prêcheur.

– Je savais qu'un salopard comme vous finirait par m'avoir par surprise. Vous êtes tous pareils, des merdes noires de

Desire, des merdes d'Italiens d'Uptown. Et maintenant un psychopathe irlandais qui fricote avec Hugo Cistranos. Aucun de vous n'a de talent ni de cervelle à lui. Chacun d'entre vous est une bête de somme, imaginant toujours un moyen de voler ce pour quoi un autre a travaillé.

— Il est incroyable, ce mec ! dit le chauffeur à Hugo.

— Je ne vole pas, monsieur Dolan, dit le Prêcheur. Mais vous, si. Vous volez et vous vendez l'innocence de jeunes femmes. Vous avez créé un lieu qui fait de l'argent avec les désirs d'hommes dépravés. Aux yeux de Dieu, vous êtes une plaie maligne[1]. Vous le saviez, monsieur Dolan ? Et pour cette raison, vous êtes une abomination au regard de votre propre race.

— Le judaïsme n'est pas une race, c'est une religion. C'est ce que que je suis en train de dire. Vous êtes tous des ignorants. C'est votre dénominateur commun. »

Bobby Lee avait déjà éteint les phares et ralentissait pour s'arrêter au bord de l'étang. L'extrémité ouverte du journal sur les genoux du Prêcheur était toujours pointée sur le flanc de Nick. Ce dernier crut qu'il allait vomir. Hugo ouvrit la portière arrière et passa la main sur les jambes de Nick. Celui-ci sentait le souffle d'Hugo sur sa peau. Hugo sortit le .25 auto de la poche de Nick et visa l'étang.

« Belle arme », dit-il. Il libéra le chargeur et actionna la glissière. « T'as eu peur d'en faire monter une dans la chambre, Nicholas ?

— Ça ne m'aurait servi à rien, dit Nick.

— Tu veux lui montrer ? dit Hugo au Prêcheur.

— Me montrer quoi ? » demanda Nick.

Le Prêcheur laissa tomber le journal et sortit de l'autre côté du véhicule, tirant ses béquilles derrière lui. Le journal s'était ouvert sur le sol. Il n'y avait rien à l'intérieur.

---

1. Apocalypse de saint Jean, XVI, 2.

« Pas de bol, Nicholas, dit Hugo. Quel effet ça fait, de perdre contre un type qui tient une poignée de rien ?

– Bobby Lee, ouvre le coffre. Hugo, donne-moi son arme, dit le Prêcheur.

– Je peux m'occuper de ça, dit Hugo.

– Comme tu l'as fait derrière l'église ?

– T'énerve pas, Jack, dit Hugo.

– Je t'ai dit de me donner l'arme. »

Nick se sentit parcouru de spasmes, comme si tout son organisme avait été empoisonné, et que son sang s'était agglutiné dans son estomac, que le moindre de ses muscles était devenu flasque et malléable. Pendant un bref instant, il se vit à travers les yeux de ses bourreaux – un petit homme gros et pitoyable dont la peau était devenue couleur carton, dont les cheveux luisaient de sueur, un petit homme à qui sa corpulence donnait la puanteur aigre de la peur.

« Suivez-moi, dit le Prêcheur.

– Non, dit Nick.

– Si », dit Bobby Lee, appuyant sèchement entre les omoplates de Nick un .45 qu'il vissa dans la chair molle de ses muscles.

Les vaches dans l'enclos de la ferme avaient déposé autour de l'étang des alignements de bouses d'un vert brillant. Dans le clair de lune, Nick les voyait qui l'observaient, leurs yeux fluorescents, leurs têtes entourées d'un halo de moucherons. Une vache qui n'était pas traite, ses mamelles gonflées tendues comme un ballon couvert de veines, meuglait de douleur.

« Allez vers la maison, monsieur Dolan, dit le Prêcheur.

– C'est là que ça se finit, non ? » demanda Nick.

Mais personne ne lui répondit. Il entendit Hugo chercher quelque chose dans la malle arrière du SUV, secouer deux grands sacs-poubelle en plastique qu'il étendit sur le tapis de sol.

« Ma famille ne saura pas ce qui m'est arrivé, dit Nick. Ils penseront que je les ai abandonnés.

– La ferme, dit Bobby Lee.

– Ne lui parle pas comme ça, dit le Prêcheur.

– Il arrête pas de mal te parler, Jack.

– Monsieur Dolan est un homme courageux. Ne le traite pas comme moins que ce qu'il est. C'est assez loin, monsieur Dolan. »

Nick sentait la peau de son visage se plisser, l'arrière de ses jambes trembler de façon incontrôlable, son sphincter commencer à l'abandonner. Au loin, il voyait une bande de peupliers en lisière d'un champ non labouré, le vent souffler à travers du sorgho d'Alep jauni par la sécheresse, la brève trace d'une étoile filante dans le ciel. Comment lui, un gamin de La Nouvelle-Orléans, pouvait-il finir ici, dans cet endroit paumé, éloigné de tout, cette terre en friches au sud du Texas ? Il ferma les yeux, et pendant un instant il vit sa femme debout sous la colonnade à l'angle de St. Charles et de Canal, des gouttes de pluie dans les cheveux, la blancheur laiteuse de son teint éclairée par le vieux tramway métallique vert immobile sur ses rails.

« Esther », s'entendit-il murmurer.

Il attendit le coup de feu qui ferait ricocher à travers son cerveau une balle de .25. Mais il n'entendait que le meuglement des vaches dans l'obscurité.

« Qu'avez-vous dit ? demanda le Prêcheur.

– Il a rien dit, dit Bobby Lee.

– Tais-toi. Qu'avez-vous dit, monsieur Dolan ?

– J'ai dit Esther, le nom de ma femme, une femme qui ne saura jamais ce qui est arrivé à son mari, espèce de connard. »

Nick entendait le toit de métal de la ferme claquer dans le vent.

« Qu'est-ce qui va pas, Jack ? demanda Bobby Lee.

– Vous jurez devant Dieu que c'est bien le nom de votre femme ? demanda le Prêcheur.

– Je n'humilierais pas son nom en jurant à son sujet devant un homme comme vous.

143

– Le laisse pas te parler comme ça, Jack.»

Nick entendait le Prêcheur respirer par le nez.

«Donne-moi son arme. Je vais le faire, dit Bobby Lee.

– Amène la voiture, dit le Prêcheur.

– Qu'est-ce que tu fais?» demanda Bobby Lee. Il était plus grand que le Prêcheur, et son haut-de-forme qui se découpait sur l'éclat de la lune donnait l'impression d'une taille encore plus haute.

«Je ne fais rien.

– Rien?

– On laisse cet homme tranquille.

– Je comprends pas.

– Esther a dit au roi Xerxès que s'il tuait son peuple, il devrait la tuer, elle aussi. C'est comme ça qu'elle est devenue la servante de Dieu. Tu ne sais pas ça?

– Non, et je perds pas non plus mon temps à ces conneries de la Bible.

– C'est parce que tu n'as pas d'éducation. Tu n'es pas coupable de ton ignorance.

– Ce type en sait trop, Jack.

– Ce que je fais ne te plaît pas? dit le Prêcheur.

– C'est une erreur, mec.»

Nick entendait le vent, et un bruit sourd, comme des sauterelles cognant contre le mur de la ferme. Puis Bobby Lee dit: «Bon, au diable.»

Nick entendit les pas de Bobby Lee s'éloigner, puis les voix de Bobby Lee et d'Hugo se mêler près du SUV. Le Prêcheur, sur ses béquilles, se rapprocha de quelques centimètres, jusqu'au moment où Nick put sentir la gomina dans ses cheveux.

«Prenez soin de votre femme, dit le Prêcheur. Prenez soin de vos enfants. Et ne vous approchez plus jamais de moi. C'est compris?»

Mais Nick avait la bouche qui tremblait tellement, de peur ou de soulagement, qu'il était incapable de parler.

Le Prêcheur jeta le .25 auto de Nick, et les rides sur l'étang s'étendirent au milieu des joncs. Tandis que le Prêcheur retournait péniblement au SUV, ses épaules, haussées par ses béquilles proches de son cou, on aurait dit un épouvantail dont les tiges se seraient effondrées. Nick regardait stupidement ses trois kidnappeurs, comme s'ils étaient à jamais fixés dans un instantané en noir et blanc extrait d'un film noir des années 1940 – le donneur de mort réduit à une silhouette, boitant sur une terre desséchée, Hugo et Bobby Lee regardant Nick avec des visages qui semblaient conscients qu'une présence nouvelle et dangereusement complexe venait de naître dans leur existence.

9

Junior Vogel avait dit à sa cuisinière qu'il allait déjeuner avec sa femme. Mais il n'apparut pas chez lui, et ce soir-là il ne rentra pas non plus. Junior était un homme pondéré, membre du Kiwanis, diacre de son église, qui ne s'abandonnait pas à des excentricités. Ce soir-là, sa femme appela le 911. À l'aube, sa femme était persuadée qu'il avait été enlevé.

À sept heures seize du matin, un camionneur portant un chargement de balles de foin déclara qu'il pensait avoir vu un véhicule accidenté au fond d'un arroyo pentu, juste à côté de la deux voies, à douze kilomètres au sud de la maison de Junior. Le rail de sécurité sur l'accotement était défoncé et les mesquites qui poussaient dans les rochers de l'autre côté avaient été dépouillés de leur écorce ou de leurs feuilles par la chute du véhicule.

Hackberry Holland et Pam Tibbs se garèrent sur une zone de dépassement et se frayèrent un chemin dans l'arroyo, des scories et des cailloux glissant sous leurs semelles, la poussière leur montant au visage. Le pick-up accidenté semblait avoir fait des tonneaux, le toit de la cabine écrasé, le pare-brise explosé, avant de finir par se poser sur un lit de roches sèches couvertes de papillons en quête d'humidité.

Le chauffeur était toujours derrière son volant. Les airbags n'avaient pas fonctionné.

Hackberry se faufila entre un bloc de roche et la portière côté conducteur. Le chauffeur était avachi, écroulé en avant, ses cheveux en broussailles s'étalant sur son col. De dos, il donnait l'impression d'être endormi. La matinée était encore fraîche et le pick-up était dans l'ombre, mais l'odeur dans la cabine faisait déjà monter les larmes aux yeux.

Pam contourna l'avant du véhicule par l'autre côté, enfilant ses gants en polyéthylène, scrutant au-delà du tableau de bord semé d'éclats de verre étincelants. Les yeux de Junior Vogel semblaient fixer le tableau de bord, eux aussi, mais ils étaient sans expression, et son front était penché en avant, comme s'il était plongé dans une ultime réflexion. Une mouche à viande rampait sur l'une de ses rouflaquettes évasées.

«Les airbags sont coupés. Junior avait des petits enfants, non? dit Pam.

– Tu crois qu'il s'est endormi au volant?

– Possible. Mais il a été signalé disparu depuis la mi-journée.»

Pam leva les yeux vers le rail de sécurité défoncé en haut de l'arroyo. «Et il n'y a pas de virage. Il a peut-être perdu un boulon.

– La sortie pour aller chez lui est à une quinzaine de kilomètres derrière nous. Que venait-il faire jusque-là?» dit Hackberry.

Au-dessus d'eux, une ambulance s'arrêta sur le bord de la route. Deux infirmiers en sortirent et regardèrent en bas depuis le rail de sécurité, leur visage petit et rond contre le ciel bleu.

« Le chauffeur est mort. Il n'y pas de passager. Vous voulez bien nous laisser quelques minutes, les gars? cria Hackberry.

– Oui, monsieur», dit l'un des deux infirmiers.

Retenant sa respiration, un mouchoir en tampon sur la bouche, Hackberry tendit la main à l'intérieur du véhicule pour couper le contact. Sauf qu'il était déjà coupé. Une patte de lapin oscillait au bout d'un porte-clefs.

«Regarde ça, Hack», dit Pam. Elle se tenait maintenant derrière le véhicule. «Il y a une grosse bosse sur le pare-chocs. Mais il n'y a pas de terre dessus. Le reste du pare-chocs est couvert de boue séchée.

– Tu crois que quelqu'un est entré dans l'arrière de Junior et l'a fait passer par-dessus le rail? demanda Hackberry.

– Junior était un maître en fait de conduite passive agressive, dit-elle. Deux semaines après qu'il avait été chargé de

147

s'occuper du comité de pique-nique de son église, la moitié de sa congrégation était prête à se convertir à l'islam.

– Le contact est coupé », dit Hackberry. Il s'était écarté de la cabine, mais tenait toujours le mouchoir sur sa bouche.

« À mon avis, il est mort en se brisant la nuque, dit Pam. Il a pu rester conscient assez longtemps pour couper le contact afin d'empêcher un incendie. Dans sa situation, c'est ce que je ferais.

– Non, cette mort est suspecte », dit Hackberry. Il avala une goulée d'air pur, puis ouvrit la portière. « Il y a des éclats de verre sur tout le devant de sa chemise, mais presque aucun sur la ceinture de sécurité. » De l'index, il tâtonna à l'intérieur du mécanisme qui remontait automatiquement la ceinture quand le conducteur libérait la lanière de son attache. « Il y a du verre dans la fente. Cette ceinture a été libérée, puis tirée à nouveau.

– Quelqu'un a sorti Junior de la voiture et l'a remis dedans ensuite ? »

Hackberry alla à l'arrière du pick-up et observa le pare-chocs endommagé. Il s'éclaircit la gorge, cracha sur le côté et attendit que le vent dégage l'atmosphère autour de lui. « On pensait que Junior savait peut-être où se trouve Vikki Gaddis, dit-il. Peut-être quelqu'un d'autre est-il arrivé à la même conclusion.

– Quelqu'un l'a poussé à quitter la route, l'a tabassé, et lui a brisé la nuque ? demanda Pam.

– C'est peut-être pour ça que Junior est passé près de sa maison sans s'arrêter. Il ne voulait pas mettre sa femme en danger. »

Une volée de petits cailloux dégringola le long de l'arroyo. Pam leva les yeux sur le trou dans le rail de sécurité. « Voilà R.C., Felix et le coroner. Qu'est-ce que tu veux faire ?

– On va traiter ça comme un homicide. »

Hackberry marcha jusqu'à l'autre côté du pick-up, ouvrit la portière passager, regarda à l'intérieur et fouilla derrière le siège. La boîte à gants était ouverte, mais à l'intérieur rien ne paraissait avoir été dérangé. Puis il vit une trace brillante rectangulaire, là où un tournevis avait été inséré afin de faire sauter la serrure.

Pourquoi quelqu'un aurait-il besoin d'un tournevis pour ouvrir une boîte à gants, alors que la clef de contact est encore en place ? Hackberry essaya la clef de contact sur la boîte à gants, mais elle ne tournait pas dans la serrure.

Il monta plus haut dans l'arroyo et escalada une roche plate qui lui offrait une vue sur le pick-up et sur le chemin qu'il avait parcouru en dégringolant depuis le rail de sécurité. Les deux adjoints qui venaient d'arriver, R.C. Bevins et Felix Chavez, aidaient le coroner à descendre la pente. Hackberry s'accroupit, repoussa son chapeau sur sa tête, ses genoux craquant, la crosse du .45 dans son holster lui entrant dans les côtes. Une petite brise soufflait depuis le fond de l'arroyo et un nuage de papillons noirs s'éleva du lit du ruisseau à sec. Le soleil était déjà une boule rouge montant au-dessus des collines, mais l'arroyo était encore dans l'ombre, le roc froid au toucher, l'ambiance riveraine du désert presque magnifique.

Peut-être était-ce toute l'histoire de la terre, pensa-t-il. Sa surface était traversée par la souffrance, l'inhumanité, les massacres, mais les cicatrices étaient aussi provisoires et dépourvues de signification pour les yeux que le sable soufflé par le vent. L'expression la plus poignante de nos souffrances – les voix des mourants – n'avait pas plus de durée qu'un écho disparaissant par-dessus le rebord d'une plaine infinie. Comment des millions d'années pouvaient-elles se terminer dans le silence et l'invisibilité ?

Il se releva et, de ses pouces, rentra sa chemise dans son pantalon. Tout en bas, à moins de dix mètres, une enveloppe beige reposait dans un enchevêtrement de bois sec qui lui rappelait des cornes d'élans entassées aux abords d'un camp de chasse. Il descendit du rocher sur lequel il était perché et ramassa l'enveloppe. Elle avait une fenêtre de cellophane et avait été déchirée irrégulièrement d'un côté, ce qui rendait illisible la plus grande partie de l'adresse de l'expéditeur. Elle était vide, mais il restait suffisamment d'écriture dans le coin supérieur gauche pour identifier son origine.

« Qu'est-ce que tu as trouvé ? demanda Pam.

– Une enveloppe du Service des affaires des vétérans.

– Tu crois qu'elle était dans la boîte à gants de Junior ?

– Je pense. La clef de contact était sur le démarreur, mais pas celle de la boîte à gants. »

Pam glissa ses pouces dans sa ceinture, les coudes écartés. Puis elle se gratta l'avant-bras et ramena les yeux sur le pick-up accidenté. « Junior est allé chez Vikki et Pete, et a récupéré pour Pete son chèque d'invalidité. Mais il ne l'a pas renvoyé, ajouta-t-elle, plus pour elle-même que pour le shérif. Pourquoi ?

– Sans doute qu'il a eu la trouille.

– Et aussi que Junior, quand il le voulait, pouvait se conduire en salopard suffisant et malveillant.

– Alors, shérif ? cria d'en haut l'un des infirmiers.

– Descendez », répondit Hackberry à l'instant où le soleil apparaissait au bord de l'arroyo et éclairait ses surfaces aiguës d'un éclat qui, en quelques secondes, dévora l'ombre de son feu.

Cinq heures plus tard, Darl Wingate, le coroner, entra dans le bureau d'Hackberry. Il avait fait une carrière de médecin légiste dans l'armée avant de prendre sa retraite. Quelles que fussent la pratique ou les connaissances qu'il eût acquises dans son propre domaine, il semblait n'en utiliser aucune concernant sa propre vie. Il fumait, se nourrissait mal, buvait trop, avait avec les femmes des relations conflictuelles, et semblait faire de la dureté et du cynisme une religion. Hackberry se demandait souvent si l'attitude prodigue de Darl à la fois envers la morale et envers sa propre santé était fabriquée, ou s'il n'était pas de ceux que leur expérience du monde avait poussés à ne plus croire en rien.

«Vous n'avez pas trouvé une dent, dans le véhicule? demanda Darl.

– Non.»

Darl avait tiré une chaise et s'était assis à l'extrémité du bureau. Son visage était une parodie de visage de théâtre, avec une fossette au menton et une fine moustache, les joues légèrement creusées par l'âge ou par une maladie dont il ne parlait à personne. Hackberry sentit dans son haleine une odeur mentholée et se demanda à quelle heure ce matin Darl s'était versé son premier verre.

«Vogel avait un trou béant à la place d'une de ses molaires, dit Darl. Elle n'était pas cassée à la racine. Il avait des contusions profondes sur les lèvres.

– Il a été torturé?

– Tu as déjeuné?

– Non.

– Jusqu'à quel point veux-tu entendre des choses pareilles avant de manger?

– Arrives-en au fait, tu veux bien, Darl?

– Son pénis et ses testicules ont subi de gros dommages. Ça a sans doute été fait avec un instrument métallique. Sans doute les mêmes pinces qui ont servi pour sa bouche. La cause de la mort est un infarctus.

– Il n'avait pas la nuque brisée?

– Si, elle était brisée, mais quand ça s'est passé, il était déjà mort.

– Tu es sûr de tout ça?»

Darl plaça une cigarette dans un fume-cigarette en or, puis écarta cigarette et fume-cigarette, comme s'il se rappelait soudain qu'Hackberry interdisait qu'on fume dans le bâtiment. «Il s'est peut-être arraché sa dent lui-même, dit-il. Ou peut-être que le volant l'a heurté au visage, et lui a fait des coupures à l'intérieur de la bouche sans en faire à l'extérieur. Ou peut-être que ses parties génitales ont été remodelées par l'airbag qui ne s'est pas gonflé. Tu veux savoir ce que je pense vraiment?

– Vas-y.

– Que l'information qu'avait ce pauvre type, quelle qu'elle soit, il a supplié pour la donner, sauf s'il est mort avant. J'espère que c'est ce qui s'est passé. J'espère qu'il a plongé dans un profond puits noir. Il faut que je fume une cigarette. Je sors.

– Je dois passer un coup de fil. Viens déjeuner avec moi.

– J'ai déjà mangé.

– Viens quand même déjeuner avec moi », insista Hackberry.

Quand Darl fut sorti, Hackberry appela Ethan Riser, l'agent du FBI. « J'ai un problème de conscience. Je vais vous l'exposer, et vous en ferez ce que vous voudrez, dit-il.

– Quel est ce gros problème ? demanda Riser.

– Hier matin, Junior Vogel a sans doute été attiré hors de la route, et torturé à mort. Votre type de l'ICE, ce Clawson, voulait le boucler, mais je l'en ai empêché.

– Clawson a parlé avec Vogel ?

– Vous l'ignoriez ?

– Je n'ai pas toujours l'opportunité de parler directement à Clawson. »

Hackberry s'émerveilla de l'étonnante latitude que le langage bureaucratique offre à ceux qui le pratiquent. « Je pense que Junior avait entre les mains le chèque d'invalidité de Pete Flores, dit-il. Je pense qu'il s'apprêtait à l'envoyer à Pete. On aurait dû être sur ce chèque, les gars, aussi bien vous que moi et mon département.

– Nous l'étions.

– Pardon ?

– Clawson avait mis un autre agent là-dessus. Ils ont merdé.

– Vous êtes sûr qu'il n'y a rien de plus que ça ? dit Hackberry.

– Vous voulez bien vous expliquer ?

– Je pense que votre homme, ce Clawson, a de sérieux problèmes psychiques. Je pense qu'il ne devrait pas porter d'insigne.

– Ce n'est pas *notre* homme.

– Ça a été un plaisir de parler avec vous, monsieur ! » dit Hackberry en reposant le récepteur sur son socle.

Le Prêcheur Jack Collins avait lu un jour que les connexions optique et neurologique des chevaux créaient dans leurs têtes deux écrans différents, leur permettant de contrôler simultanément deux visions générales et séparées de ce qui les entourait. Aux yeux du Prêcheur, ça ne semblait pas une avancée remarquable dans l'évolution de l'espèce.

Dans son cas, il y avait toujours eu deux écrans dans sa tête : l'un sur lequel les gens entraient et sortaient, et qu'il regardait ou ignorait, selon son choix ; sur l'autre écran, celui auquel il participait, il y avait des cadrans et des boutons lui permettant d'inverser ou de modifier le flux de ses pensées, ou de déformer ou de brouiller des images qui n'y avaient pas leur place.

Son don était obscur, mais c'était quand même un don, et depuis son adolescence il était convaincu que son rôle dans le monde était prédestiné, et que ce n'était pas à lui de mettre en question la main invisible qui avait modelé son âme avant même qu'il ne fût conçu.

Au fond du saloon, un ventilateur sur pied soulevait le revers de son pantalon et rafraîchissait la peau autour de son plâtre. De là où il était assis, une tasse blanche remplie de café noir accrochée à l'index, la forme allongée du saloon, telle celle d'un wagon, était presque comme un résumé du voyage d'un homme de l'utérus à la dernière page de son calendrier. Le premier soleil se reflétait sur les vitres avec le même éclat électrique que dans une salle d'accouchement, cet éclat qui aveugle les nouveau-nés. Le salon était autrefois une salle de danse, et le damier du sol était toujours en place, sur lequel avaient marché des centaines, sinon des milliers, de personnes qui ne baissaient jamais le regard sur leurs pieds, et ignoraient la structure mathématique de leur existence.

Dans le bâtiment, la seule source de lumière qui ne changeait jamais de forme était le cône de jaune brillant créé par l'abat-jour de métal de l'ampoule au-dessus de la table de billard. Il éclairait les bordures en acajou, les poches de cuir et le feutre vert de la table, avalait les bras, les cous, les épaules, des joueurs qui se penchaient dessus. Le Prêcheur se demandait si l'un d'entre eux, le cul arqué contre son jean, ses parties génitales effleurant le bois, le bras droit tendu pour diriger la queue comme une lance dans une boule blanche, s'était jamais vu comme un idiot penché sur son propre cercueil.

Le serveur apporta au Prêcheur une provision de café dans un pot en métal bleu moucheté de blanc. Le serveur laissa le pot sur la table, ainsi qu'une soucoupe avec six morceaux de sucre. En cet instant, le son des deux écrans dans la tête du Prêcheur était coupé, comme souvent à l'aube, et dans des moments comme ça, il se demandait si le silence faisait partie d'un projet plus vaste ou n'était qu'un signe de l'abandon de Dieu.

Alors qu'Élie cherchait à entendre la voix de Dieu, il avait découvert à son réveil que durant la nuit un ange lui avait apporté une cruche d'eau et un gâteau cuit sur une pierre chaude. Mais dans un tremblement de terre on n'entend pas la voix de Dieu. Ni dans le vent, ni même dans le feu. C'est ce que disaient les Écritures. La voix se ferait entendre en un murmure à l'entrée d'une grotte dans laquelle le Prêcheur entrerait le moment venu.

Mais comment la reconnaîtrait-il ? Comment saurait-il que ce n'était pas simplement le vent soufflant à travers un trou dans la terre ?

Soudain, la porte de la sortie de secours s'ouvrit, ce qui fit sursauter la main du Prêcheur, qui répandit du café. Bobby Lee se tenait là, encadré par le soleil dans l'allée, vêtu d'un pantalon de travail clouté orange, d'un T-shirt blanc et de son haut-de-forme, ses bretelles larges incrustées dans ses deltoïdes, la mâchoire pas rasée.

« Je voulais pas te faire peur, dit Bobby Lee en s'essuyant le nez du dos de la main tout en scrutant l'intérieur du saloon. Quel trou ! Tu manges vraiment ici ?

– N'arrive plus jamais comme ça derrière moi, dit le Prêcheur.

– On est un peu susceptible, ce matin ? »

Le Prêcheur essuya avec une serviette en papier le café qu'il avait sur la main. « Mets des pièces dans le juke-box, dit-il.

– Qu'est-ce que tu veux écouter ?

– Est-ce que j'ai la tête de quelqu'un qui s'intéresse à ce qu'il y a dans ce juke-box ? »

Bobby Lee alla faire de la monnaie auprès du barman, mit huit quarters dans le juke-box, et se rassit en face du Prêcheur.

« Raconte-moi, dit le Prêcheur.

– Ça a merdé. On a dû poursuivre le mec et l'obliger à quitter la route.

– Continue. »

Bobby Lee haussa les épaules. « Le type voulait pas lâcher le morceau. Liam lui a expliqué les choix qu'il avait. Je pense que le type croyait pas ce que Liam lui disait.

– Tu peux retirer ces crackers de ta bouche ?

– Le type est mort. Je crois qu'il a fait une crise cardiaque. » Bobby Lee vit que le Prêcheur plissait les yeux. « C'est sa faute, Jack. Il voulait pas coopérer. »

Le Prêcheur prit un morceau de sucre qu'il plongea dans son café sans quitter des yeux Bobby Lee. « Je croyais que t'étais diabétique, dit Bobby Lee.

– Tu croyais faux. Termine ce que tu disais. »

Le regard de Bobby Lee sembla se tourner vers l'intérieur, comme s'il fouillait dans sa mémoire, se demandant s'il se trompait ou si le Prêcheur lui mentait. Puis sa vision redevint nette. « Le type a parlé d'un motel Siesta, dans une ville près de la frontière. On comprenait mal ce qu'il disait.

– Il ne parlait pas la même langue que Liam et toi ?

– Tu sais, avec ce que Liam lui faisait.

– Faisait quoi ?

– Jack, tu nous as envoyés chercher des informations. On a poussé le pick-up du type à travers un rail de sécurité, en plein jour. On a dû se garer en haut de la route et descendre dans un canyon. On a eu que quelques minutes pour régler la situation, effacer nos traces et nous extraire de là.

– Vous extraire de là ?

– Il y a un écho, ou quoi ? Le problème, c'est pas moi et Liam. »

Il y eut un silence. « Alors qui est le problème ? dit le Prêcheur.

– Tu as peur que cette fille t'identifie, mais t'as laissé filer ce Juif. Et en attendant, aucun de nous n'est payé. Pas moi, pas Liam, pas Hugo, et pas toi. Ça te paraît logique ?

– Dis-moi, pourquoi ce Juif aurait-il voulu tuer toutes ces femmes ? C'est un proxénète. Les proxénètes ne tuent pas leurs femmes », dit le Prêcheur.

La première chanson du juke-box se termina. Bobby Lee attendit le commencement du morceau suivant avant de reprendre la parole. « Je savais pas ce que vous alliez faire derrière l'église, Hugo et toi. Je pense que vous avez fait une erreur, Jack. Mais me la mets pas sur le dos. Je veux juste être payé. Je pense que je vais rentrer en Floride et repandre des cours de décoration d'intérieur à Miami-Dade. Avec un semestre de plus, je pourrai avoir un Associate Degree[1] en arts. »

Le regard du Prêcheur s'attardait sur le visage de Bobby Lee, semblait pénétrer dans sa tête et fouiller dans ses pensées.

« Pourquoi tu me regardes comme ça ? demanda Bobby Lee.

– Pas de raison précise.

– Je vais être franc. Hugo et moi, on pense que tu merdes, comme si t'avais peut-être besoin de conseils, ou de je ne sais quoi.

– Qu'avez-vous fait avec le patron du restaurant ?

– Avant ou après ? » Bobby Lee vit la chaleur monter au visage du Prêcheur. « Liam lui a cassé le cou, et on l'a remis

---

1. Équivalent d'un DEUG.

dans son pick-up, avec sa ceinture. Personne nous a vus. Ça passera pour un accident.

– Avez-vous pris quoi que ce soit dans le pick-up?

– Non, dit Bobby Lee en secouant la tête.

– Tu ne penses pas qu'un coroner s'apercevra que la nuque de l'homme a été brisée après sa mort, et que son corps a été déplacé?»

Bobby Lee se mit une allumette dans la bouche, puis la retira et regarda le juke-box. Il croisa ses mains sur la table et observa ses doigts. La peau de son visage avait la texture du cuir de porc bouilli.

«Tu voulais me dire autre chose? demanda le Prêcheur.

– Ouais. On sera payés quand? répliqua Bobby Lee.

– Qu'avez-vous pris dans le véhicule de cet homme?

– Quoi?»

Le Prêcheur posa sa tasse de café et souleva un doigt. «J'ai été ton ami, Bobby Lee, mais je ne supporte pas le mensonge. Réfléchis bien à ta prochaine réponse.»

Un tic apparut sur un côté du visage de Bobby Lee, comme si une larve rampait dessus.

Le samedi matin, Hackberry plantait des rosiers à l'ombre de sa maison, installant les blocs de racines dans des trous profonds creusés dans un mélange de marc de café, de compost et de terre noire, quand il vit la voiture de Pam Tibbs quitter la nationale et franchir l'arche de bois enjambant son allée. Elle avait été de garde toute la nuit et était encore en uniforme, et il supposa qu'elle était en route pour rentrer chez elle, dans la maison où elle vivait avec trois chats, un *quarter horse* de vingt ans, et une volière pleine d'oiseaux blessés.

Quand elle sortit de sa voiture, elle tenait dans une main un sac de charbon, et dans l'autre un sac plastique rempli de quoi faire un pique-nique. «Il est un peu tard pour planter des roses, non? dit-elle.

– À mon âge, il est tard pour tout, dit Hackberry.

« J'ai quelques saucisses, de la salade de pommes de terre, des haricots, du chou cru et des petits pains, si tu veux bien déjeuner tôt », proposa-t-elle.

Il se redressa, retira son chapeau de paille et s'épongea le front avec sa manche. « Il s'est passé la nuit dernière quelque chose que je devrais savoir ?

— On a coincé un Mexicain avec sur lui de l'héro pas très pure, et trois mille dollars en liquide. Il se pourrait bien qu'il travaille comme mule pour Ouzel Flagler. C'est le troisième qu'on arrête ce mois-ci. »

Derrière la maison, il y avait une table de pique-nique pas peinte, avec un parasol planté au milieu. Pam posa sur la table le charbon et la nourriture, glissa ses paumes dans ses poches arrière et regarda la grange d'Hackberry, ses peupliers et son potager florissant de tomates Big Boy. Ses menottes étaient passées dans l'arrière de sa ceinture, le sommet d'une matraque tressée dépassait de sa poche latérale. Il attendit qu'elle continue, mais elle ne dit rien.

« Vas-y, Pam, dit-il.

— Isaac Clawson était au bureau il y a une heure. Il veut foutre le maximum de bordel dans ta vie, Hack.

— Qui ça gêne ?

— Tu es trop gentil. Tu te laisses aveugler.

— Tu vas me protéger ? »

Elle se retourna vers lui. « Peut-être que quelqu'un devrait le faire. »

Il aplatit du pouce une bosse sur la calotte de son chapeau et se le remit sur la tête, un sourire au coin des lèvres, un œil légèrement plus fermé que l'autre. « Tu as une boisson fraîche, dans ce sac ?

— *Yes, sir* », dit-elle.

Il ouvrit la cannette de Coca-Cola qu'elle avait apportée et en avala une longue gorgée. Il était glacé et lui fit mal à la gorge mais il continua à boire, le regard fixé sur deux geais bleus dans son mûrier. Il sentait les yeux de Pam sur son profil.

158

Il écarta la bouteille de sa bouche. «Tu es une bonne dame», dit-il.

Le visage de Pam sembla se ramollir dans l'ombre, comme une fleur en fin d'après-midi. Puis il entendit une voix, aussi claire que le bruit des oiseaux dans les arbres : *N'en dis pas plus.*

Elle se croisa les bras sur la poitrine. «Tu as de l'allume-charbon ? demanda-t-elle.

– Dans la cabane à outils», dit-il.

Le moment était passé, aussi vite qu'une allumette de cuisine peut s'enflammer, brûler et mourir. Il se remit au travail dans son jardin, et Pam démarra un feu sur le gril, mit une nappe sur la table de pique-nique, et commença à y installer les saucisses, les petits pains, des assiettes en carton et des fourchettes en plastique.

Vingt minutes après, la voiture de fonction d'Isaac Clawson apparut au bout de l'allée. Hackberry alla au portail, remonta une de ses manchettes, effleura ses lunettes de soleil dans sa poche, tout ça sans regarder directement Clawson, l'expression neutre, ayant tourné le dos à Pam. La lumière dansait sur les lunettes octogonales sans monture de Clawson ; son crâne rasé, poli et brillant, était bosselé. Son regard quitta le visage d'Hackberry et se fixa sur Pam qui, dans une zone d'ombre, retournait des saucisses sur le gril.

«Il vous arrive de travailler chez vous ? demanda-t-il à Hackberry.

– Quelle est la nature de votre mission, monsieur ?

– Mission ?

– Vous voulez manger un hot dog avec nous ?

– Non, je veux qu'un homme soit arrêté pour le meurtre de Junior Vogel.» Entre deux doigts, Clawson sortit une photo en couleurs de la poche de sa chemise. «Vous connaissez ce type ?»

La photo n'était pas une photo d'identité judiciaire, et évoquait celles qui servent à reconnaître les employés. L'homme sur la photo avait des yeux écartés, la lèvre supérieure trop rapprochée du nez, et une grande barbe orange, comme aurait pu en porter un marin.

« Qui est-ce ? demanda Hackberry.

– Il s'appelle Liam Eriksson. Hier, lui et une femme ont essayé de toucher le chèque d'invalidité de Pete Flores dans une officine de prêts sur permis de conduire, à San Antonio. Ils avaient bu tous les deux. Quand le caissier est allé dans l'arrière-boutique avec le chèque, ils se sont tirés, mais la caméra de surveillance les a enregistrés. On a l'empreinte du pouce d'Eriksson sur le comptoir. Eriksson avait sorti une carte de bibliothèque au nom de Flores.

– À combien se montait le chèque ?

– Trois cent cinquante-six dollars.

– Il s'est associé à une preuve incriminante trouvée sur une scène d'homicide pour trois cent cinquante-six dollars ?

– Qui a dit que ces types étaient intelligents ? Il y en a plus comme eux que comme nous. Vous n'avez pas fait de communiqué de presse disant que la mort de Vogel était un homicide ?

– Pas encore.

– Que sait sa famille ?

– Qu'il "se peut" que d'autres aient été mêlés à sa mort.

– Ne changeons rien à ça. Eriksson fréquente des prostituées. Il est peut-être encore avec la femme filmée par la caméra de surveillance. Si on trouve la femme, on le trouvera probablement, sauf s'il sait qu'il a été identifié dans une enquête pour homicide.

– Qui est la femme ?

– Le caissier a dit qu'il ne la connaissait pas. La caméra de surveillance n'a eu que l'arrière de sa tête.

– Où avez-vous eu la photo d'Eriksson ?

– Il travaillait en Irak, dans les services de sécurité sous contrat. Il a été soupçonné d'avoir fait feu de façon arbitraire sur des véhicules civils. CNN a diffusé une vidéo de ses exploits. Les voitures sortaient de leur file, et entraient en collision avec d'autres. Sa compagnie l'a exfiltré du pays avant qu'il ne soit inculpé.

– Je vais devoir apprendre une partie de ces faits à la femme de Junior.

– Pourquoi ?

– Parce qu'elle a le droit de savoir, dit Hackberry.

– Et les droits et la sécurité des citoyens ?

– Vous connaissez la définition du mensonge selon la théologie catholique ? C'est le fait de refuser aux autres l'accès à une connaissance à laquelle ils ont droit.

– Je pense que cet endroit est un asile psychiatrique en plein air.

– Je peux avoir la photo d'Eriksson ? Ou du moins une copie ?

– Peut-être plus tard.

– Plus tard ? »

Hackberry entendit derrière lui les pas de Pam sur l'herbe de Saint-Augustin.

« Et si vous viriez votre cul d'ici ? dit-elle à Clawson.

– Du calme », dit Hackberry.

Clawson retira ses lunettes, les essuya avec un Kleenex et les remit, en plissant le nez. « Pouvez-vous me dire pourquoi vous me manifestez une telle animosité ? demanda-t-il à Pam.

– Quand votre fille et son fiancé ont été kidnappés et assassinés, elle travaillait comme vendeuse de nuit dans une supérette, dit Pam. Vous ignoriez les risques auxquels est exposée une femme qui travaille de nuit dans une supérette ? Vous ne gagniez pas assez d'argent pour lui trouver une meilleure situation ? Tout le monde est-il censé payer le prix de votre culpabilité, agent Clawson ? Si c'est le cas, c'est vraiment chiant. »

Clawson avait blêmi. « Ne vous avisez pas de parler de ma fille, dit-il.

– Alors arrêtez de vous dissimuler derrière elle, espèce de connard.

– Virez-moi cette putain de cinglée, shérif.

161

– Non, attends une minute », dit Hackberry.

Mais il était trop tard. Hackberry vit Pam Tibbs sortir sa matraque de sa poche, laissant se balancer à son poignet l'extrémité en cuir montée sur ressort, raidissant les doigts sur le manche de bois tressé de cuir, faisant un pas vers Clawson, tout ça en un seul mouvement. Avant qu'Hackberry ait pu arrêter son bras, elle avait balayé de sa matraque le profil de Clawson, de toute la force de son poignet, lui ouvrant le crâne, projetant une bande rouge le long de sa chemise blanche.

Les lunettes de Clawson tombèrent et se brisèrent sur une dalle. Il avait les yeux écarquillés sous le choc, il ne voyait plus nettement, sa bouche s'ouvrait en un grand O. Il leva l'avant-bras pour se protéger d'un deuxième coup, mais elle l'atteignit au coude, puis derrière l'oreille. Ses genoux flanchèrent, et il s'agrippa au portail pour ne pas tomber complètement.

Hackberry encercla Pam de ses bras, lui colla les mains sur les flancs, la souleva, la porta en arrière, plus loin dans le jardin. Elle se débattit, lui envoyant dans les tibias les talons de ses bottes, tirant sur son poignet pour le forcer à lui lâcher les mains, lui donnant des coups de tête au visage.

Clawson s'appuya d'une main sur le pare-chocs de sa voiture et se redressa, bataillant pour sortir un mouchoir de sa poche afin d'arrêter le sang qui coulait en filets le long de son front et dans ses sourcils. Hackberry porta Pam à l'arrière de la maison, ses pieds battant encore l'air, l'odeur de ses cheveux et de son corps montant à ses narines.

« Arrête, Pam, ou je te jette dans l'abreuvoir. Je te jure que je le ferais. »

Ils étaient revenus à l'ombre, le vent bruissant dans le mûrier, la pelouse soudain fraîche et sentant la terre humide qu'il avait retournée avec une fourche, à l'aube. Il la sentit devenir moins raide, ses mains se relâcher sur les siennes.

« C'est fini ? » dit-il.

Elle ne répondit pas.

« Tu m'as entendu ?

– C'est bon. Lâche-moi », dit-elle.

Il la posa et mit les mains sur ses épaules, la retourna vers lui. «Tu viens juste de nous foutre tous les deux dans la merde, dit-il.

– Je suis désolée.

– Rentre dans la maison. Je vais essayer d'arranger ça.

– Pas à mon détriment.

– Pam, pour une fois, ferme-la et fais ce que je dis.»

Elle ouvrait et fermait les yeux, comme si elle s'éveillait d'un rêve. Puis elle alla à la table, s'assit sur le banc, mit les mains sur ses genoux et regarda dans le vide, ses cheveux ébouriffés par le vent.

Hackberry entra dans la maison, prit une trousse de première urgence et une poignée de torchons à vaisselle dans un placard de la cuisine, et ressortit. Clawson était assis sur le siège passager de sa voiture, la portière ouverte, les pieds sur le gravillon de l'allée. Il parlait dans un portable. Le mouchoir roulé en boule dans sa main gauche était presque entièrement rouge. Il referma le portable qu'il laissa tomber sur le siège.

«Vous avez appelé les infirmiers ? demanda Hackberry.

– Non, j'ai appelé ma femme. Je dois la retrouver à Houston, ce soir.

– Je vais vous conduire aux urgences.

– Vous étiez infirmier dans la marine, shérif. Faites ce que vous avez à faire. Rien de tout ça n'est arrivé. J'ai glissé sur l'escalier métallique du motel.»

Hackberry attendit qu'il continue.

«Vous m'avez bien entendu, dit Clawson.

– C'est comme ça que vous voulez que ça se passe ?

– On va coincer les types qui ont tué ces Asiatiques et Junior Vogel. Rien n'empêchera qu'on atteigne cet objectif. Répétez à votre adjointe ce que je viens de dire.

– Non, dites-le-lui, vous.

– Allez la chercher, dit Clawson.

163

– Ne lui en faites pas trop voir. »

Clawson s'éclaircit la gorge et appuya son mouchoir sur une entaille profonde qui saignait dans un de ses sourcils. « Pas de problème.

– On va examiner un peu votre tête, partenaire », dit Hackberry.

10

Nick Dolan avala un tranquillisant et un demi-verre d'eau, conduisit Esther dans son bureau et referma la porte derrière lui. Quand les sombres rideaux violets étaient fermés et le climatiseur réglé au plus bas, il régnait dans le bureau de Nick une ambiance insulaire qui lui donnait non seulement une impression d'isolement et de sécurité, mais le mettaient hors du temps et du monde, comme s'il pouvait rembobiner la vidéo et effacer toutes les erreurs qu'il avait commises au cours de son itinéraire depuis la cour de récréation du Neuvième District jusqu'au jour où il avait acheté des parts dans un service d'escort girls, lesquelles s'accompagnaient d'une association avec des gens comme Hugo Cistranos.

Il raconta à Esther tous les détails de son enlèvement – le trajet en SUV sur la nationale jusqu'à la ferme déserte ; le Prêcheur Jack Collins assis à côté de lui ; Hugo Cistranos, le tueur de La Nouvelle-Orléans, et l'étrange gamin en haut-de-forme assis à l'avant ; la lune oscillant à la surface d'un étang dont les berges luisaient de bouses de vache vertes. Puis il raconta à Esther comment l'homme appelé le Prêcheur l'avait épargné au dernier moment à cause de son prénom à elle.

« Il pense que je suis un personnage de la Bible ? dit-elle.

– Qui sait ce que pensent les fous ?

– Tu ne me dis pas tout. Il y a quelque chose dont tu ne parles pas.

– Non, c'est ce qui s'est passé.

– Arrête de mentir. Qu'est-ce que ces hommes ont fait en ton nom ?

– Ils ne l'ont pas fait en mon nom. Je ne leur ai jamais demandé de faire ce qu'ils ont fait.

165

– Tu me donnes envie de te frapper, de me mettre les poings en bouillie.

– Ils ont tué neuf Thaïlandaises. Des prostituées. Artie Rooney leur avait fait franchir la frontière clandestinement. Ils les ont passées à la mitraillette, et enterrées avec un bulldozer.

– Mon Dieu, Nick, dit-elle, sa voix se brisant dans sa gorge.

– Je n'avais rien à voir avec ça, Esther.

– Si, tu avais à voir. » Puis elle répéta : « Si, tu avais à voir.

– Hugo était censé livrer les femmes à Houston. Rien de plus.

– Rien de plus ? Écoute-toi un peu. Que faisais-tu avec des gens qui font passer clandestinement des prostituées dans le pays ?

– On a la moitié de deux agences d'escort girls. C'est légal. Ce sont des hôtesses. Il se passe peut-être d'autres choses, mais c'est entre adultes. On est dans un pays libre. C'est juste des affaires.

– Tu diriges des services d'escort girls ? » Comme il ne répondait pas, elle dit : « Qu'est-ce que tu nous as fait, Nick ? » Maintenant, dans le fauteuil de cuir, elle pleurait en silence, ses longs cheveux pendant devant son visage. Ses traits décomposés, sa peur, son incrédulité, et le voile de cheveux noirs qui la séparait du reste du monde, évoquaient, pour Nick, les femmes alignées devant la mitraillette du Prêcheur, et ses lèvres se mirent à trembler.

« Tu veux que je te prépare un verre ? proposa-t-il.

– Ne me dis rien. Ne me touche pas. Ne t'approche pas de moi. »

Il la dominait de la taille, ses doigts tendus à quelques centimètres du sommet de sa tête. « Je ne voulais faire de mal à personne, Esther. Je pensais juste régler mes comptes avec Artie pour un tas de trucs qu'il m'a faits quand j'étais gosse. C'était idiot. »

Mais elle ne l'entendait pas. Elle avait la tête penchée en avant, le visage complètement caché, son dos tremblant sous son corsage. Il prit sur son bureau une boîte de Kleenex qu'il lui posa sur les genoux, mais elle tomba sur le sol sans même qu'elle l'ait remarquée. Il se tenait dans la fraîcheur obscure de son bureau, le jet d'air glacé envoyé par la conduite murale effleurant son crâne chauve, son ventre débordant de sa ceinture, l'odeur de nicotine sur ses doigts quand il se passait la main sur la bouche. Il ne se rappelait pas s'être jamais senti aussi minable.

« Je suis désolé, dit-il, et il commença à s'éloigner.

– Qu'est-ce que ces gangsters vont faire, maintenant ?

– Il y a eu un témoin, un militaire qui a été en Irak. Lui et sa petite amie pourraient témoigner contre Hugo, le gamin au haut-de-forme et ce Prêcheur.

– Ils vont les tuer ?

– Ouais, s'ils arrivent à les trouver, c'est ce qu'ils vont faire.

– Il ne faut pas que ça se passe comme ça, Nick, dit-elle en levant la tête.

– Quand j'étais ivre, j'ai appelé le FBI. Ça n'a rien donné de bon. Tu veux que j'aille en prison ? Tu penses que ça arrêtera tout ? Quoi qu'il arrive, ces types tueront ces gamins. »

Elle regardait dans le vide, les yeux caverneux. À travers le plancher, ils entendaient les enfants faire des culbutes sur la moquette du salon, leurs coups sourds résonnant jusque dans les fondations de la maison. « On ne peut avoir un tel poids sur nos âmes », dit-elle.

Le motel était un vestige des années 1950, une structure utilitaire quadrillée d'immenses carreaux de plastique rouge et beige, les passerelles bordées de métal menant à l'étage peu différentes de celles des pénitenciers, tout ça dans un quartier d'entrepôts, de commerces en faillite et de bars sans joie qui ne pouvaient s'offrir qu'une seule enseigne de néon au-dessus de la porte.

Toute l'année, la piscine était recouverte d'une bâche de plastique, et le carré d'herbe autour du bâtiment était jaune et rêche, les feuilles des palmiers s'agitant dans le vent avec un bruit sec. Le bon côté des choses, c'est que les putes n'opéraient pas en ces lieux, et que les vendeurs de drogue ne fabriquaient pas de meth dans les chambres. Les lampadaires halogènes du parking protégeaient les voitures des clients des bandes de maraudeurs. Les tarifs étaient bas. Il existait à San Antonio des endroits pires pour se loger. Mais ce motel et son environnement avaient une caractéristique indéniable, qui ne changeait pas : les lignes géométriques, et l'absence d'êtres humains, donnaient l'impression qu'on se trouvait sur un plateau de cinéma, créé pour un passant professionnel.

Le Prêcheur était assis dans le noir, dans un fauteuil rembourré, et regardait la télévision. L'écran était plein de parasites, le volume monté sur un bruit de fond. Mais les images sur l'écran intérieur du Prêcheur n'avaient rien à voir avec la télévision de sa chambre. Dans la tête du Prêcheur, on était en 1954. Un petit garçon était assis dans le coin d'un wagon parqué de façon permanente sur une voie de garage au milieu du Panhandle[1] Texas-Oklahoma. C'était l'hiver, le vent était gris de sable et de poussière, et il crevassait les joues et les lèvres, desséchait les mains, faisait que la peau se fendait autour des ongles. Une couverture tendue sur une corde divisait le wagon en deux. De l'autre côté de la couverture, Edna Collins s'en donnait à cœur joie avec un ouvrier d'entretien à la peau sombre, tandis que deux autres attendaient à l'extérieur, les mains fourrées dans les poches de leurs manteaux de grosse toile, leurs chapeaux enfoncés sur les oreilles pour se protéger du vent.

Aux fenêtres de la chambre du Prêcheur étaient suspendus des rideaux rouges que les lampadaires du parking semblaient ourler de feu. Il entendit marcher sur la passerelle de métal,

---

1. « Queue de poêle » : corridor, extension étroite de la frontière d'un territoire, qui évoque (plus ou moins) le manche d'une poêle.

puis une ombre passa devant sa fenêtre, et quelqu'un frappa timidement à la jalousie.

«Que voulez-vous ? demanda le Prêcheur, les yeux toujours fixés sur l'écran de la télévision.

– Je m'appelle Mona Drexel, Prêcheur. On s'est rencontrés une fois, dit une voix.

– Votre nom ne me dit rien.

– Liam est un de mes clients. »

Il tourna lentement la tête et regarda son ombre sur la vitre en verre dépoli. «Liam qui ?

– Eriksson.

– Entrez », dit-il.

Dès qu'elle pénétra dans la chambre, il sentit une odeur de cigarette sur les vêtements de la femme. Contre la lumière à l'extérieur, ses cheveux avaient le contour crépu et la couleur de la barbe à papa. La structure de son visage rappela au Prêcheur une sculpture de glaise inachevée : les traits effondrés sous la mâchoire, la bouche un peu tordue, les yeux petits et rouges, à la fois tristes et embarrassants à regarder.

«Je peux m'asseoir ? demanda-t-elle.

– Vous êtes entrée, non ?

– J'ai entendu dire que peut-être des gens recherchent Liam à cause du chèque du gouvernement qu'il a porté dans une de ces officines de prêts. Je voulais pas que mon nom soit mêlé à ça, parce que j'ai pas grand-chose à y voir, et qu'il est pas vraiment un ami proche. Vous voyez, on avait bu quelques verres, et il avait ce chèque et il voulait continuer à faire la fête, alors je l'ai suivi, mais je sais pas pourquoi ça a merdé, et Liam a dit qu'il fallait qu'on se tire, et il pensait que vous seriez fâché contre lui, mais ça me passait au-dessus de la tête et c'est pas vraiment mes oignons. Je voulais juste que les choses soient claires et m'assurer qu'il y ait pas de malentendu. Comme on se connaissait déjà, j'ai pensé que ça vous gênerait pas que je passe vous voir pour répondre aux questions que vous pourriez me poser.

– Pourquoi aurais-je des questions ?

– Deux personnes m'ont dit que c'est ce que je devais faire. Je voulais pas vous déranger pendant votre émission. »

Puis elle regarda l'écran. Elle était assise au bord du lit, à bout de souffle, les mains sur les genoux, ne sachant plus trop quoi dire. Elle mit un pied sur l'autre, comme aurait pu le faire une petite fille, se mordant la lèvre.

« Je n'aime pas toucher les dessus-de-lit dans les motels, dit-elle avec un demi-sourire. Il y a dessus tous les ADN possibles, non pas que je veuille dire que cet endroit est pire qu'un autre, c'est comme ça dans tous les motels, avec des gens pas lavés qui se servent de tout, et qui se fichent que d'autres gens s'en servent plus tard. »

Le profil du Prêcheur était immobile, l'œil qu'elle pouvait voir comme une bille enfoncée dans du suif. « Mona Drexel est mon nom de scène, dit-elle. Mon véritable nom, c'est Margaret, mais j'ai commencé à m'appeler Mona quand je suis montée sur scène à Dallas. Croyez-moi ou pas, c'était dans un club qui appartenait autrefois à Jack Ruby, mais appelez-moi comme vous voulez.

– Où est Liam ?

– C'est pour ça que je suis là. Je l'ignore. Mais je peux peut-être l'apprendre. C'est juste que je veux faire de mal à personne, et que personne croie que je travaille contre lui. Vous voyez, je suis *pour* les gens. Je suis *contre* personne. Ça fait une grosse différence. Je veux juste que tout le monde le sache.

– Je vois, dit-il.

– Vous pouvez baisser le son ?

– Vous savez comment je gagne ma vie ?

– Non.

– Qui vous a dit que j'étais dans ce motel ?

– Liam m'a dit que vous y venez parfois quand vous êtes en ville. Le son est vraiment fort.

– C'est ce que vous a dit Liam, n'est-ce pas ?

– Oui, dit-elle. Je veux dire, oui, monsieur, il a dit ça juste en passant.

– Vous savez comment Liam a eu ce chèque du gouvernement ?

– Non, il me l'a pas dit. Avec les clients, je parle pas de leurs affaires personnelles.

– C'est une bonne habitude.

– C'est vrai, hein ? » dit-elle en croisant les jambes, sa bouche s'agitant comme si elle voulait sourire. Elle observait le visage du Prêcheur dans l'éclat blanc de l'écran de la télévision : ses yeux ne cillaient jamais, pas un muscle de son visage ne bougeait. Le visage de la jeune femme perdit toute expression.

« J'ai des clients qui deviennent des amis, dit-elle. Une fois que ce sont des amis, ils sont plus des clients. Et j'ai aussi des amis qui sont toujours des amis. Ils deviennent jamais des clients. On est amis dès qu'on se connaît, vous voyez ce que je veux dire ?

– Non, je ne vois pas, dit-il.

– Je peux être amie avec quelqu'un. Je dois gagner ma vie, mais je crois au fait d'avoir des amis, et de les aider. » Elle baissa les yeux. « Je veux dire, on pourrait être amis, si vous voulez.

– Vous me rappelez quelqu'un, dit-il en la regardant pour la première fois en face.

– Qui ? » demanda-t-elle, et le mot se rouilla dans sa gorge.

Il la fixa d'une façon telle que personne ne l'avait encore jamais fait. Elle sentit son visage se vider de son sang, son cœur lui tomber dans les talons.

« Quelqu'un à qui on n'aurait jamais dû permettre de s'approcher de jeunes enfants, dit-il. Vous avez des enfants ?

– J'en avais. Un petit garçon. Mais il est mort.

– Pour certaines personnes, mieux vaut ne pas vivre. Elles doivent être emportées avant que leur âme ne soit perdue. Ça veut dire que certains de nous doivent les aider d'une façon qui ne leur plaît pas, d'une façon qui sur le moment paraît vraiment horrible. » Dans le noir, le Prêcheur tendit la main et approcha de lui un siège à dossier droit. Son portefeuille, un petit automatique, un chargeur de réserve et un rasoir de barbier étaient posés dessus.

« Qu'est-ce que vous allez faire, monsieur ? demanda-t-elle.

— Vous avez compris ce que j'ai dit. » Il sourit. Sa déclaration n'était pas une question, mais un compliment.

« Liam voulait faire la fête. Il avait le chèque. Je suis allée avec lui. » Elle respirait difficilement, la pièce commençait à devenir floue. « J'ai ma mère à Amarillo. Mon fils est enterré là-bas, dans le cimetière baptiste. J'allais l'appeler aujourd'hui. Elle est dure d'oreille, mais si je crie, elle sait que c'est moi. Elle a soixante-dix-neuf ans, et elle voit pas non plus très bien. On continue à se parler. Elle sait pas comment je gagne ma vie. »

Le Prêcheur tenait quelque chose à la main, mais elle ne parvenait pas à se forcer à regarder. Elle continua. « Si vous me laissez sortir, vous me reverrez jamais. Je répéterai à personne ce que nous avons dit. Et je reverrai plus jamais Liam.

— Je sais que vous ne le reverrez pas, dit-il sur un ton presque gentil.

— Je vous en prie, monsieur, ne faites pas ça.

— Approchez-vous.

— Je ne veux pas.

— Il faut le faire, Mona. On ne choisit pas le moment de sa naissance, ni l'instant de sa mort. Rares sont les occasions, dans la vie, où nous prenons réellement des décisions qui ont un sens. Le vrai défi, c'est d'accepter son destin.

— *Je vous en prie*, dit-elle. Je vous en prie, je vous en prie, je vous en prie.

— Mettez-vous à genoux si vous voulez. C'est bon. Mais ne suppliez pas. Quoi que vous fassiez en ce monde, ne suppliez jamais.

— Pas dans le visage, monsieur. Je vous en prie. »

Elle était à genoux, les yeux gonflés de larmes. Elle sentit la main du Prêcheur prendre la sienne, soulever son bras, retourner son poignet pâle et sillonné de veines vertes. L'électricité statique sur l'écran semblait envahir sa tête, l'aveugler, lui percer les tympans. Ses ongles s'enfonçaient dans sa paume. Elle avait entendu parler de gens qui faisaient ça dans une baignoire remplie d'eau chaude, ne ressentaient aucune souffrance, se contentaient de s'endormir tandis que l'eau devenait rouge autour d'eux. Elle se demanda si ça se passerait comme ça. Puis elle sentit le pouce du Prêcheur s'enfoncer dans sa paume, et écarter ses doigts.

« Qu'est-ce que vous faites ? demanda-t-elle.

– Vous allez entrer dans la lumière du soleil. Vous allez entrer dans sa blancheur, et la laisser vous consumer. Et quand vous arriverez de l'autre côté, vous serez devenue un pur esprit, et vous n'aurez plus jamais peur. »

Elle essaya de dégager son bras, mais il tenait bon.

« Vous m'avez entendu ? dit-il.

– Oui, monsieur », dit-elle.

Il posa sur sa paume un billet de cinq cents dollars, et replia ses doigts dessus. « Le Greyhound pour Los Angeles part le matin. En quelques heures, sous serez à Albuquerque, et vous comprendrez ce que je veux dire. Vous irez vers l'ouest, vers le soleil, en traversant une campagne magnifique, un endroit qui est comme était le monde quand Yahvé a créé la lumière. La personne que vous étiez quand vous êtes entrée dans cette chambre n'existera plus. »

Quand elle arriva en bas de l'escalier, elle perdit une chaussure. Mais elle ne s'arrêta pas pour la ramasser.

Pendant le trajet jusqu'à l'officine de prêt à San Antonio, Hackberry ne reparla pas de l'agression de Pam sur la personne de l'agent du FBI Isaac Clawson. Ils avaient pris le pick-up d'Hack. Le paysage ondulant défilait rapidement, les collines crayeuses coupées par la nationale réduites à des couches de roches sédimentaires, le soleil de fin d'après-midi comme un quartier d'orange couvert de poussière.

Enfin, elle dit : « Tu ne veux pas savoir pourquoi j'ai frappé Clawson ? »

Tu l'as attaqué à coups de matraque parce que tu es remplie de colère, pensa-t-il. Mais ce n'est pas ce qu'il dit. « Tant que ça ne se reproduit plus, ça n'est pas mon problème.

— Mon père a commencé à avoir des accès psychotiques quand j'avais huit ans ou neuf ans, et que nous vivions dans le Panhandle. Il regardait un champ de blé vert et il voyait des hommes en pyjamas noirs et chapeaux de paille coniques arriver à travers l'herbe à éléphant. Il a été suivre un traitement à l'hôpital des marines, à Houston, et ma mère est restée là-bas pour aller le voir. Elle m'a confiée à une famille amie, un policier à qui tout le monde faisait confiance.

— Tu es sûre de vouloir parler de ça ? dit-il en faisant le tour d'une citerne argentée, ses lunettes jaunes d'aviateur dissimulant son expression.

— Ce salopard m'a violée. Je l'ai dit à un professeur, à l'école. Je l'ai dit à un prêtre. Ils m'ont fait la leçon. Ils m'ont dit que le flic était un brave homme, et que je ne devais pas inventer d'histoires à son sujet. Ils ont dit que mon père était dérangé mentalement, et que j'imaginais des choses à cause de sa maladie.

— Où se trouve ce type, aujourd'hui ?

— J'ai essayé de le retrouver, mais je crois qu'il est mort.

— Autrefois, je faisais des rêves à propos d'un gardien chinois appelé le sergent Kwong. Le jour où j'ai balancé deux de mes camarades prisonniers, j'ai découvert que j'étais le huitième à le faire. Mes ongles étaient des griffes jaunes, ma barbe était pleine des têtes de poissons que je léchais dans mon bol. Mes vêtements et mes bottes étaient incrustés de mes propres excréments. Je pensais que Kwong et son officier, un nommé Ding, m'avaient non seulement brisé physiquement, mais m'avaient volé mon âme. Mais je me suis rendu compte qu'en réalité, c'est à eux-mêmes qu'ils avaient volé leur âme, si tant est qu'ils en aient eu une, et qu'à un

174

certain degré je n'avais pas de contrôle ni sur ce que je faisais, ni sur ce qu'ils me faisaient.

– Tu ne fais plus de rêves comme ça ?»

Il regarda par le pare-brise la poussière et la fumée des feux de friches, la façon dont les collines devenaient floues dans les vagues de chaleur qui se reflétaient sur elles, et pendant un instant il crut entendre des clairons résonner dans une vallée sans nom.

«Non, je ne rêve plus beaucoup», dit-il.

Elle regarda par la fenêtre le paysage défiler.

L'officine de prêt sur permis se trouvait à un carrefour où trois rues, d'anciennes pistes pour le bétail, se croisaient, formant une espèce de centre d'affaires pour des gens qui possédaient peu de choses de valeur, en dehors peut-être de leur désespoir.

À côté de l'officine de prêt sur permis, il y avait le bureau d'un prêteur de cautions. À côté du bureau du prêteur de cautions, il y avait un prêteur sur gages. Au bout de la rue, il y avait un saloon, avec un comptoir bordé par un rail et surmonté d'un miroir, une cuisine qui servait à manger, et une clientèle à laquelle le prêteur sur gages, le prêteur de caution et l'officine de prêts sur permis étaient aussi indispensables que l'air qu'elle respirait. Peu d'entre eux se souciaient – ils ne le savaient même pas – que John Wesley Harding et Wild Bill Longley aient été des habitués de ce saloon.

Hackberry se gara dans l'allée derrière l'officine de prêt et entra par une porte latérale, retira son chapeau, attendit pour s'approcher du comptoir que le caissier soit libre. Des travailleurs latinos et anglo-saxons étaient assis à des pupitres d'écoliers, remplissant des formulaires sous les yeux d'une femme à lunettes qui les surveillait comme elle aurait surveillé des attardés mentaux. Hackberry ouvrit sur le comptoir l'étui de son insigne et posa la photo de Liam Eriksson à côté. «Vous connaissez ce type ? demanda-t-il.

175

– Oui, monsieur, le FBI est déjà venu à son sujet. C'est moi qui l'ai signalé aux flics, dit le caissier. Il avait un chèque volé.

– Il y avait une femme avec lui ?

– Oui, monsieur, mais je n'ai pas vraiment fait attention à elle. C'est lui qui avait le chèque.

– Vous ne savez pas qui était la femme ?

– Non, monsieur », dit le caissier. Il avait des cheveux noirs soigneusement coupés et une moustache ; il était très bronzé, et portait un pantalon gris, une chemise bleue et une cravate à rayures.

« Ça fait longtemps que vous travaillez ici ?

– Oui, monsieur, presque cinq ans.

– Vous avez beaucoup de chèques de la Trésorerie des États-Unis ?

– Quelques-uns.

– Mais pas beaucoup, dit Hackberry.

– Non, monsieur, pas beaucoup.

– Jamais vu la femme auparavant ?

– Pas que je me souvienne. J'en suis quasiment certain, je veux dire.

– Quasiment certain que vous ne savez pas, ou quasiment certain que vous ne vous souvenez pas ?

– Il y a un tas de gens qui viennent ici.

– Cet Eriksson et la femme, ils étaient ivres ? »

Le caissier regarda Hackberry d'un œil vide.

« Eriksson, c'est le véritable nom de l'homme qui se faisait passer pour Pete Flores. Ils étaient ivres, la femme et lui ?

– Plutôt imbibés, dit le caissier qui, pour la première fois, ébaucha un sourire.

– Comme pièce d'identité, Eriksson avait une carte de bibliothèque ?

– Oui, monsieur, rien de plus.

– Pourquoi avez-vous emporté le chèque dans l'arrière-boutique ?

– Pour le montrer à mon directeur.

176

– Après cinq ans ici, vous deviez consulter votre directeur ? Vous ne saviez pas que le chèque était volé, apporté par un ivrogne avec une carte de bibliothèque ? Vous deviez consulter votre directeur ? C'est ce que vous êtes en train de me dire ?

– C'est bien ça.

– Il n'y a aucune raison qu'Eriksson ait eu l'habitude de venir dans une boutique comme la vôtre. Ça veut dire que c'est sans doute la femme qui l'a amené ici. Je pense aussi qu'il s'agit sans doute d'une prostituée, et d'une de vos rabatteuses, et qu'elle amène régulièrement ses clients ici. Je pense que vous mentez, mon gars.

– Je l'ai peut-être vue une fois ou deux, dit le caissier, détournant les yeux du visage d'Hackberry.

– Comment elle s'appelle ?

– Je crois qu'on l'appelle Mona. »

Hackberry se tira sur un lobe d'oreille. « Où habite Mona ?

– Sans doute dans n'importe quel endroit où un type a une bouteille, deux verres, et quelques dollars. Je ne sais pas où elle habite. Ce n'est pas une mauvaise fille. Si vous lui fichiez la paix ?

– Allez dire ça à l'homme que Liam Eriksson a torturé à mort », dit Hackberry.

Le caissier leva les mains au ciel. « Je suis dans la merde ?

– Ça se pourrait, dit Hackberry. Je vais y réfléchir. »

C'est à rebrousse-poil qu'Hackberry et Pam commencèrent à rechercher la femme nommée Mona, remontant la rue en passant par une série de bars miteux où personne ne paraissait posséder la moindre mémoire des visages ni des noms. Puis ils repartirent en sens inverse, et parcoururent, rue par rue, un quartier de magasins de seconde main, de missions abritant des sans-abri, de bars à l'intérieur obscurci où, comme dans les prisons, le temps ne se mesure pas ainsi que dans le monde extérieur, et où les clients n'ont pas à faire de comparaisons.

Hackberry ne savait pas si c'était à cause de l'odeur de l'alcool, ou de l'expression de débauche triste sur les visages de ceux qui, vingt-quatre heures par jour, buvaient accoudés au comptoir, mais quand il ouvrit la porte du saloon, il se trouva très vite en train de revivre lui-même sa longue lune de miel avec le Jack Daniel's, comme un homme qui ramasse compulsivement des morceaux de verre entre ses doigts.

À vrai dire, « lune de miel » n'était pas le terme approprié. L'expérience d'Hackberry avec le whisky filtré sur du charbon de bois avait été une histoire d'amour aussi intense que n'importe quelle relation sexuelle qu'il ait jamais eue. Il en rêvait, il en était assoiffé au réveil, et il faisait du premier verre de la journée un rituel religieux, écrasant dans le verre une feuille de menthe, teintant la glace pilée de trois doigts de Jack, ajoutant une demi-cuillerée à café de sucre, puis mettant le verre dans la glacière pendant vingt minutes, en prétendant que le whisky n'avait aucun contrôle sur son existence. La première gorgée lui faisait fermer les yeux avec une impression à la fois de soulagement et de sérénité profonde, qu'il ne pouvait associer qu'au rush et au sentiment de paix qu'un goutte-à-goutte de morphine lui avait procuré dans un hôpital militaire.

« Pas vraiment de chance, hein, *kemosabe* ? » dit Pam quand ils entrèrent dans un saloon qui se distinguait par une vieille piste de danse à damier et un long comptoir bordé d'un rail, derrière lequel était accroché un grand miroir au cadre d'acajou.

« Comment tu m'as appelé ? demanda Hackberry.

– C'est juste une plaisanterie. Tu te souviens du Lone Ranger[1] et de son compagnon indien, Tonto ? Tonto appelait toujours le Lone Ranger *kemosabe*.

– C'est comme ça que m'appelait Rie, ma deuxième femme.

---

1. Personnage de western américain apparu à la radio en 1933, puis à la télévision à partir de 1949.

– Oh », dit Pam, qui ne savait visiblement pas quoi dire d'autre.

Hackberry ouvrit sur le comptoir l'étui de son badge et posa la photo d'Eriksson à côté, pour la montrer au barman. « Déjà vu ce type par ici ? » demanda-t-il.

Le barman portait une chemise à manches courtes à motifs imprimés tropicaux. Ses avant-bras épais étaient entourés d'un doux duvet de poils, et juste au-dessus du poignet il portait, tatoués en vert et en rouge, le globe et l'ancre des Marines.

« Non, j'peux pas dire que je l'ai déjà vu.

– Vous connaissez une fille qui s'appelle Mona ? Il s'agit peut-être d'une prostituée.

– Elle ressemble à quoi ?

– Entre deux âges, cheveux roux, 1,60 ou 1,70 mètre. »

Le barman appuya les bras sur le bar et fixa la vitrine recouverte de peinture. Il secoua la tête. « J'peux pas dire que j'me rappelle quelqu'un comme ça.

– J'ai remarqué votre tatouage, dit Hackberry.

– Vous étiez dans les marines ?

– J'ai été aide-soignant dans la marine, attaché à la Première Division.

– En Corée ?

– Oui, monsieur, en Corée.

– Vous avez fait Chosin, ou le Punch Bowl ?

– J'étais au réservoir de Chosin la troisième semaine de novembre 1950. »

Le barman leva les sourcils, puis regarda à nouveau la vitrine couverte de peinture. « C'est quoi le problème avec cette fille, Mona ?

– Pas de problème. On a juste besoin de quelques informations.

– Il y a une fille qui vit à l'Hôtel Brazos, à cinq rues d'ici, vers le centre. C'est une pute, mais est plus poivrote que pute. Elle a des kilomètres au compteur. C'est peut-être votre nana. Vous voulez boire un verre ? C'est moi qui offre.

– Une eau gazeuse avec de la glace ? demanda Pam.

– Mettez-en deux », dit Hackberry.

Ni Hackberry ni Pam ne remarquèrent un homme assis, solitaire, à une table du fond, perdu dans l'ombre au-delà du billard. L'homme tenait un journal qu'il paraissait étudier à la maigre lumière filtrant par la fenêtre de la ruelle. Ses béquilles étaient appuyées sur une chaise, hors de vue. Il n'abaissa son journal que lorsque Hackberry et Pam eurent quitté le saloon.

L'Hôtel Brazos était un bâtiment de grès rouge construit dans les années 1880, et semblait se dresser comme le souvenir oublié d'une élégance victorienne perdu au milieu de la décadence urbaine du XXIe siècle. Dans le hall, il y avait des palmiers en pot, un tapis élimé, des meubles d'occasion, un standard téléphonique avec des terminaux déconnectés fichés dans les trous, un comptoir de réception antique et des casiers contenant les clefs des chambres et le courrier.

Une Mexicaine trapue et lourde se tenait derrière le comptoir, et affichait un large sourire en parlant. Hackberry lui montra la photo de Liam Eriksson.

«Ouais, j'l'ai vu. Pas depuis plusieurs jours, mais j'l'ai vu plusieurs fois assis dans le hall, ou en train de monter l'escalier. L'ascenseur marche pas toujours, alors il prenait l'escalier.

– Il avait une chambre ici ? demanda Hackberry.

– Non, il venait voir sa copine.

– Mona ? demanda Hackberry.

– C'est ça, Mona Drexel. Vous la connaissez ?

– Je la cherche. Elle est là, en ce moment ?

– Vous êtes un shérif, hein ? Comment ça se fait que vous avez pas d'arme ?

– Je ne veux pas faire peur aux gens. Quelle est la chambre de miss Drexel ?

– La vingt-neuf. Mais ça fait plusieurss jours que je l'ai pas vue. Vous voyez, sa clef est dans son casier. Elle laisse toujours sa clef quand elle sort, parce que parfois elle boit un peu trop et elle la perd.

180

– Je pourrais avoir la clef, s'il vous plaît ?

– Vous avez le droit de faire ça, d'entrer dans la chambre de quelqu'un quand il est pas là ?

– Si vous nous donnez la permission, c'est bon, dit Hackberry.

– Vous êtes sûr ?

– Elle pourrait être malade et avoir besoin d'aide.

– Je vais vous ouvrir la chambre », dit la Mexicaine.

Tous trois prirent l'ascenseur pour monter. Quand la Mexicaine mit la clef dans la serrure et commença à la tourner, Hackberry posa sa main sur la sienne. « Maintenant, on s'en occupe », dit-il, sa voix réduite à un murmure.

Avant que la femme ait pu répondre, Pam mit les mains sur ses épaules et l'écarta de la porte. « C'est bon, dit-elle en sortant un revolver de sous sa chemise. Merci de votre aide. Restez en arrière. »

Hackberry tourna la clef et poussa la porte, tout en restant légèrement à l'extérieur du chambranle.

La chambre avait été libérée, le placard nettoyé, les tiroirs de la commode ouverts, et vides. Pam se tenait au milieu de la pièce, se mordant l'ongle du pouce. Elle remit son revolver dans son holster de ceinture et tira sa chemise par-dessus. « Quelle perte de temps », dit-elle.

Hackberry entra dans la salle de bains, puis en ressortit. Dans l'ombre entre une petite table et le lit, il vit une poubelle remplie de journaux, d'emballages de fast-food et de serviettes en papier sales. Il prit la poubelle et la vida sur le dessus-de-lit. Des cotons-tiges usagés, des touffes de cheveux et des moutons de poussière, des Kleenex froissés, tombèrent avec les autres déchets. Quand Hackberry eut tout trié, il alla se laver les mains. Quand il sortit de la salle de bains, Pam se tenait penchée sur le bureau, étudiant la couverture d'un *Time* qu'elle avait posé sous la lampe.

« C'était sous l'oreiller. Regarde », dit-elle.

Le magazine était vieux de deux mois, et l'étiquette de la poste portait le nom et l'adresse d'un salon de beauté. Au moins une demi-douzaine de numéros de téléphone étaient notés sur la couverture. Pam en tapota un, tout en bas, que quelqu'un avait entouré d'un cercle. «PJC, Traveler's Rest, 209, lut-elle à voix haute.

– Le Prêcheur Jack Collins, dit Hackberry.

– Le seul et unique. On a peut-être coincé ce fils de pute.»

Elle composa le numéro des renseignements et demanda le numéro de téléphone et l'adresse du Traveler's Rest Motel. Elle nota le tout dans son carnet et raccrocha. «C'est à moins de trois kilomètres, dit-elle.

– Beau travail, Pam. Allons-y.

– Et Clawson?

– Quoi, Clawson?

– On est censés collaborer, n'est-ce pas?»

Hackberry ne répondit pas.

«N'est-ce pas, Hack? répéta-t-elle.

– Je n'ai pas totalement confiance en Clawson.

– Après avoir fait toute une histoire à propos de mon attitude envers ce type, soudain tu émets des réserves?

– Un de ses collègues m'a dit que Clawson agissait perso. J'ai cru comprendre qu'il travaille sous le drapeau noir. Nous, on n'opère pas comme ça.

– Ce type aurait pu saboter ma carrière et m'envoyer en taule par-dessus le marché. Si maintenant tu veux le baiser, je ne joue pas le jeu.»

Hackberry ouvrit son portable et composa le numéro de Clawson. «Ici le shérif Holland, dit-il. Nous pensons avoir localisé Jack Collins. Nous avons eu de la chance. Un barman connaissait la femme qui se trouvait avec Eriksson à l'officine de prêts. En ce moment, on est à son hôtel. Apparemment, elle s'est tirée.» Hackberry donna à Clawson le numéro et l'adresse du motel où il pensait que pouvait se trouver le Prêcheur Jack Collins.

«Vous êtes à peu près certain qu'il y est ? demanda Clawson.

– Non, absolument pas. On a trouvé une note sur la couverture d'un magazine. Rien ne nous dit quand elle a été écrite.

– Je suis au River Walk, dit Clawson. Je pensais avoir une piste pour Eriksson, mais ça n'a pas marché. Je demande des renforts. Ne faites rien avant que je ne vous aie rappelés.»

Hackberry referma son portable et regarda Pam.

«*Quoi ?* dit-elle.

– Nous sommes censés ne rien faire avant qu'il ait rappelé.»

«Exprime ta pensée, dit-elle.

– Rappelle-moi de ne plus suivre de conseils.

– Autre chose ?

– Au diable Clawson. On va coincer Jack Collins», dit-il.

Isaac Clawson gara sa voiture à un demi-pâté de maisons du Traveler's Rest Motel, enfila un imperméable et un chapeau de pluie et, recouvrant la crosse de son semi-automatique dans son holster, finit le chemin à pied. Le crépuscule tombait et le vent soufflait dans les rues, zébrant le ciel de poussière. Il entendit gronder le tonnerre à l'instant où une goutte d'eau solitaire lui touchait le visage. La baisse de pression barométrique, le rafraîchissement soudain et la goutte de pluie qu'il essuya de sa main avant de l'observer lui paraissaient si inhabituels et inattendus après une semaine de chaleur excessive qu'il se demanda si, d'une certaine façon, le changement de température signalait un changement dans sa vie.

Mais c'était idiot de penser ça, se dit-il. Le grand changement dans sa vie s'était irrémédiablement produit la nuit où deux adjoints du shérif étaient apparus à la porte de sa maison de banlieue, avaient ôté leur chapeau, et essayé de lui dire, avec des euphémismes, qu'une jeune femme qu'on pensait être sa fille avait été trouvée enfermée avec son fiancé dans le coffre d'une voiture en feu. À partir de cet instant, Isaac avait su que les événements de sa vie future pourraient modifier sa vision du monde, ou le degré de rage qu'il éprouverait au petit matin, mais que rien ne lui rendrait le bonheur qu'il avait autrefois considéré comme acquis.

De fait, s'il lui arrivait de trouver le moindre soulagement à cette nuit à Tulsa, c'était quand il butait quelqu'un que, dans sa tête, il pouvait associer aux deux dégénérés qui avaient assassiné sa fille.

Il regarda sa montre. Il était sept heures dix-neuf, et les lampadaires s'étaient allumés sur le parking du motel. Une averse balayait la ville, les nuages étaient percés de colonnes de soleil, l'air sentait les fleurs mouillées, les arbres, et l'odeur qu'apporte la pluie quand elle touche le goudron chaud, l'été.

Il regarda la teinte lavande du ciel, ouvrit la bouche et sentit une goutte de pluie sur sa langue. Comme c'était idiot de faire ça, tel un enfant qui découvre le printemps, pensa-t-il, se morigénant encore une fois.

Le réceptionniste du motel était squelettique, vêtu en cow-boy, avec une chemise noire sur laquelle étaient cousues des roses, un pantalon gris à rayures, les revers rentrés dans des bottes mexicaines étroites avec des pétales rouges et verts peints au pochoir. Il portait au coin de l'œil un sparadrap couleur chair.

Clawson commença à chercher son insigne, puis s'interrompit et posa la main sur le comptoir. « Vous avez une chambre non fumeurs pour deux ? demanda-t-il.

– Un grand lit, ou deux lits jumeaux ?

– Ma femme et moi voudrions la 209, si elle est disponible. Nous y avons passé la nuit qui a suivi le diplôme de notre fils. »

Le sparadrap du garçon se décollait, et du dos du poignet il le recolla contre sa peau. Il regarda l'écran de son ordinateur. « Celle-ci est occupée. Je peux vous mettre dans la 206.

– Il faut que je pose la question à ma femme. On est un peu sentimentaux en ce qui concerne le diplôme de notre fils.

– Je comprends, dit le réceptionniste.

« – Vous vous êtes fait mal à l'œil ?

– Oui, je me suis enfoncé une baguette. C'est pas très malin, je dois dire. »

Quand Isaac Clawson fut ressorti, le réceptionniste se regarda dans la glace. Le sparadrap s'était complètement décollé, révélant deux larmes bleues tatouées au coin de son œil. Il remit une nouvelle fois le sparadrap en place, prit le téléphone et composa trois chiffres.

Clawson prit un guide gratuit des commerces à un présentoir à journaux, et se le tint sur la tête tandis qu'il marchait vers le parking du motel, comme s'il allait à sa voiture pour discuter avec sa femme. Puis il fit le tour par l'extrémité du motel, rentra par un passage couvert au milieu du bâtiment et gravit les marches. À l'ouest, les nuages étaient pourpres, le soleil comme une rose jaune enfouie au milieu, le ciel strié de pluie. Par un temps comme ça, disait son père, c'est que le diable bat sa femme. Pourquoi Isaac pensait-il à ça maintenant, à son enfance, à sa famille ? Pourquoi un grand changement paraissait-il sur le point de se produire dans sa vie ?

Il y avait un accident de poids lourd près de l'intersection de l'I-35 et de l'I-10, un camion-citerne chimique qui s'était mis en portefeuille et avait répandu son contenu sur six voies de circulation. Hackberry avait posé son gyrophare amovible aimanté sur le toit de son pick-up et essayait de se faufiler le long de l'accotement, en direction d'une sortie près d'un centre commercial. Il tendit son portable à Pam. « Réessaie Clawson », dit-il.

Elle tomba sur une messagerie vocale. Elle referma le portable, mais le garda sur ses genoux. « Tu veux que j'appelle les locaux pour qu'ils nous envoient du renfort ? demanda-t-elle.

– Pour Clawson ? »

Elle réfléchit. « Non, je pense qu'il n'apprécierait pas trop.

185

– Accroche-toi », dit Hackberry.

Il se jeta de l'autre côté de la rigole, rebondissant sur le fond, ses pneus arrière projetant de l'herbe et de la terre tandis qu'il accélérait pour remonter la pente de l'autre côté. Il prit la mauvaise direction sur l'accotement, puis coupa une autre rigole pour atteindre une voie d'accès dégagée à l'I-10, son pick-up claquant bruyamment sur ses suspensions. Pam gardait une main agrippée au tableau de bord.

« Ça va ? demanda Hackberry.

– À ton avis, Clawson a prévu de faire quoi s'il trouve Collins avant nous ?

– Il a peut-être déjà une équipe de renfort. Regarde si tu peux mettre la main sur Ethan Riser. Son numéro est dans mes contacts.

– Qui ?

– L'agent du FBI. »

Pam essaya le numéro de Riser, mais tomba directement sur sa boîte vocale. Elle laissa un message.

« Désolé de t'avoir fait la leçon à propos de Clawson. Je ne pensais pas qu'il essaierait de se servir de nous, dit Pam.

– Prends mon pistolet sous le siège, tu veux bien ? »

Le pistolet, son holster et sa cartouchière étaient emballés dans un sac de papier marron. Pam sortit du sac le pistolet et la ceinture enroulée autour du holster et les posa sur la moquette près du tableau de bord. Le pistolet était une reproduction customisée d'un revolver .45 double action de la frontière. Il était bleu sombre, avec une crosse nacrée, une garde en cuivre et un canon de sept et demi. Son équilibre était parfait, et indiscutables sa précision à quarante mètres.

« Tu ne t'en es jamais servi au boulot, non ? demanda-t-elle.

– Qui t'a dit ça ?

– Personne. »

Il la regarda.

« Je le savais », dit-elle.

186

Ils se trouvaient sur une voie express surélevée, traversant dans un grondement un quartier d'entrepôts, de ruelles plantées de bouquets de bananiers, et de maisons aux cours de terre battue. Sur le fond d'un ciel mouillé et ensoleillé, teinté de mauve, qui lui rappelait l'Orient, Hackberry vit un bâtiment de trois étages au toit surmonté d'une enseigne de néon sur laquelle on lisait Traveler's Rest.

Quand Isaac Clawson arriva au deuxième étage, il se rendit compte que les numéros sur les portes allaient lui poser des problèmes. La numérotation n'était pas régulière : certaines chambres se trouvaient dans un renfoncement du passage, et certaines ne portaient pas de numéro du tout. Au bout de la passerelle, un chariot de nettoyage était rangé le long d'une rampe. Une employée hispanique était assise sur un banc près du chariot, courbée en avant dans un vague tablier de femme de ménage, en train de manger un sandwich, un foulard noué sous le menton, le vent lui soufflant au visage une brume de pluie.

Les feuilles des palmiers près de la piscine battaient dans le vent, se tordant contre les troncs. Clawson passa devant la chambre 206, celle que lui avait proposée le réceptionniste. Il vit que la chambre voisine ne portait pas de numéro, et que la suivante était la 213, et ensuite la 215. Il se rendit compte que, pour une raison inconnue, les numéros impairs étaient d'un côté du passage couvert, et les numéros pairs de l'autre.

Sauf la 206.

« Où se trouve la 209 ? demanda-t-il à la femme de ménage, qui avait la bouche pleine de fromage et de pain.

– *Siento mucho, señor, pero no hablo inglès.* »

Si t'as décidé de vivre dans ce pays, pourquoi ne pas apprendre un peu d'*inglès*, se dit-il.

Il alla dans l'autre direction, croisant le passage couvert pour arriver dans une zone de numéros pairs. À l'extrémité du bâtiment, la main glissée dans son imperméable, le pouce crochetant la crosse du semi-automatique dans son holster, il s'arrêta un instant et contempla la ville. Quelque part dans la lumière tombante se trouvait Alamo, où sa femme et lui avaient emmené leur fille quand elle avait neuf ans. Il n'avait pas essayé de lui expliquer les événements qui s'étaient déroulés là, les milliers de soldats mexicains chargeant au treizième jour du siège, la situation désespérée des cent dix-huit hommes et jeunes gens à l'intérieur, qui savaient que c'était leur dernier matin sur terre, les hurlements des blessés frappés à coups de baïonnettes dans la chapelle. Pourquoi une fillette aurait-elle dû être exposée à la cruauté qui avait caractérisé la plus grande partie de l'histoire de l'humanité ? Des hommes comme Bowie, Crockett et Travis n'étaient-ils pas morts afin que des enfants comme sa fille puissent vivre en sécurité ? C'est du moins ce qu'avait voulu penser Clawson.

Comment, à ce moment-là, aurait-il pu se douter que la mort de son enfant serait encore bien plus terrible que celles qu'avaient connue les Texans enfermés dans la mission ? Clawson sentit les larmes lui monter aux yeux. Il s'en voulait d'éprouver de telles émotions, car ses remords de n'avoir pas pris mieux soin de sa fille l'avaient toujours tétanisé et fait de lui, aussi, la victime de ses assassins, des hommes qui n'étaient toujours pas exécutés, qui mangeaient bien, bénéficiaient de soins médicaux et regardaient la télévision pendant que sa fille et son fiancé reposaient dans un cimetière, et que sa femme et lui vivaient chaque jour dans le jardin de Gethsémani.

Les théologiens affirment que la colère est un cancer, et que la haine est l'un des sept péchés capitaux. Ils avaient tort, pensait Clawson. La colère était un baume qui cautérisait le chagrin, la passivité, le dolorisme. Elle allumait des feux dans le ventre. Elle fournissait cet engourdissement de la conscience qui permet de se concentrer sur quelqu'un au bout d'un viseur métallique, et d'oublier qu'il est descendu du même arbre que vous, dans une savane de Mésopotamie.

188

Il remonta la passerelle jusqu'à la partie centrale du bâtiment. La femme de ménage était toujours près de son chariot, regardant dans la direction opposée. Puis il comprit pourquoi il n'avait pas trouvé la chambre 209 : les chiffres de métal sur la porte de la chambre 209 avaient été fixés au bois par trois clous minuscules. Mais les clous du haut et du bas maintenant le numéro 9 avaient été retirés, ou arrachés à leur trou par le claquement continuel de la porte, et le 9, renversé la tête en bas sur le clou restant, s'était transformé en 6.

Le rideau était tiré devant la fenêtre. Clawson essaya de voir par le coin de la jalousie, mais sans succès. Puis il se rendit compte que la porte était légèrement entrouverte, peut-être de moins d'un centimètre, et que le mécanisme de fermeture n'était pas enclenché. Il posa la main gauche sur la poignée de la porte et dégagea son semi-automatique de son holster. Derrière lui, il entendit les roues du chariot de ménage commencer à avancer rapidement sur la passerelle. Il poussa la porte, son arme pointée vers le sol, ses yeux essayant de s'habituer à l'obscurité de la chambre.

Le lit était fait, la télévision allumée, la douche tambourinant dans la salle de bains. «Police de l'immigration et des frontières », dit-il.

Mais il n'y eut pas de réponse.

Il avança sur la moquette, passa à côté de la télévision, la lumière tremblotant sur son poignet, sur sa main et sur le noir terne de son arme. La salle de bains était tapissée de buée, le lourd rideau de plastique de la cabine de douche peinant à contenir l'eau qui rebondissait de la paroi opposée.

« Police de l'immigration et des frontières, répéta-t-il. Fermez la douche et mettez les deux mains contre le mur. »

Toujours pas de réponse.

Il agrippa le bord du rideau et le tira sur sa tringle. La buée de la douche lui monta au visage.

«Vous ne devriez pas entrer dans la chambre de quelqu'un

sans mandat, dit une voix derrière lui. Non, non, ne bougez pas. Vous ne devez pas me regarder, mon vieux. »

Clawson resta pétrifié, son arme tendue sur le côté, la buée de la douche humidifiant ses vêtements, sa nuque brûlante. Mais un instant avant qu'on ne l'ait averti de ne pas se retourner, il avait vu ce qui semblait une forme encapuchonnée contre les rafales de pluie, un pistolet à canon nickelé dans sa main gauche.

« Laissez tomber votre arme dans la cuvette, dit la voix.

– Le cow-boy de la réception m'a balancé ?

– Vous vous êtes balancé vous-même quand vous êtes monté ici sans renfort. Vous êtes coupable des péchés d'orgueil et d'arrogance, mon ami. Mais ils ne seront pas forcément votre perte. Ça veut dire qu'il ne faut pas écouter le genre de pensée que vous avez en cet instant. Ça ne se terminera pas forcément comme vous l'imaginez. »

La crosse du semi-automatique était humide dans la main de Clawson. L'humidité formait des gouttes sur son visage, et lui coulait dans les yeux et sur le cou. Il entendait dans sa tête un son semblable au grondement de la mer, semblable au brasier enflammé qui monte du réservoir d'essence d'une automobile en feu.

Quand Hackberry arriva sur le parking du motel, le soleil avait complètement disparu et le tonnerre grondait plus fort, crépitant dans le ciel comme un toit de métal arraché solive par solive à une grange.

« Je n'y crois pas. Une véritable pluie, dit Pam.

– Réessaie Clawson, dit Hackberry.

– On perd notre temps. Je pense qu'il s'est fourré dans la merde. »

Il lui jeta un coup d'œil.

« Bon, d'accord », dit-elle.

Il s'arrêta devant le bureau du motel pendant qu'elle appelait. Il distinguait derrière le comptoir un homme vêtu en cow-boy.

« Ça ne répond pas, dit Pam.

– Eh bien, voyons un peu ce qui se passe au Traveler's Rest », dit Hackberry. Il sortit du pick-up et boucla la ceinture de son arme, la portière ouverte le protégeant des regards. Par la fenêtre de devant du motel, il vit le réceptionniste répondre au téléphone, puis aller à l'arrière. Une sonnerie électronique retentit quand Pam et lui pénétrèrent dans le bâtiment.

« J'arrive tout de suite », dit une voix à l'arrière.

En se penchant sur le côté, Hackberry vit le réceptionniste debout devant une glace. Il venait de retirer un sparadrap du coin de son œil. Il le roula entre ses doigts et le laissa tomber dans une poubelle, puis arracha la protection d'un sparadrap neuf qu'il se colla sur la peau, aplatissant fermement la bande adhésive avec son pouce. Il se passa un peigne dans les cheveux, s'effleura les narines du doigt et revint à la réception avec un grand sourire. Ses yeux tombèrent sur le revolver sur la hanche d'Hackberry.

« Je peux vous aider ? » demanda-t-il.

Hackberry ouvrit l'étui de son insigne. « Un agent fédéral du nom d'Isaac Clawson est-il venu ici ?

– Aujourd'hui ?

– Il y a moins d'une heure.

– Un agent fédéral ? Non monsieur, pas à ma connaissance.

– Pouvez-vous me dire qui loge dans la chambre 209 ? »

Le réceptionniste se pencha sur son ordinateur, l'air concentré. « Apparemment, c'est un monsieur qui a payé en liquide. Cinq jours d'avance. Je vais devoir consulter sa fiche d'enregistrement.

– Pouvez-vous me le décrire ?

– Je ne crois pas que ce soit moi qui l'aie accueilli. Spontanément, je ne le vois pas. » Le réceptionniste s'effleura le nez. Ses yeux quittèrent Hackberry pour se diriger vers le parking et un palmier secoué par le vent. « Vous devez avoir amené ce temps avec vous. Ça peut pas faire de mal, dit-il.

– Vous connaissez une prostituée qui s'appelle Mona Drexel ?

« – Non, monsieur, les prostituées ne sont pas autorisées ici.

– Avez-vous vu un homme au crâne rasé, avec des lunettes octogonales, et qui ressemble à quelqu'un qui soulève de la fonte ?

– Aujourd'hui ? Je ne me rappelle pas avoir vu quelqu'un comme ça.

– Vous connaissez le Prêcheur Jack Collins ?

– Je connais quelques prêcheurs, mais aucun de ce nom.

– J'ai entendu dire que la Fraternité aryenne, c'est pour la vie. C'est vrai ?

– Pardon ?

– Ces larmes bleues que vous avez au coin de l'œil, sous votre sparadrap ?

– Oui, monsieur. Quand j'étais plus jeune, j'ai eu quelques ennuis.

– Mais la Fraternité aryenne, c'est pour la vie, hein ?

– Non, monsieur, pas pour moi. Maintenant tout ça est derrière moi

– Vous étiez à Huntsville ?

– Oui, monsieur.

– Donnez-moi la clef de la 209. Et ne décrochez pas ce téléphone pendant qu'on est là. S'il sonne, laissez-le sonner. Si vous avez menti, vous regretterez de ne plus être bouclé à Huntsville. »

Quand Hackberry et Pam eurent quitté le bureau, le réceptionniste dut s'asseoir.

Isaac Clawson avait toujours été persuadé que la vie de quelqu'un n'est jamais gouvernée par plus de deux ou trois choix, qui semblent en général de peu de conséquences au moment où on les fait. Il se demandait aussi combien de pensées un homme peut avoir en moins d'une seconde, si du moins l'adrénaline ne commence pas par cramer ses circuits.

Mais ce moment précis était-il de ceux qui lui offraient un choix possible ? À quel principe devait obéir un représentant

192

de la loi dans sa situation, face à un adversaire armé ? Pour ça, c'était facile. On ne doit jamais donner son arme. On s'accroche, on pousse son ennemi à parler, on bluffe, on crée un orage électrique du style « on asperge et on prie ». Si ça échoue, on se prend la balle.

Qu'avait écrit Shakespeare ? « Par ma foi, cela m'est égal, on ne meurt qu'une fois, nous devons une mort à Dieu, jamais je n'aurai le cœur lâche. D'accord si c'est mon destin, et d'accord si ça ne l'est pas. Personne n'est trop bon pour servir son prince, et que les choses tournent comme elles voudront, qui meurt cette année est quitte pour la prochaine[1]. » Oui, c'était ça. En acceptant sa propre mort, on traverse son ombre tout droit jusqu'à la lumière de l'autre côté.

Mais la leçon de Shakespeare et les principes qu'Isaac Clawson avait appris à Quantico et dans pas moins de cinq autres centres d'entraînement n'étaient pas totalement applicables dans le cas présent. S'il était abattu dans la chambre 209, son assassin s'en sortirait libre, et continuerait à tuer, encore et encore. À vrai dire, il n'y aurait sans doute pas de preuve palpable permettant de faire le lien entre la mort de Clawson et le Prêcheur Jack Collins. Clawson avait agi seul, confirmant la perception de ses collègues selon laquelle il était un homme hanté vacillant aux lisières de la dépression nerveuse. Peut-être certains de ses collègues et de ses supérieurs seraient-ils même satisfaits que Jack Collins les ait débarrassés d'un agent avec qui personne ne se sentait à l'aise.

Si Isaac avait encore une saison à vivre, il pourrait retrouver Jack Collins et les autres assassins des femmes et des jeunes filles thaïes et les éliminer un par un, chacun, d'une certaine façon, payant pour la mort de sa propre fille. Même ses pires détracteurs concédaient que personne, à l'ICE, n'était plus dévoué à sa tâche, et n'avait plus de succès dans la chasse à ces

---

1. Shakespeare, *Henry IV*, deuxième partie, acte III, scène 2.

trafiquants de misère qui faisaient des métastases sur toute la frontière sud de l'Amérique.

« Dernière chance, mon vieux, dit la voix derrière lui.

– Vous pensez pouvoir buter un agent fédéral, et vous en tirer comme ça ? Il faudra vous ramasser à la petite cuiller.

– D'après ce que je vois, jusque-là, ils s'y sont pris sacrément mal.

– C'est vous qu'on appelle le Prêcheur ?

– Vous avez violé le Quatrième Amendement. L'habitation locative de quelqu'un est considérée comme sa maison. Vous ne respectez même pas votre propre Constitution, vous autres. C'est pour ça que vous n'êtes pas dignes de respect. Je dis que vous êtes tous des hypocrites, monsieur. Je vous souhaite à tous tout le mal possible. »

Isaac Clawson effectua un demi-cercle, balançant son semi-automatique à longueur de bras, la pluie, à travers la porte, lui arrivant en rafales au visage. La silhouette qu'il voyait debout contre le mur d'un côté de la porte semblait hors de contexte, sans rapport avec les événements autour de lui. C'était la femme de ménage, ou ce qu'il avait pris pour une femme, avec un foulard sur la tête et un tablier, visant de sa main gauche avec un Derringer[1] nickelé à deux canons, sa main droite s'appuyant lourdement sur le dossier d'une chaise, comme si elle souffrait.

Isaac était certain d'avoir lâché une balle. Il *devait* l'avoir fait. Son doigt s'était raidi dans le pontet. Il n'avait pas cillé ; il avait les yeux grands ouverts. Il aurait dû entendre le coup, sentir le sursaut contre la paume de sa main, et voir le chargeur sauter avec le recul, la douille éjectée tintant sur le sol.

Au lieu de ça, il avait vu un point de lumière gros comme une tête d'épingle jaillir du canon du Derringer. Le cercle de lumière vive lui fit penser au feu qui s'échappe à travers une

---

1. Pistolet de poche à gros calibre.

surface de métal surchauffée au-delà de ses capacités d'absorption, et qui libère la fournaise hurlante qu'elle essayait de contenir.

Il sentit un doigt toucher son front, et il vit des mains qui se tendaient vers lui depuis un feu froid qui, d'une certaine façon, avait été rendu inoffensif, comme si leur chaleur avait été dérobée aux flammes, et qu'elles ne pouvaient pas avoir sur un tissu vivant plus d'effet que des ombres mouvantes, et il sut que cette fois il avait réussi quelque chose, qu'il pouvait sortir sa fille et son fiancé de leur automobile en feu, et annuler la cruauté et la souffrance que le monde leur avait imposées.

Mais quand il tendit la main pour prendre celle de sa fille, il se rendit compte que sa vie serait à jamais marquée par l'incapacité et l'échec. C'étaient les mains de sa fille qui agrippaient la sienne, et pas le contraire, les mains de sa fille qui se tendaient hors d'un rayonnement blanc, qui se glissaient plus haut sur ses poignets, les saisissant avec une force surhumaine, le tirant dans un lieu où la résistance, la rage, et même le désir de faire des choix semblaient s'être dissous dans le vide depuis un million d'années.

Quand il toucha le sol, Isaac avait les yeux grands ouverts. Le Prêcheur Jack Collins le regarda un bref instant, posa les mains sur le chariot de nettoyage, et suivit la passerelle jusqu'à l'escalier à l'extrémité du bâtiment.

11

Quel que soit le nombre de comprimés antidouleur qu'avait pris Artie Rooney, sa main continuait à l'élancer. Et il ne pouvait se libérer du puits de terreur qui rongeait ses entrailles. Et il ne pouvait se sortir de la tête le nom de Jack Collins. Il planait derrière ses yeux ; il s'éveillait avec lui le matin ; il était dans sa nourriture ; il était avec lui quand il baisait des putes.

Et maintenant il était en grande conversation avec Hugo Cistranos, ici, dans son élégant bureau en bord de mer, son impuissance aussi palpable que l'odeur de peur montant de ses aisselles. Il n'arrivait pas à croire que quelques semaines auparavant Jack Collins était juste un nom sans visage, dont la mention le faisait bâiller.

« Jack te réclame un demi-million ? dit Hugo, confortablement installé dans un fauteuil de cuir blanc, vêtu d'un pantalon de golf, d'une chemise imprimée et de sandales romaines, ses cheveux aux mèches rousses brillant de gel.

– Il dit que c'est ma faute s'il a perdu son âme, dit Artie.

– Jack n'a pas d'âme. Comment peut-il te rendre responsable de sa perte ?

– Parce qu'il est fou ? »

Hugo observa le dos de ses mains. « Tu es resté là à regarder Jack te couper le doigt ? C'est difficile à croire, Artie.

– Il allait me couper la gorge, il tenait le rasoir juste à côté de mon œil. »

Hugo prit un air philosophe. « Ouais, je suppose que Jack en est capable. Ça a dû être terrible. Comment tu as expliqué ça, à l'hôpital ? »

Artie se leva de son bureau, serrant sa main blessée. À quatre cent cinquante kilomètres au sud-est de Galveston, un ouragan montait en intensité d'heure en heure. À travers l'énorme mur de verre qui longeait la plage, il voyait une bande vert cobalt le long de l'horizon, au sud, et le dos lisse et tanné des pastenagues dans les rouleaux et les vagues striées d'écume jaune dans le vent. Il avait envie de coller une balle à Hugo Cistranos.

«Tu n'as raconté à personne ce qui s'est passé, hein? demanda Hugo. C'était sans doute le bon choix. Ça a dû être difficile à accepter. Je veux dire, qu'un cinglé de religion entre chez toi et transforme ton bureau en planche de boucher. Ça me file les chocottes rien que d'y penser.

– Collins est après nous, dit Artie.

– Qui est ce "nous" que tu évoques?

– C'est toi qui as monté la combine, Hugo. C'était ton idée de kidnapper les putes du Russe. Tu as conduit Nick Dolan à penser qu'il me piquait les filles et tu l'as poussé à croire que la fusillade était aussi sa faute. Depuis le début, tout ce cauchemar porte ton nom.»

Mais déjà Hugo agitait un doigt d'avant en arrière. «Oh non, pas ça. Tu savais que l'estomac de ces filles était chargé de blanche de Chine, et tu pensais piquer au Russe à la fois sa blanche et sa chatte. Tu es devenu gourmand, Artie. Je ne prends pas ça sur moi, mon ami.

– Je ne t'avais pas dit de les tuer.

– Quand est-ce que tu m'as dit de *ne pas* tuer quelqu'un? Tu te souviens de cet obsédé sexuel qui s'introduisait dans ta maison, à Metairie? Pourquoi tu ne m'as jamais posé de questions sur lui, Artie? Le *Times-Picayune* a fait un gros titre sur les fragments de bidoche qui ont atterri sur une aire de piquenique. Tu n'as jamais fait le lien?»

Artie Rooney avait l'expression d'un poisson-globe qui a un hameçon dans la bouche. Hugo prit un bâtonnet à la menthe dans le grand pot de plastique transparent sur le bureau d'Artie. Il regarda la plage d'un air songeur, et les vagues qui explosaient en haut de la jetée. «C'est vraiment dommage pour les putes. Mais si elles avaient voulu, elles auraient pu rester en Thaïlande. Il y a une mine d'or dans le tourisme sexuel des hommes d'affaires japonais. Je suis désolé de ce qui s'est passé là-bas. Mais en l'occurrence, il n'y avait pas le choix. Les ballons explosaient dans leur ventre, et elles hurlaient qu'elles voulaient aller à l'hôpital. "Hé, les gars, faites un pompage à mes neuf putes pleines chacune de quinze ballons de blanche pure. Tant que vous y êtes, demandez-leur de vous parler du coyote qu'on a buté et enterré sur un terrain fédéral."

– Très drôle.

– On est tous des sacs d'engrais, Artie. Toi, moi, le Prêcheur Jack, ta secrétaire, les familles en bas sur la plage. Tu crois que si c'était nous qui avions été enterrés par un bulldozer, les filles asiatiques brûleraient de l'encens dans un temple hindou ? Elles achèteraient du maquillage au Walmart. »

Artie regarda d'un air las le golfe et les drapeaux d'urgence qui battaient au bout de leurs cordes. Puis une chose le frappa : Hugo parlait trop, de façon trop maligne, remplissant l'air de mots aux dépens d'Artie de façon à contrôler la conversation.

« Tu as peur de lui, dit-il.

– J'ai déjà travaillé avec le Prêcheur. Je respecte ses limites, je respecte son talent.

– Ses limites ? Tu as regardé *Dr Phil*[1], ou quoi ? Tu viens de traiter Collins de cinglé de religion. Je crois que tu commences à perdre la tête. Je crois que tu as eu une confrontation avec lui. »

Hugo croisa les jambes et déroula l'emballage de cellophane du bâtonnet à la menthe, se mordant les joues d'un air pensif.

« Bien essayé, mais raté. Tu devrais passer plus de temps à la bibliothèque, Artie, bûcher un peu l'histoire. Ce ne sont pas les fantassins qui prennent les plus gros risques. Ce sont les officiers. Les fantassins ont toujours l'occasion de s'adapter. Ton bandage n'est pas étanche.

– Quoi ?

---

1. *Talk show* de développement personnel.

– Tu es en train de tacher ta chemise. Tu devrais aller à l'hôpital. Qu'est-ce que t'as fait du doigt ? Si tu l'as mis dans de la glace, ils pourront peut-être te le recoudre. »

Le téléphone bourdonna sur le bureau d'Artie. De sa bonne main, il décrocha le récepteur. «Je t'ai dit de ne pas me déranger, dit-il.

– Un certain monsieur Nick Dolan et sa femme sont ici pour vous voir.

– Qu'est-ce qu'ils foutent ici, *eux* ? »

La secrétaire ne répondit pas.

«Débarrasse-toi d'eux. Dis-leur que je suis parti, dit Artie.

– Je ne crois pas qu'ils s'en iront, monsieur Rooney», murmura la secrétaire.

Artie se tut, fixant Hugo. «Dis-leur d'attendre une minute», dit-il. Il reposa le récepteur. «Va dans ma salle de conférences, et n'en bouge pas.

– Pourquoi ? demanda Hugo.

– Tu as déjà rencontré Esther Dolan ?

– Pourquoi ? Qu'est-ce qu'elle a ?

– T'as réveillé Batgirl, gros malin. »

Quand Nick et Esther entrèrent dans la pièce, Artie Rooney était assis à son bureau, en costume bleu pastel, cravate à rayures bleues et or et chemise de soie aussi brillante que du fer-blanc, son fauteuil pivotant incliné en arrière, les mains mollement posées sur les accoudoirs, image d'un homme responsable et en paix avec le monde.

«Ça faisait bien longtemps, miss Esther», dit Artie, s'adressant à elle comme la tradition veut qu'un gentleman ami de la famille s'adresse à une femme de La Nouvelle-Orléans.

Esther ne répondit pas ; son regard transperçait le visage d'Artie.

«Il faut qu'on mette certaines choses au point, dit Nick.

– Je suis toujours heureux de revoir de vieux amis, dit Artie.

– Que t'est-il arrivé à la main ? demanda Nick.

– Un accident avec mon taille-haie électrique. »

199

Même quand il s'adressait à Nick, l'attention d'Artie restait tournée sur Esther, qui portait une robe moulante, violette avec des fleurs vertes. «Asseyez-vous, tous les deux. J'ai des crevettes et un pichet de martini-vodka au réfrigérateur. Comment allez-vous, miss Esther ?

— Nous avons essayé de contacter Hugo Cistranos, dit Esther. Il s'apprête à faire du mal à une jeune femme et à son petit ami, un ancien militaire.

— Hugo ? Première nouvelle.

— Arrête tes conneries, Artie, dit Nick.

— Tu es venu à Galveston pour m'insulter ? dit Artie.

— Nick m'a tout raconté, dit Esther. À propos de ces gangsters qui travaillent pour vous, et qui ont failli tuer Nick, à la ferme. Il m'a parlé aussi des filles orientales.

— Vous êtes bien certaine de ce que vous dites ? Je suis un peu embrouillé.

— Elles ont été tuées parce que vous les faisiez entrer clandestinement aux États-Unis. C'étaient des paysannes qui ont été passées à la mitraillette par une de vos bêtes à gages, dit Esther.

— Je suis copropriétaire de quelques services de rencontres. Je n'en suis d'ailleurs pas très fier. Mais je dois faire bouillir la marmite, comme tout le monde. Votre mari n'est pas innocent dans cette affaire, miss Esther. Et ne dites pas que j'ai tué qui que ce soit.

— Nick vient de renoncer à tous ses intérêts dans ce que vous appelez des "services de rencontres". »

Artie regarda Nick. «J'ai bien entendu ? Tu as vendu à Houston et à Dallas ?

— Non, je n'ai pas vendu, je me suis retiré», dit Nick.

Artie se redressa dans son fauteuil et croisa les bras sur son sous-main. Il prit une pilule dans une petite boîte de métal et se la mit dans la bouche, puis l'avala avec un demi-verre d'eau. Une expression tendue, de douleur soigneusement contrôlée, sembla apparaître de nouveau sur son visage. «Je n'ai plus de contacts avec Hugo. Je pense qu'il se peut qu'il soit à La Nouvelle-Orléans. Je vais peut-être aller y faire un tour et m'y réinstaller, moi aussi.

– Vous allez empêcher ce tueur de faire du mal à ces gosses, ou non ? demanda Esther.

– Je n'aime pas vos sous-entendus, miss Esther. Si vous essayez de faire tomber la maison, vous vous retrouverez dans le salon avec le toit qui s'effondre sur la tête de Nick, et peut-être aussi sur la vôtre, dit Artie.

– Je t'interdis de lui parler comme ça, dit Nick.

– Tu te rappelles la fois, au Prytania Theater[1], quand on t'a mis la tête dans les chiottes ? dit Artie.

– Et si je t'écrasais la main dans ton tiroir ? proposa Nick.

– Tu as survécu à La Nouvelle-Orléans parce qu'on t'a autorisé à survivre, Nick. Didoni Giacano a dit un jour que ta mère avait dû souffrir de mycose vaginale, et qu'on ne pouvait pas te faire confiance. J'ai expliqué à Dee-Dee qu'il voyait juste, mais qu'en plus t'avais pas de couilles, et que t'étais cupide, et que pour ces raisons-là, tu ferais tout ce qu'il te demanderait, jusqu'au cimetière. Donc, d'une certaine façon, j'ai aidé à ta carrière. Je pense que tu devrais me montrer un peu de gratitude.

– Dee-Dee Gee a dit ça sur moi et ma famille ?»

Artie eut un geste en direction de la muraille de verre en bord de plage. «Tu vois cette tempête qui se prépare ? dit-il. Katrina a balayé la plus grande partie du Neuvième District. J'espère que celle-là changera de direction, et touchera La Nouvelle-Orléans, comme l'a fait Katrina, et qu'elle finira le boulot. Et j'espère que tu seras là-bas à ce moment-là, Nick. J'espère que toi et les tiens serez balayés de la surface de la terre. Voilà ce que je souhaite.»

Esther se pencha sur son siège, les mains croisées sur les genoux, prenant conscience de quelque chose. «Vous avez menti à Nick, n'est-ce pas ?

---

1. Le plus ancien cinéma de La Nouvelle-Orléans.

– À propos de quoi ?

– L'entrée clandestine et le meurtre des filles. D'une façon ou d'une autre, vous vous serviez de Nick. C'est comme ça que vous avez monté cette extorsion.

– J'ai une nouvelle pour vous. Votre mari est un maquereau. La maison que vous possédez, les voitures que vous conduisez, le country club auquel vous appartenez, tout ça est payé par le fric qu'il se fait avec des putes. Celles que vous prenez juste pour des bimbos à peine sorties de la fac qui se déshabillent pour faire des *lap dances* et exciter des types dans les toilettes du club. Vous êtes une femme intelligente, miss Esther. Vous avez épousé Mighty Mouse[1]. Pourquoi prétendre le contraire ? »

Elle se leva, les mains serrées sur son sac. « Mon mari est un homme bon, dit-elle. Jamais je ne vous laisserai lui faire du mal. Si vous menacez à nouveau ma famille, je vous pourrirai la vie.

– Bien. Désolé que vous deviez partir, dit Artie en prenant un autre comprimé antidouleur.

– Si tu fais du mal au militaire ou à sa copine, on appelle le FBI, dit Nick. Je sais ce que tu peux me faire, Artie. C'est sans importance. Mais je n'aurai pas le sang de ces gamins sur la conscience.

– Qu'est-ce que vous en dites, espèce de gangster à la manque ? dit Esther. Vous parliez de mettre la tête des gens dans les toilettes ? Imaginez-vous dans une cellule remplie de dégénérés sexuels. J'espère que vous y passerez mille ans. »

Après leur départ, Artie ouvrit la porte de sa salle de conférences. Hugo fumait une cigarette tout en observant les vagues qui s'écrasaient sur la plage.

« Tu en as pris plein les oreilles ? demanda Artie.

_____

1. Super-Souris, personnage de dessin animé apparu dans les années 1940.

202

– Suffisamment », dit Hugo. Il écrasa sa cigarette dans un cendrier sur la table de conférences. « Comment tu veux la jouer ?

– Il faut que je te le dise ?

– Je suis beaucoup de choses, mais je ne suis pas omniscient.

– Dégage tous ceux qui gênent. Ça veut dire le militaire et sa nana, ça veut dire le Prêcheur Jack Collins, ça veut dire tous ceux qui peuvent nous donner. Ça veut dire ce petit youpin rondouillard et sa femme. Et ses enfants, si nécessaire. Et quand je dis "dégage", je parle de nettoyer le carrelage d'un bout du bâtiment à l'autre. J'ai été suffisamment clair ?

– Pas de problème, Artie.

– Et si tu suis l'affaire de près… »

Hugo attendit.

« Colles-en une dans la bouche d'Esther, dit Artie, et je veux qu'elle sache d'où elle vient. »

Des années plus tôt, dans une bibliothèque publique de Waycross, Géorgie, Bobby Lee Motree était tombé sur un volume intitulé *Mon grand-père était le seul soldat de l'armée confédérée*. Il avait été frappé par le titre et, en feuilletant le livre, avait essayé d'en comprendre le sens. Puis il avait complètement cessé d'y penser, en partie parce que l'intérêt que Bobby Lee portait à l'histoire se limitait essentiellement à sa prétention d'être le descendant de celui qui était peut-être le plus grand stratège de l'histoire américaine, une prétention fondée sur le fait que ses premier et second prénoms étaient respectivement Robert et Lee, comme son père, un petit malfrat et caddie de golf à temps partiel qui avait trouvé la mort alors qu'il dormait sur un viaduc ferroviaire.

Maintenant, tandis que tombait un crépuscule qui, d'une certaine façon, semblait résumer son existence, il se tenait à côté de son véhicule, non loin d'une montagne dentelée dont les pentes nues devenaient de plus en plus sombres contre le ciel. Le vent était chaud et sentait la créosote, la poussière et le bitume qui, pendant la journée, s'était dissous en réglisse. Au loin, il voyait un trio de busards qui tournaient très haut au-dessus du *hardpan*, leurs ailes étendues gravées sur un soleil jaune qui lui évoquait une lumière enfermée derrière un store sale. Il ouvrit un portable et composa un numéro.

Puis il hésita et écarta son pouce de la touche envoi. Bobby Lee ne se sentait pas bien. Il voyait des fragments de couleur déchirés flotter derrière ses paupières, comme si sa capacité à réfléchir se détériorait, comme si ses pensées incontrôlées étaient devenues son pire ennemi.

Il plongea la main dans son SUV et prit une gorgée d'une cannette de soda chaud. Est-ce qu'il arrivait à quelque chose ? Il n'avait pas une telle chance. Son monde tombait en morceaux. Il avait toujours admiré le Prêcheur, pour son professionnalisme et son invisibilité, et pour la façon dont il était devenu une légende, un Murder Inc. à lui tout seul, sans jamais entrer dans le système. Mais le Prêcheur avait suivi Hugo pour le massacre des Asiatiques, et maintenant il venait de buter un agent fédéral. Quelqu'un devrait payer pour ça. Hugo ? Sûrement pas. Le Prêcheur ? Jack avalerait une Gatling avant de laisser quiconque le mettre en prison. Il restait qui ?

La réponse n'était pas de celles auxquelles Bobby Lee se plaisait à penser. Le reste de l'équipe consistait en lui-même et en Liam Eriksson, et Liam se trouvait déjà sur la *short-list* de Jack pour avoir volé le chèque d'invalidité et tenté de le toucher, alors qu'ils étaient bourrés, sa copine pute et lui. À la base, Liam et Bobby Lee étaient des travailleurs, faisant un carton ici et là, mettant quelques dollars de côté en vue d'une vie meilleure, attendant le moment voulu pour décro-cher. Ils n'étaient pas des dingos religieux, comme Jack, ni des types comme Hugo, que ça faisait planer de buter des gens. Pour Liam et Bobby Lee, c'était juste un boulot. Mais les travailleurs sont jetables et remplaçables, tout le monde sait ça.

Bobby Lee se rappelait quand il avait rempli son premier contrat, à l'âge de vingt ans, sur Alligator Alley, entre Fort Lauderdale et Naples, un coup à cinq mille dollars sur un Cubain qui avait violé la fille d'un type de la mafia de la côte du New Jersey. Au début, Bobby Lee pensait que ça lui ferait quelque chose de buter un type qui ne lui avait rien fait, mais tel n'avait pas été le cas. Il avait offert à la cible quelques verres à Lauderdale, lui avait dit qu'il avait un camp de pêche dans les Everglades puis lui avait montré l'immense baie verdoyante au clair de lune et collé deux .22 à tête creuse derrière l'oreille, *pow pow*, aussi vite que ça, et soudain le type s'était retrouvé la tête dans l'eau, les bras étendus, sa veste de costume gonflée, comme s'il étudiait le fond de la baie, l'air de la nuit vrombissant de grenouilles.

Mais maintenant, que devait faire Bobby Lee ? Oublier ce truc de frères d'armes, et se tirer loin du Prêcheur ? Mais cette idée lui déplaisait. Si Bobby Lee devait rester un pro une fois de retour en Floride, où il envisageait de se réinscrire à Miami-Dade, effectuant occasionnellement un contrat quand il aurait besoin d'argent, il devait préserver sa réputation. En plus, laisser tomber le Prêcheur était le meilleur moyen de s'assurer de passer le restant de ses jours à regarder derrière lui.

Bobby Lee ouvrit une nouvelle fois son portable et appuya sur la touche de rappel.

« Où étais-tu ? demanda la voix du Prêcheur.

– J'ai complètement parcouru presque entièrement deux comtés.

– Réfléchis à ce que tu viens de dire. Il y a une contradiction dans les termes.

– Quoi ?

– Qu'est-ce que tu as trouvé ?

– Rien. Mais j'ai une idée.

– Que veux-tu dire par "rien" ?

– Je veux dire ce que j'ai dit. J'ai pas trouvé de motel Siesta.

C'est là que ce type, Junior Je-ne-sais-quoi, avait dit que se trouvaient la fille et le militaire.

– Rappelle-moi d'une ligne fixe.

– La CIA ne nous piste pas, Jack. C'est quand ils recherchent des enturbannés qu'ils captent des trucs dans l'air. » Bobby Lee s'arrêta, de plus en plus agacé par le Prêcheur. Il avait envie de jeter le portable sur le bitume et de le piétiner. « T'es toujours fumasse contre Liam parce qu'il a essayé de toucher le chèque du militaire ?

– À ton avis ?

– À mon avis, tu devrais un peu lâcher les baskets à Liam. Le mec est sur le coup, il essaie.

– Sur quel coup ? »

Cette fois, Bobby Lee ignora les continuelles tentatives du Prêcheur pour corriger son langage et, d'une certaine façon, de le retourner contre lui. « Écoute, je te rappelle plus tard. J'ai un plan.

– Ça fait deux jours que tu traînes le long de la frontière. C'est un plan, ça ?

– T'as déjà connu un junkie qui est à plus d'un jour de chez lui ?

– Où veux-tu en venir ?

– Il y a pas de différence entre un junkie et un alcoolo. Un rat rentre dans son trou. Le militaire est un alcoolo, il arrête pas d'entrer et de sortir des AA, du moins c'est ce qu'on raconte. Hugo dit qu'il a sur le visage une cicatrice rose aussi large qu'un ver de terre. Je le trouverai. Je te le garantis. J'ai appelé la hotline des AA et j'ai le programme de la région. T'es toujours là, Jack ? »

La ligne était-elle coupée, ou est-ce que le Prêcheur avait raccroché ? Bobby Lee appuya sur la touche de rappel rapide, mais il tomba directement sur une messagerie. Il ferma et rouvrit les yeux, les montagnes devant lui comme un sombre cône volcanique se rafraîchissant contre le soleil du soir.

Il y avait peu de groupes de programme en douze étapes dans la région, du moins peu de groupes se réunissant plus d'une fois par semaine, et le lendemain Pete Flores eut l'impression d'avoir de la chance de pouvoir se faire conduire à la réunion des Sundowners, dans une église fondamentaliste à quarante-cinq kilomètres du motel où ils logeaient, Vikki et lui. L'église était un bâtiment blanc, avec un faux petit clocher au sommet du toit, et une croix de néon bleu installée au-dessus de l'entrée. À l'arrière, il y avait un garage automobile et, juste à côté, un cimetière dont les tombes étaient jonchées de fleurs en plastique et de gobelets verdis d'algues séchées. Même toutes fenêtres ouvertes, l'atmosphère à l'intérieur du bâtiment était suffocante, les surfaces de bois aussi chaudes au toucher qu'une cuisinière. Pete était arrivé en avance, et plutôt que de s'asseoir dans la chaleur, il sortit et s'installa sur les marches de derrière, pour regarder l'étrange teinte d'un vert chimique que prenait le ciel à l'ouest, le soleil aux confins de la terre toujours aussi étincelant qu'un chalumeau à acétylène. Les couches sédimentaires de la mesa étaient grises, jaunes et roses au-dessus du crépuscule qui se formait sur le désert. Pete avait l'impression d'être assis au fond d'une énorme cuvette à sec qui, aux temps préhistoriques, était modelée dans la glaise, le paysage exsudant presque une odeur de bêtes sauvages quand la pluie tentait de lui rendre la vie.

L'homme qui s'assit sur la marche à côté de Pete portait un T-shirt blanc immaculé et une salopette fraîchement repassée. Il sentait le savon et l'après-rasage, et ses cheveux noirs étaient coupés droit sur sa nuque. Ses épais sourcils en croissant de lune étaient soigneusement taillés, la fossette de son menton encore brillante d'un rasage récent. Il avait une calvitie au sommet du crâne. Quand il regardait le désert, vers le sud, sa bouche était une fente grise sans expression ni caractère, ses yeux dépourvus d'éclat. De ses lèvres, il sortit une cigarette de son paquet, puis en dégagea une autre qu'il proposa à Pete.

«Merci, je n'ai jamais fumé, dit Pete.

– Sage décision», dit l'homme. Il alluma sa cigarette et souffla avec déférence la fumée du coin de la bouche. «Je suis nouveau dans ce groupe. Comment ça se passe?

– Aucune idée. C'est ma première fois à moi aussi.

– T'as réussi à rester sobre?

– Quelques jours, pas plus. J'ai eu une médaille de vingt-quatre heures.

– Vingt-quatre heures, ça peut sembler long.

– Tu travailles dans le coin? demanda Pete.

– Je tirais des tuyaux entre Presidio et Fort Stockton. Jusqu'au mois dernier, en tout cas. J'ai une incapacité militaire, mais mon patron était un type plutôt dur. Selon lui, il y a que des connards qui allaient au Moyen-Orient.

– Tu as été en Irak?

– Deux périodes.

– Mon tank a explosé à Bagdad», dit Pete.

Les yeux de l'homme s'attardèrent sur la longue cicatrice boursouflée qui s'étirait comme une goutte de pluie rose sur le visage de Pete. «Tu t'es mis à boire au retour?»

Pete observa le ciel qui devenait plus sombre, les collines qui semblaient avachies contre un feu brûlant juste au-delà du bord de la terre. «C'est dans ma famille. Je ne pense pas que la guerre ait grand-chose à voir avec ça, dit-il.

– C'est une façon courageuse de voir les choses.

– Combien de temps tu as réussi à rester sobre?

– Deux ans, plus ou moins.

– Tu as eu une médaille de deux ans? demanda Pete.

– J'aime pas trop les médailles. Je suis le programme à ma façon.»

Pete joignit les mains sans répondre.

«T'es en voiture? demanda l'homme.

– Je suis venu en stop avec un type qui puait comme un camion de bière. Je lui ai proposé de m'accompagner, mais il m'a dit que le premier miracle de Jésus avait été de transformer l'eau en vin, et que ceux qui croyaient en lui n'étaient pas hypocrites à ce sujet. Je n'ai pas bien vu le rapport.

– Tu veux qu'on aille prendre un café et un morceau de tarte, après la réunion ? Je t'invite », proposa l'homme en salopette.

Pendant la réunion, Pete oublia sa conversation avec l'homme qu'il avait rencontré sur les marches. Une femme disait qu'elle avait vécu un « alcoolisme à sec[1] », et connu l'expérience de flash-backs qui la ramenaient à l'intérieur d'un trou noir. Sa voix, comme celle d'une âme aveuglée forcée de contempler la lumière, vibrait de tension tandis qu'elle racontait au groupe comment elle avait failli tuer quelqu'un en voiture. Quand elle finit de parler, la salle était silencieuse, les spectateurs sur les bancs ou les chaises pliantes fixant leurs pieds, ou regardant dans le vide, l'air triste, chacun sachant qu'une telle histoire aurait pu être la sienne.

Après la réunion, l'homme en salopette aida à entasser les chaises et à laver les tasses et la machine à café. Il jeta un coup d'œil en direction de la femme qui pensait qu'elle aurait pu commettre un homicide avec sa voiture. Il baissa la voix. « À force de parler, celle-là est en train de se prendre un billet pour Huntsville, dit-il à Pete.

– Ce qu'on voit et ce qu'on entend ici ne sort pas d'ici, dit Pete. C'est comme ça que ça marche.

– Tous ceux qui croient ça ont plus confiance que moi dans les gens. Allez, on va manger un morceau, et je te ramène chez toi.

– Tu ne sais pas, je vis loin d'ici.

---

1. *Dry drunk*, terme employé pour désigner les alcooliques repentis qui ont encore des symptômes (nervosité, irritabilité, autodestruction, etc.) liés à l'alcoolisme.

– Je n'ai rien de mieux à faire, crois-moi. Ma copine a fauché ma bagnole et s'est tirée avec un vendeur de bibles unijambiste », dit l'homme en salopette. Il regarda, au-delà des bancs, la femme qui, un peu plus tôt, avait raconté son « alcoolisme à sec ». Son front se creusa de rides. La femme se tenait près de la fenêtre, son attention fixée sur l'obscurité du dehors, les mains posées sur le rebord comme si elles n'étaient pas attachées à ses bras. « Ça en dit long, non ? dit-il.

– Ça en dit long sur quoi ? demanda Pete.

– Cette femme là-bas, celle qui a avoué avoir failli tuer quelqu'un qui n'existe peut-être pas. Elle a l'air de quelqu'un qui vient de comprendre qu'elle s'est foutue dans une merde pire que celle dans laquelle elle était déjà. »

Pete ne répondit pas. Dix minutes plus tard, il roulait en direction d'un restaurant en compagnie de l'homme en salopette, qui dit s'appeler Bill, et commanda un morceau de gâteau et un verre de thé glacé.

« T'as une copine ? demanda Bill.

– J'aime à le penser, dit Pete.

– Elle participe aussi au programme ?

– Non, elle est normale. Je n'ai jamais compris comment elle a pu se retrouver avec un type comme moi.

– Vous habitez où ?

– Dans un motel pas cher, un peu plus loin sur la route. »
Bill semblait attendre la suite.

« J'ai pensé à quelque chose, dit Pete. Cette femme, là-bas, à la réunion ?

– Celle qui a la tête fêlée ?

– Je ne dirais pas ça. »
Bill prit l'addition et l'examina, avant de jeter un regard irrité en direction de la serveuse.

« Elle voulait avouer quelque chose qu'elle n'a peut-être pas fait, dit Pete. Ou si elle l'a fait, elle était prête à l'avouer, et peut-être à aller en prison. Pour elle, ça ne faisait pas de différence. Elle veut juste être pardonnée pour tout ce qu'elle a fait de mal dans sa vie. Pour en arriver là, il faut un cran et une humilité que je dois reconnaître que je n'ai pas.

– Cette nana sait pas faire une addition », dit Bill. Il se leva, l'addition à la main. « On se retrouve dehors. Il est temps qu'on se tire. Il faut que j'aille dormir un peu. »

Pete attendit sur le parking, mâchonnant une paille à soda en plastique, regardant les étoiles et Vénus qui clignotaient au-dessus d'une montagne sombre, à l'ouest. Qu'est-ce que Bill avait dit, tout à l'heure, à propos d'une médaille de deux ans de sobriété ? Il n'avait pas voulu l'accepter ? Ça, ça ne passait pas. Ce serait comme de refuser la Médaille d'honneur du Congrès sous prétexte que les couleurs de la salle ne sont pas assorties à vos chaussettes.

« Prêt ? » dit Bill en sortant du café.

Pete ôta la paille de sa bouche et regarda Bill dans la lumière du néon.

« Il y a un problème ? demanda Bill.

– Non, on y va, dit Pete.

– Tu ne m'as toujours pas dit où tu habites.

– Au feu rouge, tu prends vers l'est et tu continues jusqu'à ce qu'il n'y ait plus de chaussée.

– Je croyais que tu avais dit que tu habitais plus loin sur la route, pas vers l'est, dit Bill en essayant de sourire.

– Je crois qu'en ce qui concerne les points cardinaux, je ne suis pas fiable. En fait, notre motel est tellement paumé dans la cambrousse qu'on doit y apporter le soleil en camion, dit Pete. C'est un fait. »

Tandis qu'ils roulaient vers l'est à travers un paysage de *hardpan* semé de mesquites, de vieux pneus et de déchets métalliques étincelant sous la lune comme du mica, Bill demeura silencieux. Alors que le SUV heurtait des nids-de-poule qui ébranlaient le châssis, il se mit sur la langue une pastille de menthe qu'il suça en regardant Pete de côté. « C'est encore loin ?

– Huit ou dix kilomètres.

211

– Qu'est-ce que tu peux bien foutre là-bas ?

– J'écorce et je traite des poteaux de clôture pour un type.

– C'est intéressant. Je savais pas qu'il y avait du bois, dans le coin.

– Pourtant c'est ce que je fais.

– Et ta copine ?

– Elle a une petite affaire sur Internet.

– Elle vend quoi ? Des merdes de lézard ?

– Elle s'en sort bien. »

Bill passa à côté d'une nouvelle borne. Coincée entre deux collines, on voyait une maison éclairée, dans la cour de laquelle était garé un camion-citerne, avec une éolienne à l'arrière. Des chevaux se tenaient immobiles dans un enclos dont l'herbe était broutée jusqu'à la terre.

« Pardon, dit Bill en passant le bras devant Pete.

– Qu'est-ce que tu fais ?

– C'est mon Beretta. Tu vois ce lièvre qui traverse la route ? Accroche-toi. »

Bill s'arrêta sur l'accotement et sortit du véhicule, observant un arroyo qui allait d'un conduit à des broussailles dont les feuilles étaient comme de gros boutons verts. Dans le clair de lune, loin des ombres, des cactus s'épanouissaient en fleurs jaunes et rouges. Un semi-automatique de 9 millimètres pendait à la main droite de Bill. « Tu veux essayer un coup ? proposa-t-il.

– Pourquoi ?

– Parfois, quand il fait chaud, ils ont des vers. Mais si on les vide et qu'on les écorche bien et qu'on les suspend à un fil de fer pendant la nuit, toute la chaleur s'en va et ils deviennent bons à manger. Viens, on y va. »

Pete ouvrit la portière du SUV et descendit sur le gravier, le vent chaud sur son visage, une odeur de merde d'animal séchée dans ses narines. La nationale était déserte dans les deux sens. De l'autre côté de la frontière, il crut voir des lumières électriques s'étaler au pied d'une colline.

« Suis-moi par là, dit Bill. Tu peux tirer le premier. Il va jaillir du buisson dans une minute. Les lièvres font toujours ça. Ils ont pas l'intelligence de rester cachés, comme les lapins. T'as jamais chassé de lapins, quand t'étais gosse ? »

Pete sortit sa paille de sa poche et se la mit dans la bouche. « Pas souvent. Notre ferme était si pauvre que les lapins devaient prendre de quoi manger quand ils la traversaient. »

Bill sourit. « Allez, on va le faire détaler. T'as peur des crotales ?

— J'y ai jamais beaucoup réfléchi.

— Tu crois que je vais te violer ?

— Quoi ?

— Juste une mauvaise vanne. Mais tu te conduis de façon un peu bizarre.

— Bizarre dans quel sens ?

— C'est justement ce que je veux dire. Tu es trop coincé, soldat. Si tu veux mon avis, tu devrais te faire astiquer le manche. »

Bill sembla perdre tout intérêt pour la conversation. Il se pencha et ramassa une pierre. Il scruta le buisson aux feuilles semblables à des boutons, au fond de l'arroyo, et y jeta la pierre, suffisamment fort pour casser une branche et produire un claquement qui résonna au loin. « Tu le vois filer ? Je t'avais dit qu'il était là.

— Ouais, tu l'as appelé. »

Bill se retourna et regarda Pete. Son 9 millimètres était pointé vers le bas, le long de sa cuisse, le cran de sécurité en position de tir. Il gonfla une joue, puis l'autre, comme un homme qui se rince la bouche. « Oui, mon gars, t'es un brin étrange, Pete. Un homme difficile à interpréter, je dirais. Je parie que là-bas t'as fait exploser quelques hadji, non ? »

Pete essaya de se rappeler quand il avait dit son nom à Bill. Peut-être qu'il l'avait fait, sinon à la réunion, du moins au café. *Réfléchis, réfléchis, réfléchis*, se dit-il. Il sentait des

213

démangeaisons sur son crâne. «Il vaudrait mieux que je rentre. J'aimerais bien te présenter à ma copine.

– Elle t'attend, hein ?

– Ouais. Elle aime ça.

– J'aimerais être à ta place. Ça c'est sûr», dit Bill. Il regarda dans le noir, vers le sud, sans montrer ce qu'il pensait. Puis il libéra le chargeur de son arme et le mit dans sa poche. Il vida la chambre, inséra la balle éjectée en haut du chargeur et, de la paume de la main, renfonça le chargeur dans la carcasse. «Réfléchis vite, dit-il en lançant l'arme à Pete.

– Pourquoi t'as fait ça ?

– Pour voir si t'étais attentif. Je t'ai fait peur, hein ?

– Pas loin, dit Pete. T'es un sacré coco, Bill.

– Pas quand on me connaît, dit Bill. Non, mon gars, je dirais pas du tout que je suis un sacré coco. Tu veux bien remettre mon arme dans la boîte à gants ?»

Sept ou huit kilomètres plus loin, les collines s'aplatirent et la lune se trouva posée sur l'horizon, comme un énorme ballon blanc contusionné. Devant eux, Pete vit une voie de dépassement, puis une supérette largement éclairée et une station-service. «On n'est plus qu'à moins de trois kilomètres du chemin de terre qui mène chez nous, dit-il. Je peux descendre ici, si tu veux.

– Quand le vin est tiré, il faut le boire. Je te conduis jusqu'au bout.

– Il faut que je sois franc avec toi, Bill.

– T'as tué quelqu'un en voiture pendant un trou noir ?

– Si je n'ai pas une longue médaille de sobriété, c'est parce que j'ai envie de boire.

– Tu veux dire maintenant ?

– Maintenant, hier, la semaine dernière, demain, le mois prochain. Quand je ferai le grand voyage, le croque-mort devra sans doute me mettre une caisse de Bud sur la poitrine pour m'obliger à rester dans mon cercueil.

– Qu'essaies-tu de me dire ?

214

« – Comme on dit, tant qu'on n'a pas atteint le fond, on peut pas remonter. Arrête-toi devant ce magasin.

– Tu es sûr que c'est ce que tu veux ?

– Oui, merde, c'est ce que je veux. Et toi ?

– Une ou deux bières fraîches peuvent pas faire de mal. Je suis pas un fanatique. Et ta copine ?

– Elle ne se plaint jamais. Elle te plaira.

– Je parie que oui », dit Bill.

Il arrêta le SUV à la station-service et sortit pour faire le plein pendant que Pete entrait dans la supérette. L'air était lourd et chaud, et sentait le diesel brûlé. Des centaines de papillons de nuit s'étaient rassemblés sur les plafonniers. Pete prit sur une étagère deux boîtes de saucisses au pepperoni, et deux packs de grandes bières dans la glacière. Les cannettes étaient bleu et argent, perlées d'humidité, et froides à travers le carton. Il les posa sur le comptoir et attendit qu'un autre client ait payé ses achats, pianotant sur le dessus du carton, parcourant des yeux le magasin comme s'il avait oublié quelque chose. Puis il ajusta sa ceinture, fit une grimace, et demanda au caissier où se trouvaient les toilettes. Le caissier leva les yeux juste le temps de lui indiquer le fond du magasin. Pete remercia d'un signe de tête et marcha entre les rayons jusqu'à la sortie de secours, hors de vue de la vitrine principale.

Quelques secondes plus tard, il était dehors, dans le noir, courant entre des poids lourds garés sur une bande de terre compacte et tachée de graisse derrière la station d'essence. Il se laissa tomber dans un arroyo et s'enfonça plus profondément dans la nuit, le cœur battant, des nuées d'insectes lui montant au visage, obstruant sa bouche et ses narines. Les éclairs de chaleur éclatant dans les nuages lui rappelaient le scintillement de balles d'artillerie qui explosent à l'horizon, avant qu'on ne perçoive leurs vibrations à travers le sol.

Il rampa dans un conduit de ciment jusqu'au côté nord de la deux voies, puis se releva et commença à courir sur le *hardpan* flanqué de collines, strié de lignes serpentines de vase et de gravier qui lui donnaient l'impression de crustacés s'écrasant sous ses chaussures.

Il avait effectué un angle à 45 degrés entre l'endroit où il se trouvait et le motel Fiesta, où Vikki l'attendait. La distance, à vol d'oiseaux, était d'environ soixante-dix kilomètres. Avec un peu de chance, s'il courait et marchait toute la nuit, il serait au motel au lever du soleil. Il se mit à courir, et les éclairs projetaient son ombre devant lui, comme celle d'un soldat qui essaie désespérément d'arriver avant le courrier.

12

Quand Hackberry Holland avait été capturé par les Chinois au sud du fleuve Yalou, et mis dans un wagon rempli de Marines dont les uniformes fumaient de froid, il avait tenté de se persuader, pendant le long trajet jusqu'au camp de prisonniers à No Name Valley, qu'il participait à une grande épopée dont il se souviendrait un jour comme on se souvient de scènes de *Guerre et Paix*. Il serait un chroniqueur, le témoin du choc de deux empires au milieu d'étendues neigeuses dont le nom aurait la même signification que Gallipoli, Austerlitz ou Gettysburg. Il existait pire destin.

Mais il apprit très vite qu'à l'intérieur du tourbillon, on ne voyait pas à l'œuvre les grands courants de l'Histoire. Il n'y avait pas d'armées gigantesques en position derrière des rangées de canons auxquels on donnait l'ordre de faire feu tour à tour, comme une sorte d'hommage rendu à leur perfection technique plus que comme un moyen de tuer des ennemis. On ne voyait pas non plus les drapeaux déployés battre dans le vent, ni les ambulances roulées en position, ni les couleurs vives des uniformes, ni les plumes sur les casques des officiers, le soleil brillant sur les sabres dégainés. On ne voyait, et on ne se rappelait, que la petite surface de sol qu'on avait occupée, et qui serait à jamais remplie de sons et d'images qu'on ne pouvait évacuer de ses rêves.

On se rappelait les douilles éparpillées au fond d'une tranchée, les tenues de combat raides de sang, les grumeaux de crasse gelée qui pleuvaient sur les casques, le halètement d'un obus de .105 quittant sa trajectoire, et qui tombait tout près. On se rappelait le balancement du wagon, les mâchoires pas rasées des hommes qui vous regardaient depuis la capuche de leur parka ; on se rappelait le visage que prenait la faim dans

217

une cabane où des têtes de poissons et une cuillerée de riz étaient considérées comme un festin.

Quand Hackberry revint de San Antonio, après la mort d'Isaac Clawson, il se déchaussa sur les marches de derrière et entra dans la maison en chaussettes, se déshabilla dans la salle de bains et resta sous la douche jusqu'à ce qu'il n'y ait plus d'eau chaude dans le réservoir. Puis il s'essuya, enfila des vêtements propres, sortit de sous l'escalier son matériel à chaussures et se servit du tuyau d'arrosage, d'une boîte de cirage Kiwi, d'une brosse et d'un chiffon pour essuyer le sang d'Isaac Clawson de la semelle et de la bordure de sa botte droite.

Il avait surgi dans la chambre de motel où Isaac Clawson était mort sans savoir ce qui se trouvait de l'autre côté de la porte, et avait marché dans une flaque du sang de Clawson, laissant des traces sur la moquette et sur la passerelle, barbouillant la toile poussiéreuse et usée signalant le passage de milliers de rendez-vous galants minables.

Et c'est ainsi qu'il se rappellerait toujours ce moment – un moment d'ineptie, d'inconvenance et de violation. Plus tard, après l'arrivée d'un journaliste et d'un photographe, quelqu'un avait mis un essuie-mains sur la tête et le visage de Clawson. L'essuie-mains ne recouvrait pas complètement ses traits, et ne lui apportait ni anonymat ni dignité. Il semblait au contraire ajouter à la dégradation que le monde lui avait fait subir.

Le tireur s'était enfui. C'était sans doute le Prêcheur Jack Collins. Dans son sillage, il avait laissé les autres nettoyer pour lui cette faute ultime commise envers la société. Pour Hackberry, ce sont ces détails, et rien d'autre, qui définiraient à jamais la mort d'Isaac Clawson. Et il ne se déferait jamais de l'impression que, d'une certaine façon, en marchant dans son sang, il avait contribué à la dégradation de l'être qu'était Clawson.

Hackberry utilisa un deuxième chiffon pour essuyer l'humidité de la tige de ses bottes. Quand elles furent sèches, propres et douces au toucher, il les enfila et mit ses chiffons, sa brosse

218

à chaussures et la boîte de cirage Kiwi dans un sac en papier qu'il arrosa d'allume-charbon, et il brûla le tout dans la grande poubelle métallique à côté de la cabane à outils. Puis il s'assit sur les marches et regarda le soleil se lever au-dessus des peupliers, au fond de sa propriété.

Dans l'ombre, il vit la biche et ses deux faons qui le regardaient. Deux minutes plus tard, Pam Tibbs gara son véhicule dans l'allée et sonna.

« Ici ! » cria Hackberry.

Elle arriva par le coin de la maison, une Thermos dans une main, et dans l'autre un sac de beignets. « Tu as un peu dormi ? demanda-t-elle.

– Suffisamment.

– Tu viens au bureau ?

– Pourquoi je n'irais pas ?

– Tu as mangé ?

– Ouais, je crois que j'ai mangé. Ouais, je suis sûr que j'ai mangé. »

Elle s'assit sur la marche au-dessous de lui, dévissa le bouchon de la Thermos et ouvrit le sac de beignets. Elle versa du café dans le bouchon de la Thermos, enveloppa un beignet d'une serviette en papier, et le lui tendit. « Parfois, tu m'inquiètes, dit-elle.

– Je suis ton supérieur hiérarchique, Pam. Ça veut dire que certaines considérations ne doivent pas prendre un tour trop personnel. »

Elle jeta un coup d'œil à sa montre. « Jusqu'à huit heures du matin, je fais ce que je veux. Qu'est-ce que tu dis de ça ? Je peux aller chercher une tasse dans ta cuisine ? »

Il allait répondre, mais avant qu'il ait pu parler, elle avait ouvert la porte-moustiquaire et était entrée. Quand elle ressortit, elle remplit sa tasse et s'assit à côté de lui.

« Clawson y est allé sans renfort. On n'est pas responsables de sa mort, ni l'un ni l'autre, dit-elle.

– Je n'ai pas dit le contraire.

– Mais tu l'as pensé.

– Jack Collins s'est tiré. On était sans doute à moins de trente mètres de lui. Mais il est sorti du motel, du parking, et probablement de San Antonio, pendant que j'étalais le sang d'un agent de l'ICE sur toute la scène de crime.

– Ce n'est pas ça qui t'ennuie, non ? »

Quand il cilla, comme un objectif d'appareil photo qui s'ouvre et se referme immédiatement, il vit les visages des Asiatiques qui le regardaient depuis le lieu du massacre, derrière l'église en stuc, des grains de terre sur leurs lèvres, leurs narines, leurs cheveux.

« La balistique montre que toutes les femmes ont été tuées par la même arme, dit-il. Il n'y avait sans doute qu'un seul tireur. D'après ce que le FBI sait de Collins, il semble que ce soit lui le plus susceptible de commettre un massacre de ce type. On aurait pu mettre Collins à l'ombre.

– On le fera. Ou si on ne le prend pas les premiers, ce seront les Fédés. »

Hackberry regarda la biche et ses faons au milieu des peupliers et sentit que Pam l'observait. Il pensa à ses fils jumeaux, à sa femme morte, au bruit que faisait le vent, la nuit, quand il cannelait l'herbe de la prairie. Pam bougea légèrement le pied, et effleura de sa chaussure la botte d'Hackberry.

« Tu m'écoutes, Hack ? »

Il sentait une grande fatigue s'insinuer dans son corps. Il posa les mains sur ses genoux et tourna la tête vers elle. Son regard ne laissait aucun doute. « Je suis trop vieux, dit-il.

– Trop vieux pour quoi faire ?

– Pour faire ce que font les jeunes.

– Par exemple ?

– Tu me comprends très bien. Si on changeait de sujet ?

– Tu es un homme buté et à qui on ne peut rien apprendre, et c'est pour ça qu'il faut que quelqu'un veille sur toi. »

Il se leva, évacuant de sa colonne vertébrale une poche de douleur croissante. « J'ai dû commettre de terribles péchés dans mon ancienne vie », dit-il.

Elle but une gorgée de café, les yeux levés sur lui. Il soupira et entra pour prendre son chapeau et son arme avant d'aller au bureau.

Trois jours plus tard, à cinq heures de l'après-midi, Ethan Riser appela Hackberry et lui proposa de prendre un verre.

« Où êtes-vous ? demanda Hackberry.

– À l'hôtel.

– Qu'est-ce que vous faites dans le coin ?

– Je cherche de l'aide.

– Le FBI ne peut pas régler ses problèmes lui-même ?

– J'ai appris que vous aimez le Jack Daniel's.

– Il faut dire "aimiez". Au passé.

– Je vous retrouve au bistrot en bas de la rue », dit Ethan Riser.

À un pâté de maisons de la prison, derrière l'Eat Café, se trouvait un saloon. Au-dessus du bar, une pancarte indiquait VOUS VOUS TROUVEZ SUR LE SOL LE PLUS DUR DU TEXAS. ALORS ÉVITEZ DE TOMBER LA TÊTE LA PREMIÈRE. Le sol était fait de vieilles traverses de chemin de fer, noircies par le diesel et la créosote, les cendres et la fumée des feux de prairie, et fixées par des pitons d'acier rouillés. Le bar lui-même était équipé d'une barre de cuivre pour les pieds, avec des crachoirs soigneusement poussés dessous. Sur le comptoir, il y avait un saladier rempli d'œufs durs, un pot de pieds de porc au vinaigre et un autre qui contenait un liquide couleur d'urine et un serpent dont les larges anneaux et la gueule ouverte étaient pressés contre la paroi. Les lumières derrière le bar étaient voilées par des abat-jour de plastique vert, et un ventilateur de bois tournait lentement au plafond. Ethan Riser était debout à l'extrémité du comptoir, un verre conique de bière pression dans une main, un gobelet de cuir dans l'autre.

« Que se passe-t-il ? » demanda Hackberry.

221

Ethan Riser secoua cinq dés de poker dans le gobelet de cuir et les fit rouler sur le bar. «Votre grand-père a vraiment mis John Wesley Harding en boîte ?

– Il l'a enchaîné, il a cloué les maillons sur la plate-forme d'un chariot, et il l'a amené ici lui-même, tout ça après l'avoir fait tomber de cheval.

– Vous savez comment Harding est mort ?

– Il jouait aux dés au saloon Acme, à El Paso. Il a dit à l'homme qui buvait à côté de lui : "Vous devez faire mieux que quatre six." Puis il a entendu armer un pistolet à côté de sa tête. Ce qu'il a entendu ensuite, c'est une balle de pistolet qui pénétrait dans son crâne, juste au-dessus de son œil.

– J'aimerais avoir quatre six, mais je n'y arrive pas, dit Riser. J'ai un psychopathe en cavale avec lequel d'autres veulent passer un accord. Alors que ce cinglé a tué un agent fédéral.

– Jack Collins ?

– Ces gens avec qui je travaille, ou plutôt *sous les ordres* de qui je travaille, pensent que Collins peut nous aider à coincer quelqu'un qu'on veut prendre depuis longtemps. Un Russe du nom de Josef Sholokoff. Déjà entendu parler de lui ?

– Non.

– Je pense que mes collègues se trompent sur deux points. Je suis persuadé que Collins est un homme de main que d'autres engagent et jettent ensuite comme un Kleenex usagé. Je ne crois pas qu'il soit lié à des gens importants. Deuxièmement, je ne crois pas au fait de passer des accords avec des assassins d'agents fédéraux. » Riser remarqua l'expression d'Hackberry, un bref éclair de déception qui sembla le faire réfléchir à ce qu'il venait de dire. «D'accord, je ne crois pas non plus au fait de passer des accords avec des gens qui descendent des femmes sans défense.

– Pourquoi me dire tout ça ?

– Parce que vous êtes intelligent et que vous n'êtes pas politique. Parce que vous êtes dans le coin depuis un moment et que vous vous fichez un peu de ce que les gens pensent de vous, ou de ce qui peut vous arriver.

– Vous savez comment dire les choses, monsieur Riser. » Hackberry fit signe au barman. Il s'appuya sur les coudes et attendit que Riser continue. Du coin de l'œil, il voyait la bière baisser dans le verre de Riser.

« Nous pensons avoir une occasion près du Big Bend[1], dit Riser. Un type a fait des vagues dans une supérette et le caissier nous a appelés. Le type avait mis de l'essence dans son SUV, et son copain était entré acheter de la bière. Sauf que le copain a laissé la bière sur le comptoir, qu'il est sorti par-derrière, et qu'il s'est tiré. »

Le barman posa devant Hackberry un verre d'eau gazeuse avec de la glace et des tranches de citron.

« Vous pouvez boire ça ? demanda Riser.

– Continuez, à propos de ce type.

– Il est entré dans la supérette et a demandé où était parti Pete. Le caissier a dit qu'il ne le savait pas. Le type l'a traité de menteur et a sorti un semi-automatique de sa salopette. Le caissier a appelé le 911, et le shérif a décidé de relever quelques empreintes sur la poignée de la pompe à essence. Ils ont fait une touche. L'homme au semi-automatique est Robert Lee Motree, connu aussi sous le nom de Bobby Lee Motree. Il a fait six mois à la prison de Broward County pour possession illégale d'arme à feu. Il a aussi travaillé à La Nouvelle-Orléans, pour une agence de privés appartenant à un certain Arthur Rooney. Ce nom vous dit quelque chose ?

– Ouais, mais je pensais que Rooney possédait des services d'escort girls à Houston ou Dallas, dit Hackberry.

– C'est le même. Rooney a été chassé de La Nouvelle-Orléans par Katrina, et maintenant il est à Galveston. » Riser

---

1. Parc national, au Texas, près du Rio Grande et de la frontière avec le Mexique.

parut hésiter, comme si ses mots le conduisaient dans une zone dans laquelle il n'était sûr de vouloir pénétrer.

«Allez-y, dit Hackberry.

– Rooney est un homme précautionneux, mais on a mis sur écoutes son béguin du moment. Depuis l'appartement de la fille, il a appelé un tueur à gages, un certain Hugo Cistranos. D'après la bande, il semblerait que Rooney et Hugo Cistranos s'apprêtent à buter Jack Collins.

– Pourquoi ?

– Écoutez un peu ça. Collins a coupé le doigt de Rooney, sur son propre sous-main, avec un rasoir de barbier.» Riser se mit à rire.

«Quel est le rôle du Russe, dans tout ça ?

– On n'en sait trop rien. Il a un rôle important en Arizona, au Nevada et en Californie. Il possède des réseaux entiers de putes et de studios pornos, et un tas de motards hors la loi font passer son héro et sa meth depuis la frontière. Quelle quantité de blanche de Chine vous voyez, dans cette affaire ?

– Pas tant que ça. C'est un produit de luxe. Les accros qui ont de l'argent peuvent la fumer sans se soucier des aiguilles ni du sida.

– Le DEA[1] dit qu'une cargaison de deux millions de dollars a été déchargée d'un bimoteur qui a atterri sur une nationale, dans votre comté, la semaine dernière.

– Remerciez-les de nous l'apprendre.

– Si vous cherchiez Vikki Gaddis et Pete Flores dans le Big Bend, vous commenceriez par où ?

– Il faudrait que j'y réfléchisse.

– Vous ne nous aimez pas beaucoup, n'est-ce pas ?» Riser but une gorgé de bière et s'essuya la bouche.

«Je vous aime bien. C'est juste que je ne vous fais pas confiance», dit Hackberry.

---

1. Drug Enforcement Administration.

Ce soir-là, Hackberry dînait seul dans un box au fond d'un restaurant sur la nationale, son Stetson posé à l'envers sur la chaise à côté de lui. Des familles d'ouvriers étaient alignées au comptoir devant des salades, et de la musique country filtrait par les portes battantes du bar, au-delà de la caisse. Il vit Pam Tibbs entrer par la porte de devant en compagnie d'un homme athlétique en tenue de sport et mocassins cirés, ses cheveux noirs aux extrémités décolorées bien peignés, le visage confiant et bronzé, pas ridé par l'âge ni par les soucis. Pam portait une jupe violette et des tennis noires, et un justaucorps noir avec une croix et une chaîne en or. Elle venait de se faire couper les cheveux, et paraissait non seulement mignonne, mais de dix ans plus jeune que son âge, comme le paraissent les femmes amoureuses. Quand elle vit Hackberry, elle agita les doigts dans sa direction et entra dans le bar avec son ami.

Dix minutes plus tard, elle franchit la porte et s'assit en face d'Hackberry. Il sentait son parfum, et l'odeur de bourbon, de glace et de cerise dans son haleine. « Viens avec nous, dit-elle.

– Qui c'est "nous"? dit-il en se demandant si elle percevait la nuance de réprobation dans sa voix.

– Mon cousin et moi. Sa femme va arriver dans une minute, dit-elle en étalant les doigts sur la table, incapable de cacher sa surprise devant la réaction d'Hackberry.

– Merci, mais je dois rentrer.

– Hack?

– Quoi?

– Allez.

– Quoi, allez? »

Il sentit le pied de Pam toucher le sien sous la table. « Détends-toi, dit-elle.

– Pam…

« – Je parle sérieusement. Donne-toi une chance. On ne peut pas rester seul tout le temps.

– Tu es mon premier adjoint. Agis en tant que tel, dit-il en regardant de côté pour voir si quelqu'un l'avait entendu.

– Et alors ? dit-elle en se penchant en avant.

– J'aimerais bien finir de dîner.

– Tu me rends folle. Parfois, j'ai envie de te frapper.

– Je vais chercher un peu de salade.

– Ton steak de poulet va être froid. »

Hackberry pensa qu'il avait peut-être découvert l'origine de bien des anévrismes cérébraux restés mystérieux.

Quand il rentra chez lui, ce soir-là, il s'assit dans le jardin sur une chaise pliante, sous un ciel parcouru de nuages d'orage. Ce n'était pas rationnel. Il était tard, le vent faisait ployer les peupliers au bas de sa propriété, l'air était rempli de fragments de matière desséchée qui lui piquaient le visage, comme des insectes. Au-dessus de sa tête, des flaques jaunes d'éclairs flamboyaient et vibraient dans les nuages, sans produire aucun son. Il avait arrosé la pelouse le matin même, mais le sol sous ses pieds était pourtant dur comme de la brique. Cinq ou six biches s'étaient rassemblées au milieu des arbres, comme pour se préparer à une tempête imminente. Puis il comprit qu'elles étaient là pour d'autres raisons. Sur une pente, juste au-dessus de sa propriété, il vit les silhouettes de quatre coyotes onduler sur la crête. Quand un éclair illumina le ciel derrière eux, il vit leur fourrure d'un gris-jaune, la façon particulière dont ils tenaient la tête, leurs clavicules et leurs mâchoires pendantes pas complètement connectées, une ombre de bave sur leurs dents et leurs babines.

Est-ce que tout revient à ça ? pensa-t-il. Une créature qui tue et en dévore une autre ? Ou pire encore, le prédateur pourvu de crocs, regardant devant lui, traquant et dépeçant le doux herbivore, aux yeux sur le côté de la tête, à jamais condamné à servir de pâture aux coyotes, aux loups et aux pumas et, pour finir, à l'homme muni d'un bâton pointu ?

Qu'est-ce qui l'avait dérangé, chez Ethan Riser ? Le fait qu'il puisse boire normalement, et s'en tirer ? Qu'il représente une organisation dont le pouvoir était quasiment sans limites ? Ou le refus de la part d'Hackberry d'admettre l'idée que les Ethan Riser de ce monde soient efficaces et fassent fonctionner le système, et qu'en dépit de toutes leurs insuffisances et de tous leurs échecs, ils faisaient énormément de bien ?

Non, ce n'était pas ça non plus. Certaines personnes restent à part, et ne s'adaptent pas. C'était aussi simple que ça. Le Prêcheur Jack Collins était quelqu'un comme ça. Selon toutes probabilités, c'était un psychopathe qui, jusqu'à sa mort, continuerait à se considérer comme quelqu'un de normal, et plongerait dans le grand trou noir persuadé que c'est le monde qui avait tort, et lui qui était dans le vrai. Mais les Jack Collins avaient leurs contraires, des deux sexes. Ils portaient des insignes ou des cols romains, ou escaladaient des échelles de pompiers pour pénétrer dans des immeubles en feu, ou triaient des blessés dans des ambulances de campagne et, pas plus que Collins, ne mettaient jamais en question leur différence, ni les événements qui, dans leur vie, les avaient coupés de la glu séminale qui fait tenir ensemble le reste de l'humanité.

Saint Paul a écrit que, peut-être, des anges vivent parmi nous. Si tel était le cas, il parlait peut-être de gens comme ça. Mais chacun d'entre eux, avant de s'en féliciter, devait prendre conscience de ce qu'impliquait cette appartenance. Lorsqu'un individu, que ce soit de son plein gré, ou en raison d'événements hors de son contrôle, se trouve résider dans un pays qui n'est pas défini par des drapeaux ou des frontières matérielles, il peut être certain d'une conséquence immédiate et permanente : il est à part, et la solitude l'accompagnera sans doute jusqu'au tombeau.

Ce qu'il y a de plus ironique, c'est que cette appartenance s'accompagne souvent du célibat, moins par choix moral qu'en raison des circonstances. Et, aux yeux d'Hackberry, ceux qui affirment que le célibat est une bénédiction étaient en général les mêmes qui passent vingt-quatre heures par jour enfermés dans une vierge de fer, leur chair tourmentée par les pointes de leurs désirs inassouvis.

Il se pencha sur sa chaise et s'étira le dos, sa sciatique comme un feu rampant le long de sa colonne vertébrale.

Il vit le véhicule de patrouille quitter la grande route et remonter le chemin qui menait chez lui. Il entendit la sonnette de l'entrée, mais ne prit pas la peine de se lever pour aller répondre. Quand Pam Tibbs apparut au coin de la maison, il vit qu'elle avait changé ses vêtements du soir pour un jean et une chemise kaki de fonction. Elle avait à la ceinture son arme, ses menottes, sa matraque et son aérosol de Mace.

« Qu'est-ce que tu fais là ? demanda-t-il.

– Ce mois-ci, les samedis, je démarre à une heure du matin.

– Ça ne répond pas à ma question.

– Ça t'arrive souvent d'être assis tout seul dans ton jardin à une heure du matin ?

– Parfois, mon dos se réveille et je dois attendre que ça passe. »

Elle se tenait debout, les yeux baissés sur lui, les pointes bouclées de ses cheveux lui tombant sur les joues, les yeux brillant dans l'ombre. Il entendait sa respiration et voyait sa poitrine palpiter sous sa chemise. « Tu veux que je démissionne ? dit-elle.

- Non, je veux juste que tu admettes certaines réalités.

– Par exemple ?

– Tu es encore une jeune femme. Le monde t'appartient. Ne prends pas la sympathie, ou l'admiration, ou l'amitié, pour de l'amour.

– Qui es-tu pour me dire ce que je dois penser ?

– Ton putain de patron, voilà ce que je suis.

– Tu ne jures jamais, Hack. Tu veux commencer maintenant ?

– Je suis vieux, je te l'ai dit. Il faut que tu me laisses tranquille, Pam.

– Alors chasse-moi, dit-elle, car je ne partirai pas. »

Elle se tenait maintenant plus près de son siège, plus proche qu'elle n'aurait dû l'être. Il se leva, la dominant de la tête. Il sentait la chaleur dans ses vêtements, l'odeur chaude de ses cheveux. Elle mit les mains sur les hanches d'Hack, et appuya le sommet de son crâne contre sa poitrine. Il sentit sa bouche devenir sèche, son entrejambe durcir.

« Les meilleures femmes tombent toujours amoureuses des hommes qu'il ne faut pas, dit-il. Tu en fais partie, mon petit.

– Ne m'appelle pas comme ça.

– Tu vas être en retard pour ta garde », dit-il.

Il la laissa là, rentra dans sa maison, et ferma la porte à clef derrière lui.

13

Liam Eriksson avait garé son pick-up, avec un caisson amovible inséré dans le plateau, dans un fond sablonneux légèrement ombragé par des mesquites. Un liquide vert brillant, visqueux comme un lubrifiant industriel, s'insinuait dans le lit du ruisseau couvert de galets, et des moucherons et des taons voletaient dans les buissons le long des rives. Au loin, scintillant comme du sel, il y avait une longue bande plate cuite par le soleil et, au-delà, une chaîne de montagnes bleues. Bobby Lee Motree s'assit sur un rocher, prit une bière à long col dans un seau de glaçons, et en fit sauter la capsule.

« Je ne comprends pas comment tu peux scier une belle arme comme ça, dit-il.

– Le boulot, c'est le boulot. Pourquoi faire du sentiment ? En plus, je l'ai trouvée, alors c'est pas mon problème », dit Liam.

Liam se tenait à côté de son caisson amovible, effleurant du pouce la lame d'une scie à métaux. Il était torse nu et portait un chapeau de paille fatigué, comme une femme en train de jardiner, un short de randonnée avec de grandes poches à pression et des chaussures de marche aux semelles à crampons. Après son impair à l'officine de prêts de San Antonio, il avait rasé sa barbe rouge. Maintenant la partie inférieure de son visage ressemblait à du papier-émeri. Ou peut-être à la peau d'un cadavre fraîchement exhumé, pensa Bobby Lee.

« Tu aurais dû garder ta barbe, ou juste te contenter de la raccourcir ou de la teindre, dit Bobby Lee.

– T'as des soucis ? »

Oui, il avait des soucis. Mais jusqu'à quel point pouvait-il se fier à Liam ? Bobby Lee se mordait les lèvres en y réfléchissant.

Liam fit un grand sourire qui révéla l'espace entre ses dents, et bloqua un fusil à pompe dans un étau fixé au plateau de son pick-up. Il en avait déjà limé le fût en forme de crosse de pistolet, et poncé le bois. Il plaça la lame sur l'arme et se mit à scier.

« Je crois que j'ai compris où se trouve le soldat, dit Bobby Lee.

– Comment t'es arrivé à ça ? demanda Liam en continuant à sourire.

– Il m'a conduit vers le sud, puis au diable vauvert, et puis vers l'est. Je pense qu'il est à peu près à la même distance dans la direction exactement opposée.

– T'as toujours été doué pour comprendre les choses, Bobby Lee. Question de gènes, je suppose, dit Liam. Je fais allusion au fait que Robert E. Lee fait partie de tes ancêtres. »

Est-ce que Liam se foutait de lui ? Bobby Lee plissa les yeux. Bon, tentons le coup, pensa-t-il. « On a fait pas mal de coups, toi et moi.

– On a aspergé les murs, mon pote. Et jamais personne saura qui a fait ça, dit Liam.

– Mais cette affaire sur laquelle on est, c'est devenu compliqué. » Bobby Lee laissa ses mots en suspens.

Liam s'arrêta de scier, sans lever les yeux. Il essuya avec un chiffon huileux la section fraîchement coupée du canon de son fusil. « Ça a un rapport avec l'appel d'Hugo ?

– Hugo dit qu'il faut qu'on se débarrasse de la fille et du soldat. Et ensuite de Nick Dolan et de sa femme, avec des instructions particulières pour la femme. Et ensuite on s'occupera du Prêcheur. »

Liam se remit à scier, tournant le dos à Bobby Lee. « Je suppose que j'ai mal compris le dernier point.

– Jack a coupé le doigt d'Artie Rooney, et maintenant il lui réclame une demi-plaque. Hugo dit qu'il est temps qu'il rejoigne le chœur des anges. »

Liam se retourna. « Descendre le Prêcheur ? Tu parles sérieusement ? T'as pas replongé dans l'acide ?

– Je vais te faire une confidence, Liam. J'aime pas la façon dont les choses ont tourné. Mais le Prêcheur perd les pédales. Je crois que c'est à cause de ce qui s'est passé derrière l'église.

– Ouais, c'est vrai, personne avait prévu ça. Si c'est la faute de quelqu'un, c'est celle d'Hugo.

– Tu me suis, Liam, sur ce coup, ou pas ?

– Descendre le Prêcheur ? C'est comme essayer de tuer la mort.

– Il a un point faible. Ça a je ne sais quel rapport avec le sucre. Ou les bonbons, ou les gâteaux. Je sais pas. Mais il y a quelque chose qui va pas, chez lui. Une pute que je connaissais m'a dit qu'une fois Jack avait failli mourir après avoir mangé un truc.

– T'as peur de lui à ce point ? » Sans attendre la réponse, Liam se remit à scier le canon du fusil.

Bobby Lee sentit un vaisseau sanguin palpiter sur sa tempe. Avant de parler, il prit une gorgée de bière.

« Tu veux ajouter quelque chose à ta dernière remarque ?

– Pourquoi je voudrais faire ça ?

– Parce que j'ai un peu de mal à l'avaler.

– Je parlais de moi-même. Le Prêcheur me fout une trouille monstre. C'est un mec méchant, et en plus il est cinglé. »

Bobby Lee s'apprêtait à dire quelque chose, mais cette fois il tint sa langue. Il décapsula une autre bière et en but une gorgée, se rendant compte de façon irréfutable qu'il avait aggravé ses problèmes en mettant Liam dans la confidence. Il avait soutenu Liam contre le Prêcheur, et voilà ce qu'il récoltait. Liam n'était pas différent de n'importe quel rat dans le métier. Et il ne connaissait pas la pitié. Il l'avait prouvé quand il s'était mis au travail sur le propriétaire du restaurant, comment s'appelait-il, déjà ? Junior Kraut Face, ou un truc comme ça. Maintenant, Bobby Lee devait s'inquiéter à la fois du Prêcheur et de Liam, plus du fait qu'il n'avait pas été payé, plus du fait que le Prêcheur avait buté un agent fédéral, ce qui n'allait pas manquer de leur donner chaud aux fesses.

Liam finit de scier le canon du fusil et le lança de l'autre côté du ruisseau, dans un amoncellement de rochers de grès rouge. Il écouta le canon tinter et rouler sur le flanc de la ravine. Il commença à introduire des cartouches de .12 dans le tube, les poussant avec le pouce jusqu'à ce que le ressort se tende. « Cinq cartouches de chevrotine. Tu veux voir voler un peu de peinture ? Ces petites chéries en sont capables. »

Il visa un lièvre qui courait sur le *hardpan*, le suivant avec son canon scié, un œil fermé. Puis il émit un bruit d'éclatement et abaissa l'arme. Il sourit et donna une tape sur l'épaule de Bobby Lee, qui cracha de la bière sur sa chemise. « Détends-toi, profite de la vie, dit Liam. C'est ma philosophie. La vie est une fête, non ? »

Bobby Lee prit une gorgée de sa bière, observant Liam avec la méfiance qu'il aurait éprouvée pour un serpent lové dans l'ombre d'un buisson.

« Quand le Prêcheur voulait me botter le cul, tu m'as défendu, dit Liam. Je l'oublie pas. Décapsule-moi une bière. »

Le lundi matin, à l'aube, quand Hackberry gara son pick-up et se prépara à entrer dans le bâtiment, Danny Boy Lorca était accroupi derrière la prison. La peau de Danny Boy avait la teinte sombre, brouillée, de quelqu'un qui cuisine sur des fosses à charbon à ciel ouvert, ou dont le métier consiste à défricher et à brûler des broussailles, ou qui travaille une terre noircie par les feux de forêt. Ses cheveux épais, taillés comme ceux d'un Apache, paraissaient moins sales que ternes et couverts de poussière de cendre, des cicatrices de bagarres au couteau, en prison, il y a des années, semblables à des vers morts sur ses mains et ses avant-bras. À l'aide d'un bâton pointu, il faisait un dessin dans la terre.

« Qu'est-ce que tu dessines, Danny Boy ? demanda Hackberry.
– Un visage que j'ai vu dans un rêve.
– Tu avais quelque chose à me dire ? »
Danny Boy se leva. Il portait un jean si étroit qu'il paraissait

233

peint sur son corps, et une chemise imprimée à manches longues que des jarretières violettes incrustaient dans ses bras. Engoncé dans ses vêtements, il évoquait une banane géante. «Pete Flores m'a appelé. Il veut que je lui trouve une voiture. Ils veulent aller dans le Montana, Vikki Gaddis et lui.

– Entre.

– J'ai pas bu depuis trois jours », dit Danny Boy sans bouger. Le ciel, à l'ouest, était d'un bleu métallique encore pris entre l'obscurité et les premières lueurs de l'aube, l'horizon coupé par une longue bande de nuages couleur d'acier, qui pouvaient être aussi bien de la poussière que de la brume de pluie. Danny Boy huma l'air et fixa le ciel comme s'il venait d'entendre un bref grondement de tonnerre venu de nulle part.

«Je croyais qu'on était amis, dit Hackberry. Je croyais que tu avais confiance en moi. Tu penses que je vais te faire du mal ?»

Quand il regarda Hackberry, les yeux de Danny Boy semblaient pleins de sommeil. Hackberry ne parvenait pas à se rappeler avoir jamais vu Danny Boy sourire. «Pete dit qu'il s'est enfui devant un type qui essayait de le tuer. Quelque part près du Big Bend. Il a dit que le type était à une réunion d'AA dans une église. Si Pete arrive à mettre la main sur une voiture, il filera direct jusqu'au Montana.

– Où se trouve Pete ?»

Danny Boy secoua la tête, indiquant par là qu'il l'ignorait, ou n'était pas prêt à le dire.

«Et Vikki ?

– Elle sert et elle joue dans un restaurant, ou dans une boîte. J'ai dit à Pete que je n'avais pas d'argent, mais qu'il ferait mieux de ne pas penser à voler une voiture. Il a dit qu'il n'avait pas l'intention de tomber pour le meurtre de ces Asiatiques.

– Il ne tombera pas, je te le promets.

– Cette nuit, j'ai rêvé de la pluie. Je me suis réveillé, et j'ai cru qu'elle tombait sur mon toit. Mais c'était des sauterelles qui volaient dans l'éolienne et les moustiquaires. Vous dites que Pete va pas tomber pour ces meurtres. Mais Pete était là quand elles ont été tuées. En prison, les types comme Pete passent un sale moment. Ils essaient de rester dans leur coin et ils ont des ennuis. Il restera longtemps à Huntsville.

– Pas si j'y peux quelque chose. »

Mais Danny Boy avait perdu son intérêt pour la conversation, de la même façon qu'il avait perdu depuis des années tout intérêt pour les promesses de la plupart des Blancs. Il regardait fixement le visage qu'il avait dessiné dans la terre. La coupe de cheveux d'Apache, le front large, la mâchoire carrée et les petits yeux ressemblaient à ses propres traits. Il passa la semelle d'avant en arrière sur le dessin, qu'il brouilla dans la terre.

« Pourquoi as-tu fait ça ?

– C'est un de ces anciens dieux de la pluie. Il y en avait beaucoup qui vivaient ici quand c'était une immense vallée pleine de blé. Mais les dieux de la pluie sont partis. Et ils ne reviendront pas.

– Comment sais-tu ça ?

– Ils ont pas de raison de revenir. On ne croit plus en eux. »

À huit heures du matin, Hackberry fit venir Pam Tibbs dans son bureau.

« Oui, monsieur, dit-elle.

– J'ai une vague idée de l'endroit où se trouvent Vikki Gaddis et Pete Flores. Mon dos me fait mal, et je veux que tu m'y conduises.

– Tu devrais voir un médecin, dit-elle avant de détourner les yeux. Désolée.

– Je compte sur toi parce que tu es futée, Pam. Et quand je dis ça, ce n'est pas de la condescendance.

– Tu n'as pas à me donner d'explication. »

Il ne releva pas. « On rentrera tard ce soir, ou peut-être demain. Prends ce qu'il te faut dans ton placard. » Mais, après tout, il décida de ne pas laisser passer. Pourquoi l'asticotaitelle de cette façon ? «Je sais que je n'ai pas à donner d'explication. J'essayais juste de… peu importe.

– Quoi ?

– Rien. Tu veux bien aller me chercher une aspirine, s'il te plaît ? Apporte la boîte. »

À huit heures et demie, Hackberry et Pam roulaient à cent vingt sur la quatre voies, la barre lumineuse faisant des vaguelettes silencieuses sur le toit de la voiture. Hackberry était enfoncé sur le siège passager, à moitié endormi, son Stetson descendu sur les yeux, ses longues jambes étendues.

Où chercher une guitariste dans un État comme le Texas ? Partout.

Où chercher une guitariste qui chante « Will the Circle Be Unbroken » à un public de buveurs de bière ?

Dans un lieu où on se rappellera longtemps cette expérience.

Hackberry savait que sa mission était sans doute insensée. Il était hors de sa juridiction, et il essayait de sauver des jeunes gens qui ne lui faisaient pas confiance, ni à son service, ni au système qu'il représentait. Cassandre avait reçu le don de connaître l'avenir et, simultanément, avait été condamnée à ce que, sa vie durant, on ne la croie pas et qu'on la rejette. La fastidieuse préoccupation des vieillards – à savoir la conviction d'avoir vu la pièce, mais de ne pouvoir transmettre les leçons qu'ils en ont tirées – n'était pas très différente du fardeau de Cassandre, hormis le fait que la rage et l'amertume des vieux n'étaient pas le sujet de l'épopée d'Homère.

Hackberry changea de position, abaissa un peu plus son chapeau sur son visage, essaya d'émerger de son cafard. Le véhicule heurta une bosse, le forçant à ouvrir les yeux. Il ne s'était pas rendu compte de la distance qu'ils avaient parcourue, Pam et lui. Vers le sud, il voyait se découper des montagnes, les bâtiments, les arbres domestiqués et les environs policés d'une petite ville étalés tout au long d'une pente géologique qui donnait l'impression que la terre, soudain, avait été renversée dans le ciel.

«Tu t'es endormi, dit Pam.

– Où on est ?

– Pas loin de la supérette où Bobby Lee Motree a brandi un semi-automatique sous le nez du gardien de nuit. Le FBI t'a transmis sa photo ?

– Ils finiront par le faire. Ils ont leurs propres problèmes.

– Pourquoi tu leur cherches des excuses ?

– Parce que nombre d'entre eux sont des gens bien.

– Je parie qu'ils aiment leurs grands-mères, et aussi qu'ils sont gentils avec les animaux.» Elle lui jeta un regard de côté, son expression dissimulée par ses lunettes d'aviateur, la bouche pincée.

«Mon grand-père était un Texas Ranger, dit Hackberry. Quand Pancho Villa a traversé la frontière et tué des civils, lui et quelques-uns de ses amis ont fait un raid au Mexique. Ils ont attaqué un train rempli des soldats de Villa. Les Texans s'étaient emparés d'une mitrailleuse Lewis. Ils ont enfermé une partie de ces pauvres diables dans un wagon à bestiaux, l'ont détaché et lui ont fait dévaler la pente. Mon grand-père a vu leur sang jaillir à travers les planches. Il partait dans le vent, comme en bas du toboggan d'un abattoir.

– Je ne vois pas où tu veux en venir.

– Mon grand-père était un homme de loi intègre. Il avait fait quelques trucs qui titillaient sa conscience, mais on ne doit pas juger quelqu'un sur un seul épisode ou un seul événement de sa vie, et on ne doit pas non plus juger les gens de façon catégorique. Ethan Riser est quelqu'un de bien.

– Tu n'étais pas avocat de l'ACLU[1] pour rien.»

Hackberry ôta son chapeau et se passa un peigne dans les cheveux. Il sentait sa ceinture s'incruster dans ses hanches.

«Arrête un peu, tu veux bien, Pam ?

– Répète-moi ça ?

---

1. American Civil Liberties Union.

– Ça doit être la supérette, là-bas », dit-il.

Ils se garèrent et se présentèrent au sous-directeur. Il avait le regard maniaque et le comportement de qui a passé sa vie dans un ouragan. Sa description de Bobby Lee Motree ne leur fut d'aucun secours. « Quand quelqu'un vous agite une arme sous le nez, on a tendance à oublier à quoi il ressemble, dit-il.

– Vous n'auriez pas la bande de surveillance, par hasard ? demanda Hackberry.

– Les types du FBI l'ont prise.

– Vous aviez déjà vu Pete Flores ?

– Qui ?

– Le gamin qui a laissé sa bière sur votre comptoir et décampé. Celui qui a une longue cicatrice sur le visage.

– Non, monsieur. Mais je peux vous dire une chose à son sujet. Ce gamin sait se bouger le cul.

– Que voulez-vous dire ?

– Après le départ du dingo au pistolet, je suis sorti pour voir où était passé le gosse à la cicatrice. Je l'ai vu là-bas, de l'autre côté de la route, au clair de lune, la chemise débraillée, qui fonçait droit vers le nord. Quand il a escaladé la clôture, on aurait dit qu'il avait des ailes.

– Avez-vous relevé l'immatriculation du dingo ?

– Elle était couverte de boue. » Le sous-directeur souleva une batte de base-ball qu'il laissa tomber sur le comptoir. « La prochaine fois que je vois ce type, je lui expédie la tête par-dessus Yellow House Peak. Les mecs du FBI coinceront un type sans tête. »

Hackberry et Pam remontèrent dans leur voiture, la climatisation en marche, le soleil blanc au zénith. « Où on va ? demanda Pam.

– Danny Boy Lorca m'a dit que Pete lui avait raconté qu'à une réunion des AA, il avait rencontré un type qui a essayé de le tuer, dit Hackberry. Combien y a-t-il de réunions des AA, un soir donné, dans une zone rurale comme ici ?

– Pas beaucoup. Peut-être une ou deux.

« – Tu as déjà assisté à une réunion comme ça ?

– Ma mère, oui.

– On retourne en ville. »

Quand elle quitta la route, ses pneus arrière firent gicler des gravillons. « Je ne t'ai jamais vu boire, dit-elle.

– Et alors ?

– Je me disais que tu étais peut-être allé à des réunions des AA, à un moment donné.

– Non, je me suis juste arrêté de boire. Quand on me pose une question à ce sujet, c'est ce que je réponds. "Je buvais, mais je ne bois plus." »

Elle le regarda, les yeux insondables derrière ses lunettes teintées. « Pourquoi as-tu arrêté ? »

Sa salive avait un goût de métal. Il baissa la vitre et cracha. Il s'essuya la bouche et contempla la campagne qui défilait, l'herbe sur les flancs des collines brune et couchée par le vent, une bétaillère garée près d'un virage où il y avait une pancarte touristique, le bétail beuglant dans la chaleur. « J'ai arrêté parce que je ne voulais pas finir comme d'autres membres de ma famille.

– Il y a des gènes d'alcoolisme dans ta famille ?

– Non, il y a les gènes du meurtre, dit-il. Ils ont tué des Indiens, des Mexicains, des gangsters, des Boches du Kaiser Bill, quiconque apparaissait dans leur viseur, ils le faisaient exploser. »

Elle se concentra sur la route et resta un long moment silencieuse.

À l'intersection de la nationale et d'une route secondaire, Hackberry, depuis une cabine, appela la hotline régionale des Alcooliques anonymes. La femme lui répondit que le soir qui intéressait Hackberry, il n'y avait qu'une seule réunion dans la région. Elle se tenait dans une église au nord de l'intersection d'où Hackberry téléphonait.

« Il y a quelques réunions d'Early Birds. J'ai aussi un programme pour Terlingua et Marathon, si ça ne vous gêne pas de faire un peu de route, dit-elle.

239

– Non, je crois que c'est celle de l'église qui m'intéresse. C'est la seule dans le coin qui se tienne le mardi soir, n'est-ce pas ?

– Exact.

– À qui pourrai-je parler ?

– À tous ceux qui seront à la réunion.

– Non, je veux dire tout de suite.

– Vous pensez que vous allez boire ?

– Je suis un homme de loi, et j'enquête sur plusieurs homicides. Allô ?

– Je dois réfléchir à ce que vous venez de me dire. » Il y eut un bref silence. « J'ai fini d'y réfléchir. Merci d'avoir appelé la hotline des AA. Au revoir. » Elle raccrocha.

Hackberry et Pam traversèrent la ville et trouvèrent l'église à l'ouest de la nationale. Un homme très maigre clouait des bardeaux sur le toit, sa chemise en jean boutonnée jusqu'en haut du cou pour le protéger du soleil, ses aisselles noires de sueur, ses genoux écartés comme une pince sur l'arête du toit. Pam et Hackberry sortirent du véhicule et levèrent les yeux sur lui, essayant de se protéger de l'éclat de la lumière aveuglante.

« Vous êtes le pasteur ? demanda Hackberry.

– Je l'étais quand je me suis levé ce matin.

– Je recherche un jeune homme qui s'appelle Pete Flores. Il se peut qu'il ait assisté ici à une réunion des AA.

– Je n'en sais rien, dit l'homme.

– Pourquoi ? demanda Hackberry.

– Ils ne donnent pas leur nom de famille.

– J'ai une photo de lui. Je peux monter ?

– Ça m'étonnerait que ça vous avance à quelque chose.

– Pourquoi ?

– Je leur laisse le bâtiment, mais je ne vais pas à leurs réunions, alors je ne sais pas vraiment qui y assiste.

– Donne-moi la photo, Hack, je vais la monter, dit Pam.

– C'est bon », dit Hackberry. Il grimpa sur l'échelle et gravit les barreaux d'un pas ferme, attentif à garder une expression neutre tandis qu'un feu brûlant s'épanouissait au bas de son dos. Il sortit de sa poche la photo que lui avait donnée Ethan Riser et la tendit au pasteur. Le pasteur l'étudia, ses cheveux mal coupés collés sur sa nuque comme des points noirs humides.

« Non, monsieur, je n'ai jamais vu ce type dans mon église. Qu'est-ce qu'il a fait ? demanda le pasteur.

– Il a été le témoin d'un crime, et il se peut qu'il soit en danger. »

Le pasteur regarda de nouveau la photo, puis la rendit à Hackberry sans faire de commentaire.

« Vous avez dit que vous ne l'aviez jamais vu dans votre église.

– Non, monsieur, je ne l'ai pas vu ici.

– Mais vous l'avez peut-être vu ailleurs. »

Le pasteur reprit la photo. Ses traits commençaient à trahir la tension due à sa position accroupie sur la pente du toit. « J'ai peut-être vu un gamin au poste d'essence ou au café. Il avait une cicatrice sur le visage. On aurait dit une longue traînée de cire rose qui lui coulait sur la peau. C'est pour ça que je me souviens de lui. Mais le soldat sur cette photo n'a pas de cicatrice.

– Réfléchissez bien, révérend. Où l'avez-vous vu ?

– Je ne me souviens plus. Désolé.

– Vous avez déjà entendu parler d'une femme dans le coin qui aime chanter des spirituals dans des boîtes de nuit ou des bars ?

– Non, monsieur. Mais votre boulot m'a l'air intéressant. Si vous voulez qu'on échange, faites-moi signe. »

L'agacement de Bobby Lee, dû aux événements et à la personnalité changeante de Liam, commençait à atteindre un seuil critique. C'était le pick-up de Liam qui était tombé en panne sur la nationale, les obligeant à se faire remorquer jusqu'à un trou perdu où il n'y avait qu'un seul restaurant et un seul atelier de réparation. C'était Liam qui avait laissé des sacs-poubelle en plastique étalés sur tout le fond de son caisson amovible, amenant le garagiste à leur demander s'ils avaient l'intention de chasser le cerf avant la saison. C'était Liam qui n'avait pas cessé de ratiociner à propos de la façon dont Bobby Lee avait merdé à la supérette, le regard plein de suffisance et stupide, ses dents comme des pierres tombales trop grandes pour sa bouche.

Ils étaient dans un box au fond du restaurant, le sac de sport à fermeture éclair de Liam, avec des vêtements de rechange, de quoi se raser, et le canon scié, posé à ses pieds. Ils attendaient que le beau-frère du mécanicien les conduise à près de soixante-dix kilomètres de là, jusqu'au motel dans l'entrée du garage duquel le SUV de Bobby Lee était garé.

« Si t'avais pas sorti ton arme devant un crétin dans une supérette, on n'aurait pas ce problème, dit Liam. On pourrait utiliser ton véhicule au lieu du mien. La semaine dernière, je t'ai dit que j'avais des ennuis de transmission. Tu peux pas obtenir une information d'un crétin sans lui coller une arme sous le nez ?

– J'ai pas sorti mon arme. T'arrives à comprendre ça ? Elle est tombée de ma ceinture. Mais je l'ai pas sortie délibérément, Liam. Si tu me lâchais un peu ? »

La serveuse apporta leur commande et reversa de l'eau dans leurs verres. Pendant qu'elle dressait la table, ils cessèrent de parler. Elle posa entre eux une panière avec des crackers sous emballage, puis prit sur une autre table la salière et le poivrier qu'elle posa à côté de la panière. Bobby Lee et Liam attendaient. Elle les dominait, ses larges épaules, ses hanches fortes et son parfum industriel rétrécissant, d'une certaine façon, l'espace autour d'eux.

« Vous voulez autre chose, les gars ? demanda-t-elle.

– Non, tout va bien, dit Bobby Lee.

– Je voudrais de la sauce steak, dit Liam. »

Bobby Lee rumina en silence jusqu'à ce que la serveuse ait apporté une bouteille de A.1[1], et se soit éloignée.

« Qu'est-ce qui t'énerve comme ça ? demanda Liam.

– Retire ce chapeau.

– Pourquoi ?

– Il est ridicule. On dirait un chapeau de femme. »

Liam se fourra dans la bouche une tranche entière de pain qu'il mâcha bouche ouverte.

« Il faut qu'on se mette bien d'accord, Liam. Je t'ai fait confiance quand je t'ai dit qu'il se pouvait que le Prêcheur doive être supprimé. Je dois savoir si nous sommes bien sur la même longueur d'ondes. Je peux pas admettre que tu passes ton temps à m'asticoter.

– T'aimes pas entendre la vérité. Ton problème, c'est ça. »

Dehors, le soleil était rouge à l'horizon, un nuage de poussière brun montait des collines. Bobby Lee avait l'impression que quelqu'un avait inséré une clef de métal à la base de sa nuque et tendait ses terminaisons nerveuses comme des cordes de piano. Il se mit à manger, puis posa sa fourchette et contempla son assiette.

Il s'était planté depuis le début. On ne pouvait pas se fier à Liam, ni se confier à lui : c'était un pleurnicheur, qui faisait porter le chapeau à ses amis. Mais si Liam n'était pas un copain, qui l'était ? Qui parmi eux était le puriste ? Qui était le type qui faisait le boulot moins pour l'argent que pour les visions étranges qui semblaient ramper derrière ses paupières ?

« T'as l'air de réfléchir sérieusement, dit Liam.

– Tu penses que j'ai merdé à la supérette, que j'aurais dû m'y prendre différemment, que j'aurais dû laisser le soldat m'échapper sans même entrer à l'intérieur ?

– Je croyais que je t'avais dit qu'on laissait tomber le sujet.

---

1. Sauce steak américaine.

– Je veux juste que tu te mettes à ma place et que tu me dises ce que t'aurais fait, Liam.

– Quand tout ça sera terminé, on ira tous les deux tirer un coup. J'ai quelques bons de remise de *Screw*. » Liam attendit, un sourire idiot aux lèvres.

Bobby Lee le regarda dans les yeux. Ils étaient d'un bleu translucide, leur vacuité morale créant un type de brillance très particulier, ses pupilles comme des insectes morts enfermés sous une cloche de verre. C'étaient les yeux d'un homme pour qui rien n'avait de réalité au-delà de ce qu'il touchait des doigts.

« Quand tout ça sera terminé, je retourne à la fac. Ma sœur a une maison à Lauderdale. Je conduirai ses gamins à Orlando, dit Bobby Lee.

– Tout le monde dit ça, mais c'est pas comme ça que ça marche. Tu te vois vendre des godasses à des vieux de Miami Beach, avec leurs semelles qui puent ?

– Je fais des études d'architecte d'intérieur. »

Mais Liam ne l'écoutait pas. Il avait tourné son attention vers un homme et une femme assis dans un box près de l'entrée du restaurant.

« Te retourne pas tout de suite, mais regarde un peu John Wayne, là-bas, dit-il. Je plaisante pas. De profil, on dirait exactement Wayne. Il a même Calamity Jane avec lui, elle doit lui servir de provision pour le voyage. Qui a dit que le western était mort ? »

14

La climatisation était réglée à fond, et il y avait de la buée au bas des vitres. Hackberry et Pam avaient choisi un box près du comptoir. Des familles dînaient dans le fond, séparées de l'avant par une cloison en lattis ornée de fleurs en plastique. Un bus paroissial s'arrêta devant le restaurant, et une cohue de préadolescents entra et s'entassa dans les boxes vides. Des ouvriers buvaient des bières au comptoir en regardant un match de base-ball sur une télévision à écran plat fixée haut sur le mur. Quand le soleil se coucha sur les collines, l'intérieur du restaurant se trouva éclairé d'une chaude lueur rouge qui n'enlevait rien au froid qui y régnait, mais ne faisait qu'ajouter à l'atmosphère de bien-être et de convivialité de fin de journée.

Hackberry se mit la main sur la bouche, bâilla et regarda le menu, dont les mots dansaient devant lui.

« Comment va ton dos ? demanda Pam.

– Qui a parlé de mon dos ?

– Le mal au dos sape l'énergie. Ça se voit sur le visage.

– Ce qui se voit sur mon visage, c'est un excès d'anniversaires.

– Tu sais qu'aujourd'hui, on a couvert près de trois cents kilomètres carrés du Texas ?

– On aurait dû en faire deux fois plus.

– Je pense qu'ils sont au Mexique.

– Pourquoi ?

– Parce que c'est ce que je ferais à leur place.

– Vikki Gaddis peut-être, mais pas Pete. »

La serveuse revint pour prendre leur commande, puis s'éloigna. Pam se tenait droite dans son box, les épaules contre la cloison. « Vikki se tirerait, mais Pete resterait ? Parce que c'est ce que font les mecs qui ont des couilles ? Les filles n'ont pas de couilles, c'est ce que tu veux dire ?

– Pete est l'un de ces malheureux qui n'admettront jamais que leur pays ait pu les utiliser avant de les recracher comme un chewing-gum qui a perdu son goût. Tu peux arrêter de t'exprimer de cette façon ? »

Elle se gratta entre les deux yeux et regarda par la fenêtre, son insigne brillant sur sa chemise kaki.

Tandis qu'ils attendaient leur commande, Hackberry se sentit rattrapé par la journée, comme un animal affamé remis en liberté. Il prit trois aspirines pour lutter contre la douleur dans son dos et regarda distraitement les gens dans le restaurant. En dehors de la télévision sur le mur et de l'air conditionné, la scène aurait pu se passer en 1945. Les gens étaient les mêmes, leur fondamentalisme religieux et leur patriotisme exigeant inchangés, leurs instincts égalitaires de cols bleus mal définis, frisant parfois le nativisme mais, pour un étranger, immédiatement reconnaissables comme ceux de jacksoniens invétérés. C'était l'Amérique de Whitman et de Jack Kerouac, de Willa Cather et de Sinclair Lewis, une improbable confluence de contradictions qui étaient devenues homériques sans que ses participants réalisent leur importance aux yeux du monde.

Si quelqu'un avait demandé à Hackberry Holland à quoi avait ressemblé son enfance, il aurait répondu par une image plus que par une explication. Il aurait décrit un voyage à la ville, le samedi après-midi, avec son père, le professeur d'histoire, pour voir un match de base-ball de petite ligue. La place du tribunal était bordée de trottoirs surélevés dans lesquels étaient insérés des anneaux pour chevaux, rouillés comme les dalots d'un navire. Un obusier kaki de la Première Guerre mondiale se dressait sur la pelouse devant le tribunal, dans l'ombre d'un chêne géant. Le bazar, un bâtiment de brique de deux étages avec une colonnade, exposait une machine à pop-corn qui dégorgeait sur le sol en ciment, comme des grains de blé gonflés débordant d'un silo. Le quartier résidentiel voisin était bordé d'arbres qui faisaient de l'ombre, de villas, et de maisons de bois blanches datant du XIXᵉ siècle, dont les galeries étaient affaissées au milieu, avec des balancelles sur le porche, et chaque après-midi à cinq heures le petit marchand de journaux dévalait le trottoir sur sa bicyclette et balançait le journal sur les marches de chaque maison avec le coup d'œil d'un tireur d'élite.

Mais le plus important dans le souvenir de cette Amérique d'autrefois, c'était la texture de la lumière après une averse dans le soleil. Elle était dorée, douce, et tachée du vert profond et contagieux des arbres et des pelouses. D'une certaine façon, l'arc-en-ciel qui semblait jaillir du ciel sur le terrain de base-ball confirmait la conviction insensée selon laquelle la saison et la jeunesse dureraient toutes les deux éternellement.

Hackberry plongea un taco dans un bol de sauce rouge et se le mit dans la bouche. Il prit son verre de thé glacé et en but une gorgée. Une bande de gamins du bus paroissial frôla leur table pour se rendre aux toilettes. Puis ils disparurent, et Hackberry s'aperçut qu'il regardait, à travers la cloison en lattis, un visage d'homme qui lui semblait familier, sans pour autant qu'il le reconnaisse. L'homme portait un chapeau de jardinier dont le large rebord cachait ses traits. La serveuse qui travaillait au fond du restaurant n'arrêtait pas de faire des allées et venues derrière la cloison de lattis, obstruant encore plus la vue d'Hackberry.

Hackberry se pinça les yeux pour en chasser la fatigue, et se redressa.

« Tu as mal au dos depuis que tu as été prisonnier de guerre ? demanda Pam.

– Je pense qu'on pourrait dire plutôt que je n'avais pas mal au dos quand je suis parti en Corée, mais que j'avais mal au dos à mon retour.

– Tu touches une pension d'invalidité ?

– Je ne l'ai jamais réclamée.

– Je me demande pourquoi je me doutais que tu allais me répondre ça.

– Parce que tu es omnisciente. »

Il dit ça avec un grand sourire. Elle s'appuya le menton sur le dessus des mains et essaya de ne pas rire, puis elle y renonça, ses yeux se plissant, soutenant le regard d'Hackberry, souriant à son tour.

La serveuse leur apporta leur dîner mexicain, tenant chaque assiette avec un torchon humide, la chaleur et la vapeur leur montant aux yeux. «Faites attention, c'est vraiment chaud», dit-elle.

Quand Liam commanda un dessert, il inspecta des yeux la poitrine de la serveuse qui se penchait pour débarrasser son assiette sale.

«Tu veux pas faire un peu de rock and roll de l'autre côté de la frontière, ce soir? demanda-t-il une fois qu'elle fut partie.

– Ce que j'arrive pas à comprendre, c'est pourquoi on n'a pas réussi à trouver ce motel. C'est le motel Siesta, c'est ça? dit Bobby Lee, ignorant la suggestion de Liam.

– J'ai regardé sur Internet. Il n'y a pas de motel qui s'appelle comme ça dans le coin. Tu veux baiser, ce soir, ou pas?

– Je veux trouver le soldat et sa meuf, faire le boulot, et rentrer à la maison.

– Et à ce moment-là, on s'occupera du Prêcheur?

– J'ai pas dit ça.

– C'est peut-être ce qu'il y a de plus malin à faire.

– En quel sens?

– Les jours de paie, c'est toujours Hugo et lui qui tiennent le bon bout. Pourquoi un type serait-il mieux payé parce qu'il est cinglé?

– Le Prêcheur a une intelligence différente. Ça veut pas dire qu'il est cinglé, dit Bobby Lee.

– T'as changé d'avis?

– On est des soldats. On fait ce qu'on nous dit de faire, dit Bobby Lee en prenant la salière.

– T'es un tas de choses, Bobby Lee, mais sûrement pas un soldat.

– Tu veux bien m'expliquer ?

– Qu'est-ce que t'as dit que t'étudiais ? La décoration ? Je parie que tu seras bon. »

Bobby Lee se glissa une allumette entre les lèvres. « Il faut que j'aille faire une vidange », dit-il. Il alla aux toilettes, se savonna les mains et les avant-bras, se rinça, et se mit, les deux mains en coupe, de l'eau sur le visage. Quand il regarda dans la glace, il dut déglutir. Sa calvitie semblait s'étendre. Ses sourcils formaient une unique ligne noire en travers de son front, donnant à son visage une expression préoccupée, comme si un grand poids lui pesait sur la tête. Sa gorge, sous mon menton, commençait à s'affaisser. Sa mâchoire pas rasée était semée de gris. Il avait vingt-huit ans.

Toute cette affaire sentait mauvais. Pire, il s'était associé avec Liam Eriksson, qui venait de se moquer de lui en face. Bobby Lee s'assit sur le siège des toilettes et vérifia les barres de son portable, puis composa le numéro du Prêcheur.

« Ouais ? dit la voix de Jack.

– Jack, content de t'entendre, mec.

– Que se passe-t-il, Bobby Lee ?

– Où es-tu ?

– Comme disent les Beach Boys, " I get…[1]".

– Ouais, je sais, tu vas ici et là.

– T'as des nouvelles pour moi ? dit Jack, indifférent à l'impatience de Bobby Lee.

– Pas précisément.

– Pourquoi tu m'appelles ?

– Juste pour faire le point.

– T'as des ennuis avec Liam ?

– Comment tu le sais ?

– Tu as beaucoup de talent, Bobby Lee. Parmi les sept péchés capitaux, l'envie est le seul qui n'a pas de compensation.

---

1. « I get around ».

249

– Je te comprends plus.

– La luxure, la colère, l'orgueil, la paresse, l'avarice et la gourmandise apportent tous un certain degré de plaisir. Mais un homme envieux n'est jamais soulagé. C'est comme un type qui boit du tord-boyaux parce qu'un autre type a du vin sur sa table. Mais il y a une chose dont on peut être sûr. L'homme qui t'envie finira par t'aveugler.

– Liam m'envie ?

– Qu'est-ce que j'en sais ?

– Beaucoup. T'en sais beaucoup, Jack.

– Il se passe quelque chose, mon garçon ?

– Rien que je ne puisse gérer.

– C'est ce que tu dis.

– À plus, Jack. »

Bobby Lee referma son portable et fixa la porte des toilettes. Elle était couverte de graffitis sexuels gravés dans la peinture. Pendant un bref instant, il se demanda si ces dessins n'étaient pas une représentation exacte des pensées que Liam avait dans la tête. Comment avait-il pu vouloir s'associer avec un clown comme Liam, et trahir un pro comme Jack ? Jack était peut-être un détraqué mental en fait de religion, mais il n'était pas un Judas, alors qu'Hugo et Liam, si. Couper le doigt d'Artie Rooney semblait une mesure extrême, mais au moins, avec Jack, on savait toujours où on en était.

Où ça nous amène, Bobby Lee ?

Réponse : la jouer cool, se laisser aller à ce bon vieux rythm'and blues. Un peu de temps passerait, tout ça se terminerait, et il pêcherait dans les Keys, mangerait des conques grillées, boirait des bières St. Pauli Girl, et regarderait un soleil rouge en fusion scintiller dans la mer au large de Mallory Square.

Tout en commençant à se diriger vers le box, il jeta un coup d'œil vers la cloison en lattis qui le séparait de l'avant du restaurant. Soudain, il se rendit compte qu'il regardait le couple dont Liam lui avait parlé. La femme portait un jean et une chemise kaki avec un insigne sur la poitrine. L'homme de grande taille dont Liam avait dit qu'il ressemblait à John Wayne était assis en face d'elle dans le box, son Stetson posé à l'envers sur la table. Il était en train de couper sa viande, son profil se détachant contre le soleil couchant. Bobby Lee distinguait aussi, dans son holster, le revolver d'un noir bleuté, à la crosse nacrée, accroché à sa ceinture.

Bobby Lee n'avait non plus aucun doute concernant l'identité de l'homme. Il les avait vus tous les deux, la femme adjointe et lui, à côté du *diner* où Vikki Gaddis avait travaillé, avec un type qui était sans doute un Fédé, peut-être même celui que le Prêcheur avait descendu un peu plus tard, parlant tous les trois avec le propriétaire des lieux, Junior Peu-Importe, menotté. Le grand type s'appelait Holland, c'est ça, Holland, le shérif du comté, une grosse huile à Trou-du-Cul-du-Monde, Texas, et la femme était son adjointe, et maintenant tous les deux étaient ici, à moins de quinze mètres de leur box.

Bobby Lee rentra droit aux toilettes, dans la cabine, et composa le numéro de Liam.

« T'es tombé dans la cuvette ? demanda Liam.

– Le type dans le box, celui dont tu dis qu'il ressemble à John Wayne, c'est le shérif.

– Le shérif ?

– Tu pouvais pas voir sa ceinture et son arme sous la table. Il s'appelle Holland. Je l'ai vu interroger le patron de Vikki Gaddis, le type du *diner*. L'adjointe était là aussi. Avec un type qui avait l'air d'un Fédé. Je crois que le Fédé était celui que le Prêcheur a buté dans ce motel de San Antonio. J'ai vu sa photo dans le journal. » Bobby Lee entendait la respiration de Liam dans le portable.

« Ils nous ont pas repérés, dit Liam. On va partir ensemble, cool, calmes, tranquilles.

– La caisse est juste à côté de leur putain de box.

– Crée une diversion.

– Tu veux que je sorte des chiottes en me tenant la bite ?

251

– T'as des allumettes ? »

Bobby Lee sortit de sa bouche l'allumette humide. « Et alors ?

– Mets le feu à la poubelle.

– Écoute, Liam…

– Fais-le », dit Liam avant de couper la communication.

C'est pas bon, pensa Bobby Lee, son cœur commençant à se bloquer dans sa poitrine.

Un autre homme entra dans les toilettes et se soulagea très bruyamment dans l'urinoir. Bobby Lee se peigna dans la glace jusqu'à ce que l'homme soit ressorti. Il jeta un coup d'œil aux boules de serviettes en papier débordant de la poubelle. Le papier était humide, et le feu couverait comme des feuilles mortes un jour d'automne.

Et tout ça pour quoi ? Attirer des véhicules d'urgence, des pompiers, et encore plus de flics vers le restaurant, pendant que Liam et lui essaieraient de s'éloigner discrètement, sans véhicule, avec la moitié des gens du restaurant qui se rappelleraient avoir vu Bobby dans les toilettes juste avant que le feu ne commence à jaillir à travers la porte.

Bien.

Bobby Lee, par la sortie de secours, émergea dans la chaleur de l'après-midi, dans l'odeur de la terre en train de se refroidir, dans la sensation d'une goutte de pluie sur son front.

Liam était livré à lui-même, se dit-il. Mieux valait que Liam paie l'addition et sorte tranquillement, plutôt que d'essayer de le faire ensemble, multipliant par deux le risque d'être reconnus. Quel mal à ça ? Il n'y avait que Liam pour conseiller, afin de détourner l'attention, de démarrer un feu dans un lieu confiné.

Bobby Lee fit le tour du bâtiment, obliquant en direction de l'atelier de réparations, de l'autre côté de la rue, jetant, par la fenêtre, des regards de côté sur le box où le shérif et son adjointe étaient toujours en train de manger. Il vit le shérif se lever, prendre son chapeau, puis le reposer sur la banquette.

Le shérif dit quelque chose à l'adjointe, l'air détendu, sans hâte. Puis il contourna une bande de gamins qui se dirigeaient vers les toilettes.

Bobby Lee ne réfléchit pas deux fois à l'occasion qui se présentait. Il ouvrit son portable, appuya sur la touche de rappel, l'adrénaline battant à ses oreilles, son cœur se gonflant dans sa cage thoracique.

« Quoi encore ? dit Liam.

– Le shérif t'a repéré. Il se dirige vers ton box. Tire-toi de là, putain ! » dit-il avant de couper son portable, la sonnerie résonnant dans sa paume fermée. Il traversa rapidement la rue à l'ombre d'une mesa striée, une puanteur âcre comme celle d'un baril de goudron lui montant au visage.

Au moins huit ou neuf garçons s'étaient levés en même temps pour aller aux toilettes et passèrent devant Hackberry, le forçant à s'immobiliser entre un box et une table tandis qu'un jeune révérend essayait de faire aligner les enfants. Hackberry jeta un coup d'œil à son box, derrière lui. Pam s'était levée, avait pris l'addition et calculait le pourboire, comptant sur la table quatre billets de un dollar et un peu de monnaie. Elle était mignonne, ainsi encadrée contre la fenêtre, les pointes de ses cheveux effleurées par le soleil du soir, ses épaules musclées sous sa chemise kaki, ses fesses un peu trop larges pour son jean, son .357 chromé haut sur sa hanche droite. Quand elle se rendit compte qu'il la regardait, ses joues se colorèrent et son expression devint inhabituellement vulnérable.

Il lui fit un clin d'œil et leva les pouces dans sa direction, mais si on lui avait demandé pourquoi, il n'aurait su le dire.

Les événements et les images des quelques instants qui suivirent furent de nature kaléidoscopique, et semblèrent manquer de raison, de cohérence, et même de chronologie. Les jeunes garçons s'entassant dans les toilettes chahutaient toujours, mais à la façon innocente de tous les garçons en excursion à la campagne. Un homme bovin aux joues rouges servait des boulettes de viande à ses petits-enfants. Un ouvrier, au comptoir, essuya la mousse de bière sur son menton et demanda à la serveuse de changer de chaîne. Une femme leva un verre d'eau à contre-jour et regarda une mouche morte qui flottait dedans. Un révérend en col romain lavande mangeait un steak, trempant chaque bouchée dans une mare de ketchup saupoudrée de poivre noir. Sa femme lui disait qu'il mangeait trop vite. Au comptoir à desserts, une adolescente était contrariée parce qu'elle avait laissé tomber la louche dans un récipient de chocolat fondant.

Et Hackberry Holland, en route vers les toilettes, se faufilant entre les dîneurs, aperçut l'homme au chapeau de paille en train de fouiller dans un sac de sport ouvert à ses pieds, dans lequel il saisit un objet de près d'un mètre empêtré parmi les sous-vêtements, les chemises et les chaussettes. En le regardant incrédule, comme s'il voyait un film au ralenti sans rapport avec la réalité, Hackberry comprit que l'objet était un fusil à pompe à canon scié, l'acier entamé encore brillant de la coupure, de la chevrotine se répandant sur le sol.

Ce qu'il pensa ensuite lui traversa l'esprit en moins d'une seconde, comme un Blackbird[1] qui fait un arc dans l'espace avant de disparaître.

Où avait-il vu le visage de cet homme ?

Sur une photo, peut-être.

Sauf que le visage de la photo portait une barbe orange, comme aurait pu en porter un marin nordique.

Était-ce ainsi que ça allait se terminer, avec l'éclair sortant du canon d'un fusil et une explosion de lumière à l'intérieur de son crâne, avant que la détonation ne parvienne à ses oreilles ?

Hackberry fit basculer une table, renversant de la nourriture et des assiettes sur le sol, et la jeta en direction de l'homme au

---

1. Avion espion utilisé par l'armée de l'air américaine.

chapeau de jardinier qui levait son fusil en direction de sa poitrine. La première décharge aspergea les épaules d'Hackberry, son bras gauche et son pantalon, d'une douche de lambeaux d'étoffe à carreaux rouges et blancs.

Dans la salle, personne ne fit un geste. Au contraire, tous paraissaient pétrifiés, rétrécis, transformés en plastique transparent, comme si un boom supersonique les avait temporairement assourdis. Hackberry libéra son revolver de son holster à l'instant où il entendit le tireur mettre une nouvelle balle dans la chambre de son arme. La seconde décharge partit en hauteur, au-dessus de la table. La vitrine s'effondra sur le parking. C'est à cet instant seulement que les gens commencèrent à hurler, certains essayant de se cacher sous les tables ou derrière les boxes. Quelqu'un ouvrit une issue de secours d'un coup de pied, actionnant une alarme. Les garçons du bus paroissial s'étaient empilés dans les toilettes, terrorisés.

Hackberry était tapi derrière la table et un pilier en bois, une fourchette tordue, ou une cuiller, traversant la toile de son pantalon et lui entrant dans le genou. Il pointa son revolver dans l'espace entre la table et le pilier et balança deux balles en direction du tireur, la carcasse de son .45 se redressant dans sa main. Il fit feu à nouveau et vit le rembourrage d'un box flotter, comme des plumes de poulet, dans la pénombre. Il entendit le tireur actionner la pompe de son arme et une douille rebondir et rouler sur une surface dure.

Hackberry s'accrocha au pilier et se redressa, une flèche de douleur irradiant son dos. Il courut vers l'abri fourni par le dernier box dans la rangée du tireur, lâchant une balle à l'aveugle, ses bottes aussi bruyantes que des pierres frappant une surface de bois.

Soudain la salle devint absolument silencieuse, comme si tout l'air en avait été aspiré. Hackberry se releva à moitié et dirigea son revolver vers l'endroit où s'était trouvé le tireur. Le sac de sport était encore sur le sol. Le tireur et les chevrotines qu'il avait répandues sur le sol avaient disparu.

Hackberry se redressa, son arme toujours tendue devant lui, le percuteur armé, le viseur au bout du canon tremblant légèrement à cause de la tension de sa prise. Il jeta un coup d'œil derrière lui. Où était Pam ? La vitre de son box avait explosé, un siège de vinyle et des morceaux de verre dépassant du cadre de la fenêtre aspergé d'éclaboussures rouges. Hackberry, de sa main libre, s'essuya la bouche, écarquilla les yeux et essaya de penser de façon claire. Quel était le nom officiel de pareille situation ? Suspect barricadé ? Le langage technique était loin de décrire la réalité.

«Laisse tomber, partenaire. Personne ne doit trouver la mort ici », dit-il.

Hormis une toux, le cri étouffé d'une femme et un bruit comme si quelqu'un ouvrait de force une fenêtre bloquée, la salle resta silencieuse.

«Il est entré dans les toilettes des femmes», dit un garçon aux cheveux en brosse, en culotte courte, caché sous une table.

Une alcôve en lattis avait été construite autour de l'entrée des toilettes des femmes, pour dissimuler la porte. Hackberry obliqua vers la porte, des couverts et du verre brisé crissant sous ses bottes, le regard fixé sur les interstices dans le lattis.

Pam avait-elle été touchée ? La seconde décharge du fusil avait traversé le box où elle était en train de compter le pourboire sur la table.

«Il y a une petite fille là-dedans. N'entrez pas», dit une voix derrière une chaise renversée.

C'était le révérend au col romain lavande. Sa joue et son cou saignaient, la paume d'une de ses mains brillait du verre répandu sur le sol. Sa femme était à genoux à côté de lui, agrippée à son bras, son corps roulé en boule.

«Vous l'avez vu ? dit Hackberry.

– Il a attrapé la petite par le cou et l'a tirée avec lui, dit le révérend.

– Vous pouvez atteindre la porte de devant ? demanda Hackberry.

– Oui, monsieur, répondit le révérend. Je peux.

– Quand je rentrerai dans les toilettes, levez-vous et prenez avec vous le maximum de gens. Vous pouvez faire ça pour moi ?

– Vous allez entrer là-dedans ?

– On va sortir la petite de là sans dommages. Quand vous serez devant, trouvez mon adjointe. Elle s'appelle Pam Tibbs. Répétez-lui exactement ce que vous m'avez dit.

– Qui est l'homme avec le fusil ?

– Il s'appelle Eriksson. Mon adjointe reconnaîtra le nom. Allez-y, révérend.

– Vous avez dit "on".

– Pardon ?

– Vous avez dit : "On va sortir la fille." Qui c'est, "on" ? »

Un instant plus tard, Hackberry parcourait la distance qui le séparait de la porte pendant que le révérend et sa femme commençaient à conduire un groupe de douze à quinze personnes vers l'avant du restaurant. Hackberry s'applatit contre le mur, son revolver pointé en avant. Il voyait le crépuscule rouge s'engouffrer à travers la vitre brisée à l'avant et entendait des sirènes au loin. « T'entends ce bruit, Eriksson ? » dit-il.

Il y eut un silence. Puis : « Comment vous m'avez reconnu ?

– Je ne t'avais pas reconnu. Si tu n'avais pas tiré sur moi, je serais passé à côté de toi sans te voir.

– Vous mentez.

– Pourquoi je mentirais ? »

Eriksson n'avait pas de réponse. Hackberry se rappela qu'à l'origine il y avait un autre homme assis dans le box avec lui, quelqu'un qui avait dû se tirer, et laisser Eriksson porter le chapeau pour les deux.

« Ton associé t'a eu, connard, dit Hackberry. Pourquoi tout prendre sur toi ? Laisse sortir la petite fille, et on en tiendra compte. Tu as travaillé dans la sécurité en Irak. Ça comptera aussi. Prends un avocat correct, et avec le genre de baratin qu'il faut sur les désordres posttraumatiques, tu pourrais même t'en tirer. Ça vaut mieux que de se manger une balle de .45.

– Vous allez m'aider à me tirer de ce pays. Vous allez me conduire au Mexique. Sinon je bute la fille.

– Je peux peut-être arranger ça.

– Non, vous allez rien arranger. Vous allez juste le faire.

– Comment tu veux qu'on organise ça ? Tu veux que j'amène un véhicule derrière et que je vous charge, toi et la fille ?

– Non. Vous jetez votre arme par terre, vous la faites glisser vers moi avec le pied, et ensuite vous entrez avec les mains derrière la nuque.

– Ça me paraît pas faisable, Eriksson.

– Ça vous ferait peut-être plaisir de voir sa cervelle flotter dans les chiottes. »

Hackberry entendit la voix d'une petite fille qui pleurait. Ou plutôt la voix d'un enfant dont la terreur était au-delà des pleurs, devenue une série de hoquets et de constrictions d'air dans ses narines et sa gorge, comme quelqu'un qui a une attaque. « Sois correct. Laisse-la partir, partenaire, dit Hackberry.

– Vous la voulez ? Pas de problème. Envoyez-moi votre arme, et ensuite vous entrez. Sinon, rien ne va plus. Vous pensez que je plaisante ? Passez la tête. »

Hackberry entendit comme un bourdonnement dans ses oreilles, un bruit qu'il associait au vent soufflant dans un ciel bleu par-dessus des kilomètres de montagnes enneigées, et à de la glace crissant sous le poids de milliers de Chinois en marche.

« Je vais vous faciliter les choses », dit Eriksson. Il ouvrit légèrement la porte, laissant Hackberry entrapercevoir l'intérieur des toilettes. Eriksson tenait la fillette par le col de son polo, tout en poussant le fusil à pompe à canon scié entre ses omoplates. « J'ai rien à perdre, dit-il.

– Je te crois », dit Hackberry. Il recula d'un pas, ouvrit

le cylindre de son revolver, versa dans sa paume les quatre douilles utilisées et les deux balles intactes, et les lâcha sur le sol où elles tintèrent. Il s'accroupit, posa son revolver sur le sol et le poussa du pied dans les toilettes.

« Maintenant, avancez-vous», dit Eriksson.

Alors Hackberry se retrouva avec lui dans le réduit, fixant le canon du fusil.

«Vas-y, petite, dit Eriksson. Je voulais pas te faire de mal. C'est juste qu'il fallait que je dise ça.

– Si, t'allais me faire du mal. Tu m'as fait très mal, dit-elle en posant une main sur son épaule.

– Fous le camp, petite garce», dit Eriksson. Il verrouilla la porte derrière elle, sans quitter Hackberry des yeux. «Je t'ai baisé, enculé.»

Le regard d'Hackberry passa du visage d'Eriksson à une tache sur le mur. Ou peut-être à une bande de ciel rouge qui n'aurait pas dû être visible de l'intérieur des toilettes.

«Tu m'as entendu ? demanda Eriksson.

– T'es un malin, dit Hackberry.

– Bien vu.»

Puis Eriksson parut réaliser que quelque chose n'allait pas dans son environnement, qu'il n'avait pas vu ou remarqué quelque chose, que malgré ses années passées à combattre ses ennemis, et à orchestrer des événements de façon à s'en sortir toujours vainqueur, quelque chose était en train de mal tourner.
« Prends ton portable, dit-il.

– Pour quoi faire ?

– Ça veut dire quoi, "pour quoi faire" ? Dis à tes copains de pas s'approcher du bâtiment. Dis-leur d'amener une voiture à l'arrière.

– Tu n'auras pas de voiture.

– J'aurai une voiture, ou tu sauteras avec moi. Ce que tu préfères.

– Tu partiras d'ici menotté ».

Eriksson prit son propre portable dans sa poche et le jeta à Hackberry. Il rebondit sur sa poitrine et tomba sur le sol. «Ramasse-le et appelle, shérif, ordonna Eriksson.

– J'ai dit que t'étais malin. Un homme malin est quelqu'un qui écoute. Écoute-moi et ne te retourne pas. Non, non, garde les yeux sur moi. Tu ne dois pas te retourner.

– T'es sénile. Je vise ta gueule avec un fusil à pompe.

– Si tu te retournes, tu perds ta tête, dit Hackberry. Regarde droit devant toi. Mets-toi à genoux, et pose ton arme sur le sol.»

Erickson entrouvrit les lèvres. Elles étaient sèches, avec un peu de mucus. Ses mains se raidirent sur le fusil à pompe. Il serra les lèvres, les humectant avant de parler. «Cette arme est à air comprimé. Quoi qu'il arrive, t'auras la gorge pleine de balles.

– Crois-moi, Eriksson. Ne bouge pas, ne recule pas, ne te retourne pas. Si tu fais quoi que ce soit, tu es mort. Je t'en donne ma parole. Personne n'a envie que ça t'arrive. Mais c'est ton choix. Baisse ton arme, de la main gauche, en la tenant par le canon, pose-la sur le sol, et écarte-toi d'un pas.

– Je crois que t'es un super bon acteur, shérif, mais je pense aussi que t'es un gros sac à merde.»

Eriksson fit un pas en arrière, hors d'atteinte d'Hackberry, et tourna les yeux derrière lui vers une fenêtre à verre dépoli qui avait été ouverte avec un démonte-pneu. Pendant un instant, la visée de son fusil s'écarta de la poitrine d'Hackberry. À l'extérieur, un énorme nuage de poussière orange passa en rafale devant le soleil.

Les yeux d'un bleu translucide d'Eriksson étaient chargés de lumière. Son visage sembla se contracter, juste avant qu'il ne voie Pam Tibbs debout près du rebord de la fenêtre, sa chemise kaki mouchetée de sauce à tacos, pointant des deux mains devant elle son revolver chromé. C'est alors qu'elle tira une balle de .357 semi-blindée qui entra par une de ses tempes et ressortit par l'autre.

15

Le Prêcheur Jack Collins avait plusieurs résidences, mais son nom n'était inscrit sur aucun bail ni aucun acte notarié. L'une de ses maisons se trouvait au sud de la vieille Nationale 90, à portée de vue des Del Norte Mountains, trente kilomètres à l'intérieur d'un terrain désertique qui semblait fait de pierres concassées maintenues ensemble par les racines des buissons, des mesquites et des cactus qui s'épanouissaient en fleurs rouge sang.

Sur la montagne derrière sa maison de stuc d'une seule chambre, on voyait une série d'anciens poteaux télégraphiques dont les fils pendaient sur le sol comme des guirlandes de spaghettis noirs. Au-delà des poteaux se trouvait l'entrée béante d'une cave aux parois de roc, étançonnée par des piliers de bois et des poutres transversales effondrées, ou que les insectes avaient réduites à la densité du liège.

Par une nuit étoilée, le Prêcheur s'était assis dans l'entrée et avait regardé le désert prendre la teinte grise aux reflets bleu et argent qu'il semblait puiser dans le ciel, comme si le ciel et la terre œuvraient ensemble à rafraîchir le désert et à le transformer en un objet d'art en étain. Puis il s'était rendu compte qu'une petite brise soufflait sur son visage, effleurait ses bras et ses épaules et pénétrait dans l'excavation derrière lui. La cave, tout compte fait, n'était pas une cave. Ce n'était pas non plus une mine. C'était une grotte, profonde, en spirale, qui avait sans doute été formée par l'eau il y a des millions d'années, une grotte qui débouchait sur l'autre flanc de la montagne, ou menait à une caverne, bien en dessous. Peut-être ses premiers occupants en avaient-ils renforcé les parois et le plafond avec des étais de bois, mais le Prêcheur était persuadé qu'aucune main humaine n'avait contribué à sa création.

Il passa bien des soirées sur un siège de métal devant la grotte, se demandant si le vent qui résonnait à l'intérieur s'adressait à lui, et si le désert n'était pas un ancien vignoble rendu stérile par l'infidélité de l'homme envers Yahvé. Paradoxalement, cette pensée le réconfortait. D'une certaine façon, les péchés du monde lui donnaient l'impression d'un lien plus fort entre le monde et lui, le rendaient lui-même plus tolérable à ses propres yeux et, en même temps, réduisaient son propre degré d'iniquité. Sauf que le Prêcheur avait un problème dont il ne pouvait se libérer : il avait enfoui dans le sol les corps des femmes asiatiques, et regardé le bulldozer d'Hugo les recouvrir et festonner la terre par-dessus. Il se disait qu'il avait agi comme un représentant de Dieu, purgeant le monde d'une abomination, leur épargnant même peut-être la dégradation morale et les maladies qui les attendaient si elles étaient devenues des prostituées dans les rues d'une nation corrompue.

Mais le Prêcheur réussissait mal à rationaliser le massacre de femmes impuissantes et terrifiées qui, chaque nuit, l'attendaient dans son sommeil. Quand Bobby Lee Motree arriva chez lui dans le désert, Jack fut ravi de cette diversion.

Il installa deux sièges de métal devant la grotte, ouvrit deux bouteilles de Coca-Cola fraîches, une pour chacun, et regarda Bobby Lee boire jusqu'à la dernière goutte, la gorge palpitante. Bobby Lee portait un T-shirt sans manches, son chapeau haut de forme, et son jean marron avec des carrés de toile jaune cousus aux genoux. Il était rempli de confiance et heureux d'être de retour dans les bonnes grâces du Prêcheur. Il se déchargea de son fardeau, raconta comment Liam s'était fait descendre par l'adjointe, et comment ce salaud de bâtard d'Artie Rooney avait dit à Hugo de buter tout le monde – le soldat et sa nana, le mec juif et sa femme, et peut-être même ses enfants et, pour finir, le Prêcheur lui-même.

« Si on ne peut pas faire confiance à Artie Rooney, à qui peut-on faire confiance ? Les standards de notre profession se sont sérieusement dégradés, remarqua le Prêcheur.

– Je me disais la même chose, répondit Bobby Lee. C'était une blague.

– Ouais, je le savais. Je sais toujours quand tu plaisantes. »

Le Prêcheur laissa tomber le sujet. « Raconte-moi encore comment ce Holland a repéré Liam. Je n'ai pas tout compris.

– Je suppose qu'il la reconnu, c'est tout.

– Alors que Liam s'était rasé la barbe, qu'il était assis dans un restaurant bondé, et que le shérif ne l'avait jamais vu et n'avait aucune raison de le chercher là ?

– Je n'en sais fichtre rien. Il arrive des choses bizarres.

– Mais toi, le shérif ne t'a pas reconnu ?

– J'étais aux toilettes en train de chier.

– Comment as-tu réussi à sortir au milieu de cette fusillade, alors que tu étais aux toilettes ?

– C'était la confusion totale. J'ai couru dehors avec tout le monde.

– Et tu es parti comme ça, tranquillement, à pied, alors que tout le monde t'avait vu assis avec Liam quelques minutes plus tôt ?

– La plupart d'entre eux se pissaient dessus. Pourquoi ils se seraient inquiétés de moi ?

– Peut-être que tu as juste eu de la chance.

– Je t'ai dit exactement ce qui s'est passé.

– Les jeunes sont persuadés que la mort ne les concerne pas. Ça leur donne une confiance que n'ont pas les vieillards comme moi. C'est de là que te vient ta chance, Bobby Lee. Ta chance est une illusion produite par une illusion. »

Le malaise palpable de Bobby Lee allait grandissant. Il bougea sur sa chaise, jeta un coup d'œil sur les étoiles, sur le scintillement du désert et sur la teinte verdâtre en bas du ciel.

« Ce trou derrière nous, c'est une de ces réserves des pionniers, là où ils mettaient leurs conserves et leurs machins ?

– Ça descend peut-être jusqu'au centre de la terre. Un jour, je le saurai.

– Il m'arrive parfois de pas comprendre ce que tu veux dire, Jack.

– Mon oncle était dans le Pacifique Sud. Il disait qu'il avait dynamité toute une montagne sur des Japs qui refusaient de se rendre et se cachaient dans des grottes. Il disait qu'on les entendait la nuit, comme des centaines d'abeilles en train de bourdonner sous la terre. Je parie que si tu colles ton oreille sur le sol, tu pourrais encore les entendre.

– Pourquoi tu parles de choses comme ça ?

– Parce que je doute de ta fidélité, et que tu commences à me gonfler.

– Jamais j'essaierais de te baiser. Fais-moi un peu confiance, dit Bobby Lee, les yeux écarquillés, fixes, les pupilles dilatées comme des gouttes d'encre dans la nuit.

– Bobby Lee, soit tu as donné Liam, soit ce Holland est un homme de loi particulier, du genre qui n'abandonne pas avant d'avoir cloué ta peau à la porte de la grange. Alors ?

– J'ai pas donné Liam. C'était mon ami », répondit Bobby Lee en posant les mains sur ses genoux, le visage tourné vers le ciel. Sa mâchoire pas rasée donnait l'impression que des grains de sel et de poivre noir avaient été frottés dans ses pores. Le Prêcheur le regarda pendant un long moment, jusqu'à ce que le visage de Bobby Lee commence à se contracter et ses yeux à miroiter. « Si tu veux continuer à me faire mal et à m'insulter, te gêne pas. Je suis venu te voir ici parce que t'es mon ami. Mais tu fais que me rabaisser, dit Bobby Lee.

– Je te crois, mon garçon », dit le Prêcheur.

Bobby Lee s'éclaircit la gorge et cracha. « Pourquoi tu fais ça ? demanda-t-il.

– Pourquoi je fais quoi ?

– Le genre de boulot qu'on fait. On est des tueurs. On met les gens sur "off", et on coupe leur moteur. Un pro fait ça pour de l'argent. C'est pas censé être personnel. T'es un pro, Prêcheur, mais pour toi, c'est pas une question d'argent. C'est quelque chose que personne demande jamais à ton sujet. Pourquoi tu fais ça ?

– Pourquoi tu me poses la question ?

– Parce que t'es le seul homme à qui je pourrais jamais ressembler.

– Tu vois cet éclat sur la terre ? Ce sont les ossements dans le sol qui font ça. À l'intérieur de toutes ces alluvions, de cette lave, de ces roches sédimentaires, il y a des millions de choses mortes qui dégagent de l'énergie, qui éclairent la voie pour nous.

– Continue. »

La Prêcheur ôta un moustique de sa nuque et l'écrasa entre son pouce et son index. Il essuya le sang sur un morceau de Kleenex. « C'est tout. Tu as posé une question, et j'y ai répondu.

– Je comprends pas. Éclairer la voie, c'est ça ?

– Ne te tracasse pas, mon garçon. Il faut que je sache tout sur ce type, Holland. Je veux savoir pourquoi il est descendu vers le Big Bend. Je veux savoir comment il a reconnu Liam.

– C'est toi qui nous as entraînés là-dedans, Jack. Comment je serais censé tout arranger ? »

Le Prêcheur ne répondit pas. Dans le vent, son visage semblait aussi serein et pétrifié que s'il avait été trempé dans de l'eau chaude, ses lèvres légèrement entrouvertes laissant voir ses dents. Il avait dans les yeux un reflet noir qui fit déglutir Bobby Lee, comme si le Prêcheur apercevait à l'horizon une présence qu'il était seul à voir. « T'es pas fâché contre moi, hein ? dit Bobby Lee en essayant de sourire.

– Contre toi ? T'es comme un fils pour moi, Bobby Lee », répondit le Prêcheur.

Bobby Lee prit sa voiture et s'éloigna de la maison de stuc avant l'aube. Le Prêcheur se prépara un petit déjeuner sur un réchaud à gaz et le mangea directement dans une assiette en étain sur les marches de derrière. Tandis qu'à l'est une lueur rouge se faufilait à travers la plaine, le Prêcheur prit ses béquilles et descendit la pente en direction de la mesa encore dans l'ombre. Il croisa un arroyo et marcha péniblement dans une dépression de glaise molle qui, à chaque pas, se craquelait et s'enfonçait sous son poids. Il crut voir des pétroglyphes taillés dans les strates du rocher au-dessus de sa tête, et il était persuadé qu'il traversait une ravine alluviale qui avait sans doute irrigué des champs verdoyants quand une société agraire vivait en harmonie avec les animaux, et qu'aucune lame de couteau primitive ne leur avait tiré une goutte de sang, ni à eux ni aux gens qui avaient été envoyés vivre à l'est d'Éden.

Mais les réflexions du Prêcheur Jack à propos d'un paradis perdu ne lui apportaient aucune paix. Quand il regardait derrière lui, les traces en forme d'entonnoir que ses béquilles laissaient sur le lit de la rivière à sec lui rappelaient des traces de coyote. Même la piste que dessinaient ses empreintes était serpentine et indistincte, comme si son essence même était celle d'une créature passagère et dépourvue de poids, indigne d'une création complète.

Il aurait aimé se voir comme un personnage rétroactivement blasonné dans une légende biblique, mais la réalité était autre. Du jour de sa naissance, il avait été un fardeau pour sa mère, et avait épié ses frasques galantes. Maintenant, il désirait la femme qui l'avait vaincu à la fois physiquement et intellectuellement et, en plus, avait réussi à lui balancer une balle de .38 dans le mollet et une autre sur le dessus du pied. Le souvenir de son odeur, la chaleur de sa peau et de ses cheveux, les taches de salive et de rouge à lèvres qu'elle avait laissées sur lui faisaient gonfler son sexe, et ça le rendait honteux.

Non seulement elle l'avait repoussé mais, indirectement, elle était responsable de la mort de Liam Eriksson et avait mêlé à l'affaire un shérif du nom de Holland, sans doute le type de campagnard à la tête dure auquel un pro ne se frotte pas ou que, si nécessaire, il fait buter par quelqu'un d'autre.

Le Prêcheur effectua un cercle et commença à reprendre péniblement le chemin de sa maison. Les pentes et les mesas

266

étaient roses au soleil levant, l'air était doux, les feuilles humides des mesquites frottaient contre son pantalon, ses mains et ses poignets. Il aurait voulu aspirer le matin dans sa poitrine et écarter la frousse et la dépression qui semblaient le visser dans la terre, mais c'était inutile. Jamais de sa vie il ne s'était senti si seul. Quand il fermait les yeux, il croyait voir un wagon sur une voie de garage, sa mère assise sur un tabouret dans la portière ouverte, en train de couper des carottes et des oignons dans une marmite pour faire une soupe qui cuirait sur un feu en plein air, le soir même. Dans son rêve, sa mère levait son visage dans le soleil et lui souriait.

Peut-être était-il temps de mettre de côté le doute et la culpabilité. Quand il le veut, un homme peut toujours devenir le maître de son âme. Un homme n'a pas à accepter la main que lui a distribuée le Destin. Moïse ne l'avait pas fait. David non plus. N'était-il pas temps qu'il continue son voyage dans un passé biblique, qu'il devienne un fils dont sa mère puisse être fière, en dépit des actes qu'il avait commis pour Artie Rooney, en dépit des cauchemars dans lesquels il voyait des femmes asiatiques alignées tentant de lever les paumes pour se protéger de l'arme qui tressautait entre ses mains, presque comme si elle était dotée d'une volonté plus forte que la sienne ?

La réponse se trouvait dans le Livre d'Esther. L'histoire avait été écrite deux mille trois cents ans avant sa naissance, et elle avait attendu autant de siècles pour qu'il y pénètre et endosse le rôle qui aurait dû être le sien, et qui maintenant lui était offert par une main invisible. Il aspira profondément la fraîcheur du matin et sentit un coup dans sa poitrine, aussi coupant qu'une écharde de verre.

À cinq heures du matin, Nick Dolan se réveilla au bruit de la pluie qui frappait les bananiers sous la fenêtre de sa chambre. Un instant, il se crut dans la maison de son grand-père, près de Napoleon Avenue, à La Nouvelle-Orléans. Son grand-père habitait une *shotgun house*[1] au toit de métal pointu, avec des fenêtres qui montaient jusqu'au plafond, équipées de persiennes ventilées qui pouvaient être fixées pendant la saison des ouragans. Il y avait un pacanier dans le jardin, auquel était accrochée une balançoire, et le sol, sous ses branches, était mou et moisi, vert à cause des coques de noix de pécan écrasées. Même aux heures les plus chaudes du jour, le jardin était venté et restait plongé dans l'ombre, et les enfants du voisinage s'y retrouvaient tous les après-midi d'été, à trois heures, pour attendre l'arrivée de la carriole de *sno'ball*[2].

La maison de son grand-père était un endroit sûr, très différent de l'environnement de Nick dans le Neuvième District, où Artie Rooney, ses frères et leurs amis faisaient de sa vie un tourment quotidien.

Nick s'assit sur le bord de son lit et posa doucement une main sur la hanche d'Esther. Elle était tournée vers le mur, ses cheveux noirs et son teint pâle effleurés par l'ombre que le clair de lune créait par la fenêtre. Il lui remonta sa chemise de nuit sur la cuisse, glissa le doigt dans l'élastique de sa culotte et le baissa suffisamment pour pouvoir poser délicatement un baiser sur sa fesse, ce qu'il faisait toujours avant qu'ils aient des rapports sexuels. Il sentait l'intensité nocturne de la chaleur de son corps à travers sa chemise de nuit et entendait le bruit régulier, calme, de sa respiration contre le mur. Quand il l'effleura, sa main parut ne pas réveiller Esther, ni la troubler, et il se demanda si son sommeil profond était feint ou si vraiment elle rêvait qu'elle était de retour dans une époque où Nick n'avait pas échangé leur bonheur pour le succès dans le commerce des corps.

----

1. Type d'habitat populaire, notamment dans le Sud. La *shotgun house* est un bloc rectangulaire, comprenant de trois à cinq pièces en enfilade, sans couloir ni vestibule, avec une entrée à chaque extrémité.

2. Carrioles décorées dans lesquelles sont vendues les *snowballs*, boules de glace parfumées très populaires en Louisiane.

Il enfila ses pantoufles et sa robe de chambre, mangea un bol de Grape Nuts et but un verre de lait froid dans la cuisine et, à six heures, il coupa l'alarme et ramassa le journal dans le jardin. La matinée était fraîche et humide, et sentait les arroseurs, l'herbe de Saint-Augustin que les jardiniers mexicains de Nick avaient tondue à ras tard hier après-midi, et les fleurs nocturnes qu'Esther fertilisait sans cesse avec du marc de café, du guano de chauve-souris, du sang de poisson et de la terre noire qu'elle allait chercher dans un marais près de Lake Charles, tout ça suscitant une odeur féconde que Nick associait à un cimetière de Louisiane si profondément enfoui dans l'ombre que la lumière du soleil n'y pénétrait jamais.

Les pensées à propos de cimetières, ça suffit, se dit-il, et il rentra dans la maison, serrant le journal roulé dans sa main. Il ne souhaitait pas non plus s'attarder sur des réflexions concernant des brutes de cour de récréation, son échec personnel, le naufrage de sa fortune dans les sables de la ruine. Il voulait être avec Esther, dans sa chaude étreinte, dans le rayonnement de ses cuisses, avec l'odeur de ses cheveux dans le visage, le rythme de sa respiration sur sa joue. Ça ne semblait pas être beaucoup demander. Pourquoi les Furies s'étaient-elles liguées contre lui ? Il retira l'enveloppe de plastique destinée à protéger le journal de la pluie et le déroula sur la table de la cuisine. La une évoquait le meurtre d'une jeune mère et de ses deux enfants. Le principal suspect était un petit ami évincé. Le visage de la femme lui parut familier. Avait-elle travaillé dans son club ? Ouais, c'était possible. Et alors ? Qu'est-ce qui était pire, travailler tous les jours comme une bête de somme, se faire humilier, connaître la pauvreté qui est celle d'un bénéficiaire de l'aide sociale, ou se faire pas mal de dollars en cabriolant quelques heures sur un poteau, pour le bénéfice de la brigade des fils à papa ?

Nick savait quelle était la source secrète de son insatisfaction. Sa fortune avait été sa raison d'être et sa protection contre le monde, la compensation pour toutes les fois où il avait été bousculé dans

269

la queue à l'école ou au cinéma, ou poursuivi, en larmes, jusque dans sa cour, par l'armée de voyous qui proclamaient qu'ils vengeaient la mort de Jésus. Maintenant, une grande partie de la fortune de Nick avait disparu, et quelques mauvais investissements dans des compagnies de matières premières et de prêts hypothécaires s'apprêtaient à en balayer le reste.

Nick se sentait crucifié pour d'autres raisons. Même si Esther prétendait le contraire, elle ne lui pardonnerait sans doute jamais son implication dans la mort des femmes asiatiques, même s'il était presque autant qu'elles une victime de cette affaire. Du moins, c'était ainsi qu'il voyait les choses.

Une ombre se déplaça sur la table de la cuisine. Nick se retourna, surpris, renversant son verre de lait.

« Tu veux des corn-flakes ? demanda Esther.

– J'ai déjà mangé.

– Pourquoi t'es-tu levé si tôt ?

– La nervosité, je suppose.

– Retourne te coucher.

– Tu en as envie ?

– Envie de quoi ?

– De dormir encore un peu ?

– Je vais faire du thé.

– Peut-être qu'on n'a pas assez dormi ni l'un ni l'autre, dit Nick en étouffant un bâillement. Il n'est que six heures vingt. On pourrait faire un petit roupillon. Ensuite, on pourra aller prendre le petit déjeuner dehors. Qu'est-ce que tu en dis ?

– J'ai un cours d'aérobic à sept heures et demie.

– Mieux vaut ne pas rater l'aérobic. C'est important. On y laisse entrer les hommes ? Ça pourrait me servir. Sautiller et piquer une suée en écoutant des vieux tubes, ou je ne sais quoi. » Il raidit ses doigts et les enfonça dans son ventre ramolli, puis il recommença, plus fort.

Elle le regarda de façon bizarre, remplit une casserole d'eau et la posa sur la cuisinière. «Tu es sûr que tu ne veux pas de corn-flakes ?

– Je commence un régime. Il faut que je me change physiquement, et peut-être que je fasse un peu de chirurgie esthétique, tant que j'y suis. »

Nick monta à l'étage, se lava les dents, s'habilla, enfilant une cravate et une chemise blanche, plus comme une déclaration d'indépendance vis-à-vis de ses besoins sensuels et émotionnels que pour se préparer à aller travailler dans son restaurant, qui n'ouvrait pas avant onze heures. Il redescendit, traversa délibérément la cuisine, sortit une brique de jus d'orange du frigidaire, sifflotant, ignorant la présence d'Esther.

« Où vas-tu ? demanda-t-elle.

– Je descends payer quelques factures. Tant que j'ai encore un peu d'argent en banque pour payer les factures. Dis aux enfants que je les conduirai à la piscine un peu plus tard.

– Qu'est-ce que tu as ?

– Les parterres de fleurs sentent le poisson pourri. Il faut qu'on remplisse le pulvérisateur de Lysol et qu'on les asperge tous.

– Écoute un peu ce que tu racontes. Tu as lu le journal ? Une famille entière est assassinée, et tu parles de l'odeur du jardin. Mesure ta chance. Pourquoi dire des saletés dans ta propre cuisine ? Montre un peu de respect. »

Nick se pressa les paumes sur les tempes et descendit la demi-volée de marches menant au froid glacial de son bureau. Il s'assit dans l'obscurité et posa le front sur son sous-main, sa cravate dorée pendant de sa gorge comme un épi de maïs bouilli, ses bras flasques à ses côtés comme des rouleaux de pâte à pain. Il se frappa la tête contre le sous-main.

« Je n'ai pas pu m'empêcher d'entendre votre discussion. Vous pourriez peut-être vous conduire comme les papistes. Le célibat a ses bons côtés, dit une voix dans la pénombre.

– Seigneur Jésus ! s'exclama Nick en sursautant.

– Je pensais qu'on pourrait discuter de certaines questions.

– J'avais mis l'alarme. Comment êtes-vous entré ? demanda Nick, se concentrant sur l'homme assis sur le siège de cuir

271

rembourré, une paire de béquilles posées en travers de ses chaussures.

– Par la porte du jardin, là-bas. Je suis entré avant que vous vous couchiez. À vrai dire, j'ai feuilleté deux ou trois de vos livres, j'ai fait un petit somme dans votre fauteuil et je me suis servi de vos toilettes. Vous devriez faire un peu de ménage. J'ai dû prendre des essuie-mains propres dans le placard. »

Nick saisit le téléphone ; la sonnerie remplit la pièce.

« Je suis venu ici pour vous sauver la vie, et celle de votre femme et de vos enfants, dit le Prêcheur. Si j'étais ici pour une autre raison… Enfin, il est inutile de parler de ça. Reposez ce téléphone, et cessez de vous ridiculiser. »

Nick reposa le téléphone sur son socle. Par rapport au récepteur noir, le dos de sa main paraissait étrangement blanc et doux. « C'est une question d'argent ?

– Quand j'ai dit une chose une fois, je ne la répète pas. Vous n'êtes pas sourd, et vous ne manquez pas d'intelligence. Si vous prétendez le contraire, je m'en irai, et le sort de votre famille dépendra de vous, et plus de moi. »

Les doigts de Nick tremblaient sur son sous-main. « C'est à propos d'Artie Rooney et des Asiatiques, c'est ça ? C'est vous qui avez tiré ? Hugo a dit que le tireur était un cinglé de religion. C'est vous, n'est-ce pas ? »

Le visage du Prêcheur resta impassible, ses cheveux gominés soigneusement peignés en arrière, son front brillant dans la pénombre. « Rooney va vous faire tuer, vous et madame Dolan, et peut-être aussi vos enfants. Si le tireur peut s'approcher assez près, il veut que votre femme se prenne une balle dans la bouche. Il a aussi prévu de me faire tuer, moi. Ça nous fait beaucoup de choses en commun. Mais si vous le demandez, je me casse. »

Nick sentit qu'il avait la bouche sèche, les yeux humides, que son rectum se contractait sous l'effet de l'angoisse et de la peur.

« Vous allez faire de la sensiblerie avec moi ? demanda le Prêcheur.

– Pourquoi vous préoccuperiez-vous de nous ?

– J'ai été envoyé. Je suis celui qui a été envoyé. » Le Prêcheur leva la tête. Il paraissait sourire, d'un sourire d'autodérision presque risible.

« De quoi diable parlez-vous ? » Nick s'essuya le nez du dos du poignet, sans attendre de réponse, sans souhaiter entendre la réponse d'un fou.

« Vous regardez les émissions sur la protection des témoins, ce genre de trucs ?

– Comme tout le monde. À la télé, on ne voit que ça.

– Vous avez envie de vivre à Phoenix, l'été, avec du sable et des pierres en guise de jardin, et pour voisins des motards avec des croix gammées ? Parce que en dehors de coopérer avec moi, c'est le seul choix qui vous reste. Artie Rooney a une relation de travail épisodique avec un Russe qui s'appelle Josef Sholokoff. Ses mecs sortent des pires prisons de Russie. Vous voulez que je vous raconte ce qu'ils ont fait à une famille de Mexicains, à Juarez, en particulier aux enfants ?

– Non, je n'ai pas envie d'entendre ça.

– Je vous comprends. Vous connaissez un nommé Hackberry Holland ?

– Non… Qui ? Holland ? Non, je ne connais personne de ce nom.

– Mais pourtant le nom vous dit quelque chose. Vous l'avez vu dans le journal. Il est shérif. Vous l'avez vu à propos de la mort d'un agent de l'ICE, à San Antonio. Holland y était.

– Je vous l'ai dit, je ne connais pas ce Holland. Je suis restaurateur. Je me suis lancé dans les services d'escort girls, mais j'ai arrêté. Je suis fauché. Je ne suis pas un criminel. Les criminels ne sont pas fauchés. Les criminels ne sont pas en faillite. Ils ne voient pas leur famille mise à la rue.

– Avez-vous été interrogé par un agent de l'ICE ? Holland est-il venu vous voir ?

« – Moi ? Non. Enfin, peut-être que le type des douanes et de l'immigration est venu chez moi. Je ne connais personne qui s'appelle Holland. Vous ne dites les choses qu'une seule fois, mais les autres doivent vous les répéter dix fois, c'est ça ?

– Je pense que le shérif Holland me veut du mal. Et s'il me met hors circuit, vous serez hors circuit aussi, parce que je suis la seule personne qui reste entre vous et Artie Rooney et ses partenaires russes.

– J'ai commis des erreurs, mais je ne suis pas un voleur. Arrêtez de me mêler à votre vie.

– Vous êtes en train de dire que je suis un voleur ?

– Non, monsieur.

– Vous avez un pistolet dans votre tiroir, un Beretta 9 millimètres. Pourquoi ne le sortez-vous pas de ce tiroir, ne le prenez-vous pas dans la main, ne le pointez-vous pas sur moi, et ne me répétez-vous pas que je suis malhonnête ?

– Si vous avez trouvé mon arme, vous avez pris les balles.

– Possible. Possible aussi que non. Ouvrez le tiroir et prenez-le. Le poids devrait vous renseigner.

– Si j'ai dit quelque chose que je n'aurais pas dû dire, je m'excuse. »

Le Prêcheur se pencha en avant sur son siège. Il portait un costume marron avec des rayures claires, et il n'avait plus de plâtre. « Emmenez madame Dolan et les enfants hors de la ville pendant un moment. Partout où vous irez, payez en liquide. Une carte de crédit, c'est une empreinte de pas électronique. N'appelez ni votre restaurant, ni votre avocat, ni vos amis. Artie Rooney risque d'espionner les lignes téléphoniques. Je vous donnerai un numéro de portable où vous pourrez me contacter. Mais vous ne parlerez à personne d'autre.

– Vous êtes fou ? Personne n'a de telles exigences. » Nick ouvrit le tiroir latéral de son bureau et regarda le pistolet qui y était posé.

« Un fou est quelqu'un de psychotique, dont la vision du monde est déformée. Lequel de nous deux est un réaliste ?

Celui qui a survécu parmi les prédateurs, ou celui qui joue au père de famille alors qu'il vit sur le dos de putes et fait courir un danger mortel à sa famille ? »

Nick essaya de soutenir le regard du Prêcheur.

« Vous voulez dire quelque chose ? demanda le Prêcheur. Prenez ce pistolet.

– Ne me tentez pas.

– Vous avez déjà tiré ?

– Non.

– Prenez-le et braquez-le sur moi. Tenez-le à deux mains. Comme ça, vos doigts cesseront de trembler.

– Vous pensez que je ne vais pas le prendre ?

– Montrez-moi. »

Nick mit sa main dans le tiroir. La carcasse et la crosse quadrillée du 9 millimètres semblaient solides et rassurantes, tandis qu'il serrait les doigts autour. Il souleva l'arme du tiroir. « C'est léger. Vous avez retiré la barrette.

– Ça s'appelle un chargeur. Il paraît léger parce que vous avez peur et que l'adrénaline vous donne une force que vous n'avez pas normalement. Le mécanisme de mise à feu a une sécurité Butterfly. Le point rouge signifie que vous pouvez y aller. Armez le percuteur.

– Je n'en ai pas envie.

– Faites-le, petit gros. Faites-le, petit gros Juif.

– Comment vous m'avez appelé ?

– Ce n'est pas moi qui vous appelle comme ça, c'est Hugo. Il vous appelle aussi le Pillsbury Doughboy[1]. Mettez votre pouce sur le percuteur, tirez-le en arrière, puis visez-moi. »

Nick posa l'arme sur le bureau et en écarta la main. Il respirait par le nez, avait les paumes moites, un goût de lait suri lui montait à la bouche.

---

1. Mascotte de la société alimentaire Pillsbury, personnage anthropomorphe fait de pâte.

« Pourquoi ne pouvez-vous pas le faire ? demanda le Prêcheur.

– Parce qu'il est vide. Parce que je ne suis pas là pour vous amuser.

– Ce n'est pas du tout la raison. Appuyez sur le bouton à côté de la gâchette. »

Nick souleva l'arme et appuya sur le bouton qui libérait le chargeur. Le chargeur tomba de la carcasse sur le buvard avec un bruit sourd, le ressort tendu par une provision de cartouches de cuivre.

« Tirez sur la glissière. Vous verrez une balle dans le chargeur. Si vous ne m'avez pas visé, c'est parce que vous n'êtes pas un assassin. Mais d'autres en sont, et ils ne réfléchissent pas deux secondes à ce qu'ils font. C'est de ces hommes que j'essaie de protéger votre famille. Certains parmi nous sont conçus différemment, et ne doivent pas être sous-estimés. Je suis l'un d'entre eux, mais je pense que je suis différent des autres. Est-ce que tout ce que je dis vous échappe ? Êtes-vous aussi ignorant que corrompu ?

– Non, vous me donnez envie de vous faire sauter votre putain de caboche. »

La porte qui menait à l'étage s'ouvrit et la lumière inonda l'escalier. « Qui est là ? » demanda Esther. Avant que quiconque ait pu répondre, elle descendait, tenant par la poignée un pot. Elle baissa les yeux sur le Prêcheur. « Qui êtes-vous ?

– Un ami.

– Comment êtes-vous entré dans ma maison ?

– La porte du jardin était ouverte. Je l'ai déjà expliqué. Pourquoi ne vous asseyez-vous pas ?

– Vous êtes l'un d'entre eux, n'est-ce pas ?

– L'un d'entre qui ?

– Les gangsters qui nous tourmentent.

– Vous vous trompez.

– Il s'apprête à partir, Esther, dit Nick.

– Vous êtes l'un de ceux qui ont enlevé mon mari.

276

– Je ne dirais pas les choses de cette façon.

– Ne mentez pas.

– Vous ne devriez pas utiliser ce mot avec moi, madame. »

Elle fit un pas vers lui. « Les Asiatiques, les prostituées, les clandestines, ou quoi qu'elles aient été, vous êtes venu ici pour elles. C'est vous qui avez fait ça.

– Fait quoi ?

– Qui les avez tuées. C'était vous, n'est-ce pas ?

– Pourquoi dites-vous ça ? » La bouche du Prêcheur se contracta légèrement, les mots se bloquant dans sa gorge.

« Vos yeux sont morts. Il n'y a qu'un seul type d'homme qui a des yeux comme ça. Quelqu'un qui assassine la lumière derrière ses propres yeux. Quelqu'un qui a essayé d'effacer de son âme les empreintes de Dieu.

– Ne me parlez pas comme ça, femme.

– Vous m'appelez "femme" ? Une merde m'appelle "femme" dans ma propre maison ?

– Je suis venu ici pour…

– La ferme, espèce de gangster minable, dit-elle.

– Au nom de Dieu, vous ne me parlerez pas comme ça… » commença-t-il.

Elle lui jeta au visage le pot en acier inoxydable, encore rempli de corn-flakes. Le son se répercuta dans la pièce comme celui d'une cymbale de cuivre. Avant qu'il ait pu se remettre du choc elle le frappa à nouveau, sur la tête cette fois. Quand il essaya de lever les bras, elle fit pleuvoir sur lui un coup après l'autre, sur sa nuque, ses épaules, ses coudes, tenant la poignée à deux mains, frappant vers le bas comme si elle s'en prenait à une souche.

« Esther ! » dit Nick qui émergea de derrière son bureau.

Quand le Prêcheur baissa les bras, elle balança à nouveau le pot, le touchant juste au-dessus de l'oreille. Il se remit sur pieds et tituba jusqu'à la porte du jardin, du sang coulant de ses cheveux. Il poussa la porte à la volée et monta les quelques

277

marches menant au jardin, s'agrippant aux plus hautes pour garder l'équilibre, ses paumes souillées de fientes d'oiseaux.

Esther ramassa les béquilles du Prêcheur et le suivit dans le jardin, à travers les citrus, les myrtes, les palmiers et les hibiscus. Il se dirigeait vers la rue, essayant de la distancer, regardant derrière lui, son visage en lame de couteau tremblant, ses mouvements saccadés pareils à ceux d'un crabe. Elle lui lança ses béquilles à la tête. «Juste pour que n'ayez pas de raison de revenir», dit-elle.

Le Prêcheur traversa la haie pour gagner le trottoir, et vit Bobby Lee démarrer son véhicule un peu plus haut dans la rue, à l'instant où l'arroseuse passait et aspergeait le Prêcheur de la tête aux pieds. Le ciel à l'est était bleu comme un œuf de merle, ourlé en bas de bandes de nuages violets et cramoisis. Les couleurs étaient majestueuses, les couleurs royales de David et de Salomon, comme si le ciel lui-même avait conspiré à tourner en dérision son caractère pompeux, sa fierté ridicule et son vain espoir d'être un jour sauvé.

16

Tôt le samedi matin, Hackberry alla jusqu'à sa grange et écuma les insectes de la deuxième citerne qu'il avait pour ses Missouri fox trotters, un *chestnut* qui s'appelait Missy's Playboy et un palomino du nom de Love That Santa Fe. Puis il ouvrit le robinet à fond, et laissa l'eau couler jusqu'à ce qu'elle déborde des flancs d'aluminium et qu'elle soit vierge d'insectes et de terre, fraîche et légèrement teintée de vert à cause des morceaux de foin qui y flottaient. Les deux fox trotters étaient encore des poulains, et s'accordaient la liberté de le pousser du museau et de fouiller ses poches à la recherche de friandises, leur souffle lourd, chaud et herbeux, sur son visage. Parfois ils sortaient un gant de sa poche, ou lui arrachaient son chapeau de la tête et s'en allaient avec. Mais ce matin ils n'étaient pas joueurs et ne cessaient de fixer l'extrémité de la pâture, immobiles, les oreilles en arrière, leurs narines dilatées dans le vent qui soufflait du nord.

« Qu'est-ce qui ne va pas, les gars ? Vous avez vu un puma ? dit Hackberry. Vous êtes de trop grands garçons pour vous laisser troubler par des détails comme ça. »

Il entendit son portable sonner dans son treillis. Il l'ouvrit, regardant en direction de la barrière au nord du pré, ne voyant rien de plus qu'un chêne solitaire se découpant contre le ciel de l'aube et une cabane en planches abandonnée dans laquelle son voisin entreposait du foin. Il colla le portable à son oreille. « C'est toi, Hack ?

– Que se passe-t-il, Maydeen ?

– Je viens d'avoir un appel bizarre. Un type a dit qu'il voulait te parler, mais il n'a pas donné son nom.

– Qu'est-ce qu'il voulait ?

– Il a dit que tu étais en danger. Je lui ai demandé en danger de quoi. Il a dit que je n'avais pas à le savoir. Il a dit qu'il utilisait un portable acheté à quelqu'un dans la rue, pour qu'il ne me vienne pas à l'idée de chercher l'origine de l'appel.

– Qu'est-ce que tu lui as dit ?

– Que je te transmettrais le message. S'il rappelle, tu veux que je lui donne ton numéro ?

– Ouais, vas-y.

– Il y a autre chose. Je lui ai demandé s'il avait bu. Il a dit : "J'aimerais être en plein delirium. J'aimerais que tout ça soit un rêve. Mais ces Asiatiques ne se sont pas butées elles-mêmes." »

Une demi-heure plus tard, alors qu'Hackberry arrosait ses parterres, son portable sonna à nouveau dans sa poche. «Allô ?» dit-il. Pas de réponse. «Vous êtes l'homme qui a appelé mon bureau un peu plus tôt ?

– Oui. »

Hackberry se baissa pour couper le robinet. «Vous vouliez m'avertir de quelque chose ?

– Oui.

– Vous voulez bien me dire de quoi ?

– Jack Collins. On l'appelle le Prêcheur.

– Et alors ?

– Il pense que vous le cherchez. Il pense qu'on s'est rencontrés, vous et moi.

– Quel est votre nom ?

– Collins a tué les femmes thaïes. Il est en cheville avec Hugo Cistranos et Arthur Rooney. Il se prend pour un personnage de la Bible.

– Vous êtes en train de me dire que vous êtes en danger, monsieur ?

– Je ne me préoccupe pas de moi.

– Collins essaie de faire du mal à votre famille ?

– Vous vous trompez complètement. Il pense qu'il nous protège. Collins dit qu'Arthur Rooney a prévu de nous tuer.

– Laissez-nous vous aider. Retrouvez-moi quelque part.

– Non, je vous ai appelé parce que…

– Parce que quoi ?

– Je ne veux pas que votre sang me retombe dessus. Je ne veux pas que le sang de ces Asiatiques me retombe dessus. Je ne veux pas non plus qu'on fasse du mal au soldat et à sa copine. Je n'avais rien prévu de tout ça. »

Personne ne prévoit jamais rien, mon pote, pensa Hackberry.

« Avez-vous appelé le 911 à ce sujet il y a quelque temps, pour essayer d'avertir le FBI à propos de Viki Gaddis et de son copain ?

– Non.

– Je pense que si. J'ai entendu votre voix sur la bande. Je pense que vous êtes sans doute un brave homme. Vous ne devriez pas avoir peur de nous.

– Artie Rooney dit qu'il veut que ma femme prenne une balle dans la bouche. Je ne suis pas un brave homme. J'ai laissé tout ça arriver. J'ai dit ce que j'avais à dire. Vous n'entendrez plus jamais parler de moi. »

Il coupa la communication.

Hackberry appela Maydeen. « Mets la main sur Ethan Riser. Dis-lui que je pense qu'on a une piste sérieuse sur Jack Collins.

– Ethan qui ?

– L'agent du FBI. Dis-lui de m'appeler à la maison.

– Il y a quelqu'un qui t'en veut, Hack ?

– Pourquoi on m'en voudrait ?

– Parce que tu as la tête aussi dure qu'un parpaing, que tu ne renonces jamais, et que tous les salopards le savent.

– Maydeen, s'il te plaît, tu veux bien… » Il secoua la tête, referma son téléphone.

Toute la journée, Hackberry attendit qu'Ethan Riser le rappelle. Au bureau, il tria du courrier, conduisit une prisonnière malade de sa cellule à l'hôpital, déjeuna, fit un billard au saloon, passa une annonce dans le journal pour un poste de surveillant de la route (huit dollars l'heure, pas d'avantages, ne doit pas avoir de casier), et rentra chez lui dîner.

Toujours pas d'appel d'Ethan Riser.

Il lava, essuya et rangea sa vaisselle, puis s'assit sur son porche tandis que la soirée se rafraîchissait, que des plumets de poussière montaient de la terre et qu'une brume pourpre se formait dans le ciel. De temps en temps, il sentait dans l'air une trace de pluie, d'ozone, un changement dans la direction du vent plus frais de quelques degrés, un bruit de déchirement dans un banc de nuages noirs à l'horizon. En plissant les yeux, il crut voir un éclair sur une montagne au loin, comme des fils dorés faisant des étincelles dans l'obscurité.

De là où il était assis, il voyait à la fois les limites nord et sud de sa propriété, les prés bordés de barrières, qu'il arrosait à l'aide de rampes à roulettes, le hangar où il garait son tracteur, son étable à quatre boxes, sa sellerie remplie de brides, de mors, de selles, de longes en corde tressée, d'insecticide pour chevaux, de vermifuges, de matériel pour tailler et limer les sabots, les peupliers qu'il avait plantés comme coupe-vent, sa pelouse pâle bien tondue qui ressemblait à un green de golf au milieu du désert, ses parterres de fleurs qu'il désherbait, couvrait de paillis, fertilisait et arrosait à la main chaque matin. Il voyait chaque pouce carré de l'univers qu'il avait créé pour compenser sa solitude, et se persuader que le monde était un bel endroit qui valait qu'on se batte pour lui. Et, ce faisant, il s'était retrouvé sans personne pour en profiter avec lui.

Mais peut-être était-il présomptueux d'imaginer qu'il pût être plus que provisoirement propriétaire du ranch. Tolstoï avait écrit que la seule parcelle de terrain que possède quiconque, ce sont les six pieds sous terre nécessaires à un mort. L'Évangile selon saint Matthieu dit : « Il fait lever son soleil sur les méchants et sur les bons, et tomber la pluie sur les justes et sur les injustes[1]. » Juste de l'autre côté de la frontière se

---

1. Matthieu, V, 45.

trouvait un « asile psychiatrique » où des trafiquants de drogue en SUV faisaient feu sur des familles entières, où des coyotes volaient les économies d'une vie à des paysans qui voulaient simplement travailler aux États-Unis, et où chaque monticule nouveau dans le paysage pouvait contenir plusieurs sépultures.

La société humaine n'avait-elle pas régressé jusqu'à un stade simiesque jamais vraiment disparu ? Dans un camp de prisonniers au sud du Yalou, Hackberry avait vu des soldats américains vendre leurs camarades. Le prix en était une cabane chaude pour dormir, une boulette de riz supplémentaire et une veste matelassée avec des œufs de poux dans les coutures. Un voyage dans n'importe quelle ville de la frontière laissait peu de doutes quant au fait que la faim était le plus puissant des moteurs. Il n'en aurait pas fallu beaucoup pour créer ici le même type de société, pensa Hackberry. L'effondrement de l'économie, l'augmentation systémique de la peur, la menace d'ennemis étrangers imaginaires seraient sans doute suffisants pour y arriver. Mais quoi qu'il arrive, sa maison, son ranch, les animaux qui y vivaient, et lui-même, deviendraient de la poussière dans le vent.

Il se leva de son fauteuil en osier et appuya l'épaule contre l'un des poteaux de bois chantournés du porche. Le soleil s'était consumé en une étincelle rouge entre deux montagnes, et une fois de plus il crut sentir la pluie menacer vers le sud. Il se demanda si tous les vieillards ne recherchaient pas secrètement la régénération de la nature dans chaque éclair qui vibre silencieusement dans un nuage d'orage, dans chaque goutte de pluie heurtant une surface chaude et rappelant combien l'été peut être agréable, quel est le prix de chaque jour.

La sonnerie de son portable interrompit sa rêverie.

« Allô ? dit-il.

– Ici Ethan. On m'a dit que vous aviez des problèmes avec des appels anonymes.

– Vous vous rappelez le type qui avait appelé le 911 à

propos de Vikki Gaddis ? Je parie qu'il est des environs de La Nouvelle-Orléans.

– Vous vous y connaissez en accents ?

– Sur la bande, celui qui appelait donnait l'impression d'avoir un crayon entre les dents. Le type qui m'a appelé avait un accent du Bronx ou de Brooklyn, mais pas tout à fait. On n'entend cet accent qu'à La Nouvelle-Orléans, ou dans les environs. Je pense que c'est le même type qui avait appelé alors qu'il avait bu.

– Votre répartitrice m'a dit que ce type vous avait donné une piste pour Jack Collins.

– Il m'a dit que Collins me portait un intérêt excessif. Je n'y crois pas beaucoup, mais je pense que le type qui a appelé est obsédé par la culpabilité et qu'il est en cheville avec Arthur Rooney.

– Je pense que vous sous-estimez les capacités de Collins, shérif. D'après tout ce que nous savons de lui, il est toujours persuadé qu'il est la victime, et pas le criminel. Vous connaissez l'histoire de Lester Gillis ?

– De qui ?

– De Baby Face Nelson, un membre du gang de Dillinger. Partout où il allait, il portait sur lui les photos, les adresses et les immatriculations des flics et des agents du FBI. Il a croisé deux agents en voiture, et il a fait demi-tour, les a fait sortir de la route et les a tués tous les deux alors qu'il avait dix-sept trous dans la peau. Je pense que Collins est le même genre de type, sauf qu'il est sans doute encore plus fou. Écoutez un peu la suite : Baby Face Nelson a eu droit aux derniers sacrements de l'Église catholique, et sa femme, avant de laisser son corps devant une cathédrale, l'a enveloppé dans une couverture, parce qu'il n'aimait pas avoir froid. » Riser se mit à rire.

« Arthur Rooney est originaire de La Nouvelle-Orléans, n'est-ce pas ? demanda Hackberry.

– Du Neuvième District, la zone la plus touchée par Katrina.

– Pouvez-vous me donner le nom de ses anciens associés ?

– Ouais, je suppose que je pourrais.

– Vous supposez ?

– Je dois me plier à certaines exigences.

– Vos collègues veulent toujours se servir de Jack Collins pour arriver au Russe ? Comment s'appelle-t-il déjà…

– Josef Sholokoff.

– Par conséquent, je n'ai qu'un accès limité à vos informations, alors que je suis peut-être la cible du type avec lequel vos collègues veulent passer un accord ?

– Je ne présenterais pas les choses comme ça.

– Moi si. Dites à vos collègues que si Jack Collins vient dans le coin, ils pourront interroger son cadavre. À bientôt, monsieur Riser. » Hackberry coupa son portable et dut se retenir pour ne pas le lancer par-dessus son éolienne.

Une heure plus tard, par la fenêtre, il vit Pam Tibbs quitter la route secondaire, passer sous son arche et garer son pick-up devant la maison. Elle sortit et parut hésiter avant de monter l'escalier dallé qui menait à son jardin. Elle portait des boucles d'oreilles, un jean de marque, des bottes et une lumineuse chemise de soie rose magenta.

Il avança sur le porche. « Entre, dit-il.

– Je ne voulais pas te déranger.

– Ce n'est pas comme si tu m'interrompais pendant que je suis en train d'inventer la roue.

– Maydeen m'a donné deux billets pour le rodéo. On peut encore sans doute arriver à temps pour la dernière heure, ou se contenter de la fête foraine.

– Tout va bien ?

– Sûr, pas de problèmes. »

Il descendit dans le jardin, le jet de ses arroseurs iridescent dans la lumière du porche. Elle leva son regard sur lui, avec une expression d'attente qu'il n'aurait pu définir. Il se gratta le haut du front. « J'ai longtemps rêvé de la Corée. De temps en temps, j'y retourne encore. On est fait comme ça. Si certaines choses qu'on a faites, ou auxquelles on a assisté, ne laissent pas de bleus à l'âme, c'est qu'il y a quelque chose de raté dans l'humanité.

– Je me sens bien, Hack.

– Ça n'est pas comme ça que ça marche, petite.

– Pas de paternalisme, je t'en prie. » Comme il ne répondait pas, elle se mit les mains sur les hanches et fixa l'obscurité, ses yeux luttant contre une émotion dont elle n'avait pas envie de parler, ou même qu'elle n'admettait pas. « Eriksson m'a regardée en face juste avant que je le descende. Il savait ce qui allait se passer. J'ai toujours entendu utiliser le terme de "terreur mortelle" pour décrire des instants comme ça. Mais ce n'était pas ça. J'ai vu l'autre côté.

– De quoi ?

– De la tombe, du jugement, de l'éternité, peu importe comment on appelle ça. C'est comme s'il avait pensé les mots : "Il est à jamais trop tard."

– Eriksson avait distribué les cartes et il a eu ce qu'il méritait. Tu m'as sauvé la vie, Pam. Ne te laisse pas dérober ta *propre* vie par un fils de pute comme ça.

– Tu peux être plutôt dur, Hack.

– Non, je ne suis pas dur. Eriksson était un tueur à gages. » Il mit sa paume sur la nuque de Pam. « Il s'attaquait aux gens sans défense et utilisait ce qu'il y avait de meilleur chez eux pour en faire ses victimes. Nous sommes les enfants de la lumière. Et ce n'est pas une hyperbole. »

Les yeux de Pam se promenèrent sur le visage d'Hack comme si elle craignait qu'il y eût dans ses mots de l'ironie, ou de l'insincérité. « Je ne suis pas une enfant de la lumière, pas du tout.

– Pour moi, tu l'es », dit-il. Il la vit déglutir et entrouvrir les lèvres. Sa paume était chaude et moite sur la nuque de Pam. Il la retira et se glissa les pouces dans les poches. « Ça me ferait vraiment plaisir d'aller à ce rodéo. Et j'ai aussi envie d'acheter des pommes d'amour et du pop-corn à la fête foraine.

Quiconque n'aime pas les rodéos et les fêtes de campagne a quelque chose de mauvais en lui.

– Mets-toi en colère si tu veux », dit-elle. Elle l'enlaça, se serra contre lui, appuya le visage contre sa poitrine, et son corps contre son entrejambe. Il sentait le parfum derrière ses oreilles, le shampooing à la fraise dans ses cheveux, et l'odeur de sa peau. Il vit les pales de l'éolienne se mettre en route à la lumière des étoiles, l'axe tourner sans vigueur, le tuyau en fonte sec et dur au-dessus de la citerne d'aluminium. Il posa la joue sur le dessus de la tête de Pam, ferma très fort les yeux.

Elle s'écarta d'un pas. « C'est parce que tu sens que certaines personnes ne sont pas faites pour être ensemble ? Parce qu'elles n'ont pas l'âge qu'il faut, ou la couleur qu'il faut, ou le sexe qu'il faut, ou qu'elles sont trop proches par le sang ? C'est ce que tu penses, Hack ?

– Non.

– Alors quoi ? C'est parce que tu es mon patron ? Ou c'est juste à cause de moi ? »

C'est parce qu'il n'est pas honorable pour un vieillard de coucher avec une jeune femme à la recherche d'un père, pensa-t-il.

« Qu'est-ce que tu as dit ?

– Rien. Juste que j'allais t'inviter à dîner. J'ai dit que j'étais content que tu sois venue. J'ai dit allons à la fête foraine.

– D'accord, Hack. Je ne vais pas…

– Pas quoi ? »

Elle sourit et haussa les épaules.

« Tu ne vas pas quoi ? » répéta-t-il.

Elle continua à sourire, sa joie feinte dissimulant sa résignation. « C'est moi qui vais conduire », dit-elle.

Ce soir-là, après qu'elle l'eut déposé, il resta longtemps assis dans sa chambre, la lumière éteinte. Puis il s'allongea tout habillé sur le couvre-lit et fixa le plafond, les éclairs de chaleur clignotant sur son corps. Dehors, il entendait ses che-

287

vaux courir dans le pré, le bruit lourd de leurs sabots avalé par le vent, comme s'ils avaient été emballés dans de la flanelle. Il entendit le couvercle de sa poubelle tinter sur l'allée, poussé par le vent ou arraché au sandow par un animal. Il entendit les arbres s'agiter et des animaux sauvages marcher dans le jardin, et la vibration de sa clôture électrique quand une biche la traversa, au fond. Puis il entendit un bruit qu'il n'aurait pas dû entendre, un moteur de voiture plus proche de sa maison que ne le permettait la route.

Il s'assit, enfila ses bottes et sortit sur le porche. Une voiture avait quitté l'asphalte et s'était engagée sur le chemin de terre qui bordait sa propriété, au nord. Les phares du véhicule étaient éteints, mais le moteur tournait encore. Hackberry revint dans sa chambre, prit son revolver dans son holster sous son lit, retira la bride du percuteur et laissa tomber le holster sur le lit. Il ressortit et traversa le jardin jusqu'à l'enclos à chevaux. Missy's Playboy et Love That Sante Fe se tenaient près de leur réservoir d'eau, immobiles, regardant vers le nord, le vent soufflant sur eux un nuage de poussière.

«Tout va bien, les gars. On va juste aller voir qui c'est», dit Hackberry en passant entre eux, son .45 à crosse nacrée pendant dans sa main gauche.

Lorsque Hackberry approcha de la clôture nord du pré, le chauffeur changea de vitesse sans nécessité apparente, les phares toujours éteints, et effectua un cercle, des branches mortes et du sorgho d'Alep non coupé raclant contre le bas de caisse de la voiture. Puis il roula tranquillement sur l'asphalte et continua sur la route, allumant ses phares lorsqu'il passa devant le bosquet de chênes, au virage.

Hackberry retourna à la maison, posa son revolver sur la table de nuit et s'endormit peu à peu. Il rêva d'un taureau de rodéo explosant du corral. Tandis que le taureau reculait et se tortillait entre ses cuisses, les os du cavalier semblaient se briser à l'intérieur de sa peau. Soudain, il se retrouva en l'air, ses poignets encore attachés par un nœud suicidaire, le corps renversé, fouetté, tiré dans la boue, jeté dans les planches et, pour finir, encorné.

Sans jamais vraiment s'éveiller de son rêve, Hackberry prit son revolver et en serra la crosse nacrée.

Le Prêcheur avait beau se considérer comme quelqu'un de patient, Bobby Lee Motree pouvait se révéler être un défi.

«Holland est un vieillard, lui dit Bobby Lee dans son portable. Quand il était candidat au Congrès, il était connu comme un alcoolique et un baiseur. Il est devenu religieux quand il s'est mis à défendre un syndicat de journaliers mexicains, sans doute parce qu'il avait déjà sauté tout ce qui lui tombait sous la main. Sa première femme l'a largué et lui a nettoyé son compte en banque. Sa seconde femme était une militante communiste, ou un truc comme ça. Elle est morte d'un cancer. Ce type est un loser, Jack.»

Le Prêcheur était assis près d'une table de jeu, à l'ombre, derrière sa maison de stuc, et tout en parlant il regardait un lézard ramper sur un gros rocher gris. Sur la table était étendue une nappe propre. Sur la nappe, le Prêcheur avait démonté sa mitraillette Thompson. À côté des pièces détachées se trouvaient un flacon de lubrifiant, un écouvillon et un chiffon blanc taché de jaune, sur lequel il venait d'appliquer de l'huile. Tout en parlant, le Prêcheur effleura la surface huilée du canon de la Thompson et observa les infimes traces que ses empreintes digitales laissaient sur l'acier.

«Écoute, Jack. On répare pas ce qui n'est pas cassé, dit Bobby Lee. Ce type serait même pas capable de sauver sa propre peau. Liam l'aurait buté, le shérif, si cette connasse d'adjointe s'était pas pointée.

– N'utilise pas ce mot devant moi.

– On parle de descendre un shérif du Texas, et t'es à cheval sur le vocabulaire?»

Le Prêcheur essuya ses doigts sur le chiffon et regarda un

faucon qui volait au-dessus de la montagne, son ombre filant sur la pente. « T'es toujours là ? demanda Bobby Lee.

– Où veux-tu que je sois ?

– Je dis simplement que Holland est un retraité et un plouc qui s'entoure d'autres losers. Pourquoi chercher les ennuis ?

– Ce type a la Navy Cross.

– Alors, ça veut sans doute dire qu'il a des couilles, c'est ça ? Il a peut-être couru dans la mauvaise direction.

– T'as un sérieux problème, Bobby Lee.

– Quoi donc ?

– Tu conclus sans étudier les indices. Et ensuite tu trouves des raisons pour justifier tes conclusions bidons. C'est comme inventer une roue carrée et essayer de se persuader que tu aimes bien que ton wagon cahote un peu.

– T'as buté un agent fédéral, Jack. T'as envie d'ajouter un autre flic à ton compteur ? Dans cet État, non seulement ils exécutent, mais quand ils exécutent, ils fêtent ça à la bière devant la prison. En me lançant là-dedans avec toi, je risque ma vie. Il faut qu'on s'occupe d'Hugo et d'Artie Rooney. Et ensuite de Vikki Gaddis et du soldat. Qu'est-ce qu'on fait ensuite ? On balance une bombe à hydrogène sur l'Iran ?

– Je m'occupe d'Artie Rooney.

– Tu devrais baiser de temps en temps. Tu sais ce qu'Hugo a dit ? C'est pas moi qui ai dit ça, je cite Hugo. Il a dit : "La dernière fois que le Prêcheur a eu une relation sexuelle, c'est à sa dernière visite chez le proctologue." Ça fait combien de temps que t'as pas tiré ton coup ? »

Le Prêcheur regarda la gorge du lézard se gonfler en un ballon rouge sur le rocher. La langue du lézard se déroula, s'entortilla autour d'une minuscule fourmi noire et amena la fourmi dans la gueule du lézard. « Je suis content que tu sois de mon côté, Bobby Lee. Tu as la loyauté dans tes gènes. C'est pour ça que le général Lee est resté avec l'État de Virginie non ? La loyauté n'a pas d'équivalent. Le sang parle toujours, non ? »

Il y eut un long silence. « Pourquoi tu cherches toujours à me ridiculiser ? Je suis le seul type qui t'aie soutenu. Tu me fais de la peine, mec, vraiment.

– Tu n'as pas tort. Tu es un bon garçon, Bobby Lee.

– Ça signifie beaucoup pour moi, Jack. Mais il faut que tu cesses d'accorder de l'espace dans ta tête à des clowns qui seraient pas dignes de cirer tes godasses.

– Artie Rooney va me payer un demi-million de dollars. Tu en toucheras 10 %.

– C'est généreux de ta part, mec. T'as bon cœur.

– En attendant, Artie va ficher la paix aux Juifs. Ça, ce n'est pas négociable.

– Tu t'inquiètes encore pour les Juifs après ce que madame Dolan t'a fait ? Et la fille Gaddis et le soldat ? Ils sont plus dans le jeu ?

– Ils sont dans le jeu.

– Ils sont dans le jeu ?

– Tu m'as bien compris.

– Et Holland ?

– Je vais y réfléchir.

– Je pense qu'il m'a vu. J'ai été inspecter sa maison. Je croyais qu'il dormait. Il est sorti et il a vu ma voiture. Mais il faisait trop sombre pour qu'il prenne mon immatriculation ou pour qu'il voie mon visage. Si on lui fiche la paix, il oubliera tout ça.

– Tu ne m'avais pas dit ça.

– Je viens de le faire. Sers-toi de ta tête, Jack. Artie Rooney a détourné les putes de Josef Sholokoff. À ton avis, qui Rooney va faire plonger, sur ce coup-là ? T'es célèbre de LA à Miami. Les flics mexicains pensent que tu passes à travers les murs. Artie prend son téléphone, il dit à Sholokoff que t'es un dingo, il lui dit que tu travailles pour Nick Dolan, et il a plus jamais à s'inquiéter de toi. Tu m'as appris à être une mouche sur le mur, Jack.

– Tu veux bien m'expliquer ça ?

– L'agent que t'as buté était pas juste un Fédé, il était de l'ICE. C'est des fanatiques, pires que les agents du Trésor. T'as une idée des dangers que tu cours ?

– Tu viens de dire "tu".

– D'accord, "on".

– Appelle-moi quand tu auras trouvé Vikki Gaddis.

– Cette fille vaut la peine qu'on la bute ? Réfléchis-y. Une serveuse dans un routier ?

– J'ai parlé de la buter ? Tu m'as entendu dire ça ?

– Non.

– Trouve-la, mais ne la touche pas.

– Pourquoi je voudrais la toucher ? C'est pas moi qui ai…

– Qui ai quoi ?

– Une obsession. Comme une tumeur au cerveau. De la taille d'une carotte. »

Une fois de plus, le Prêcheur laissa le silence parler pour lui. C'était une arme devant laquelle Bobby Lee se sentait toujours impuissant.

« T'es toujours là ?

– Toujours, dit le Prêcheur.

– T'es le meilleur, Jack. Personne d'autre aurait pu faire ce que t'as fait derrière l'église. Pour ça, il fallait des couilles.

– Répète-moi ça.

– Franchir la ligne de cette façon, les buter toutes, décharger tout le magasin, les enfouir au bulldozer. Il faut de sacrés *cojones* pour massacrer comme ça, Jack. C'est pour ça que t'es qui tu es. »

Cette fois, le silence du Prêcheur n'était pas volontaire. Il écarta le portable et ouvrit grande la bouche pour se dégager une oreille bouchée. Ce côté de son visage était à la fois engourdi et brûlant au toucher, comme s'il venait de se faire piquer par une guêpe. Il regarda fixement le rocher gris. Le lézard était parti, et à la base du rocher il vit une tache de minuscules fleurs pourpres ressemblant à de toutes petites violettes.

Il se demanda comment une fleur aussi jolie et délicate pouvait pousser dans le désert.

« T'es toujours là ? Parle-moi, mec », entendit-il Bobby Lee dire. Le Prêcheur referma son portable sans répondre. Il prit la Thompson, passa un écouvillon dans le barillet, puis un chiffon propre imbibé d'huile. Il plia un morceau de papier blanc et l'inséra dans la chambre ouverte, réfléchissant le soleil à travers le canon. L'intérieur du canon était immaculé, les spires de lumière une affirmation de l'intégrité mécanique et de la fiabilité de l'arme. Il prit le chargeur, le fixa soigneusement sous le barillet et posa l'arme en travers de ses genoux, ses paumes sur la crosse de bois et le canon de métal. Il entendait des vrombissements dans sa tête, comme le vent dans une grotte ou peut-être les voix des femmes murmurant à son intention depuis le sol, murmurant au milieu des fleurs sauvages.

Au même instant, à cent cinquante kilomètres de là, trois motards fonçaient sur une deux voies, plein pot, les bras cerclés de ces tatouages qu'on fait en prison, leurs épaules brûlées par le soleil. Parfois, pour chasser l'ennui, ils serpentaient sur la bande jaune, ou s'arrêtaient dans un rade en bord de route pour prendre une bière et un burger trop gras, ou écoutaient un groupe de péquenauds dans un night-club merdique ou un bar. Mais sinon, ils brûlaient l'asphalte à travers le sud-ouest américain avec le fanatisme de Wisigoths. Les amphètes qui couraient dans leurs veines, le grondement crasseux de leurs pots d'échappement s'écrasant contre le bitume, la vélocité de la flamme de chalumeau du vent sur leur peau, la poussée de la puissance du moteur dans leurs parties génitales, se mêlaient en un péan à leurs existences.

Ils arrivèrent en haut d'une côte et tournèrent dans un chemin de terre qu'ils suivirent sur trois kilomètres, jusqu'à l'orée d'une étendue pentue de graviers alluviaux couverts d'alcalis et de mesquites verts. Ils s'arrêtèrent entre deux promontoires d'un brun grisâtre et leur chef, sans quitter sa selle, consulta

293

une carte topographique, puis prit des jumelles pour observer une petite maison de stuc sur fond d'une montagne percée par une ouverture sombre. « Bingo », dit-il.

Les trois hommes descendirent de leurs engins, entre-choquèrent leurs poings, garèrent leurs gros cubes dans une ravine, préparèrent un feu et firent cuire leur nourriture sur des brochettes. Quand ils eurent fini de manger, ils pissèrent sur les flammes au crépuscule, déroulèrent leurs sacs de couchage, fumèrent de l'herbe et, comme des spectateurs dans un zoo exotique, regardèrent en silence un coyote à la patte arrière raide essayer de rattraper une meute qui escaladait une pente. Puis ils s'endormirent.

De l'autre côté de la plaine, la maison de stuc était silen-cieuse. Une silhouette solitaire était assise sur une chaise de métal devant l'ouverture d'une grotte étançonnée, contemplant le manteau doré de la lumière sur les montagnes, son expres-sion aussi détachée des préoccupations terrestres que celle d'un homme dont la tête coupée vient d'être posée sur une assiette.

17

Mais le matin venu, ils ne trouvèrent pas l'homme qui vivait parfois dans la maison de stuc. Les motards s'étaient approchés à pied, depuis trois directions différentes, le soleil toujours enfoui sous le rebord de la terre, la lumière si faible que leurs corps ne projetaient pas d'ombre sur le sol. Une petite voiture était garée à vingt mètres de la maison, les portières non verrouillées, les clefs sur le contact. D'un coup de pied, les motards ouvrirent les portières avant et arrière de la maison, retournèrent le lit, vidèrent les placards, arrachèrent le contreplaqué du plafond pour voir si le Prêcheur se cachait dans une mansarde ou s'il s'était glissé quelque part en rampant.

«Le puits de mine, dit l'un d'eux.

– Où? demanda un autre.

– Là-haut, sur la montagne. C'est le seul endroit où il puisse être. Josef a dit qu'il avait des béquilles.

– Comment il a su qu'on allait venir?

– Les Mexicains disent qu'il passe à travers les murs.

– C'est pour ça que tant qu'il était dirigé par des Blancs, leur pays faisait un parcours de golf épatant.»

Les motards s'écartèrent et approchèrent de l'ouverture sur le flanc de la montagne, leurs armes ballant à leurs côtés. Ils portaient des bottes de cow-boy renforcées de métal à la pointe et aux talons, des jeans raides de la poussière et de la crasse de la route, et des T-shirts aux manches coupées au ras des aisselles. Les pointes de leurs cheveux étaient décolorées par le soleil, et ils bouclaient sur leurs nuques. Leurs corps avaient les muscles et la fermeté d'hommes qui soulèvent de la fonte tous les jours, et pour qui le narcissisme est une vertu plutôt qu'un défaut.

Leur chef s'appelait Tim. Il avait quelques centimètres de plus que ses compagnons, portait un anneau d'or à l'oreille et une barbe qui courait le long de sa mâchoire comme un défilé de fourmis noires. Un Glock semi-automatique pendait à sa main droite. Il s'arrêta devant la grotte et glissa l'arme à l'arrière de sa ceinture, comme s'il accomplissait un rituel personnel, indifférent à ce qu'on pensait de lui. Il prit sa respiration et entra dans la grotte. Il sortit de son jean une lampe stylo, l'alluma et la projeta dans l'obscurité.

« C'est une mine ? demanda l'un de ses compagnons.

– Je sens un petit souffle. Il doit y avoir une autre ouverture.

– Tu vois le type ?

– Non, c'est pour ça que je dis qu'il doit y avoir une autre issue. Il est peut-être entré par ici et ressorti de l'autre côté.

– Ça mène où ?»

Tim continua à s'enfoncer dans la grotte, le rayon de sa torche nimbé et diffus sur les parois. «Venez voir ça.

– Voir quoi ?

– Vous avez vu *Des serpents dans l'avion* ?»

Les deux motards restés à l'extérieur pénétrèrent dans l'obscurité. Tim tendait la lampe devant lui, la pointant vers le bas en direction d'un passage qui se tortillait à travers la montagne.

«Seigneur ! dit l'un des motards.

– Ils vont là où il y a de quoi boire ou de quoi manger. Peut-être qu'un puma a tiré sa proie ici, dit Tim. Vous en avez déjà vu autant au même endroit ?

– Peut-être que Collins est une goule. Peut-être qu'il enterre ses victimes ici.

– Descends vérifier. Ils cliquettent avant de frapper. Là, ils ne cliquettent pas, tu ne risques rien.

– Et celui sur la corniche derrière toi ?»

Les deux autres motards attendaient, souriant, que Tim saute. Mais il se retourna et dirigea sa torche dans les yeux d'un crotale. Il prit un morceau de bois tombé du plafond. Il en toucha la tête du serpent puis lui piqua le ventre pour, finalement, le soulever tout enroulé et le jeter dans le noir.

« Tu ne crains pas les serpents ?

- Ce que je crains, c'est les fausses informations. Je pense que ces Texans mènent Josef en bateau. Collins est un tueur, pas un maquereau. Les tueurs ne fauchent pas les putes de quelqu'un d'autre.

– Il est allé où, à ton avis ?

– Une chose est sûre : il n'est pas ressorti de l'autre côté.

– Alors où est-il ?

– Sans doute qu'il nous observe.

– Pas possible. D'où il nous observait ?

– Je l'ignore. Ça fait vingt ans que ce type tue des gens et il s'est jamais fait prendre.

– Ça schlingue, Tim. »

Ils étaient maintenant devant la grotte, la maison de stuc toujours dans l'ombre, la matinée fraîche, le vent ébouriffant les mesquites. Les trois hommes scrutèrent les montagnes environnantes, guettant l'éclat de jumelles ou d'un viseur de fusil à lunette.

– À qui on est censé rendre compte ?

– Au type qui a mouchardé Collins. Il s'appelle Hugo Cistranos.

– Qu'est-ce qu'on va faire ? »

Tim sortit le Glock de sa ceinture et descendit la pente jusqu'à la petite voiture du Prêcheur. Il en fit le tour, visa soigneusement, et creva chaque pneu d'une balle. Il entra dans la maison et ferma toutes les fenêtres, comme un homme qui protège sa maison d'une tempête imminente. Il trouva une bougie dans un tiroir de la cuisine et fit fondre la cire de façon à pouvoir fixer la bougie sur l'égouttoir. Puis il ferma la porte de devant, alluma le réchaud à gaz et referma la porte derrière lui en sortant de la maison.

« Allons croquer quelques *frijoles* », dit-il.

Le shérif Hackberry Holland venait de ramasser Danny Boy Lorca pour ivresse sur la voie publique et de l'enfermer dans une cellule à l'étage quand Maydeen lui dit qu'elle avait Ethan Riser en ligne.

«Comment ça va, monsieur Riser, dit Hackberry en décrochant le téléphone sur son bureau.

— Vous ne pouvez pas m'appeler Ethan?

— Une vieille inhibition du Sud.

— À propos des origines de votre interlocuteur mystérieux, vous aviez raison. Nous pensons qu'il s'appelle Nick Dolan. Avant Katrina, il dirigeait un casino flottant à La Nouvelle-Orléans.

— Comment l'avez-vous identifié?

— Son nom était dans les notes d'Isaac Clawson. Clawson pensait que les Thaïes assassinées étaient des prostituées que quelqu'un faisait entrer clandestinement dans le pays, alors il a commencé à pister tous ceux qui trempaient dans des services d'escort girls. Visiblement Clawson a sérieusement étudié le cas d'Arthur Rooney et a décidé de s'intéresser à celui de Nick Dolan en même temps. Apparemment, il a interrogé Nick Dolan dans sa maison de New Braunfels.

— Pourquoi vous ne découvrez ça que maintenant?

— Comme je vous l'ai dit, Clawson aimait travailler seul. Dans les rapports officiels, il n'a rien noté de ce qu'il a fait.

— Mais jusque-là vous n'êtes pas absolument sûrs que Dolan est le type qui m'a appelé?

— Dolan connaît Rooney. Ça fait deux ans que Dolan est mêlé à la prostitution. Clawson l'avait dans le viseur. En plus, Dolan vient de rompre son partenariat dans ses services d'escort et il a viré toutes les strip-teaseuses de son night-club. Soit Clawson lui a foutu une trouille monstre, soit Dolan a eu des problèmes de conscience.

-Vous ne l'avez pas encore interrogé?

— Non.

— Vous avez préféré le mettre sur écoute?

– Je n'ai pas dit ça.

– Je pense que vous m'appelez parce que vous ne voulez pas que je trouve Dolan moi-même.

– Il y a des gens qui ont le don de se mettre au milieu d'orages électriques, shérif.

– Je ne pense pas que ce soit mon problème. Vos collègues veulent Collins pour les mener à ce Russe de la côte Ouest. Je pense qu'ils veulent se servir de Dolan comme d'un appât. Pendant ce temps, je les gêne. »

Cette fois, Ethan Riser resta silencieux.

« Vous êtes en train de me dire que moi aussi, je suis un appât ? demanda Hackberry.

– Je ne peux pas parler pour les autres. Mais je dors bien la nuit. Et je dors bien parce que je traite les gens aussi honnêtement que je peux. Gare à vos fesses, shérif. Les mecs comme nous, on est de la vieille école. Mais on n'est plus beaucoup. »

Quelques minutes plus tard, Hackberry remplit de café noir un gobelet en polystyrène, y laissa tomber trois sucres et sortit du tiroir du bas de son bureau un échiquier pliable et une boîte de pièces en bois. Il monta le vieil escalier métallique menant au deuxième étage et approcha une chaise de la cellule de Danny Boy Lorca. Il s'assit, posa le café et l'échiquier derrière les barreaux et déplia l'échiquier sur le sol de ciment. « Installe les pièces, dit-il.

– Je suis encore tombé du train », dit Danny Boy en s'asseyant sur le bord de sa banquette tout en se frottant le visage. Sa peau était aussi sombre que du cuir tanné, ses yeux morts comme des morceaux de charbon consumés par leur propre feu.

« Un jour, tu t'arrêteras. En attendant, ne te tracasse pas pour ça, dit Hackberry.

– J'ai rêvé qu'il pleuvait. J'ai vu un champ de blé desséché se redresser sous la pluie. Ça fait trois nuits que je fais le même rêve. »

Les yeux d'Hackberry se plissèrent.

« Vous ne prêtez pas attention aux rêves, n'est-ce pas ? demanda Danny Boy.

– Tu parles, que j'y prête pas attention. À toi de jouer », dit Hackberry.

Les trois motards prirent une chambre dans un motel situé à côté d'un routier et d'un night-club, en partie parce que l'enseigne amovible annonçait CE SOIR DAMES GRATUITES – DEUX POUR UNE 5 À 8. Ils se douchèrent, enfilèrent des vêtements propres, burent une bière mexicaine au bar et embarquèrent une femme qui disait travailler au bazar, en ville. Ils embarquèrent aussi son amie, maussade, qui affirmait qu'elle avait un enfant de dix ans qui attendait seul à la maison.

Mais quand Tim montra à l'amie sa boîte métallique d'Aldoids remplie à ras-bord d'un joli gâteau de coke, blanc et granuleux, son humeur changea et elle se joignit à lui, à sa copine, et aux deux autres motards pour quelques lignes, un peu d'herbe électrisante et une pizza livrée à domicile au motel.

La chambre que Tim avait louée se trouvait à l'extrémité du bâtiment, et pendant que ses compagnons et leurs nouvelles amies se donnaient à fond sur deux lits, il but un soda à l'extérieur, avant d'écraser dans une main la cannette qu'il mit à la poubelle. Il s'assit sur un banc sous un arbre stridulant de cigales et ouvrit son portable. Il entendait les montants des lits cogner contre le mur du motel et le rire cacophonique des deux idiotes que ses amis avaient ramassées, comme s'il leur était extérieur, et sans rien de drôle. Il se mit à la bouche une cigarette qu'il n'alluma pas et essaya de s'éclaircir les idées. Qu'exigeait le bon sens dans une situation pareille ? On ne sabote pas une mission pour Josef Sholokoff. Et quand on tient un type comme Jack Collins, on ne le laisse pas filer, en tout cas s'il était aussi bon qu'on le disait.

Les avant-toits du motel étaient éclairés de tubes de néon rose. La lumière s'effaçait du ciel, l'air était pourpre, dense et moite, avec une odeur de terre qui suggérait une chute du baromètre, peut-être même un goût de pluie. Les feuilles d'un palmier à l'entrée du motel se dressèrent et cliquetèrent dans le vent. Il pensa à rentrer et à essayer une des idiotes. Non, il fallait commencer par le commencement. Il composa un numéro sur son portable. Tandis qu'il attendait la sonnerie, il se demanda ce qui retenait le livreur de pizzas avec leur commande.

« Hugo ?

– Ouais. C'est qui ?

– C'est Tim.

– Tim qui ?

– Tim qui travaille pour Josef. Cherche pas. Tu veux que je te mette au jus ou non ?

– Vous avez eu le Prêcheur ?

– On y travaille.

– Explique-toi.

– On l'avait coincé, mais il a disparu. Je ne sais pas comment il a fait.

– Vous teniez le Prêcheur, mais il s'est tiré ? T'as une idée de ce que t'es en train de me raconter ?

– On dirait que t'as un peu forcé sur ton Ex-Lax[1].

– Écoute-moi bien, trou-du-cul...

– Non, c'est toi qui vas m'écouter. Le type n'a pas de bagnole et pas de maison où aller. On le trouvera. En attendant...

– Qu'est-ce que tu veux dire, qu'il n'a pas de maison où...

– Il y a eu une fuite de gaz dans sa cuisine. À peu près au même moment, des vandales ont fait exploser les pneus de sa voiture. Tout est sous contrôle. Voilà les bonnes nouvelles. T'as dit que tu cherchais une nana.

_____

1. Comprimés anticonstipation.

– Non, j'ai dit que le Prêcheur cherchait une nana. Il est obsédé par elle. Tu viens de dire que tu as explosé ses pneus ? Tu te crois où ? Tu crois que c'est Halloween ?

– Mec, t'écoutes pas, hein ?

– J'écoute pas quoi ?

– La nana et le soldat que tu cherches. Elle a des cheveux châtains et des yeux verts, elle est canon, elle chante des gospels de Gomer Pyle à des débiles buveurs de bière qui ne savent pas ce que c'est ? Si c'est bien elle je sais où tu peux la trouver.

– T'as retrouvé Vikki Gaddis ?

– Non, Michelle Obama. T'as de quoi écrire ?

– Je vais chercher un crayon. Ne raccroche pas.

– Un jour, il faudra que vous m'expliquiez comment vous vous êtes lancés là-dedans, les gars. »

Dans la chambre du motel, les femmes se levèrent et allèrent se rhabiller dans la salle de bains. La femme du bazar sortit la première, s'essuyant le visage avec une serviette, écartant ses cheveux. Elle était trop grosse, et voûtée, avec des bras épais comme ceux d'une fille de ferme. Sans son maquillage, son visage était aussi expressif qu'un plat à tarte. « Où est la pizza ? demanda-t-elle.

– Le type a dû se perdre », dit un motard.

L'autre motard voulait se servir des toilettes, mais la deuxième femme avait fermé la porte à clefs. « Qu'est-ce que tu fous là-dedans ? dit-il en secouant la poignée de la porte.

– J'appelle mon fils. Une seconde, dit-elle à travers la porte.

– J'aime les gens qui ont des valeurs familiales », dit-il.

La deuxième femme sortit de la salle de bains. À la différence de son amie, sa structure osseuse paraissait résulter d'un Meccano. Elle avait le visage triangulaire, une mauvaise peau, les yeux pleins d'un éclat qui, sans raison, semblait sur le point de devenir malveillant.

« Ton gosse va bien ? demanda un des motards.

– Tu crois que s'il allait mal je serais là ? rétorqua-t-elle.

– Toutes les femmes sont pas aussi bonnes mères que toi. »

Les deux femmes sortirent. Un sac bleu ciel à sequins pendait à l'épaule de la femme trop grosse. Elle regarda une fois derrière elle, souriant comme pour souhaiter bonne nuit.

Tim rentra dans la chambre et s'assit sur une chaise près de la fenêtre. Il ôta ses bottes renforcées de métal et mit ses mains sur ses cuisses, les yeux fixés sur le sol. «Il faut qu'on règle ça.

– T'as parlé à Josef ?

– À ce crétin, Hugo. Il dit qu'on a craché dans la gueule du tigre.

– Un type avec des béquilles sans maison ni voiture ? À mon avis, ce type est une espèce de légende urbaine.

– Peut-être.

– J'ai faim. Tu veux que je rappelle la pizzeria, ou on sort ?

– Ce que je veux, c'est que tu me laisses réfléchir une minute.

– T'aurais dû tirer un coup, Tim.»

Tim regarda le mobilier minable, les rideaux jaunis, les draps en tas sur le sol. Sur la chaise près de la télévision, il y avait un sac à main en plastique gris à la fermeture éclair complètement fermée. «Il y a un truc qui me gêne, dit-il.

– Ouais, on se balade dans une poêle à frire géante. Tout l'État est comme ça ?

– Qui a commandé les pizzas ?

– La maigre.

– Qu'est-ce qu'elle a dit ?

– "Je veux deux pizzas champignons-saucisse."

– Prends le téléphone, et appuie sur rappel.

– Je pense que tu perds la boule, mec.

– Fais-le.

– Ce téléphone a pas de touche de rappel.

– Alors prends le numéro de la pizzeria sur le menu qui est sur le bureau, et rappelle.

– OK, Tim. Et si on se calmait un peu ?»

Quelqu'un frappa à la porte. Le motard qui avait décroché le téléphone le reposa sur son socle. Il se dirigea vers la porte.

« Non ! » dit Tim en levant la main. En chaussettes, il quitta sa chaise et coupa la lumière. Il remonta le rideau, juste assez pour voir l'allée.

« Qui c'est ? lui demanda l'autre motard.

– Aucune idée », dit Tim. Il sortit le Glock de son sac de voyage. « Qu'est-ce que vous voulez ? demanda-t-il à travers la porte.

– Livraison de pizzas, dit une voix.

– Pourquoi vous avez mis si longtemps ?

– Il y avait un accident sur la nationale.

– Posez-les dans l'allée.

– Elles sont dans le chauffe-plats.

– Si vous les posez, elles seront plus dans le chauffe-plats, non ?

– Ça fait trente-deux dollars. »

Tim mit la chaînette de sécurité à la porte et sortit son portefeuille. Il entrouvrit la porte, les maillons de la chaînette se tendant contre la fente de métal. Le livreur était plus âgé qu'il ne s'y attendait, le visage en lame de couteau, le nez brûlé par le soleil, une casquette de toile orange et noir enfoncée sur le front.

« Combien vous avez dit ?

– Trente-deux dollars tout rond.

– Je n'ai qu'un billet de cent.

– Il faut que je retourne à ma voiture pour chercher de la monnaie. »

Tim garda le billet de cent, referma la porte et attendit. Quelques instants plus tard, le livreur revint et frappa à nouveau. Tim entrouvrit la porte et lui tendit le billet de cent dollars. « Laissez la monnaie sur le dessus du carton. Gardez cinq dollars pour vous.

– Merci, monsieur.

– Vous vous appelez comment ?

– Doug.

– Qui est avec vous dans la voiture, Doug ?

– Ma femme. Je l'emmène voir sa mère à l'hôpital.

– Vous emmenez votre femme en livraison pour pouvoir aller ensemble à l'hôpital ? »

Le livreur commença à cligner des yeux.

« C'était juste une question », dit Tim. Il referma la porte et attendit. Puis il alla au rideau, l'écarta du coin de la fenêtre et regarda le livreur faire demi-tour et retourner sur la nationale. Il ouvrit la porte, s'accroupit et souleva du ciment les deux lourds cartons de pizza. Ils étaient chauds dans sa main et sentaient une odeur délicieuse de saucisse, d'oignons, de champignons et de fromage fondu. Il regarda disparaître les feux arrière du véhicule de livraison, puis referma la porte et remit la chaîne. « Pourquoi vous me regardez comme ça ? dit-il à ses compagnons.

– Hé, tu es prudent, c'est tout. Allez, on va grailler. »

Ils commandèrent des bières au night-club et pendant l'heure qui suivit ils mangèrent, burent, regardèrent la télévision et se roulèrent des joints avec le stock de Tim. Celui-ci s'amusa même en silence de son inquiétude à propos du livreur. Il bâilla et s'allongea sur le lit, un oreiller derrière la tête. Puis il remarqua à nouveau le sac à main en plastique que la femme avait laissé. Il était tombé de la chaise et s'était coincé derrière la télévision. « Laquelle des deux femmes avait un sac à main gris ?

– La maigre.

– Regarde dedans. »

Mais avant que l'autre motard ait pu prendre le sac à main, on frappa de nouveau à la porte.

« Il nous faudrait un portier », dit Tim.

Il se leva et alla à la fenêtre. Cette fois, il remonta entièrement le rideau pour bien voir l'allée et toute la zone alentour. Il alla à la porte et l'ouvrit en gardant la chaîne. « T'as oublié ton sac ? dit-il.

– Je l'ai laissé ici ou au club. Il est pas au club, alors il doit être ici, dit la femme. J'ai tout dedans.

– Attends.» Il referma la porte, sa main flottant vers la chaîne.

«La laisse pas entrer, mec. Cette femme-là, elle a la trique. Je vais chercher son sac», dit l'un des autres motards.

Tim libéra la chaîne de sa fente.

«Tim, attends

– Quoi ? dit Tim en tournant le bouton de la porte.

– Il y a pas de portefeuille dans le sac. Juste du rouge à lèvres, des tampons, des Kleenex usagés et des épingles à cheveux.»

Tim se retourna et regarda son ami, la porte paraissant s'ouvrir toute seule à la volée. La femme qui avait frappé se précipitait à travers le parking vers une automobile qui attendait. À sa place se tenait un homme que Tim n'avait encore jamais vu. L'homme portait un costume et une chemise blanche sans cravate ; il avait les cheveux gominés et peignés en arrière, l'allure soignée, ses souliers cirés. Il ressemblait à un homme qui essaie de maintenir les traditions d'une génération plus ancienne. Il s'appuyait sur une canne qu'il tenait fermement dans sa main gauche. Dans sa main droite, serrée contre lui, il y avait une mitraillette Thompson.

«Comment avez-vous… dit Tim.

– Je vais ici et là », dit le Prêcheur.

Les douilles utilisées trépidant hors de son arme se fracassaient sur le montant de la porte, tombaient en pluie sur le ciment et rebondissaient avant de rouler dans l'herbe. Les explosions sortant *staccato* du canon étaient comme les zigzags d'un arc électrique.

Le Prêcheur boitilla jusqu'à la voiture qui attendait, la carcasse de son arme, tournée vers le bas, laissant échapper de la fumée. Aucune porte de chambre ne s'ouvrit, aucun visage n'apparut à une fenêtre. Le motel, les tubes de néon rose entortillés autour de ses avant-toits, le palmier qui se découpait contre le ciel près de l'entrée donnaient la même impression de vide qu'un plateau de cinéma. Tout en s'éloignant en voiture, le Prêcheur regarda par la grande fenêtre du bureau principal. Le réceptionniste était parti, ainsi que tous les clients qui auraient pu attendre pour s'inscrire. Depuis la nationale, il jeta à nouveau un coup d'œil au motel. Son insularité, le fait qu'il ait été apparemment abandonné par tous ses habitants, l'absence totale de toute humanité détectable dans ses murs lui faisaient penser à un vent lourd de neige qui siffle à l'extérieur d'un wagon sur une voie de garage désolée, une casserole de légumes commençant à brûler sur un feu mal surveillé, mais il ne savait comment expliquer cette association.

18

Vikki Gaddis quitta son travail au bar à dix heures du soir et marcha jusqu'au motel Fiesta, un journal de San Antonio plié sous le bras. Quand elle entra dans la chambre, Pete, en caleçon, regardait la télévision. Son T-shirt, contre le tissu cicatriciel rouge dans son dos, paraissait lâche. Vikki ouvrit le journal et le laissa tomber sur les genoux de Pete. «Ces types étaient au restaurant il y a trois soirs, dit-elle. C'étaient des motards. Ils paraissaient cramés par la route.»

Pete baissa les yeux sur les photos d'identité judiciaire des trois hommes. Ils avaient une vingtaine d'années et possédaient la beauté rugueuse de la jeunesse. À la différence des sujets de la plupart des photos d'identité judiciaire, aucun d'eux ne semblait épuisé, ni camé, ni perplexe, ni artificiellement joyeux. Deux d'entre eux avaient passé du temps à San Quentin, le troisième à Folsom. Tous les trois avaient été arrêtés pour possession de drogue avec intension de la faire circuler. Tous les trois avaient été suspectés dans des affaires d'homicides.

«Tu leur as parlé? demanda Pete.

– Non, ce sont eux qui m'ont parlé. Je pensais qu'ils voulaient juste me draguer. J'ai chanté quatre chansons avec le groupe et ils ont essayé de me faire asseoir avec eux. Je leur ai dit que j'avais du travail, que j'étais serveuse et qu'il m'arrivait juste de chanter de temps en temps avec l'orchestre. Ils ont trouvé drôle que je chante "Will The Circle Be Unbroken".

– Pourquoi tu ne m'en as pas parlé?

– Parce que je les prenais pour des connards, et qu'ils ne valaient pas la peine qu'on en parle.»

Pete commença à relire l'article. «Ils ont été abattus à la mitraillette, dit-il en se mordant une peau. Qu'est-ce qu'ils t'ont dit?

– Ils voulaient savoir comment je m'appelais. Ils voulaient savoir d'où je venais.

– Qu'est-ce que tu leur as dit ?

– Qu'il fallait que je retourne travailler. Plus tard, ils ont posé au barman des questions sur moi.

– Quoi, précisément ?

– Depuis combien de temps je travaillais ici. Si j'étais une chanteuse professionnelle. Si je n'avais pas vécu près de Langtry ou de Pumpville. Sauf que ces types étaient immatriculés en Californie, comment auraient-ils pu connaître des petites villes de la frontière ? »

Pete coupa la télévision, mais continua à fixer l'écran.

« Ce sont des tueurs à gages, n'est-ce pas ? dit-elle.

– Ils ne t'ont pas suivie quand tu es sortie du travail. Ils ne sont pas non plus venus au motel. Tu avais peut-être raison. C'était juste des connards qui voulaient te brancher.

– Il y a autre chose. »

Il la regarda et attendit.

« Ce soir, avant de partir, j'ai discuté avec le barman. Je lui ai montré le journal. Il a dit : "Un de ces motards parlait d'appeler un dénommé Hugo."

– Et tu ne me dis ça que maintenant ?

– Non, tu n'écoutes pas. Le barman… » Elle se leva et s'assit sur le lit à côté de lui, sans le toucher. « J'ai du mal à réfléchir. » Elle se pressa le front de la paume de la main. « Peut-être qu'ils m'ont suivie à la maison sans que je les voie. Et s'ils ont découvert où on habite, et qu'ils ont appelé cet Hugo pour le lui dire ?

– Mais il y a une chose que je ne comprends pas. Qui les a tués ? dit Pete. L'article ne parle pas du type de mitraillette utilisée par le tueur. On trouve maintenant un tas de matos illégal – des AK, des Uzis, des semi-automatiques avec des *helltriggers*[1].

---

1. Système permettant à un semi-automatique de tirer aussi vite qu'un automatique.

– Quelle différence ça fait ?

– L'article dit qu'il y avait des douilles partout sur la scène de crime. Si le type avait une Thompson avec un tambour…

– Pete, crache ce que tu as à dire, tu veux bien ? Qu'es-tu en train de sous-entendre ? Tu parles par hiéroglyphes.

– Le type qui a tué toutes ces femmes derrière l'église utilisait une Thompson. C'est difficile de s'en procurer. Elles tirent des cartouches de .45. Le tambour à munitions contient cinquante cartouches. Peut-être que le type qui a tué les filles derrière l'église est le même que celui qui a mitraillé les motards.

– Ça n'a pas de sens. Pourquoi se tueraient-ils entre eux ?

– Peut-être qu'ils ne travaillent pas ensemble. » Pete continua à lire, suivant avec son pouce jusqu'au dernier paragraphe. Il écarta le journal et s'essuya les paumes sur les genoux.

« Vas-y, dit-elle.

– Le tireur boitait. Il a peut-être une canne pour marcher. Un camionneur l'a vu de la nationale. »

Vikki se leva. Son visage était pâle, sa peau tendue, comme si elle regardait droit devant elle dans un vent glacé. « C'est l'homme sur lequel j'ai tiré, n'est-ce pas ? »

Pete commença à enfiler son pantalon.

« Où tu vas ?

– Je sors.

– Pour quoi faire ?

– Pas pour boire, si c'est ta question. »

Le regard de Vikki, fixé sur le sien, restait accusateur.

« C'est moi qui nous ai fourrés dans ce merdier, Vikki. Inutile que tu le dises.

– Ne pars pas.

– Ça ne servirait à rien d'en rajouter.

– Je ne suis pas fâchée contre toi. Je suis juste fatiguée.

– Je reviendrai.

– Quand.

– Quand tu me verras.

– Que vas-tu faire ?

– Piquer une bagnole. Je n'étais pas seulement membre d'équipage dans un tank. J'étais mécanicien. Tu vois, il y a un bon côté à s'être fait griller à Bagdad.

– Va te faire voir, Pete. »

Hugo Cistranos était sur la plage, assis sur une chaise de toile, en maillot de bain Speedo, les vagues montant et glissant sur le sable en une mousse jaune. L'air avait une odeur de cuivre et d'iode. Il avait l'odeur des algues incrustées autour de ses pieds et des poches d'air éclatées des méduses qui dessinaient au bord de l'eau une ligne dentelée. Il avait l'odeur de la peur qui encrassait son cœur et baignait ses glandes au point qu'aucune lotion solaire n'aurait pu la dissimuler.

Il essaya à nouveau le portable du Prêcheur. Il avait déjà laissé six messages, puis avait entendu une voix préenregistrée disant que la messagerie était pleine. Mais cette fois non seulement le portable sonna, mais le Prêcheur décrocha. « Qu'est-ce que tu veux ? dit-il.

– Salut, Jack. Où t'étais ? J'étais hyperinquiet, mec.

– À propos de quoi ?

– À propos de ce qui s'est passé dans le coin. Où es-tu ?

– Je cherche une nouvelle maison.

– Tu cherches…

– J'ai eu un incendie, une explosion de gaz.

– Tu plaisantes ?

– Et pendant l'incendie, quelqu'un a tiré dans les pneus de ma voiture, aussi. Peut-être un des pompiers.

– J'ai lu dans le *Houston Chronicle* ce qui s'est passé dans ce motel. C'est à cause de ça ? Ces salauds avaient fait flamber ta baraque ?

– Quel motel ?

– Je suis ton ami, Jack. Ces types travaillaient pour ce Russe, sur la côte. Je ne sais pas pourquoi ils étaient après toi, mais je suis content qu'ils se soient fait buter. Je soupçonne qu'ils ont

311

été envoyés dans le coin pour faire payer Artie et tous ceux qui travaillent pour lui, y compris moi.

– Je pense que t'as tout compris, Hugo.

– Écoute, même si je m'inquiétais pour toi, comme j'avais plus de tes nouvelles, je t'appelais à propos de deux autres problèmes. » Un Frisbee rouge apparut de nulle part et heurta la tempe d'Hugo. Il le ramassa et le lança sauvagement en direction d'un petit garçon. « Artie veut trouver un arrangement avec toi. Il veut que je m'occupe du transfert d'argent.

– Un arrangement ? Ce n'est pas un procès.

– Il t'offre quand même deux cent mille. C'est tout le liquide dont il dispose. Pourquoi ne pas accepter et en finir avec tout ça ?

– Tu as dit "deux problèmes".

– Nous pensons savoir où se trouve la nana.

– Essaie d'utiliser les noms propres. C'est-à-dire le nom spécifique d'une personne, d'un lieu, d'une chose.

– Vikki Gaddis. Je ne sais pas si le soldat est encore avec elle ou pas. Tu veux t'occuper de ça, ou tu veux que Bobby et deux nouveaux la branchent et la livrent où tu voudras ?

– Ne la touchez pas.

– Tout ce que tu voudras.

– Comment vous l'avez trouvée ?

– C'est une longue histoire. Qu'est-ce que je réponds à Artie ?

– Je reprendrai contact avec toi avec les coordonnées d'un compte off-shore.

– Ça laissera une trace électronique, Jack. Il faut qu'on se rencontre.

– Je passerai.

– Non, il faut qu'à un moment donné on se retrouve tous, et qu'on parle de tout ça.

– Où est la fille Gaddis ? »

Hugo essaya de réfléchir très vite. Comment avait-il pu imaginer pouvoir l'emporter sur un sociopathe ? Sa poitrine musclée palpitait comme s'il venait de monter une côte en courant. Il avait l'impression que sa peau était incrustée de sable ; de la sueur mêlée à du sable suintait de ses aisselles. Il avait la bouche sèche et le soleil brûlait le sommet de son crâne. «Jack, ça fait longtemps qu'on bosse ensemble.

– J'attends.

– Tu as gagné. Je suis avec toi. Il faut que tu me croies.»

Il donna au Prêcheur le nom de la ville, et celui du bar où Vikki Gaddis avait été aperçue, sans révéler sa source. Puis il s'essuya la bouche. «Il faut que tu me dises quelque chose. Comment t'as eu ces motards ? Comment t'as monté cette affaire, mec ?

– Les putes vendent des informations. Elles vendent aussi leurs macs, si on paie bien. Certaines y prennent énormément de plaisir», dit le Prêcheur.

Le cœur d'Hugo ralentit et il se rendit compte qu'une occasion venait de se présenter, une occasion à laquelle il n'avait pas pensé plus tôt. «Je suis ton ami, Jack. Je t'ai toujours admiré. Quand tu seras sur la frontière, sois prudent. Ce shérif et son adjointe, celle qui a buté Liam. Ils étaient là-bas.

– Ce Holland ?

– Ouais, il a parlé à Artie. Il a parlé de toi, mec. Artie lui a dit qu'il n'avait jamais entendu parler de toi, mais ce type a compris que t'étais derrière ce qui s'est passé près de l'église. Je crois qu'il a des ambitions politiques. Il a posé de sales questions à propos de ta famille, en particulier de ta mère. Qu'est-ce que ce type peut avoir à faire de ta mère ?»

Hugo entendit le vent entre son oreille et le portable, puis la connexion fut interrompue.

Je t'ai eu, fils de pute, pensa-t-il.

Il mit ses lunettes de soleil et regarda le Frisbee rouge du petit garçon planer doucement dans l'air, au-dessus des vagues, au milieu des mouettes qui criaient.

Pete suivit le chemin dans l'obscurité, passa sous l'arche de stuc rose décorée de fleurs, puis devant le drive-in désaffecté et le bâtiment circulaire en forme de gros cheeseburger percé de passe-plats, et les trois Cadillac qui semblaient englouties dans le *hardpan*. Le vent s'était levé et la combinaison de poussière et d'humidité qu'il soulevait lui donnait l'impression d'avoir des dépôts de papier-émeri humide dans les cheveux et sur la peau. À la lisière de la ville il suivit une voie de chemin de fer vers le nord-est, marchant le long du talus jusqu'à une large plaine plate où la voie principale se perdait à des kilomètres dans le lointain, le ciel nocturne luisant sur les rails.

Une demi-heure plus tard, alors qu'il entrait dans une cuvette, il entendit un convoi à double traction arriver lentement sur la voie, les wagons plats et les wagons de fret vides cahotant. Il se planqua dans les buissons jusqu'à ce que la première locomotive soit passée, puis se mit à courir à côté de la porte ouverte d'un wagon plat vide. Juste avant que le wagon ne passe en branlant près d'un signal lumineux fixé à un poteau, il se glissa à l'intérieur, se hissant sur les mains et roulant sur un plancher de bois qui sentait la paille et l'odeur chaude et musquée de la peau animale.

Il s'allongea sur le dos et regarda les montagnes et les étoiles glisser le long de la porte ouverte. Il ne se souvenait pas de la dernière fois qu'il avait passé une nuit entière sans rêver ou sans s'éveiller brutalement, la pièce se remplissant d'éclairs qui n'avaient rien à voir avec les phares des voitures sur une route ni avec l'électricité dans les nuages. Ces rêves étaient hantés par des éléments, des gens, des événements disparates, dont la plupart étaient sans lien apparent, mais qui étaient d'une manière ou d'une autre unis par la couleur, et par les images nauséeuses suggérées par la couleur – l'arc-en-ciel humide à l'intérieur d'un bandage retiré d'une blessure infectée ; l'aspersion rouge visqueuse qui avait jailli des hadjis qui rampaient sur un tank hors service, essayant de forcer les ouvertures, quant Pete avait tiré sur eux avec Ma Deuce, un calibre .50 qui pouvait transformer des êtres humains en pâtée pour chiens. Dans ses rêves, les victimes étaient nombreuses, mais pas nécessairement des gens qu'il avait vus ou connus – des soldats, des enfants, des vieillards des deux sexes au visage creux dont les dents étaient une atrocité. Paradoxalement, pour Pete, le manque de sommeil n'était pas un problème. C'était une solution.

Sauf qu'il ne parvenait pas à garder un travail. Il rêvait debout, laissait tomber des outils dans les machines, ne parvenait pas à se concentrer sur ce que disaient les autres, et parfois ne réussissait pas à compter la monnaie dans la paume de sa main. Pendant ce temps, Vikki Gaddis non seulement le soutenait financièrement mais, à cause de son irresponsabilité et de son mauvais jugement, était devenue la cible d'une bande de tueurs.

Il trouva sur le sol du wagon un morceau de grosse toile qu'il roula sous sa tête, et s'endormit. Pour une raison qu'il ignorait, il se sentit bercé dans son sommeil, presque comme une créature embryonnaire doucement ramenée dans les chairs de sa mère.

À son réveil, il vit les lumières de la banlieue de Marathon. Il se frotta les yeux et se laissa tomber du wagon sur le sol. Il attendit que le train finisse de passer puis traversa la voie et trouva une route qui menait en ville et, pour finir, au parc de voitures d'occasion de son cousin.

Il était, comme de juste, dans un quartier en ruines qui semblait vidé de ses couleurs. Une haute barrière surmontée de rouleaux de barbelés entourait le parc et le bureau de vente. Pete suivit une petite rue loin des lampadaires de la deux voies, tournant la tête à la vue d'un poids lourd qui changea de vitesse au croisement. Le parc était rempli d'énormes pick-up et de SUV dont la valeur marchande avait chuté lorsque le prix de l'essence était monté à quatre dollars le gallon. Pete parcourut des yeux les rangées de véhicules en solde, se demandant lequel serait le plus facile à voler. Entre une Expedition et une Ford

315

Excursion, il vit le vieux tacot que son cousin lui avait vendu et dont le vilebrequin avait cédé sur la nationale. Le cousin l'avait remorqué dans le parc et avait placé sur son pare-brise un panneau « À vendre ». Ça en disait long sur la qualité des autres véhicules qu'il proposait.

À l'arrière du parc, Pete repéra une échancrure dans les spirales de barbelé et glissa ses doigts dans la barrière, se préparant à l'escalader. Au bout de l'allée, entre deux rangs de véhicules, il vit le portail fermé par une chaîne qu'il devrait franchir avec le pick-up, ou le SUV, ou la petite bagnole qu'il serait parvenu à piquer. Il avait dans la poche un kit pliable Schrade, avec des pinces coupantes, des tournevis et de petites clefs à mollette de toutes sortes, mais rien de la taille et de la force nécessaires pour couper une chaîne ou un cadenas.

Par la barrière sur le devant, il vit un véhicule de patrouille passer sur la route de campagne et obliquer vers un *diner* à l'intersection. Combien d'erreurs pouvait-on commettre en une seul soirée ?

Il s'assit sur un monticule de terre graisseux d'où sortait un bouquet de pins, et se mit la tête entre les mains. Il regarda la voiture du shérif s'éloigner du *diner*, puis concentra son attention sur une cabine téléphonique éclairée, entre le *diner* et l'intersection.

Il était temps d'appeler la cavalerie, même s'il redoutait ce que la cavalerie allait lui dire. Il marcha jusqu'à la cabine et appela en PCV la résidence de William Robert Holland à Lolo, Montana.

Mais l'intuition de Pete était juste : Billy Bob lui dit que la seule solution qui lui restait était de se rendre à son cousin, Hackberry Holland. Il lui donna même son numéro. Il lui dit aussi que le FBI avait sans doute mis son téléphone sur écoute et qu'il était probable que, pour lui, le compte à rebours avait commencé.

Pete percevait du chagrin et de la pitié dans la voix de son ami, et ça lui gonfla le cœur. Dans sa tête, il se revoyait avec lui, des années auparavant, pêchant à la ligne sous un arbre, leurs boissons fraîches et leurs sandwichs jambon-beurre posés à l'ombre sur une couverture.

Quand Pete eut raccroché, la sueur lui coulait sur le front et des insectes cognaient sourdement contre la paroi de Plexiglas de la cabine. Il replia la porte en accordéon contre le montant et commença à suivre la route en direction de la voie de chemin de fer. Plus haut, il vit une petite voiture solitaire arrêtée au feu. Son chauffeur attendait d'un air absent derrière le volant, les traits éclairés par la lumière d'une pancarte AutoZone. Le feu semblait bloqué sur le rouge, mais le chauffeur attendait patiemment qu'il change, alors qu'il n'y avait pas d'autre véhicule sur la chaussée.

Le chauffeur avait un long nez et des pommettes hautes, les cheveux peignés en arrière, striés de gel ou de gomina. Sa structure faciale aurait pu être qualifiée de squelettique, mais sa chair grumeleuse, comme couverte de piqûres de guêpe, suggérait moins l'ascétisme que la sensualité et la décadence. Son regard était fixé sur le feu, comme une parodie moderne d'un saint byzantin en train de vivre l'expérience de la nuit sombre de l'âme.

Pete commença à traverser au croisement, devant les pleins phares de la petite voiture, à l'instant où le feu changea de couleur. Le chauffeur dut appuyer sur ses freins. Mais Pete ne bougea pas. Il continua à fixer l'éclat des phares, des cercles rouges et d'un vert jaunâtre brûlant dans ses orbites. Il écarta les bras. « Désolé d'être né », dit-il.

Le chauffeur le contourna lentement, vitre baissée. « T'as un problème ?

– Oui, monsieur, j'ai un problème. Vous voyez, le feu était rouge quand j'ai commencé à traverser. Le fait qu'il passe du rouge au vert ne signifie pas qu'un conducteur peut rouler sur tout ce qui se trouve devant lui.

– C'est intéressant à savoir. Maintenant, si tu enlevais tes mains du toit de ma voiture ? Je n'apprécie pas particulièrement de contempler des aisselles.

– J'aime vos rubans "Soutien aux troupes". Vous avez dû en acheter une pile. Que diriez-vous de rétablir la conscription, pour que vous puissiez tous botter quelques culs loqueteux dans le désert ?

– Écarte-toi, petit.

– Oui, monsieur, avec plaisir », dit Pete. Il commença à ramasser des cailloux sur le sol. « Laissez-moi vous aider. Il n'y a pas une petite partie de belotte, à l'association des vétérans, ce soir ? »

Le chauffeur scruta le visage de Pete. Son regard, plus que la peur ou l'inquiétude, exprimait la curiosité. « Va te faire aider. Et en attendant, ne t'approche plus de moi.

– Merci de m'avoir remis d'aplomb, monsieur. Bonne route. Dieu vous bénisse et bonne route. »

Tandis que la voiture s'éloignait, Pete lui lança un caillou après l'autre, en cognant les portières, le toit, la malle arrière. Puis il ramassa une brique, courut après la voiture, et jeta la brique de toutes ses forces, faisant un trou dans la vitre arrière. Mais le chauffeur n'accéléra pas, n'appuya pas sur la pédale de freins. Il continua à rouler régulièrement en direction de la grande route qui menait hors de la ville, laissant Pete au milieu de la rue, noyé dans le mépris de lui-même et une rage impuissante qui pesait sur son front comme une couronne d'épines.

Quand le Prêcheur eut rejoint la quatre voies et repris son chemin, il regarda sa vitre brisée dans le rétroviseur. La conduite d'un fou, ou d'un alcoolique, ou d'un drogué, n'avait jamais été pour lui une source d'inquiétude. Les déséquilibrés comme ce gamin lançant des cailloux sur la voiture d'un étranger lui rappelaient seulement qu'il n'avait pas à se chercher de justification, que les gens moralement déficients avaient depuis longtemps pris le pouvoir. Pense à l'Assemblée en France sous Robespierre, se dit-il. Pense à la foule que rallient les télévangélistes. Si on les écoutait, il y aurait une chaise électrique à chaque coin de rue du Texas et la moitié de la population serait transformée en savonnettes.

Il accéléra jusqu'à quatre-vingt-dix, se maintenant sous la limite des cent. Le siège arrière était encombré de cartons qui contenaient les biens qu'il avait sauvés de sa maison détruite. Sa Thompson, qu'il avait payée dix-huit mille dollars, était cachée entre le siège arrière et la malle. Il regrettait sa maison de stuc au pied de la montagne, mais il savait qu'il finirait par y revenir. Il était certain que la grotte dans la montagne, et le bruit que faisait le vent quand il soufflait entre ses parois étaient un présage non seulement pour lui, mais pour un rouleau en train de se dévider auquel appartenait son histoire. Était-ce aller trop loin dans la foi que de conclure que le sifflement du vent n'était rien moins que la respiration de Yahvé à l'intérieur de la terre ?

Toutes nos destinées n'étaient-elles pas déjà écrites sur des rouleaux que nous déroulons et découvrons de façon progressive ? Peut-être le présent et le futur étaient-ils déjà écrits dans le vent, et pas de façon transitoire, mais qu'ils nous étaient murmurés avec précision, pour peu qu'on prenne la peine de les écouter. Les trois motards avaient pensé pouvoir le tuer dans sa propre maison, ignorant le pouvoir niché dans l'environnement qu'ils avaient envahi. Il se demanda ce qu'ils avaient pensé quand il leur avait tiré dessus dans la chambre du motel. Il y avait du regret dans leurs yeux, certainement, et du désespoir, et de la peur, mais surtout du regret. S'ils avaient pu parler, il était certain qu'ils auraient renoncé à tout pour vivre cinq secondes de plus, pour pouvoir plaider leur cause et convaincre le Prêcheur, ou quiconque gouverne l'univers, que, si seulement il leur était accordé une saison supplémentaire, ils consacreraient le reste de leur vie à la piété et à la charité.

Le Prêcheur doubla un poids lourd, les phares de la remorque transformant sa vitre arrière fêlée en un prisme de lumière fracturée. Le lanceur de cailloux était-il ivre ? Le type ne sentait pas l'alcool. Visiblement, il avait été en Irak ou en Afghanistan. Peut-être le service des vétérans lâchait-il ses dingos dans la rue. Mais il y avait à propos de ce gosse un détail que le Prêcheur n'oubliait pas. Dans son obsession pour retrouver Vikki Gaddis, il avait peu pensé à son petit ami, celui qu'Hugo et Bobby Lee appelaient "le soldat". Qu'est-ce que Bobby Lee avait dit à son sujet ? Que le gosse avait sur le visage une cicatrice aussi longue qu'un ver de terre ?

Non, c'était juste une coïncidence. Yahvé ne jouait pas de mauvais tours.

À moins que ?

19

À deux heures du matin, le climatiseur devant la fenêtre d'Hackberry toussa, émit une série de bruits sourds comme une bouteille de Coca qui roule dans un escalier, et s'éteignit. Hackberry ouvrit portes et fenêtres, alluma le ventilateur au plafond de sa chambre et retourna se coucher.

Un énorme banc de nuages noirs était arrivé du sud, bouchant le ciel. Les nuages étaient illuminés par des éclairs ignés qui en quelques secondes ridèrent la totalité du ciel et allèrent mourir bien au-delà des montagnes. Il faisait frais dans la chambre sous les pales du ventilateur, et Hackberry rêva qu'il se trouvait dans un hôpital militaire aux Philippines, endormi par la morphine, et qu'un infirmier militaire pas plus âgé que lui retirait une seringue de son bras. Une averse dans le soleil arrivait de la baie, et au-dehors une orchidée fleurissait sur la pelouse, ses pétales couleur lavande éparpillés sur l'herbe tondue. Au loin, là où la baie se fondait avec l'eau, il voyait l'imposante masse grise d'un porte-avions, ses contours métalliques brouillés par la pluie.

L'hôpital était un lieu sûr, et les souvenirs d'un camp de prisonniers au sud du Yalou semblaient sans rapport avec sa vie.

Dans son sommeil, il entendit le tonnerre et le vent, vibrer le fil de fer de sa barrière du fond, des amarantes rebondir sur le flanc de sa maison et s'entasser sur ses parterres. Puis il sentit la pluie souffler à travers ses moustiquaires, balayant le toit de la maison, remplissant la pièce d'une fraîcheur qui lui rappelait le printemps, ou des souvenirs d'étés très chauds, quand les gouttes de pluie sur un trottoir brûlant suscitaient une odeur qui vous persuadait que la saison, comme la jeunesse, seraient éternelles.

La bruine passa par la fenêtre, effleurant sa peau, humectant son oreiller. Il se leva pour fermer la fenêtre, et au loin il vit des éclairs frapper une colline, s'enflammant dans un bosquet de chênes brunis qui, au milieu de l'illumination, évoquaient des doigts noueux. Il se recoucha, l'oreiller sur le visage, et se rendormit.

Dans la rue, une petite voiture passa dans la nuit, tous feux éteints. Il y avait un trou dans la vitre arrière, dont les bords dessinaient un œil cristallin qui se superposait à l'intérieur sombre du véhicule. Les deux mains sur le volant, le chauffeur contourna une pierre qui avait roulé sur la chaussée, évitant un poteau de clôture et un fouillis de barbelés renversés en bas d'une pente. Il passa devant une grange et une prairie où se trouvaient des chevaux et une citerne, puis tourna dans un champ, traversa une longue étendue de sorgho d'Alep et gara sa voiture dans le lit d'un ruisseau à sec, à côté d'une colline, les cailloux secs craquant sous ses pneus. Il sortit de sous le siège arrière sa mitraillette et le sac qui contenait deux tambours à munitions, puis s'assit sur un rocher plat, le chapeau incliné sur le visage, son costume à rayures d'occasion pas repassé moucheté de pluie, une canne appuyée contre son genou.

Un coup de vent ouvrit sa veste et effleura le rebord de son chapeau, mais il ne cilla pas ; son regard demeura sans expression. Il fixait distraitement l'herbe qui se courbait autour de lui et un feu de souche qui couvait sous la pluie. La fumée sentait les ordures brûlées, et il s'éclaircit la gorge avant de cracher. Il installa le tambour à munitions sur sa Thompson et libéra le cran de sûreté, faisant monter une balle dans la chambre. Il resta assis un long moment, sans rien regarder, la Thompson sur les genoux, les mains sur le canon et la crosse aussi détendues que celles d'un enfant.

Il ne savait pas quelle heure il était, car il ne portait ni montre ni bijou pendant le travail. Il ne mesurait pas le temps en minutes, ni en heures, mais en événements. Il n'y avait aucun véhicule sur la route de campagne. Il n'y avait aucun signe d'activité à l'intérieur de la maison dans laquelle il s'apprêtait à faire intrusion. Aucun insomniaque, aucun lève-tôt, n'allumait de lumières dans les environs. Un feu brûlait dans l'herbe, des chevaux hennissaient doucement dans l'obscurité, la fumée expliquant qu'ils semblent sur le qui-vive. Le ciel vibrait de coups de tonnerre ; non pas des éclairs secs, mais de ces éclairs qui annoncent une grosse pluie, peut-être même le genre de mousson qui redonne vie au désert. Malgré l'odeur acre de la fumée dans la brume, la nuit était aussi belle et normale qu'on peut s'y attendre en fin d'été dans le sud-ouest du Texas.

Le Prêcheur rentra son pantalon dans ses bottes, prit sa Thompson dans une main, canon renversé, et de l'autre s'agrippa à sa canne, puis commença à traverser un fourré en direction du ranch, au loin, le visage aussi imperméable aux ronces et à la pluie qu'un masque de plastique moulé.

Quand, dans ses rêves, Hackberry voyait le sergent Kwoon, il avait toujours une petite mitraillette à son épaule, et un crochet à glace pendait au bout des doigts de sa main droite. Hackberry distinguait même les demi-lunes de crasse sous les ongles de Kwack et l'éclat lustré de sa veste rembourrée, tartinée de boue séchée, ses manches marquées de mucus là où il s'était mouché.

Dans le rêve, Kwong insérait le crochet dans l'un des carrés de métal de la grille d'égout au-dessus de la tête d'Hackberry et tirait la grille dans une flaque de neige jaunie là où il avait uriné. Hackberry était assis le dos contre la paroi de terre du trou, les genoux repliés contre lui, le casque dans lequel il déféquait posé à ses pieds. Le corps massif de Kwong se découpait sur un ciel couleur saumon, le visage dans l'ombre de sa casquette de toile à visière courte, avec des oreillettes et une bride qui lui passait sous le menton. Sa mâchoire pas rasée était aussi imposante que celle d'un gorille, les poils

323

de son nez blancs de cristaux de glace, son haleine dégageant de la buée. Hackberry entendait d'autres prisonniers qu'on sortait de leur trou, qu'on alignait brutalement, les gardiens parlant plus fort, plus vite, plus méchamment que d'habitude, frappant ceux qui ne bougeaient pas assez vite.

Kwong laissa tomber la grille de fer lourdement sur la neige, dégagea son croc.

« Monte, tête de pine. Aujourd'hui, c'est ta journée », dit-il.

Dans son rêve, Hackberry essayait de se retransporter à l'hôpital aux Philippines, de revenir au moment où l'infirmier de la Navy lui avait injecté de la morphine, et où il avait pu tourner sa tête sur l'oreiller et voir l'orchidée fleurir sur la pelouse et, au loin, le contour gris et brumeux du porte-avions sous la pluie.

Au nord de la prairie, le Prêcheur traversait d'un pas ferme le sorgho d'Alep dont l'humidité brillait sur ses bottes, la crosse de la Thompson contre la hanche, sa canne perçant la terre meuble. Les deux hongres, le palomino et le *chestnut*, dans le parc à chevaux, avaient peur au milieu des volutes de fumée du feu de souche et gémissaient, les oreilles en arrière. Très haut dans le ciel, un avion aux hublots éclairés faisait une approche vers un aérodrome privé, glissant à travers la pluie et les éclairs en direction d'un port de salut. Les voisins du shérif dormaient profondément, confiants dans le soleil et la bonne journée qui les attendaient. Tandis que le Prêcheur pensait à tout ça, son énergie croissait en intensité, comme des abeilles qui s'éveillent à la vie dans une ruche qu'un enfant a troublée en y jetant une pierre. Il posa sa canne, franchit la clôture de l'enclos à chevaux et continua vers la maison, tout inconfort disparu de sa jambe et de son pied, une fanfare résonnant dans sa tête.

Les deux chevaux coururent dans des directions différentes pour s'écarter de lui, leurs sabots arrière frappant l'air à l'aveugle. Plus loin, la maison était sombre, l'éolienne enchaînée, ses pales et son gouvernail frémissant, immobiles dans le vent.

Quand Hackberry se réveilla dans un sursaut, il essaya de s'asseoir sur son lit, puis entendit un cliquettement de métal et sentit une chaîne se tendre à son poignet gauche. Il se redressa contre le montant du lit, sa vision floue, sa main gauche bêtement suspendue en l'air, comme si son système moteur avait été coupé.

« Waou, mon pote », dit le Prêcheur. Il était assis sur un siège dans le coin, sa Thompson en travers des genoux. Il avait retiré son chapeau et l'avait posé à l'envers sur la commode. Ses vêtements étaient humides et souillés de cendre et de boue, son visage et ses bottes luisant de pluie. « C'est déjà une affaire conclue. Ne vous faites pas inutilement mal. »

Hackberry s'entendait respirer. « Vous êtes celui qu'on appelle le Prêcheur ?

— Vous saviez que j'allais venir, n'est-ce pas ?

— Non. Pour moi, ce n'est pas une affaire personnelle.

— On m'a dit que vous aviez posé à Arthur Rooney des questions à mon sujet, sur ma vie privée.

— Celui qui vous a dit ça est un sacré menteur.

— Ouais, sans doute. Néanmoins, vous m'avez recherché, shérif Holland. Et au lieu de ça, c'est moi qui vous ai trouvé.

— J'aurais dû verrouiller ma porte.

— Vous pensez que votre climatiseur qui ne fonctionnait plus, c'était une coïncidence ?

— C'est vous qui avez fait ça ?

— Non, un homme qui travaille pour moi.

— Que venez-vous faire ici, monsieur Collins ?

— Il faut vraiment que vous me posiez la question ?

— Jack Collins, c'est vraiment votre nom ? Celui qu'on vous a donné à la naissance ?

— Quelle différence ça peut faire ?

— Au cas où vous ne l'auriez pas compris, les surnoms sont une forme de déguisement. D'après ce que j'ai entendu dire, vous êtes censé être la main gauche du Seigneur.

– Je ne l'ai jamais prétendu.

– Vous laissez les autres le faire pour vous. Vous ne les en découragez pas.

– Je ne m'attarde pas sur ce que disent ou pensent les gens. Pourquoi préférez-vous l'autre côté de votre lit, shérif ?

– J'ai un problème de sciatique. Je ne peux pas m'allonger dans une certaine position.

– C'est ce que vous cherchez ? dit le Prêcheur en brandissant le revolver d'Hackberry.

– Peut-être.

– Quand on garde une arme à son chevet, elle doit être de petite taille, un Derringer ou un Airweight qu'on peut cacher sous le matelas ou l'oreiller, pour qu'un intrus ne puisse pas la découvrir sans vous réveiller. Vous, vous préférez un .45 ? C'est un peu comme porter un tas de ferraille sur la hanche, non ? »

Par la porte-moustiquaire, Hackberry regarda les rafales de pluie sur la prairie, ses chevaux qui jouaient, faisant semblant de se battre, la lueur orange et chaude d'un feu de souche à chaque fois que le vent alimentait les flammes en oxygène frais. « Faites ce que vous êtes venu faire, et qu'on en finisse, dit-il.

– À votre place, je ne précipiterais pas mon destin.

– Vous donnez des leçons ? Un homme qui a tué neuf femmes désarmées, dont certaines étaient à peine plus que des enfants ? Vous vous prenez pour le fléau de Dieu ? Vous êtes une pustule de la Création. Toute ma vie j'ai connu des gens comme vous. Vous êtes toujours en train de chercher une cause ou un drapeau derrière lesquels vous abriter. Il n'y a aucun mystère dans votre psychologie, Collins. Votre mère voulait sans doute se faire avorter et a maudit le jour de votre naissance. Je pense que, dès l'utérus, vous étiez méprisé. »

Le Prêcheur avait la bouche pincée, comme s'il pesait chaque mot d'Hackberry. Il souffla par les narines d'un air indifférent. «C'est possible. Je ne l'ai jamais très bien connue. Vous avez reçu la Navy Cross ?

– Et alors ?

– J'ai étudié votre passé. Il est difficile de vous ranger dans une case. Vous étiez un baiseur et un alcoolique. Quand vous étiez marié et candidat au Congrès, vous louiez les services de Mexicaines, sur la frontière. Vous n'avez jamais refilé une maladie à votre femme ?»

Le chargeur à tambour de la Thompson était posé entre les genoux du Prêcheur. L'index de sa main droite n'était pas sur la gâchette. «La question n'est pas difficile, insista-t-il.

– Dites un truc, et je l'aurait fait. Jusqu'à ce que je rencontre la femme qui est devenue ma deuxième épouse.

– La marxiste ?

– Elle travaillait pour le Syndicat des travailleurs agricoles, et c'était une amie de César Chavez.

– C'est comme ça que vous vous êtes mêlé aux papistes ?

– Il y a pire, comme groupe.

– Ce qui s'est passé avec ces Asiatiques, je ne l'ai pas voulu.

– Je les ai déterrées. J'ai vu votre travail, personnellement et de près. Allez raconter vos conneries à quelqu'un d'autre.

– C'est vous qui les avez trouvées ?

– Au moins une des filles avait la main refermée sur de la terre. Vous savez ce que ça signifie ?»

Le Prêcheur leva un index. «Je n'avais aucun contrôle sur ce qui s'est passé là-bas.

– Vous utilisez la forme impersonnelle.

– Quoi ?

– Une manipulation du langage pour éviter d'admettre votre culpabilité.

– En plus d'un héros de guerre, vous êtes un grammairien ?

– Mon histoire n'a rien d'héroïque. J'ai donné des renseignements sur deux de mes camarades prisonniers.»

Le Prêcheur semblait avoir perdu son intérêt pour le sujet. Il se grattait la joue avec quatre doigts. « Vous avez peur ?

– De quoi ?

– De l'autre côté.

– J'y ai déjà été.

– Répétez-moi ça ?

– J'ai regardé au fond des yeux d'un homme exactement semblable à vous. Il avait une petite mitraillette fabriquée en Chine ou en Russie. C'était un homme cruel. Je soupçonne que sa cruauté dissimulait sa lâcheté profonde. Je n'ai jamais rencontré quelqu'un de cruel ou de brutal qui ne fût pas un lâche. »

Le Prêcheur agita la main. « Taisez-vous. »

Au début, Hackberry crut que ses paroles avaient entamé le système de défense du Prêcheur, puis comprit la vanité de cette perception. Le Prêcheur s'était levé, l'attention fixée sur la route, sa Thompson tournée vers le bas. Il s'approcha de la fenêtre. « C'est pas la plus futée du monde, hein ?

– Qui ?

– Votre adjointe, celle qui a tué Liam. Elle vient d'allumer sa lumière intérieure pour écrire dans son carnet de bord.

– Quand elle est de garde la nuit, elle patrouille sur cette route. Elle n'a rien à voir avec ça, Collins.

– Oh que si, mon ami.

– Va te faire voir, fils de pute !

– Comment vous m'avez appelé ?

– C'est moi qui vous ai poursuivi, Collins. Pas mon adjointe. Elle obéit à mes ordres. Elle n'a rien à voir là-dedans.

– Vous insultez ma mère, et en même temps vous demandez l'immunité pour votre copine ? Vous avez son destin sur la conscience. Repensez-y bien : les portes pas verrouillées, le fait de me poursuivre en dehors de votre juridiction, le meurtre de Liam Eriksson. C'est vous qui avez organisé ça, shérif. Regardez au fond de moi. Vous vous verrez vous-même. »

Pour parler, le Prêcheur s'était penché en avant, l'haleine aigre, un mince fil de salive pendant au coin de sa bouche.

328

D'une main, Hackberry agrippa la chemise du Prêcheur, serra l'étoffe dans son poing et tira le Prêcheur vers lui. Il lui cracha en plein visage, puis rassembla sa salive et continua à lui cracher dessus jusqu'à en avoir la bouche sèche.

Le Prêcheur s'écarta de lui d'un bond et, des deux mains, balança la crosse de la Thompson sur l'arête du nez d'Hackberry. Il le frappa encore une fois, sur la tête cette fois, lui fendant le crâne, raclant la plaque d'acier de la crosse sur l'oreille d'Hackberry.

Le Prêcheur prit son chapeau sur la commode et s'approcha de la porte du jardin. «Je reviendrai m'occuper de vous plus tard. Ce sera la dernière chose que vous verrez. Et vous supplierez pour pouvoir ravaler tous les mots que vous avez prononcés sur ma mère.»

Du sang coulait du front d'Hackberry dans ses yeux. Impuissant, il regarda le Prêcheur sortir dans le jardin, la Thompson faisant un angle vers le bas avec sa silhouette, comme un point d'exclamation noir contre l'éclat des phares de la voiture de patrouille.

Hackberry se tendit contre la menotte à son poignet gauche, mettant ses doigts en cône, essayant de passer la main à travers le cercle de métal, des filets de sang coulant sur son pouce, striant ses ongles. Il se leva et, les deux bras tendus, s'acharna contre la chaîne que l'autre menotte retenait à un tourillon sur le montant du lit. Par la fenêtre, il voyait le Prêcheur loin dans l'allée, approchant de la voiture de Pam Tibbs, la pluie tourbillonnant autour de lui comme des échardes de glace, le tonnerre ridant le ciel.

Hackberry vit Pam tendre la main pour couper le plafonnier. Puis, pour une raison qu'il ignorait, la lumière se ralluma. Hackberry cria de toute ses forces à l'instant où le montant du lit vola en éclats. Le Prêcheur mit la Thompson sur l'épaule, son coude droit pointant vers l'extérieur comme une aile de poulet, et visa.

L'éruption du canon fut comme la contorsion dentelée et

irrégulière d'un arc électrique. Les balles du .45 firent éclater les vitres à l'arrière et sur le côté, crevèrent les portières, arrachèrent le rembourrage des sièges, firent exploser un rétroviseur, mirent le capot en lambeaux, aplatirent un pneu, tout ça en moins d'une seconde.

Hackberry libéra les menottes du montant de lit détruit et trouva son revolver dans son holster sur le sol, là où le Prêcheur l'avait posé. Il courut pieds nus dans le jardin à l'instant où le Prêcheur lâchait une autre rafale, tenant cette fois la Thompson contre sa hanche, aspergeant la voiture d'une extrémité à l'autre. Une flamme apparut sous le capot, puis parut s'écouler du moteur sur l'asphalte et courir vers l'arrière en direction du réservoir. Il n'y eut pas de transition entre le moment de l'ignition et l'explosion qui suivit. Une boule de feu surgit de la carrosserie de la voiture, remplissant les fenêtres, grillant l'intérieur, montant dans l'obscurité en une torche d'un rouge sombre, sale, qui émit une odeur semblable à celle d'un incinérateur derrière une usine d'équarrissage. Hackberry sentit la vague de chaleur flotter sur la pelouse et lui effleurer le visage.

«Collins !» hurla-t-il. Il vit le Prêcheur se retourner sur fond de voiture en feu. Hackberry leva son revolver, visa à deux mains et tira une fois, dans un bruit assourdissant, un recul violent. Il raffermit la visée et tira deux autres coups, mais il était trop loin de sa cible, et il entendit les balles heurter une pierre ou le sommet d'une pente et gémir dans l'obscurité, avec un bruit qui évoquait le trémolo d'une corde de banjo cassée.

Il vit le Prêcheur quitter la lumière et se diriger vers la pâture nord sans se presser, tenant la Thompson par la crosse, le canon pointé vers le ciel, ne se retournant qu'une fois vers Hackberry.

La pluie faisait de la vapeur sur les vestiges du véhicule qui se consumait, les flammes dans l'herbe s'élargissant en un cercle, les mesquites commençant à prendre et à flamboyer comme des lucioles. Il n'y avait aucun mouvement autour de la voiture. Les airbags avaient pris feu et explosé, et étaient maintenant drapés sur le volant, les sièges noircis et le tableau de bord, comme des rideaux de cendre. Hackkerry sentit ses yeux se gonfler de larmes. Il suivit le Prêcheur dans la prairie, des rafales de pluie lui balayant le visage, ses deux hongres terrifiés. À la lueur d'un éclair, il crut voir le Prêcheur escalader la clôture nord. Il tira une fois, ou peut-être deux, sans effet.

Il marcha sur un clip de la clôture et sentit une pointe d'aluminium s'enfoncer dans la plante de son pied. Puis le Prêcheur se trouva dans la prairie, hors de l'ombre, et passa à côté du feu de souche. Hackberry s'arrêta à la clôture et tira encore une fois. Cette fois, il vit frémir la veste du Prêcheur, comme si un coup de vent l'avait écartée de son flanc. Hackberry escalada la barrière et s'enfonça dans le sorgho d'Alep, en direction d'un fourré derrière lequel était garée une petite voiture.

Le Prêcheur ouvrit la portière. Presque comme s'il avait des remords, il se retourna et fit face à Hackberry, sa Thompson baissée. Il sourit du coin des lèvres. « Vous êtes quelqu'un de tenace, Holland. »

Hackberry leva son revolver des deux mains, arma le percuteur et visa la tête du Prêcheur. « Envoie-moi une carte postale pour me raconter comment c'est en enfer », dit-il. Il tira. Mais il n'avait plus de munitions.

« Raté, ducon, dit le Prêcheur.

– Finissons-en.

– Rien ne m'y force. Je suis plus fort que toi. Je resterai dans tes pensées pour le restant de tes jours. La femme que je viens de tuer va devenir mon amie, et hantera ton sommeil. Bienvenue dans le Grand Noir. »

Le Prêcheur monta dans sa voiture, mit le moteur en marche et sortit lentement du champ. Après être passé à côté de la carcasse carbonisée de la voiture, il alluma ses phares et suivit la route de campagne en direction de la ville, le trou dans sa vitre arrière brillant comme un œil de cristal.

331

Hackberry déboucha du champ sur l'asphalte, le sang dans ses cheveux se mélangeant avec la pluie, coulant à travers ses sourcils et sur son visage. De la même façon que certains rêves se révèlent n'être que des rêves, il vit une image dans la brume, une image qui n'avait aucun sens, qui était déplacée dans le temps et l'espace, comme un film qu'on rembobine afin de pouvoir corriger ce qu'il a d'inacceptable.

Pam Tibbs remontait du fossé parallèle à la route, ses vêtements poudrés de suie, le visage barbouillé et zébré de pluie.

« Oh, Pam », dit-il.

Elle fit un pas sur la route, ses yeux humides à cause de la fumée noire qui montait des pneus de sa voiture. Elle paraissait désorientée, comme si le sol se dérobait sous les pieds. Elle le regarda, sans expression. « J'étais sortie de la voiture. Je pensais avoir heurté une biche. Une biche avec deux faons courait devant moi. Un des faons produisait un son comme s'il était blessé ou comme s'il avait peur. Mais ils ne sont pas là. Je pense que l'explosion m'a fait m'évanouir.

– J'étais sûr que tu étais morte.

– Tu es blessé ?

– Tout va bien.

– Collins est toujours là ?

– Il est parti. Tu as ton portable ? »

Il vit qu'elle l'avait déjà à la main. Il le lui prit, mais ses doigts tremblaient tellement qu'elle dut composer le 911 pour lui.

20

Pete rentra au motel en stop dans un camion de volailles et dormit toute la matinée, essayant d'écarter les souvenirs de la soirée précédente, y compris sa dispute avec Vikki, le fait qu'il avait admis sa peur et son incompétence auprès de son ami Bob Holland, dans le Montana, sa colère et son agression contre le chauffeur de la petite voiture, au feu.

Comment pouvait-on se planter si souvent, si gravement, et en si peu de temps ? Quand il se réveilla, à midi, une léthargie toxique semblait s'être emparée à la fois de son corps et de son esprit, comme s'il avait bu pendant deux jours et que tous ses lendemains étaient désormais hypothéqués. Il était certain que si un grand vent emportait le motel et le laissait derrière lui, il découvrirait que la Création était une vaste coquille vide et une comédie, une scène de théâtre ne dissimulant aucun mystère, et qu'en son sein, il n'était qu'un zéro insignifiant.

Vikki n'était nulle part. Son seul compagnon était un cafard gros comme un mégot de cigare qui grimpait au rideau près de la télévision. Il enfila sa chemise sans prendre la peine de la boutonner et s'assit au bord du lit, se demandant ce qu'il devait faire.

Billy Bob lui avait dit de se fier à son cousin le shérif. Mais les Fédés, dans tout ça ? Parfois, ils laissaient tomber les témoins. Pete avait entendu des histoires à propos du ministère de la Justice instruisant des affaires qu'il ne pouvait remporter, fournissant les noms d'informateurs confidentiels à des avocats de la défense qui les transmettaient à leurs clients, exposant les informateurs à des représailles violentes, et parfois fatales.

Son nom et celui de Vikki seraient dans les journaux. Vikki avait balancé deux balles à ce type, le Prêcheur, quand il avait essayé de la forcer à monter dans sa voiture. Pete n'avait jamais vu le visage de l'homme et ne connaissait rien de son histoire ni de son passé, mais avait peu de doutes quant à ce qu'il ferait à Vikki s'il mettait la main sur elle.

Mais si Pete continuait à ne rien faire ? Jusque-là, Vikki et lui avaient eu de la chance. Si seulement ils avaient de l'argent, ou des passeports, ou une voiture. Ou une arme. Mais ils n'avaient rien de tout ça et maintenant, pour couronner le tout, il s'était disputé avec elle.

Quand il sortit, la pluie avait cessé, mais d'un bout à l'autre de l'horizon le ciel était bouché par des nuages gris et lourds comme du plomb, tel un couvercle géant enfonçant dans la terre humidité et chaleur. À la supérette qui servait aussi d'arrêt pour les Greyhound, il acheta un paquet de crackers salés et une boîte de saucisses de Francfort. Il acheta aussi un chapeau de paille pointu à un Mexicain qui, à l'arrière d'un pick-up, vendait des chapeaux et des ponchos ainsi que des peintures d'un violet tapageur représentant soit la Crucifixion, soit le Sacré-Cœur de Jésus. Il prit une bouteille de Coca-Cola à un distributeur extérieur et, à l'instant où le soleil perçait la couche obscure et envoyait des colonnes de lumière dans le désert, il s'accroupit à l'ombre du magasin et commença à manger les saucisses prises en sandwich entre des crackers et à boire du soda, humidifiant les biscuits salés au point de les rendre presque mous.

Il ne pouvait s'expliquer pourquoi il avait acheté le chapeau, qui lui avait coûté six dollars, en dehors du fait qu'accroupi sur les hanches, le cuir de ses bottes de cow-boy décolorées zébré de craquelures, prenant son déjeuner dans l'ombre brûlante d'une supérette sur les bords du Grand Désert américain, son chapeau incliné sur le front, il était comme revenu dans un temps où il imaginait le monde en termes d'hologrammes chimériques plutôt que d'événements – la pêche au bouchon en rivière, des angus broutant du trèfle violet, des averses éclairées de soleil tombant sur des lupins au printemps, des pleines lunes aussi grosses, brunes et voilées qu'une planète sortie de son orbite.

Des pick-up et de la musique country, des danses au rythme de la Bandera Waltz sous des lanternes japonaises à des terrasses sur les rives de la Frio. Des barbecues et des poissons grillés, des lycéens sur des meules de foin et d'autres gamins sur des chevaux de bois devant un supermarché. Dîner sur l'herbe et nigelles de Damas, baptême par immersion, prêcheurs au porte-à-porte ratiocinant, en extase, roulant des yeux. Si seulement il avait pu remonter le temps de quelques années, poser sa main sur tout ça, s'y accrocher et ne laisser jamais personne le convaincre de tout abandonner.

Tel était le secret : s'accrocher aux choses qu'on aime et ne jamais y renoncer, quelle que soit la raison, en dépit de toutes les supplications.

Il suivit la rue jusqu'à l'unique quartier commercial de la ville, montant sur un trottoir surélevé qui avait encore des anneaux pour chevaux scellés dans le ciment. Il passa devant une banque fermée, construite en 1891, un magasin de coiffure avec une bande rayée tournant à l'intérieur d'un tube de plastique, une boutique de matériel d'occasion, un café qui, en lettres blanches à la peinture à l'eau sur sa vitrine, proposait des burgers de bison, sa salle de bar aussi longue, étroite et sombre qu'un wagon. La bibliothèque de la ville était coincée dans un bâtiment de calcaire à un étage où on vendait autrefois des pneus de récupération.

Dans la section des ouvrages de référence, il trouva un tas d'annuaires de tous les comtés du sud-ouest du Texas. Il ne lui fallut que cinq minutes pour trouver le numéro qu'il cherchait. Il emprunta un crayon à la bibliothécaire et nota le numéro sur un morceau de papier. Les cheveux de la bibliothécaire étaient presque bleus, ses yeux minuscules et brillant sous ses lunettes, la peau de son visage striée de plis profonds de la couleur d'une rose rose. « Vous n'êtes pas d'ici, n'est-ce pas ? demanda-t-elle.

– Non, m'dame. Je suis de passage.

– Eh bien, revenez quand vous voulez.

335

– Je n'y manquerai pas.

– Vous êtes un gentil jeune homme.

– Merci. Mais comment vous le savez ?

– Quand vous êtes entré, vous avez retiré votre chapeau. Vous l'avez retiré, alors que vous saviez que personne ne vous regardait. Vos manières sont celles d'une personne naturellement bien élevée et respectueuse. Ça fait de vous un très gentil jeune homme. »

Pete retourna au motel, laissa pour Vikki un mot sur l'oreiller, et fit du stop sur quarante-cinq kilomètres à l'ouest jusqu'à un carrefour désolé qui lui rappela l'endroit où les Asiatiques étaient mortes et où sa vie avait changé à jamais. Il entra dans une cabine, respira à fond, et composa un numéro sur le cadran. Au loin, il voyait un très long train cheminer le long d'une bande de *hardpan* d'alcali, comme un mille-pattes noir, des vagues de chaleur déformant l'horizon.

« Services du shérif », dit une femme. Il avait déjà entendu cette voix.

« Je suis bien sur la ligne professionnelle ?

– C'est le numéro que vous avez composé. Vous vouliez signaler une urgence ?

– Il faut que je parle au shérif Holland.

– Il n'est pas là pour l'instant. Qui est à l'appareil, s'il vous plaît ?

– Il sera là quand ?

– C'est difficile à dire. Je peux vous aider ?

– Passez-le-moi. Vous pouvez faire ça, non ?

– Il faut que vous me donniez votre nom. Vous avez une raison de ne pas vouloir me donner votre nom ? »

Il sentait la sueur sous ses aisselles, l'odeur rance de son corps lui monter au visage. Il replia la porte de la cabine et sortit, le récepteur à l'oreille.

« Vous êtes là, monsieur ? demanda la femme. On s'est déjà parlé, non ? Vous vous souvenez de moi ? Vous vous appelez Pete, n'est-ce pas ?

336

– Oui, m'dame, c'est comme ça qu'on m'appelle.

– Il faut que vous veniez nous voir, Pete. Il faut que vous ameniez miss Gaddis avec vous.

– C'est pour ça que je veux parler au shérif.

– Le shérif est à l'hôpital. Hier soir, un homme a essayé de les tuer, l'adjointe Tibbs et lui. Je pense que vous connaissez l'homme dont il est question.

– Le Prêcheur ? Non, je ne le connais pas. Je connais son nom. Je sais qu'il a essayé de kidnapper Vikki, et peut-être de la tuer. Mais je ne le *connais* pas.

– Nous essayons de vous aider, soldat. En particulier le shérif Holland.

– Je ne lui ai rien demandé. » Il sentait la sueur couler entre son oreille et le récepteur. Il écarta le récepteur de sa tête et, de l'épaule, s'essuya l'oreille. « Allô ?

– Je suis toujours là. Pour le shérif et son adjointe, c'est grave ?

– Le shérif passe une radio. Vous n'êtes pas un criminel, Pete. Mais vous ne vous conduisez pas de façon très maligne.

– C'est quoi votre nom, m'dame ?

– Maydeen Stolz. »

Pete regarda sa montre. Combien de temps fallait-il pour pister un appel ? « Eh bien, miss Maydeen, si vous vous agitiez un peu et que vous me donniez le portable du shérif ? Comme ça, je ne vous dérangerais plus. »

Il crut l'entendre tapoter un sous-main avec un stylo à bille.

« Je vais vous donner son numéro et lui dire que vous l'appelez dans les cinq minutes. Mais écoutez-moi bien, petit malin. Hier soir, on a failli perdre deux des personnes les meilleures qu'on connaîtra jamais, vous ou moi. Pensez un peu à ça. Et si jamais vous me parlez encore de cette façon et que je vous retrouve, je vous filerai une calotte dont vous vous souviendrez. »

Elle lui donna le numéro de portable du shérif, mais il n'avait rien pour écrire et dut tracer du doigt les chiffres sur l'étagère poussiéreuse sous l'appareil.

Il entra dans la petite épicerie au carrefour, remplie d'une odeur de fromage, de viande hachée, d'insecticide, de fumée de cigarette rancie et de fruits trop mûrs qui le fit suffoquer. Au fond du magasin, il regarda à travers les portes de verre fumé de la glacière, les bras croisés sur la poitrine, comme s'il se protégeait d'un ennemi. Derrière une des portes, les Dr Peppers, les bières sans alcool et les Coca-Cola s'alignaient sur les présentoirs. Derrière la porte voisine, il y avait, pack de six après pack de six, toutes les marques de bière vendues au Texas, les bouteilles ambrées, perlées de froid, les cartons humides et mous, attendant d'être délicatement soulevés par des mains soigneuses.

Un pack de six de cinquante, pensa-t-il. Il pourrait les espacer au cours de l'après-midi, juste assez pour calmer les palpitations de son système nerveux. Parfois, on a besoin d'un parachute. Ne valait-il pas mieux arriver tranquillement à la sobriété plutôt que d'y être brutalement forcé ?

«Vous avez trouvé ce que vous cherchiez ?» demanda la femme derrière le comptoir. Elle pesait plus de cent vingt kilos et, au-dessous de la taille, était gonflée comme une baignoire renversée. Elle fumait une cigarette et fit tomber la cendre dans une capsule de bouteille, son rouge à lèvres se découpant sur le filtre, une tache jaune en forme de V entre les doigts. «Où sont les toilettes pour hommes ?» demanda-t-il.

Elle tira sur sa cigarette et exhala lentement la fumée, prenant la mesure de Pete. «Environ un mètre derrière vous, la porte avec une pancarte qui indique "Toilettes hommes".»

Il entra dans les toilettes et ressortit en s'essuyant le visage avec une serviette en papier. Il ouvrit la porte coulissante de la glacière et souleva un pack de six Budweiser, le balançant sur sa paume, les cannettes napées d'humidité, dures, s'entre-choquant dans l'emballage de plastique. La caissière fumait une nouvelle cigarette, soufflant la fumée entre ses doigts en même temps qu'elle portait la cigarette à sa bouche. Il posa le pack de six sur le comptoir et prit son portefeuille. Mais elle n'enregistra pas l'achat.

« M'dame ?

– Quoi ?

– Vous avez une raison pour agir de cette façon bizarre ?

– Bizarre en quel sens ?

– Pour commencer, me regarder comme si je descendais d'une soucoupe volante. »

Elle laissa tomber sa cigarette dans un seau d'eau sous le comptoir. « *Moi*, je n'ai aucune raison de vous regarder.

– Alors ?

– Il se pourrait que *lui*, il en ait une. »

Son regard passa de la fenêtre aux deux pompes à essence. Le véhicule d'un agent de police était garé à côté de la cabine téléphonique. Un homme en uniforme kaki et lunettes noires était assis au volant, moteur coupé, portières ouvertes pour laisser entrer la brise pendant qu'il écrivait sur un bloc-notes.

« C'est Howard. Il a demandé qui s'était servi du téléphone, dit la femme.

– Je dois admettre que c'était peut-être moi.

– Je vous ai vu à la réunion des AA, à l'église.

– Là aussi, c'était peut-être moi.

– Vous voulez toujours les bières ?

– Ce que je veux, c'est une grande distance entre moi et votre magasin.

– Là, je peux rien pour vous.

– J'ai un paquet d'ennuis, m'dame. Mais j'ai jamais fait de mal à personne, pas volontairement, en tout cas.

– J'espère bien. »

Les yeux de la femme étaient remplis de pitié, le même type de pitié et de chagrin qu'il avait perçus dans la voix de son ami Billy Bob. Pete croisa les bras sur sa poitrine et regarda l'agent de police sortir de sa voiture de patrouille, passer sous la porte cochère et tirer la porte du magasin. En quelques secondes, il eut l'impression que des points de suture se formaient et explosaient sur son cœur.

« Vous vous êtes servi de cette cabine dehors ? » demanda le policier. Il avait la peau brunie par le soleil, la chemise semée d'humidité, les yeux dissimulés par ses lunettes noires.

« Oui, monsieur, il y a quelques minutes.

– Vous devez quatre-vingt-quinze cents à l'opératrice. Vous voulez bien régler ce problème ? Elle arrête pas d'appeler.

– Oui, monsieur, tout de suite. Je savais pas que j'avais dépassé le temps.

– Vous voulez les bières ? demanda la vendeuse.

– Sûr. »

Pete prit le pack de six sous le bras, récupéra sa monnaie et trois dollars en petites pièces et retourna à la cabine. Le soleil cognait sur le *hardpan* et la deux voies, faisant comme une vitre sur les collines, les étendues d'alcali et la voie de chemin de fer, au loin, où le convoi de fret s'était arrêté et cuisait dans la chaleur.

Il arracha l'ouverture de la cannette de 50 centilitres, qu'il posa sur l'étagère sous le téléphone, et composa le numéro de portable du shérif Holland. Tandis que le téléphone sonnait, il saisit de la main gauche la cannette glacée et perlée de gouttelettes.

« Shérif Holland, dit une voix.

– Votre cousin Billy Bob…

– Il m'a déjà appelé. Vous allez venir nous voir, Pete ?

– Oui, monsieur. J'ai l'intention de le faire.

– Qu'est-ce qui vous retient ?

– Je ne veux pas aller à Huntsville. Je ne veux pas que ce Prêcheur et ses amis poursuivent Vikki.

– Qu'est-ce qu'ils font en ce moment, à votre avis, fiston ? »

Je suis pas votre fils, dit une voix en lui. « Vous comprenez ce que je veux dire ?

– Comment avez-vous été traité ?

– Pardon ? »

– Depuis que vous êtes rentré d'Irak, comment les gens vous traitent-ils ? Les gens qu'on croise tous les jours ? Ils vous traitent bien ?

– J'ai pas à me plaindre.

– Répondez à ma question.

– Ils me traitent bien.

– Mais vous ne leur faites pas confiance, n'est-ce pas ? Vous pensez qu'il se peut qu'ils essaient de vous avoir ?

– Peut-être qu'à la différence des autres, je ne peux pas me permettre de commettre d'erreurs.

– J'ai une idée de l'endroit où vous pouvez vous trouver, Pete. Mais je ne vais pas appeler le shérif du coin. Je veux que miss Gaddis et vous veniez de vous-mêmes. Je veux que vous m'aidiez tous les deux à coincer les types qui ont tué ces pauvres Asiatiques. Vous vous êtes battu pour votre pays, partenaire. Et maintenant, il faut recommencer.

– J'aime pas les gens qui agitent le drapeau pour me pousser à faire ce qu'ils veulent.

– Vous buvez ?

– Pardon ?

– Quand vous avez appelé le 911, près de l'église, vous aviez bu. À votre place, je mettrais la bibine de côté tant que tout ça n'est pas réglé.

– C'est ce que vous feriez, hein ?

– J'ai eu ma part de problèmes avec ça, Pete. Billy Bob dit que vous êtes un type bien. Je le crois.

– On procède comment ? On rentre juste dans votre bureau, c'est tout ? » demanda Pete. Il regarda le nuage de vapeur au-dessus de la cannette en aluminium. Il regarda à travers l'ouverture l'éclat cuivré de la bière. Quand il essaya d'avaler, sa déglutition se rouilla.

« Si vous voulez, j'envoie une voiture. »

Pete prit la cannette dont il appuya la fraîcheur contre sa joue. Il voyait le train commencer à avancer sur la voie, les

341

wagons tombereaux noirs cliquetant contre leurs tampons comme s'ils luttaient contre leur propre équilibre.

Il s'assit sur le sol de la cabine, tirant avec lui le téléphone et son cordon de métal, le pack de bières s'éventrant sur le ciment. Il avait le sentiment d'être au fond d'un puits, au-delà de la lumière du soleil, au-delà de l'espoir, au-delà de l'impression du vent sur son visage, ou de l'odeur des fleurs le matin, ou de la sensation de participer à la grande comédie humaine que la plupart des gens tiennent pour un fait acquis, un homme avec pour peau un cuir d'alligator rouge et un fardeau de péchés qui jamais ne seraient pardonnés. Il monta ses genoux à son visage, la tête penchée en avant, et se mit à pleurer en silence.

« Vous êtes toujours là, mon gars ?

– Dites à miss Maydeen que je suis désolé de lui avoir mal parlé. Je m'excuse aussi pour le mal que vous avez enduré, vous et votre adjointe. Je dois aussi une excuse à un mec que j'ai agressé à un feu rouge, hier soir. Je pense que je suis en train de perdre la tête.

– Vous avez agressé quelqu'un ?

– J'ai jeté des pierres sur sa voiture. J'ai fait un trou dans sa vitre arrière avec une brique.

– Où ça s'est passé ? »

Pete le lui dit.

« Quel type de voiture ?

– Une Honda brun clair.

– Vous avez fait un grand trou dans la vitre ?

– Un peu plus petit qu'une balle de softball. En longueur. On aurait dit l'œil d'un Chinois en train de regarder par le trou.

– Vous ne vous souvenez plus de l'immatriculation, par hasard ? »

Pete tenait toujours la bouteille de bière. Il la posa sur le sol devant la cabine, puis la poussa du pied. « Une lettre, et peut-être deux chiffres. Vous avez déjà eu un rapport ?

– Disons qu'il se peut qu'on ait eu un contact avec le chauffeur. »

Quelques instants plus tard, Pete prit les cannettes qu'il avait laissé tomber, les rapporta dans la boutique et les posa sur le comptoir. « Je peux me faire rembourser ?

– Si vous ne dites rien, dit la caissière.

– Quoi ?

– Je plaisante. » Elle ouvrit le tiroir-caisse et lui compta sa monnaie. « Il y a des douches derrière. Si ça vous chante, allez-y, cow-boy.

– Quelqu'un m'attend. »

Elle secoua la tête.

« Vous êtes gentille, dit-il.

– J'ai souvent entendu ça », dit-elle. Elle se mit une nouvelle cigarette à la bouche et l'alluma avec un briquet BIC, soufflant la fumée vers le haut en regardant par la fenêtre la deux voies se tordre dans la chaleur et se dissoudre en un lac noir à l'horizon.

« Je voulais pas vous vexer, m'dame.

– J'ai l'air d'une dame ? On dit miss », dit-elle.

Deux jours après que Jack Collins eut pénétré chez lui, Hackberry Holland, accompagné de Pam Tibbs, prit l'unique avion du service pour aller à San Antonio. Ils empruntèrent une voiture banalisée au bureau du shérif de Bexar County et se rendirent chez Nick Dolan. L'atmosphère du quartier, la taille des maisons, les yuccas, les hibiscus, les palmiers, les magnolias, les lilas des Indes et les bougainvillées dans les jardins, le nombre de travailleurs dans les parcs, évoquaient pour Hackberry un pays étranger, sous les tropiques, peut-être, ou au bord du Pacifique.

Sauf qu'il visitait moins une région qu'un paradoxe. Les employés à la peau sombre – servantes rentrant les poubelles posées sur les trottoirs, jardiniers avec des tampons sur les oreilles manipulant des tondeuses et des souffleurs de feuilles, maçons et charpentiers travaillant à agrandir une

343

maison – étaient tous des étrangers, et non pas les autochtones opprimés que Somerset Maugham, George Orwell et Graham Greene avaient décrits dans leurs récits sur la vie dans les empires britannique et européens en train de mourir. Et ceux qui possédaient les grandes maisons du quartier de Nick Dolan, et les habitaient, étaient sans doute des autochtones parvenus à devenir des coloniaux dans leur propre pays.

Quand Hackberry avait appelé le restaurant de Nick Dolan et demandé à lui parler, Dolan avait paru tendu, s'éclaircissant la gorge, prétendant être surchargé de travail et obligé de voyager en dehors de l'État. «Je n'ai aucune idée de ce qui se passe. Ça me dépasse, dit-il.

– Arthur Rooney.

– Arthur Rooney est un connard d'Irlandais. Même s'il était en train de mourir de soif, je ne lui pisserais pas dans la bouche. Je vais dire les choses autrement : je ne traverserais pas la rue si je voyais un pitbull lui déchirer la gorge.

– Est-ce que le FBI est venu vous parler, monsieur Dolan ?

– Non, qu'est-ce que le FBI a à voir là-dedans ?

– Mais vous avez parlé à Isaac Clawson, l'agent de l'ICE, n'est-ce pas ?

– Peut-être que ce nom me dit quelque chose.

– Merci de votre collaboration. On viendra vous voir dans la soirée.

– Je ne bouge pas.»

Quand Hackberry et Pam arrivèrent chez Nick Dolan, il était tard et l'ombre s'étendait sur la pelouse, des lucioles éclairant les arbres de formes fumeuses. Nick Dolan leur fit traverser la maison pour aller au jardin et les installa sur des sièges en rotin à côté d'une table de verre sur laquelle étaient déjà posés un pichet de citronnade avec de la glace pilée, une assiette d'écrevisses épluchées et une autre de pâtisseries. Mais pour Hackberry, il ne faisait aucun doute que Nick Dolan était très nerveux.

Nick commença à parler de la vigne entrelacée dans les treillis et les lattis au-dessus de leurs têtes. «Cette vigne vient de chez mon grand-père, à La Nouvelle-Orléans, dit-il. Mon grand-père vivait dans un quartier résidentiel, près de St. Charles. C'était un ami de Tennessee Williams. C'était un grand homme. Vous savez ce que c'est, un grand homme ? Un type qui entreprend des choses difficiles, qui les rend faciles, et ne se plaint pas. Où est votre arme ?

– Dans la voiture, dit Hackberry.

– J'ai toujours imaginé que vous gardiez votre arme sur vous, les gars. Vous voulez de la citronnade ? Essayez ces écrevisses. Je les ai achetées vivantes en Louisiane. Je les ai fait bouillir et châtrées moi-même. Et j'ai aussi fait la sauce. J'écrase mes propres poivrons. Allez-y, prenez une pique, trempez une écrevisse dans la sauce, et dites-moi ce que vous en pensez. Vous aimez les *brownies* au chocolat et au beurre de cacahuète ? C'est la spécialité de ma femme. »

Pam et Hackberry scrutaient Nick sans rien dire. « Vous me mettez mal à l'aise. J'ai de la tension. Je n'ai pas besoin de ça, dit Nick.

– Je pense que vous êtes le type qui a passé un coup de fil anonyme pour m'avertir à propos de Jack Collins, monsieur Dolan. Je regrette de n'avoir pas pris votre avertissement plus au sérieux. Il m'a fait quelques bosses sur la tête et il a failli tuer l'adjointe Tibbs.

– Je ne comprends pas.

– Je pense que c'est aussi vous qui avez appelé le FBI, pour leur dire que Vikki Gaddis et Pete Flores étaient en danger. »

Avant qu'Hackberry ait terminé sa phrase, Nick Dolan commença à secouer la tête. « Non, non, non, vous vous trompez de personne. Il s'agit d'une erreur d'identité.

– Vous m'avez dit qu'Arthur Rooney voulait vous tuer, ainsi que votre famille. »

Les petites mains potelées de Nick Dolan s'ouvraient et se fermaient sur le verre de la table. Il haletait, ses joues se zébraient de couleur. « Je me suis mis dans le pétrin, dit-il. Je voulais régler mes comptes avec Artie pour des choses qu'il m'avait faites. J'ai rencontré les gens qu'il ne fallait pas, le genre de gens qui n'ont pas de limites.

– Est-ce que l'un d'eux s'appelle Hugo Cistranos ?

– Hugo travaillait pour Artie quand Artie avait une agence de sécurité à La Nouvelle-Orléans. On a tous été engloutis par Katrina et on a fini au Texas en même temps. Je n'ai rien de plus à dire à ce sujet.

– Je vais trouver Jack Collins, monsieur Dolan. J'aimerais que vous m'y aidiez. Au final, ça sera une bonne chose pour vous.

– Vous voulez dire que le tribunal sera indulgent ? Quelque chose dans ce goût-là ?

– C'est une possibilité.

– Mettez-vous votre "ami avec la cour" dans le cul. Ce putain de dingo de Collins, excusez mon langage, est le seul type qui nous maintienne en vie.

– Je ne compatis pas à votre situation.

– Vous n'avez pas de famille ?

– J'ai regardé Collins droit dans les yeux. Je l'ai regardé mitrailler le véhicule de mon adjointe.

– Ma femme l'a tabassé avec une casserole. Il aurait pu nous tuer tous les deux, mais il ne l'a pas fait.

– Votre femme a tabassé Jack Collins ?

– J'emploie des mots que vous ne comprenez pas ? Il y a un écho dans mon jardin ?

– J'aimerais parler à votre femme, s'il vous plaît.

– Je ne suis pas certain qu'elle soit là.

– L'obstruction à la justice, vous savez ce que c'est ? dit Pam Tibbs.

– Ouais, ils en parlent à la télé, dans les feuilletons policiers.

– Expliquez-moi une chose », dit Pam. Elle piqua un *brownie* dans l'assiette, puis le reposa. « Ils sont encore chauds. Faites venir votre femme. »

Nick Dolan regardait dans le vide, se tenant la mâchoire, les yeux vagues. « Tout ça, c'est ma faute.

– Qu'est-ce qui est votre faute ? demanda Pam.

– Tout.

– Où est votre femme, monsieur Dolan ?

– Elle est partie. Ras-le-bol. Avec les enfants, en voiture.

– Ils ne vont pas revenir ? demanda-t-elle.

– Je l'ignore. Vikki Gaddis est venue dans mon restaurant et m'a demandé un boulot de chanteuse. Je regrette de ne pas l'avoir embauchée. Ça aurait pu faire la différence, pour ces jeunes gens. J'ai dit tout ça à Esther. Et maintenant, elle croit que je suis peut-être infidèle.

– Vous pouvez peut-être encore faire la différence, dit Hackberry.

– Je ne vous dirai plus rien. Je regrette d'avoir quitté La Nouvelle-Orléans. Je regrette de ne pas avoir aidé à la reconstruction du Neuvième District. Je regrette de n'avoir rien fait de bien dans ma vie. »

Pam regarda Hackberry, lui soufflant son haleine au visage.

Cette nuit-là, une tempête, moins de pluie que de vent, de poussière et d'éclairs, traversa le sud-ouest du Texas, et Hackberry décida de ne reprendre l'avion que le lendemain matin. Pam et lui mangèrent dans un restaurant mexicain sur le Riverwalk, non loin d'Alamo. Leur table à l'extérieur était installée sur des dalles, et éclairée par des lampes à pétrole. Une gondole chargée de mariachis flottait sur la rivière, tous les musiciens s'inclinant en passant sous l'une des arches du pont piétonnier. La rivière était bordée de parterres de fleurs, de bâtiments de stuc blanc aux balcons ornés de grilles espagnoles et d'arbres plantés en terrasses qui donnaient l'impression d'une colline boisée au milieu de la ville.

Pam avait peu parlé pendant le vol jusqu'à San Antonio, et encore moins depuis qu'ils avaient quitté le jardin de Nick Dolan. « Tu es fatiguée ? demanda Hack.

– Non.

– Alors qu'est-ce qu'il y a ?

347

– J'ai faim. J'ai peut-être envie de me soûler. Ou de coincer Jack Collins et de lui faire des trucs qui l'empêcheront de dormir.

– Les gens comme Collins ne font pas de cauchemars.

– Je pense que tu le comprends mal.

– C'est un psychopathe, Pam. Qu'y a-t-il à comprendre ?

– Pourquoi Collins ne t'a-t-il pas abattu, alors que ton revolver était vide ?

– Qui sait ?

– Parce qu'il te garde en réserve.

– Pour quoi ?

– Pour être son exécuteur. »

Hackberry venait de soulever sa fourchette. Il s'interrompit une seconde, l'œil vague, avant de porter la fourchette à sa bouche. Il regarda une gondole émerger de sous un pont de pierre, les musiciens affichant un large sourire figé, un arbre laissant pendre ses fleurs sur leurs sombreros et leurs costumes de brocart. « J'évite de passer trop de temps à m'interroger sur les complexités de ce type, dit-il.

– Ils veulent tous la même chose. Ils veulent mourir, et ils veulent que leur exécuteur soit digne d'eux. Ils veulent aussi laisser derrière eux le maximum de culpabilité, de peur et de dépression chez les autres. Il a l'intention de te bouleverser, Hack. C'est pour ça qu'il a essayé de commencer par moi. Il voulait que tu voies ça. Et il voulait qu'ensuite tu le butes.

– J'essaierai d'exaucer ses vœux. Tu ne veux pas un verre de vin, ou une bière ?

– Non.

– Je n'y verrais pas d'inconvénient.

– Je n'ai pas dit le contraire. Mais je n'en veux pas, c'est tout. » Elle s'essuya la bouche avec sa serviette et détourna les yeux d'un air irrité, puis regarda à nouveau Hack, s'attardant sur les points qu'il avait sur le crâne, sur l'arête de son nez couverte d'un bandage, sur les marques bleues et jaunes, en forme de demi-lunes, sous ses yeux.

« Tu veux bien arrêter ? dit-il.

– Je vais rectifier ce salopard.

– Ne donne pas un tel pouvoir à des gens comme lui, Pam.

– Il y a d'autres choses que je fais mal ?

– J'y réfléchirai. »

Elle posa son couteau et sa fourchette, et le dévisagea. « Arrête de frimer, patron. Collins est avec nous pour longtemps.

– Je l'espère bien.

– Tu ne comprends toujours pas. Les Fédés se servent de Dolan comme d'un appât. Ça signifie qu'ils se servent sans doute aussi de nous. Pendant ce temps, ils nous traitent comme si on mendiait à leur table.

– C'est comme ça. Parfois, les Fédés sont…

– Des trous-du-cul ?

– Personne n'est parfait.

– Tu devrais te trouver un peu de littérature du Club des optimistes, et la faire circuler.

– Possible. »

Elle se tira le lobe d'une oreille. « Je pense que je vais prendre une bière. »

Il réprima un bâillement.

« En fait, je vais prendre une bière et un petit verre de tequila avec une tranche de citron et du sel.

– Bien, dit-il en se fourrant une tortilla dans la bouche, l'attention fixée sur l'orchestre de mariachis qui beuglaient "La Cucaracha", le chant de guerre de Pancho Villa.

– Tu penses que je devrais reprendre mes études, passer un diplôme et travailler pour la police des États-Unis ?

– Je n'aimerais pas te perdre.

– Continue.

– Tu dois faire ce qui est le mieux pour toi. »

Elle serra les poings sur ses genoux et regarda son assiette. Puis elle expira et se remit à manger, les yeux voilés d'une tristesse très particulière.

« Pam ? dit-il.

– Je ferais mieux de finir ça et d'aller me pieuter. Demain est un autre jour, non ? »

Hackberry se réveilla à une heure du matin dans sa chambre au troisième étage du motel, et s'assit dans le noir, l'esprit obscurci par des rêves dont les détails lui échappaient, la peau froide et morte au toucher. Par une fente entre les rideaux, il apercevait des phares filer sur un viaduc et un bimoteur approcher de l'aéroport, ses hublots vivement éclairés. La vue de l'avion et des voitures était, d'une certaine façon, rassurante, témoignant de la normalité du monde, du pouvoir de la lumière sur les ténèbres, de la capacité humaine à surmonter jusqu'à la force d'attraction de la terre.

Mais combien de temps un homme pouvait-il être son propre éclaireur, ou résister victorieusement aux mains qui agrippent ses chevilles et l'attirent vers le bas plus fort de jour en jour ?

Hackberry ne savait pas très bien ce qu'était un alcoolique. Il savait qu'il ne buvait plus, et qu'il n'était plus un obsédé sexuel. Il n'avait pas de problèmes avec la loi, et n'était pas associé avec des politiciens corrompus en vue d'un profit personnel. Et il ne se drapait pas dans son cynisme et son amertume comme dans un drapeau en loques. Mais il avait un défaut, une faiblesse psychologique, dont il n'avait jamais réussi à se défaire : il se rappelait le moindre détail de tout ce qu'il avait pu faire, dire, entendre, lire, voir, en particulier des événements impliquant une faillite morale de sa part.

La plupart de ces événements s'étaient déroulés pendant son mariage avec sa première femme, Verisa. Elle était dépensière, impérieuse envers ceux qui étaient moins fortunés qu'elle, et narcissique à la fois dans son attitude et dans sa vie sexuelle, au point que s'il lui arrivait de penser à elle, c'était avec mépris et dégoût. Ses sentiments profonds, cependant, étaient dirigés contre lui plus que contre son ex-femme.

Son alcoolisme et son perpétuel remords l'avaient rendu dépendant d'elle, et pour ne pas se haïr encore plus à cause de cette dépendance, il s'était persuadé que Verisa était autre qu'elle n'était. Il s'abandonnait à l'aveuglement et, ce faisant, perdait toute trace du respect de soi-même qui lui restait. Les gens du Sud avaient un terme pour ce syndrome, mais il n'aimait pas l'utiliser, ni même y penser.

Il rendait à Verisa la monnaie de sa pièce en franchissant la frontière et en louant le corps de paysannes misérables qui détournaient le visage de la brume de testostérone et de sueur de bière qu'il leur imposait.

Pourquoi lui, le plus vil et le moins méritant des hommes, se voyait-il épargner par le destin qu'il s'était fabriqué ?

Il n'avait pas de réponse.

Il alluma la lampe de chevet et essaya de lire un magazine. Puis il enfila son pantalon, alla au distributeur de boissons et acheta un jus d'orange qu'il but dans sa chambre. Il ouvrit les rideaux pour voir le ciel nocturne, les lumières des voitures sur le viaduc et les palmiers sur la pelouse se gonfler dans le vent.

Non loin de là, cent quatre-vingt-huit hommes et jeunes gens étaient morts entre les murs de la mission espagnole connue sous le nom d'Alamo. Au lever du soleil, le treizième jour du siège, mille soldats mexicains avaient chargé la mission et franchi les murs en escaladant leurs propres morts. Les corps des Américains avaient été mis en tas et brûlés, et on n'avait jamais rien retrouvé, pas le moindre pouce de chair. Les seuls survivants blancs, Susanna Dickinson et son enfant de dix-huit mois, s'étaient vu refuser cinq cents dollars du gouvernement, et avaient été forcés de vivre dans un bordel de San Antonio.

Pam Tibbs avait pris la chambre voisine de la sienne. Il vit de la lumière sous la porte de communication entre les deux pièces. Elle frappa discrètement. Il se leva et s'approcha, sans rien dire.

« Hack ? dit-elle

– Tout va bien.

« – Regarde le parking.

– Regarder quoi ?

– Regarde. »

Il s'approcha de la fenêtre et promena son regard sur les rangées de voitures garées, les palmiers sur la pelouse et les tunnels de lumière fumeuse sous la surface de la piscine. Il ne remarqua rien de particulier sur le parking. Mais pendant une seconde il crut voir une ombre traverser la bande de pelouse tondue entre deux palmiers autour desquels étaient entortillés des chapelets de minuscules lumières blanches, puis disparaître par un portail hérissé de pointes à l'extrémité de la piscine.

Il revint à la porte reliant sa chambre à celle de Pam et fit glisser le verrou. « Ouvre de ton côté, dit-il.

– Une seconde. »

Quelques instants plus tard, elle ouvrit sa porte, en jean, sa chemise pendant hors de sa ceinture. Sa brosse à cheveux était posée sur son dessus-de-lit.

« Qu'est-ce que tu as vu ? demanda-t-il.

– Un type en chapeau haut de forme comme le Chapelier fou. Il était à côté de notre voiture. Il levait les yeux sur le motel.

– Il a touché à la voiture ?

– Pas que j'aie pu voir.

– On vérifiera demain matin.

– Tu n'arrivais pas à dormir ?

– Environ une nuit sur trois, un comité tient une réunion dans ma tête. »

Elle s'assit dans le fauteuil rembourré devant lui. Elle portait des mocassins sans chaussettes, elle n'était pas maquillée et son profil portait la marque de l'oreiller. « Il faut que je te parle, et il faut que je le fasse parce que ça touche à une chose que tu n'admettras jamais toi-même. Collins t'a menotté à ton lit, mais tu t'es dégagé pour essayer de l'empêcher de me tuer. Tu as couru après lui alors que tu n'avais que ton pistolet, et qu'il avait une mitraillette Thompson. Il aurait pu te couper en deux, mais tu as quand même couru derrière lui.

– Tu aurais fait la même chose.

– C'est sans importance. Tu l'as fait. Une femme n'oublie pas une chose pareille. »

Il lui sourit dans la pénombre, sans répondre.

« Je ne te plais pas physiquement ? Tu ne me trouves pas jolie ? C'est ça le problème ?

– Le problème, ce n'est pas toi, Pam. C'est moi. Quand j'étais jeune, j'abusais des femmes. Elles étaient pauvres, illettrées, et vivaient dans des taudis de l'autre côté du fleuve. Mon père était professeur d'université. J'étais avocat, héros de guerre, et candidat au Congrès. Mais j'utilisais ces femmes pour dissimuler mes propres échecs.

– Quel rapport avec moi ?

– Je ne veux plus utiliser personne.

– Ça serait ça, alors, "utiliser" ?

– Et si on arrêtait cette conversation ? »

Elle se leva et passa derrière son fauteuil, hors de son champ de vision. Il sentit ses doigts effleurer son col et les poils sur sa nuque. « Chacun est différent. Il existe des homos. Des femmes qui recherchent une figure paternelle. Des hommes qui ont besoin de leur mère. Des filles grosses qui ont besoin qu'un homme mince leur dise qu'elles sont superbes. Mais je t'aime pour ce que tu es, et pas par compulsion. Et je n'ai jamais mis de bornes à une relation. » Elle posa la paume sur son omoplate. « Je t'admire plus que n'importe quel être humain que j'ai rencontré. Fais-en ce que tu veux.

– Bonne nuit, Pam.

– Ouais, bonne nuit », dit-elle. Elle se pencha sur lui, l'entourant de ses bras, le menton posé sur sa tête, appuyant sa poitrine contre lui. « Vire-moi si tu veux. Tu étais prêt à donner ta vie pour sauver la mienne. Dieu te bénisse, Hack. Mais tu sais vraiment comment faire mal. »

21

Bobby Lee avait roulé pendant toute la nuit, le soleil se levant dans son dos, le flux d'air chaud et de lumière s'étalant devant lui à travers les plaines, arrachant des mesas et des empilements de rochers à l'ombre étendue sur le *hardpan*, mais rien de tout cela n'offrait le moindre baume à son âme.

Il avait misé sur le Prêcheur parce que le Prêcheur était malin et qu'Artie Rooney ne l'était pas. Il doublait Hugo parce que Hugo était une vipère capable de vous en coller une derrière l'oreille si le vent changeait de direction. Et tout ça le menait où ? Il s'était associé avec un type malin, qui avait beaucoup d'argent sur des comptes off-shore, et avait sans doute lu plus de livres que la plupart des professeurs d'université. Mais le Prêcheur n'était pas forcément malin comme l'est un survivant. À vrai dire, Bobby Lee n'était pas sûr que le Prêcheur ait prévu d'être un survivant. Et Bobby Lee n'était pas sûr d'aimer l'idée de devenir le copilote d'un type qui avait des ambitions de kamikaze.

Il passa sur une *cattle sguard*, pénétra dans la propriété du Prêcheur et regarda, incrédule, la maison de stuc que les motards avaient détruite et que le Prêcheur avait fait réduire par un bulldozer en un tas de gravats calcinés haut de deux étages. Le Prêcheur vivait maintenant dans une tente au pied de la montagne, au-delà de la plaque de ciment nettoyée par le bulldozer. Son poêle à bois était installé à l'extérieur, et à côté se trouvait un réfrigérateur ancien avec une porte en chêne, une poignée et des charnières de métal, et un tiroir en dessous qu'on pouvait remplir soit de glace pilée, soit de glace concassée. Derrière la tente, sur le flanc de la montagne, il y avait des toilettes chimiques portables bleues.

Des nuages étaient passés devant le soleil, et le vent soufflait fort quand Bobby Lee entra dans la tente, le rabat échappant à ses mains avant qu'il ait pu le renouer. Il s'assit sur le lit de camp du Prêcheur et écouta le bref silence quand le vent se calma. « Pourquoi tu restes là, Jack ?

– Et pourquoi pas ?

– Les flics ne s'intéressent pas à l'explosion de ta maison ?

– C'était dû à un court-circuit. Je ne cherche d'ennuis à personne. Je suis un passant qui va chercher des livres à la bibliothèque. Ce sont des gens religieux. Ils respectent leurs idoles et sentent leur colère. Mais ils ne cherchent pas d'ennui à un homme poli et tranquille. »

Le Prêcheur était assis dans un fauteuil de toile devant un secrétaire, portant une chemise blanche sale à manches longues, de petites lunettes de lecture achetées sans ordonnance, un pantalon à rayures pas repassé et une étroite ceinture marron. Sur la table se trouvait un kit de GI, avec un unique œuf frit accompagné d'une saucisse noircie. Une bible était ouverte juste à côté, ses pages raides, plissées et tachées de thé, comme si elles avaient été plongées dans l'eau et avaient séché au soleil.

« Tu perds du poids, dit Bobby Lee.

– Qu'est-ce que tu me caches ? »

Bobby Lee fronça les sourcils à cette critique implicite, comme si une cigarette lui effleurait la peau. « Holland a été chez Dolan. Puis il est allé dans un motel avec la femme qui a buté Liam. Je ne sais rien de plus. Laisse tomber la famille Dolan, Jack. Si on doit s'occuper de la fille Gaddis, on s'en occupe. Hugo t'a dit où elle travaillait. On la chope, avec le soldat, et tu termines ce que t'as commencé.

– Pourquoi crois-tu qu'Hugo nous a dit où elle travaillait ?

– Si on voit Hugo ou un de ses sbires dans le coin, on leur explose les boyaux. Le numéro que t'as fait avec les motards, c'était superbe, mec. C'est une pute qui les a donnés après avoir baisé avec eux ? Tu connais des nanas intéressantes. Rappelle-moi de pas coucher avec l'une d'entre elles.

– Ma mère est enterrée là. »

Bobby Lee ne voyait pas le rapport. Mais quand le Prêcheur commençait à partir en vrille, il le voyait rarement. Le vent soufflait plus fort contre la tente, secouant les piquets d'aluminium, tendant les cordes fixées aux sardines à l'extérieur. Une boule d'amarante heurta la toile, s'immobilisant un instant avant de rouler plus loin.

« Tu m'as demandé pourquoi je vis ici. Ma mère avait épousé un cheminot à qui ce terrain appartenait. Il est mort d'une intoxication par les ptomaïnes, dit le Prêcheur.

– Et tu as hérité du terrain ?

– Je l'ai acheté à une vente judiciaire.

– Ta mère n'a pas laissé de testament ?

– En quoi ça te regarde ?

– Ça me regarde pas, Jack, dit Bobby Lee. Ces types dont tu t'es occupé, au motel, c'était des mecs de Josef Sholokoff ?

– Ils n'ont pas eu le temps de se présenter.

– Je dois t'avouer un truc. À propos de Liam. Ça me ronge. Dans ce café, je l'ai piégé. Je l'ai appelé avec mon portable et je lui ai dit qu'Holland l'avait reconnu. Je me suis barré et je lui ai tout laissé sur le dos. »

Le Prêcheur regardait Bobby Lee, les jambes croisées, les poignets relâchés sur les accoudoirs de son fauteuil. « Pourquoi me dis-tu ça, mon garçon ?

– T'as dit que j'étais comme un fils pour toi. Tu le pensais vraiment ? »

Le Prêcheur se mit la main sur le cœur, sans un mot.

« J'ai un mauvais pressentiment. Je pense qu'on risque de tomber ensemble, toi et moi. Mais pour l'instant, j'ai pas l'impression d'avoir beaucoup de choix. Si on se fait refroidir, je veux pas qu'il y ait de mensonge entre nous.

– T'es un sacré sac de nœuds, Bobby Lee.

– J'essaie d'être carré avec toi. T'es un puriste. Il y en a plus beaucoup, des comme toi. Ça veut pas dire que j'ai envie de me manger une balle.

– Pourquoi penses-tu qu'on va se faire refroidir ?

– T'as essayé de passer une adjointe du shérif à la mitraillette. Ensuite, t'as eu une occasion de buter le shérif et tu l'as pas fait. Je pense que tu dois avoir un désir de mort.

– C'est sans doute ce que pense le shérif Holland. Mais vous vous trompez, tous les deux. Dans ce boulot, quand on reconnaît la grande ombre en soi, on s'y plonge et on y meurt, et ensuite on n'a plus à mourir de nouveau. À ton avis, pourquoi les frères Earp ont-ils pris Doc Holliday avec eux à OK Corral ? Un homme qui d'une main crache du sang dans son mouchoir, et qui de l'autre vous couvre avec un calibre 10 à double canon vous laissera jamais tomber. Alors t'as livré ce vieux Liam aux loups, c'est ça ?»

Bobby Lee détourna les yeux. Puis il corrigea son expression et regarda le Prêcheur en face. «Liam se moquait de moi alors que j'avais pris sa défense. Il disait que j'étais plein de choses, mais que je serais jamais un soldat. C'est quoi cette histoire de grande ombre à l'intérieur de nous ?»

Si le Prêcheur entendit la question de Bobby Lee, il choisit de l'ignorer. «Je vais reconstruire ma maison, Bobby Lee. J'aimerais que tu m'y aides. J'aimerais que tu aies l'impression qu'ici, c'est chez toi.

– J'en serais fier, Jack.

– On dirait que tu veux me demander quelque chose.

– On pourrait peut-être mettre des fleurs sur la tombe de ta mère. Elle est enterrée où ?»

Le vent soufflait si fort sur la tente que Bobby Lee n'entendit pas très bien ce que dit le Prêcheur. Il lui demanda de répéter.

«Tu ne me comprends jamais très bien ! cria le Prêcheur.

– Le vent hurle.

– Elle est sous tes pieds. Là où je l'ai plantée !»

À la fin de la même journée brûlante et ventée, une de ces journées où la pluie de mousson s'est évaporée du sol et où des tourbillons de poussière se forment à partir de rien, tournoient à travers les plaines et se dispersent en un clin d'œil en heurtant des rochers monumentaux, Vikki Gaddis allait du motel Fiesta au bar où elle était serveuse et où, parfois, elle chantait avec l'orchestre. Au fur et à mesure que la chaleur tombait, le ciel devenait jaune, le soleil se posant en une flaque orange parmi les nuages de pluie, à l'ouest. Malgré l'humidité et la chaleur, Vikki sentait qu'un changement se produisait dans le monde autour d'elle. Peut-être son optimisme était-il fondé sur sa conscience que toute situation finit par se modifier, en bien ou en mal. Peut-être que, pour Pete et elle, quelque chose allait changer. Le paysage avait pris une teinte verdâtre, comme si la campagne avait été saupoudrée de la patine d'une nouvelle vie. Elle sentait la brume des arroseurs sur le terre-plein central et les fleurs qui s'épanouissaient dans les bacs aux fenêtres du motel, une oasis de palmiers au milieu du désert lui rappelant qu'on a toujours plusieurs choix.

Pete lui avait parlé de sa conversation avec le shérif Hackberry Holland et raconté qu'il leur avait offert sa protection. Cette proposition était une possibilité, une alternative possible. Mais franchir la ligne pour pénétrer dans un monde d'imbroglios légaux et de processus irréversibles était plus facile à dire qu'à faire, pensait-elle. Ils risqueraient tout leur avenir, et même leur vie, sur la parole d'un homme qu'ils ne connaissaient pas. Pete n'arrêtait pas de lui répéter que Billy Bob ne lui aurait pas donné le nom d'Hackberry si ce n'était pas quelqu'un de bien, mais Pete avait une confiance incurable en ses semblables, quel que soit le mal que le monde puisse lui faire, au point que sa confiance était peut-être plus un vice qu'une vertu.

Elle se rappela un incident remontant à son enfance, quand son père avait été réveillé à deux heures du matin par le chef de la police de Medicine Lodge qui lui avait dit d'aller procéder à l'arrestation d'un gosse noir de dix-huit ans échappé d'une prison de comté en Oklahoma. Le gosse, qui avait été arrêté pour un larcin, avait rampé à travers une conduite de chauffage en plein mois de janvier et failli cramer avant de réussir à pousser la grille d'une bouche d'aération qui, par chance, donnait sur une partie du bâtiment non surveillée. Il était arrivé au Kansas dans un convoi de fret avec deux chevilles foulées et s'était caché dans la maison de sa tante où, selon toute probabilité, il aurait été oublié, car il n'était qu'un petit malfrat qui ne valait pas la peine d'être poursuivi.

Sauf que l'évadé avait l'âge mental d'un enfant de sept ans et avait téléphoné en PCV à la prison du comté pour demander au gardien de lui envoyer ses affaires à Medicine Lodge. Il s'était assuré que le gardien note bien l'adresse de sa tante. Une peine de quatre-vingt-dix jours à la prison du comté s'était trouvée devenir un minimum obligatoire d'un an au pénitencier McAlester.

Trois jours plus tard, Vikki avait regardé son père et un shérif adjoint venu d'Oklahoma enfermer l'évadé, en combinaison orange, enchaîné aux jambes et à la taille, à l'arrière d'une voiture officielle d'Oklahoma, et le river à un anneau fixé dans le sol du véhicule. L'évadé boitait beaucoup et ne devait pas peser plus de cinquante kilos. Ses bras étaient comme des baguettes. Sa peau semblait décolorée par une maladie. Ses cheveux étaient coupés de telle façon qu'on aurait dit qu'il avait une paille de fer rouillée collée sur le crâne.

« Que va-t-il lui arriver, papa ? avait demandé Vikki.

– Il va se faire cannibaliser.

– Qu'est-ce que ça veut dire ?

– Ça veut dire qu'un jour comme ça, ton père préférerait être musicien à plein temps, mon cœur. »

Que dirait son père de leur situation actuelle, à Pete et à elle ? Elle avait toujours plus associé son père à sa musique qu'à sa carrière de représentant de la loi. Il était toujours content, sa peau bronzée se plissant au coin des yeux, et il laissait rarement le monde lui faire du mal. Il prêtait de l'argent à des gens qui ne pouvaient pas le rembourser et copinait avec les ivrognes et les minorités, et ne se laissait entraîner ni par la politique, ni par une religion organisée. Il avait réuni toutes les premières chansons de la Carter Family et était très fier de connaître le patriarche de la famille, Alvin Pleasant Carter, qui, sur une carte postale qu'il lui avait adressée, l'avait appelé son « collègue musicien ». Sa chanson préférée de la Carter Family était « Keep on the Sunny Side of Life ».

Où es-tu, papa ? Au paradis ? Au milieu des mesas, ou dans ces nuages de poussière et de pluie ? Mais tu es quelque part, n'est-ce pas ? se disait-elle. *Tu as toujours dit que la musique ne meurt jamais. Elle vit dans les alizés et fait le tour du monde.*

Elle dut essuyer une larme avant d'entrer dans le bar.

« Deux types fameux t'ont demandée, dit le barman.

– Qu'est-ce que tu entends par "fameux" ? »

Le barman était un ancien cavalier de rodéo surnommé Stub[1] à cause du doigt qu'il avait perdu lorsqu'il l'avait pris dans un lasso au Calgary Stampede. Il était grand, avait un ventre en forme de poire à lavement remplie d'eau, et des cheveux aussi noirs et luisants que du cuir verni. Il portait un pantalon noir, une chemise blanche à manches longues et une cravate-lacet noire et, tout en parlant, essuyait des flûtes à champagne qu'il posait, renversés, sur une serviette blanche. « Ils étaient là hier soir, et ils voulaient te voir, mais tu étais occupée.

– Tu veux bien répondre à ma question, Stub ?

– Ils ont dit qu'ils appartenaient au Nitty Gritty Dirt Band.

– Ils traînent dans le coin plutôt qu'à Malibu parce qu'ils aiment le temps qu'il fait ici fin août ?

– Ils me l'ont pas dit.

– Tu leur as donné mon nom ?

– J'ai dit que tu t'appelais Vikki.

---

1. Moignon.

« – Tu leur as donné mon nom de famille ? Tu leur as dit où j'habite ?

– Je ne leur ai pas dit où tu habites.

– Comment ils s'appellent ?

– Ils ont laissé une carte. Ou du moins je crois qu'ils en ont laissé une. » Il jeta un coup d'œil sur les deux ou trois douzaines de cartes de visite conservées dans un carton, sous la caisse. « Ils aiment la façon dont tu chantes. L'un d'eux a dit que tu chantais comme Mother Je-ne-Sais-Quoi.

– Maybelle.

– Quoi ?

– Je chante comme Mother Maybelle.

– Je ne me souviens plus.

– Stub…

– Peut-être qu'ils reviendront ce soir.

– Ne parle de moi à personne. À personne, sous aucun prétexte. Tu as bien compris ? »

Stub secoua la tête et essuya un verre, le dos tourné à Vikki. « Tu m'as bien entendue ? »

Il soupira en faisant beaucoup de bruit, comme si on lui avait injustement mis un fardeau sur les épaules. Elle avait envie de lui casser une assiette sur la tête.

Jusqu'à neuf heures et demie, entre la cuisine et le bar, elle servit des repas et des boissons à des touristes en route pour le Big Bend, à des familles, à des ouvriers solitaires loin de chez eux, qui venaient prendre une bière et écouter un peu de musique. Puis elle prit sa guitare dans son casier fermé à clefs à l'arrière, la sortit de son étui et l'accorda. Elle avait mis de nouvelles cordes la semaine précédente.

La Gibson avait sans doute été fabriquée il y a plus de soixante ans, et était la plus grosse guitare plate qu'ait produite la compagnie. Le dessus était en épicéa rouge, et l'arrière et les côtés en bois de rose. On savait que c'était l'instrument préféré d'Elvis, d'Emmylou et de tous les rockers qui aimaient le son grave et chaud des premières guitares acoustiques. Sa patine, ses incrustations de perles et de motifs floraux, son manche sombre et ses frettes argentées semblaient capturer à la fois la lumière et des flaques d'ombre, et créer une œuvre d'art en soi. Quand elle plaqua un accord de *mi* et passa le médiator sur les cordes, la réverbération à travers le bois fut magique. Elle chanta «You Are My Flower», «Jimmy Brown the Newsboy» et «The Western Hobo». Mais elle avait du mal à se concentrer sur les paroles. Son regard n'arrêtait pas de parcourir l'assistance, les tables, les ouvriers au bar, un groupe de cyclistes européens qui étaient entrés en sueur et pas rasés avec des sacs à dos. Où était Pete? Il était censé la retrouver à dix heures, quand la cuisine fermait et qu'en général elle commençait à nettoyer les tables et à se préparer à partir.

Un homme seul à une table à l'avant n'arrêtait pas de faire tourner son chapeau sur son doigt tout en la regardant chanter. Un côté de son visage était fendu par un sourire. Il portait des pattes de *hillbilly* exagérées, des bottes de cow-boy, une chemise imprimée qui paraissait repassée à même sa peau bronzée, un jean serré au point d'éclater sur ses hanches et une grosse boucle de ceinture en cuivre sur laquelle était gravée la bannière étoilée. Quand elle le regarda, il lui fit un clin d'œil.

Par-dessus les têtes, elle vit Stub répondre au téléphone. Puis il reposa le combiné sur son socle et dit un mot à une serveuse qui s'approcha de la scène et dit à Vikki: «Pete te fait dire de ne pas dîner, il va aller à l'épicerie pour vous préparer quelque chose.

— Il va à l'épicerie à dix heures du soir?

— Ils sont ouverts jusque onze heures. T'as de la chance. Mon mec regarde des pornos de location chez sa mère.»

Vikki posa sa guitare dans son étui, le ferma et le rangea dans son casier. À l'heure de la fermeture, Pete n'était toujours pas là. Elle alla au bar et s'assit, les pieds douloureux, le visage raide à force de sourire alors qu'elle n'en avait pas envie.

«Plutôt crevée?» demanda une voix à côté d'elle.

C'était le cow-boy à la boucle de ceinture à la bannière étoilée. Il ne s'était pas assis, mais il était assez près d'elle pour qu'elle puisse sentir son haleine parfumée à la menthe et au tabac à mâcher. Il tenait son chapeau à deux mains, tirant sur le rebord, aplatissant une bosse sur le fond, époussetant une tache sur le feutre. Il se le mit sur la tête et le repoussa en arrière, son attention concentrée sur Vikki. «Vous êtes off? dit-il.

– Je suis quoi?

– Vous voulez que je vous ramène? Le vent dehors est chargé de sable.»

Stub écrasa dans sa paume un petit torchon blanc qu'il laissa tomber sur le bar devant le cow-boy. «Si vous voulez de l'alcool, c'est le moment, dit-il.

– Pas pour moi, merci.

– Bien, parce que c'est un bar familial, qui ferme tôt. Ensuite, Vikki m'aide à ranger. Ensuite, je la raccompagne chez elle.

– Heureux de l'apprendre», dit le cow-boy. Il se mit une pastille de menthe dans la bouche et la fit craquer entre ses molaires avec un large sourire.

Stub le regarda partir puis posa une tasse de café devant Vikki. «Ces types sont revenus? demanda-t-il.

– Ceux qui disent qu'ils sont avec le Nitty Gritty Dirt Band?

– Tu crois que ce n'est pas vrai?»

Elle était trop fatiguée pour en parler. Elle souleva sa tasse, puis la reposa dans la soucoupe sans avoir bu. «Je n'arriverai pas à dormir, dit-elle.

– Tu veux que je te raccompagne à pied jusque chez toi?

– Ça va. Merci de ton aide, Stub.»

Il prit une carte de visite glissée sous la caisse. «Je l'ai retrouvée dans le carton», dit-il en la posant devant elle.

Elle la prit et la regarda. «Il y a marqué "Nitty Gritty Dirt Band".

– Le type a écrit quelque chose à l'arrière. Je ne l'ai pas lu.»

Elle retourna la carte sur sa paume. «Il dit qu'il aime ma façon de chanter.

– Qui ?

– Jeff Hanna. Son nom est là.

– Qui est Jeff Hanna ?

– Le type qui a fondé le Nitty Gritty Dirt Band. »

Elle rentra au motel à pied. Les étoiles étaient apparues et, à l'ouest, le bas du ciel était encore éclairé d'un éclat semblable à une flamme brûlant dans une vapeur verte. Mais elle ne trouvait aucun réconfort dans la beauté des étoiles et de la lumière de fin d'été sur le désert. À chaque fois qu'une voiture ou un camion passait près d'elle, elle s'écartait inconsciemment de la chaussée, détournant le visage, cherchant des yeux un trottoir menant à un bâtiment, l'allée d'une maison, une rigole devant une station-service.

Devraient-ils vivre comme ça le restant de leurs jours ?

Elle déverrouilla sa porte et entra dans sa chambre. Le climatiseur était réglé à fond et de l'humidité coulait sur ses côtés jusque sur le tapis. Pete n'était pas revenu de l'épicerie. Elle était épuisée, affamée, terrorisée et incapable de penser aux prochaines vingt-quatre heures. Il n'y avait que Pete pour décider de préparer un dîner tardif et compliqué la veille du jour où ils devaient prendre une décision qui soit confirmerait leur statut de fugitifs permanents, soit les mettrait entre les mains d'un système judiciaire auquel ils ne faisaient pas confiance.

Elle se déshabilla, entra dans la douche et ouvrit l'eau chaude. La vapeur roulait hors de la cabine en un énorme nuage, embuait le miroir, brillait sur les murs de plâtre et s'évadait en bouffées à travers la porte entrouverte sur la chambre.

Quand elle était adolescente, son père la taquinait toujours à propos de son amour pour les animaux perdus. « Si tu ne fais pas attention, tu trouveras un type comme ces chats ou ces chiens, et tu t'enfuiras avec lui », disait-il.

Qui avait-elle trouvé ?

Pete, enserré entre les mâchoires d'assassins.

En regardant son reflet dans un petit trou sur le miroir embué, elle fut frappée de honte et de culpabilité. Aujourd'hui, c'était son anniversaire. Elle l'avait oublié, mais Pete non.

Elle était remplie d'une colère inassouvie contre elle-même et leur situation insoluble. Pour la première fois de sa vie, elle comprenait comment des gens peuvent délibérément se faire du mal, et même se tuer. Leur désespoir n'avait pas pour origine la dépression.

Elle entra dans la douche, se lava les cheveux, se savonna la poitrine, les aisselles, les cuisses, l'abdomen, les fesses, les mollets, tenant son visage si près du jet brûlant que sa peau devint aussi rouge que si elle avait des cloques. Comment reprendre le contrôle de leur existence ? Comment se libérer de la peur qui les attendait chaque matin, comme un animal affamé ? Le seul sanctuaire qu'ils avaient, c'était une chambre de motel avec un climatiseur cliquetant qui laissait échapper de la rouille sur la moquette, un lit taché des traces de fornication d'autres gens, des rideaux qu'ils pouvaient fermer sur une nationale menant à un carrefour de campagne et à une fosse commune géante à laquelle elle ne supportait pas de penser.

Elle appuya le front contre la cabine, le jet de la douche lui explosant sur le crâne, la vapeur s'insinuant dans la chambre où la chaîne de sécurité de la porte pendait le long du chambranle. Depuis le début de la soirée, elle réfléchissait à ses choix. La pluie avait modifié le paysage, le crépuscule avait remodelé les montagnes et rafraîchi le désert. Celui qui était l'alpha et l'oméga rendait toutes choses nouvelles, non ? Telle était bien la promesse, non ?

Mais quand on se trouvait dans une pièce qui semblait n'avoir d'autres issues que de fausses portes peintes sur les murs, quel choix avait-on ? Quel mauvais tour à jouer, surtout à des gens qui avaient essayé, toute leur vie, de bien se conduire.

Elle ferma les yeux, très fort, et appuya si fermement la tête contre la paroi de la cabine de douche qu'elle crut que sa peau allait se fendre.

Pete dirigea son chariot vers le rayon traiteur et y laissa tomber un poulet rôti, un carton de salade de pomme de terre et un de salade de chou râpé. Puis il prit dans la glacière un pack de six Dr Pepper glacés, et dans le congélateur deux litres de yaourt givré, puis obliqua vers le rayon boulangerie. Il prit un kouglof et trouva une miche de pain encore molle. La boulangère travaillait tard ; elle était en train de nettoyer derrière le comptoir des pâtisseries. Pete lui demanda d'inscrire sur son gâteau "Bon anniversaire Vikki".

« Une fille à part, hein ? demanda-t-elle.

– Oui, m'dame. Il en existe pas de meilleure », dit-il.

Il paya et, un sac de courses dans chaque bras, entreprit les deux kilomètres qui le séparaient du motel. Les dernières lueurs du soleil avaient fini par s'éteindre à l'horizon et il voyait l'étoile du soir, brillante, scintiller au-dessus d'une crête rocheuse qui paraissait sculptée dans un os en cours de désagrégation. Le vent était complètement tombé et, sous les arbres, il crut sentir une odeur d'automne, une odeur de gaz et de chrysanthèmes. Un poids lourd passa à côté de lui, les freins sifflant, l'enveloppant d'un reflux de chaleur et de fumée de diesel. Il s'écarta du bord de la route, marchant maintenant sur une surface irrégulière, des gravillons crissant sous ses pas, son chapeau de paille mexicain en forme de cône dansant sur sa tête. Plus loin, sous un lilas de Perse, se trouvait une carriole de *sno' ball* fermée, une grappe de cerises rouges brillantes peinte sur un panneau de bois au-dessus de son comptoir à volet. Dans le lointain, quand un véhicule arriva de l'ouest, il distingua vaguement le drive-in abandonné, le golf miniature envahi d'herbes et les carcasses de Cadillac, l'avant planté dans le *hardpan*. Maintenant, Vikki devait être de retour au motel, pensa-t-il. L'attendant, s'inquiétant, regrettant peut-être secrètement de l'avoir rencontré.

Il pensa le mot "Vikki", si bien qu'il devint moins un mot qu'un son dans sa tête. Il le pensa d'une façon qui transforma le mot en un cœur, avec les pulsations du sang, des cheveux frisés, des yeux de couleur étrange sous des arcades proéminentes, une haleine douce et une peau aussi fraîche que des fleurs qui s'ouvrent le matin. Elle était intelligente, jolie, courageuse, douée, et elle ne s'en vantait pas. S'il avait l'argent, ils pourraient aller au Canada. Il avait entendu parler de Lake Louise, des Canadian Rockies, bleutées, et d'endroits où l'on pouvait encore vivre en cow-boy et rouler pendant cent kilomètres sans rien rencontrer de la main de l'homme. Vikki parlait toujours de Woody Guthrie, de Cisco Houston, de la musique du Grand Ouest américain et de la promesse que la terre avait tenue pour la génération des années 1940. Le Montana, la Colombie-Britannique, le Wyoming, la chaîne des Cascades, dans l'État de Washington, peu importe. C'étaient les lieux d'un nouveau départ. Il devait inverser le cours des choses et réparer pour Vikki le mal qu'il avait fait. Il devait rompre avec les neuf Asiatiques assassinées qui vivaient encore dans ses rêves. Est-ce que tous les morts ne finissent pas par se lasser et par se diriger vers une lumière blanche, laissant le monde à ses illusions ?

Même si ça devait lui coûter la vie, il devait faire en sorte que ça arrive.

Pour ne pas écraser le gâteau à l'intérieur, il déplaça le sac niché au creux de son avant-bras droit. Derrière lui, il entendit les pneus d'un véhicule diesel quitter le bitume pour les gravillons.

« Tu veux que je t'emmène, Pete ? » demanda le chauffeur du pick-up. Il souriait. Un chapeau de feutre au rebord avachi était accroché au râtelier à armes derrière lui. Il portait une chemise imprimée aussi moulée sur son torse que sa peau brunie par le soleil.

« Je ne vais pas loin, dit Pete, qui ne reconnaissait pas le chauffeur.

– Je travaille avec Vikki. Elle a dit que, ce soir, vous faisiez la cuisine. Une occasion particulière ?

– On peut dire ça, dit Pete qui continuait à marcher, regardant droit devant lui.

– On dirait que ce sac va se déchirer. » Le chauffeur conduisait d'une main, maintenant son pick-up sur le bas-côté, tapotant sur le frein pour ne pas dépasser Pete.

« Tu te souviens pas de moi ? C'est parce que je travaille en cuisine. La plupart du temps, je suis courbé sur l'évier.

– Pas besoin que vous m'emmeniez. Tout va bien. Merci.

– Comme tu veux. J'espère que Vikki se sent mieux », dit le chauffeur. Il commença à remonter sur la chaussée, passant la tête par la fenêtre pour regarder si la voie était dégagée, les épaules haussées par-dessus le volant.

« Attendez. Qu'est-ce qui ne va pas avec Vikki ? » demanda Pete.

Mais le chauffeur l'ignora, attendant de laisser passer un bus.

« Hé ! rangez-vous », dit Pete qui se mit à accélérer le pas, le fond de l'un de ses sacs commençant à se déchirer sous le poids du pack humide de six Dr Pepper. Puis le fond céda, et le pack de six, un carton de céréales, un quart de lait et une barquette de myrtilles tombèrent en cascade sur le sol.

Le chauffeur du pick-up revint sur le bas-côté et se pencha en avant, attendant que Pete parle.

« Vikki est malade ? demanda Pete.

– Elle se tenait le ventre et elle avait l'air barbouillé. Il y a une mauvaise grippe qui traîne dans le coin. Ça vous donne la chiasse pendant un jour ou deux.

– Garez-vous là, dit Pete. J'en ai pour une minute. »

Le chauffeur n'essaya pas de dissimuler son agacement. Il regarda sa montre, s'arrêta dans l'obscurité sous le lilas de Perse et coupa ses feux, attendant que Pete ramasse ses courses et les apporte jusqu'au plateau du véhicule. Le chauffeur ne sortit pas, ni ne proposa son aide. Pete fit un premier voyage, puis retourna en arrière pour ramasser le sac qui n'avait pas craqué. Sous le surplomb de l'arbre, la vitre arrière du pick-up était noire, le capot cliquetant de chaleur. Le chauffeur était assis, décontracté, un bras sur la fenêtre, faisant rouler une allumette entre des dents.

Pete s'approcha de la portière passager et monta. Une paire de menottes était accrochée au rétroviseur.

«Elles sont en plastique», dit le chauffeur. Il sourit de nouveau, sa bonne humeur revenue. Il portait à la ceinture une boucle de cuivre brunie de la couleur du beurre noisette, estampée de la bannière étoilée. «T'as un couteau?

– Pour faire quoi?

– Ce tapis de sol arrête pas de se prendre dans mon accélérateur. Il a envie de me tuer sur la route.»

Pete sortit de son jean son couteau suisse dont il déplia la longue lame, et le tendit au chauffeur. Ce dernier entreprit de couper un morceau du tapis de sol. «Attache-toi. La fermeture est à ta gauche. Il faut bien l'enfoncer.

– Et si on laissait tomber?

– Selon la loi de l'État, on doit avoir sa ceinture. J'ai tendance à respecter la loi. Avant, c'était pas le cas, et j'ai fait des études supérieures en ramassage de coton. Tu vois ce que je veux dire?» Le chauffeur vit l'expression de surprise de Pete. «Quatre-vingt-dix jours à la ferme-prison, pour non-paiement de pension alimentaire. Pas forcément un truc dont je me vanterais auprès de John Dillinger.»

Pete tira la ceinture en travers de sa poitrine, enfonça la languette de métal dans la fermeture, et l'entendit se mettre en place avec un bruit sec. Mais la ceinture était trop serrée. Il s'efforça de l'ajuster à la bonne longueur.

Le chauffeur jeta par la fenêtre le morceau de toile qu'il avait coupé et, de la paume, replia la lame du canif. «C'est ma nièce qui l'a réglée. Tiens bon. On n'a pas beaucoup de route à faire», dit-il. Il passa une vitesse.

«Rendez-moi mon couteau.

– Une seconde, mec.»

Pete appuya sur le bouton pour libérer sa ceinture, mais il ne se passa rien. «C'est quoi, cette affaire ?

– Une affaire ?

– La ceinture est coincée.

– J'ai les mains occupées, mon pote, dit le chauffeur.

– Qui êtes-vous ?

– Lâche-moi un peu, tu veux bien ? J'ai un problème, là. T'y crois, à ce trou-du-cul ?»

Un SUV avait quitté la route au-delà de la carriole de *sno' ball*, et était en train de reculer.

«Qu'est-ce que c'est que cette merde ?» dit le chauffeur du pick-up.

Le SUV accélérait, son pare-chocs arrière dirigé vers le pick-up, ses pneus dérapant dans le gravillon. Le chauffeur du pick-up passa en marche arrière et appuya sur l'accélérateur, mais il était trop tard.

La fixation de remorque du SUV s'enfonça dans la grille du pick-up, la boule d'acier et la monture triangulaire plongeant dans le radiateur, arrachant de leur support les pales de ventilation, projetant la caisse sur le côté.

Pete secoua la ceinture de sécurité, mais elle était fermée solidement et il comprit qu'il s'était fait avoir. Mais ce qui se passait autour de lui était encore plus bizarre. Le chauffeur du SUV avait coupé ses lumières et sauté sur le gravillon, tenant un objet contre sa cuisse de façon qu'on ne puisse pas le voir de la route. L'homme se déplaça rapidement vers la portière conducteur, l'ouvrit et, en un seul mouvement, se jeta à l'intérieur et agrippa d'une main le chauffeur à la gorge tandis que, de l'autre, il lui fourrait dans la bouche un .38 compact bleu sombre. Il mit le pouce sur la surface moletée du percuteur et l'arma. «Je vais t'exploser la cervelle sur le tableau de bord, T-Bone. Tu m'as déjà vu le faire», dit-il.

T-Bone, le conducteur du pick-up, ne pouvait pas parler. Il avait les yeux exorbités et de la salive lui coulait des deux côtés de la bouche.

« Si t'as compris le message, cligne des yeux, connard », dit l'homme du SUV.

T-Bone ferma les paupières, puis les rouvrit. Le conducteur du SUV retira le revolver de la bouche de T-Bone, abaissa le percuteur avec son pouce et passa l'acier sur la chemise de T-Bone, pour en essuyer la salive. Puis, sans autre raison apparente qu'une rage sans frein, il lui donna un coup de crosse en plein visage.

T-Bone appuya la paume sur la coupure qu'il avait sous l'œil. « C'est Hugo qui m'a envoyé. La nana est au motel Fiesta, dit-il. On n'avait pas trouvé le Fiesta parce qu'on cherchait le Siesta. On n'avait pas le bon nom, Bobby Lee.

– Tu vas me suivre jusqu'au prochain croisement et tourner à droite. Continue à rouler avec ton tas de merde sur trois pâtés de maisons, et on sera dans la campagne. Et déconne pas là-dessus. » Le regard de Bobby Lee croisa celui de Pete. « Ça s'appelle une Vénus attrape-mouches. Les violeurs l'utilisent. Ça veut dire que tu te fais baiser. Mais "baisé" et "balle dans la tête", c'est pas forcément la même chose. Tu piges ça, mon pote ? Tu m'as causé un tas d'ennuis. Tu peux même pas imaginer ! Ce qui veut dire qu'en cet instant, ton nom est en haut de la liste noire. Démarre, T-Bone. »

T-Bone mit le contact. Le moteur toussa et le pot d'échappement émit un épais nuage de fumée noire. Quelque chose tinta contre le métal, et lorsque le moteur démarra de l'antigel se répandit sur le gravier, puis de la vapeur et une odeur de brûlé montèrent du capot, comme si un tuyau ou un ruban en caoutchouc grillait sur une surface chaude. Pete était silencieux et raide sur le siège, s'y enfonçant le plus possible de façon à pouvoir passer un pouce sous la ceinture de sécurité et essayer de s'en dégager. Son couteau suisse était sur le sol, son manche rouge à moitié coincé sous le pied du chauffeur. Une voiture passa, puis un camion, la lumière de leurs phares tombant en dehors de la flaque d'ombre sous les lilas de Perse.

« Mon arme est sous le siège, dit T-Bone.

– Vas-y.

– Il faut que je parle à Hugo.

– Hugo discute pas avec les morts. Et c'est ce que tu seras si tu fais pas ce que je dis. »

T-Bone se pencha, regardant droit devant lui, et prit sous son siège un .25 automatique. Il le souleva de sa main gauche et le posa sur ses genoux, de façon qu'il soit pointé sur la cage thoracique de Pete. Un sifflement ténu, comme celui d'une bouilloire, montait du capot. « Je voulais pas marcher sur tes plates-bandes, Bobby Lee. J'ai obéi à Hugo.

– Encore un mot, et je vais te faire sacrément mal. »

Pete resta silencieux tandis que T-Bone suivait le SUV de Bobby Lee hors de la ville, puis sur un chemin de terre bordé de pâturages où des angus noires étaient regroupées dans un arroyo et sous un arbre solitaire près d'une éolienne. La main gauche de Pete s'approcha du loquet de la ceinture. Il passa les doigts sur le carré de métal, poussant du pouce le bouton de déverrouillage en plastique, essayant de se libérer en donnant à la ceinture suffisamment de mou pour pouvoir s'enfoncer dans le siège plutôt que de pousser contre elle.

« Tu perds ton temps. Il faut la faire sauter de l'intérieur avec un tournevis, dit T-Bone. À propos, je suis pas un violeur.

– Vous étiez à l'église ?

– Non, mais toi oui. Comme je vois les choses, tu vas pas t'en sortir. Alors supplie pas. J'ai déjà entendu la chanson. Les mêmes mots, des mêmes personnes. C'est pas leur faute. C'est le monde qui leur en veut. Ils feront n'importe quoi pour se rattraper.

– Ma copine est innocente. Elle n'a participé à rien de ce qui s'est passé près de cette église.

– Un enfant naît de la fornication de ses parents. Aucun de nous n'est innocent.

– Qu'est-ce qu'on vous a dit de nous faire ?

– Ça te regarde pas.

– Mais vous n'êtes pas sur la même longueur d'onde que le type du SUV, non ?

– T'as pas à t'inquiéter pour ça.

– C'est bon. Je m'inquiète pas. Mais vous, si », dit Pete.

Pete vit T-Bone se mordre la lèvre. Une goutte de sang roula sur sa joue depuis la coupure qu'il avait sous l'œil, comme si un crayon invisible traçait une ligne rouge. « Répète-moi ça.

– Pourquoi Hugo vous a-t-il envoyé après nous sans en parler à Bobby Lee ? Bobby Lee travaille de son côté, n'est-ce pas ? Qu'est-ce que ce dénommé Prêcheur vient faire là-dedans ? »

T-Bone jeta un coup d'œil de côté, une lueur de peur dans le regard. « Qu'est-ce que tu sais du Prêcheur ?

– Si Bobby Lee travaille avec lui, qu'est-ce que vous faites, vous ? »

T-Bone se suça les joues comme si elles étaient imprégnées d'humidité. Mais Pete pensa qu'en réalité, il avait la bouche aussi sèche que du coton. La poussière du SUV se tordait dans les phares du pick-up. « D'accord, t'es un petit malin. Mais pour un mec aussi malin, ça doit faire bizarre de se trouver dans la situation où t'es. Autre chose que je comprends pas : j'ai parlé avec ta copine, au bar. Comment c'est possible qu'un type qui ressemble à de la bidoche brûlée finisse avec un canon qui a un cul pareil ? »

Devant eux, les feux stop du SUV brillèrent dans la poussière, aussi lumineux que des braises. Au sud, les crêtes et les mesas qui bordaient le Rio Grande étaient pourpres, grises et bleues contre le ciel nocturne, et semblaient glacées.

Bobby Lee sortit de son véhicule et s'approcha du pick-up, son 9 millimètres pendant de sa main droite. « Éteins tes phares et coupe ton moteur, dit-il.

– Qu'est-ce qu'on fait ?

– Il n'y a pas de "on". » Bobby Lee avait son portable suspendu à un cordon autour de son cou.

« Je croyais qu'on travaillait ensemble. Appelle Hugo. Appelle Artie. Mets tout ça au clair. »

Bobby Lee enfonça le canon d'un 9 millimètres contre la tempe de T-Bone. Le percuteur était déjà armé, le cran de sécurité désenclenché.

« Tu vas te servir de ton 9 millimètres contre ton...

— C'est vrai, je vais le faire, dit Bobby Lee. Une arme à quatorze balles, fabriquée avant que les amis des animaux les aient fait interdire. Donne-moi ton flingue, crosse en avant. »

T-Bone porta sa main à hauteur d'yeux, les doigts serrés sur son .25. Bobby le lui prit et le laissa tomber dans sa poche.

« Qui est venu ici avec toi ?

— Deux nouveaux. Peut-être qu'Hugo est dans le coin. Je sais pas. Peut-être...

— Peut-être que quoi ?

— On s'intéresse beaucoup au Prêcheur. »

Bobby Lee écarta le canon du 9 millimètres de la tempe de T-Bone, y laissant un cercle rouge qui semblait flamboyer contre l'os. « Sors. »

T-Bone s'écarta précautionneusement de la porte. « Je devais choper la fille sans lui faire de mal et appeler Hugo. J'ai pas réussi, alors j'ai vu le gamin qui portait ses courses sur la route et j'ai saisi l'occasion. »

Bobby Lee était silencieux, rempli de pensées dans lesquelles des gens vivaient ou mouraient ou étaient abandonnés quelque part entre les deux. Ses pensées se formaient et se reformaient différemment, construisant divers scénarios qui, en quelques secondes, pouvaient déboucher sur une situation qu'aucun être humain n'avait envie de connaître.

« Si tu vois le Prêcheur... dit T-Bone.

— Je le verrai.

— Je me contente d'exécuter des ordres.

— Tu veux que je note ça, pour bien répéter tes mots exacts ?

— Ça en vaut pas la peine, Bobby Lee.

— La peine de quoi ?

— Peu importe.

— Quoi, "peu importe" ?

– Pourquoi tu me fais une chose pareille ?

– Parce que tu me gonfles.

– Qu'est-ce que j'ai fait ?

– Tu me fais penser à un zéro. Non, un zéro, c'est une chose, un cercle avec de l'air dedans. Tu me fais penser à moins qu'un zéro. »

T-Bone laissa son regard vagabonder sur la prairie. D'autres angus arrivaient dans l'arroyo. Il était bordé d'arbres et les ombres des bêtes semblaient se fondre dans celles des arbres, les grossir et en même temps les assombrir. « Il va encore pleuvoir. Avant la pluie, elles se regroupent toujours. »

Bobby Lee respirait par le nez, le regard dans le vague, tendu, comme si quelqu'un lui projetait une torche dans les yeux

T- Bone ferma les yeux et sa voix produisit un croassement, mais aucun mot ne sortit de sa gorge. Puis il expectora et cracha un caillot de sang. « J'ai un ulcère. »

Bobby Lee ne dit rien.

« Me vise pas à la tête, dit T-Bone.

– Retourne-toi.

– Bobby Lee…

– Si tu regardes derrière toi, si t'appelles Hugo, si tu contactes qui que ce soit à propos de cette affaire, je te ferai ce que tu as fait à ce Mexicain que tu as attaché dans cette maison à Zaragoza. Ton pick-up reste ici. Ne remets jamais les pieds dans ce comté…

– Comment je saurai que tu vas pas…

– Si tu respires encore dans quarante mètres, tu le sauras. »

Bobby Lee posa le coude sur la fenêtre du pick-up et regarda T-Bone s'éloigner. Puis il tourna lentement les yeux vers Pete.

« À quoi tu t'attends ?

– À pas grand-chose.

– Tu trouves ça drôle ? Tu te crois malin ?

– Ce que je crois, c'est que vous allez déraper dans votre merde.

– Je suis ton meilleur ami, mon garçon.

– Alors vous avez raison. Je suis vraiment dans la merde. Je vais vous dire une chose. Dégagez-moi de cette ceinture, et je vous croirais peut-être. »

Bobby Lee fit le tour du véhicule et ouvrit la portière. Il sortit de son jean un couteau qu'il déplia d'un coup. Il trancha la ceinture de sécurité, le 9 millimètres dans la main droite, puis fit un pas en arrière. « Mets-toi à plat ventre. »

Pete descendit de la voiture, se mit à genoux, s'allongea sur le ventre, l'odeur de l'herbe et de la terre chaude lui montant au visage. Il tourna la tête.

« Regarde devant toi, dit Bobby Lee en appuyant le pied entre les omoplates de Pete. Les mains dans le dos.

– Où est Vikki ? »

Bobby Lee ne répondit pas. Il s'accroupit, attacha une menotte à chacun des poignets de Pete, enfonçant le cliquet le plus profond possible dans le mécanisme de fermeture.

« Lève-toi.

– À la réunion des AA vous avez dit que vous aviez été en Irak.

– Et alors ?

– Vous devriez pas faire ça.

– Un scoop pour toi. Tous les drapeaux sont de la même couleur. Cette couleur, c'est le noir. Pas de quartier, pas de pitié. C'est "Crame, fils de pute, crame". Dis-moi que je suis un sac à merde.

– Vous vous êtes fait virer de l'armée, n'est-ce pas ?

– La ferme, mon gars.

– Ce type, T-Bone, vous vous êtes vu en lui. C'est pour ça que vous aviez envie de le mettre en pièces.

– Tu peux peut-être le remplacer. »

Bobby Lee ouvrit la malle arrière du SUV et enfourna Pete à l'intérieur. Il claqua la portière, prit le portable au bout du cordon à son cou et composa un numéro.

« J'ai le colis », dit-il.

22

Vikki s'essuya, s'entortilla dans une serviette et commença à se laver les dents. Le miroir était couvert d'une buée épaisse, la chaleur et l'humidité de la douche s'échappant dans la chambre par la porte entrouverte. Elle crut entendre un bruit, peut-être une porte qui se fermait, une phrase inachevée qui se perdait dans l'espace. Elle serra la poignée du robinet, coupa l'eau, la brosse à dents figée dans sa bouche. Elle posa la brosse dans un verre à dents. « Pete ? » dit-elle.

Pas de réponse. Elle serra la serviette autour de sa taille.

« C'est toi ? » dit-elle.

Elle entendit un rire synthétique à travers la cloison et se rendit compte que les gens dans la chambre voisine, un couple latino avec deux enfants adolescents, avaient encore monté le son de la télévision à la puissance d'un supersonique.

Elle ouvrit la porte en grand, se mit une serviette autour de la tête et entra dans la chambre. Elle n'avait laissé qu'une seule lumière allumée, un lampadaire près de la table dans le coin. Il créait plus d'ombres qu'il ne donnait de lumière, et atténuait le dénuement de la chambre – le dessus-de-lit qu'elle évitait de toucher, les rideaux décolorés par le soleil, les taches d'eau marron au plafond, la moisissure qui s'étendait sur les montants de la fenêtre.

Elle sentit sa présence avant de le voir, de la même façon qu'on rencontre une présence sans visage dans un rêve, une forme changeante sans origine, qui vient d'on ne sait où, capable de passer à travers les murs et les portes fermées et, dans le cas présent, de s'asseoir dans le fauteuil couvert de toile près de la fenêtre, de l'autre côté du lit, à cinquante centimètres de l'unique téléphone de la pièce.

Il s'était installé confortablement, une jambe croisée sur le genou, son costume à rayures ayant besoin d'un coup de fer, sa chemise blanche amidonnée, ses souliers lustrés, sa cravate à système incomplètement nouée, son rasage effectué sans miroir. Comme la forme du rêve, il était pétri de contradictions, son élégance miteuse avait quelque chose d'irréel, sa perpendicularité était celle d'un poseur assis dans une soupe populaire.

Il garda les yeux fixés sur ceux de Vikki et ne les baissa pas sur son corps, mais elle vit le tremblement du désir autour de sa bouche, le creux dans ses joues, le besoin refréné de se passer la langue sur la lèvre inférieure.

« C'est vous, dit-elle.

– Oui.

– J'espérais bien ne jamais vous revoir.

– Il y a des gens pires que moi qui vous recherchent, petite demoiselle.

– Je vous interdis de me parler de cette façon.

– Vous ne vous demandez pas comment je suis entré ?

– Je me fiche de savoir comment vous êtes entré. Vous êtes entré, c'est tout. Et maintenant, vous allez sortir.

– C'est peu probable, n'est-ce pas ?

– Près de votre pied.

– Quoi ?

– Qu'y a-t-il à côté de votre pied ? »

Il baissa les yeux sur la moquette. « Ça ?

– Oui.

– Un Derringer .22. Mais il n'est pas pour vous. Il pourrait l'être si j'étais quelqu'un de différent. Mais il ne l'est pas. » S'aidant de la main, il souleva sa jambe de son genou et la reposa sur le sol. « Vous ne m'avez pas raté, sur la nationale.

– Je m'étais arrêtée pour vous aider, parce que je croyais que vous aviez un pneu à plat. Pour me remercier de ma gentillesse, vous avez essayé de m'enlever.

– Je n'enlève pas les gens, mademoiselle.

– Pardon. Vous les tuez.

– Je l'ai fait. Quand ils me poursuivaient. Quand ils essayaient de me tuer d'abord. Quand ils faisaient partie d'un plan supérieur sur lequel je n'avais pas de prise. Asseyez-vous. Vous voulez votre peignoir ?

– Je n'en ai pas.

– Asseyez-vous quand même. »

Elle avait l'impression qu'on lui avait posé des braises sur le crâne. De l'humidité suintait de la serviette qu'elle avait entortillée autour de sa tête. Son visage la démangeait et ses yeux la picotaient. Elle sentait des gouttes de sueur se frayer un chemin le long de ses cuisses, comme des colonnes de fourmis. Les yeux de l'homme se baissèrent sur son entrejambe, puis il les détourna rapidement, fit semblant d'être distrait par le bruit du climatiseur. Elle s'assit à la petite table près du mur, les genoux rapprochés, les bras croisés sur la poitrine. « Où est Pete ? demanda-t-elle

– Il a été sauvé par un de mes amis.

– Sauvé ? » Elle s'arrêta avant de répéter le mot. « *Sauvé ?* » Quand elle parla, elle sentit l'acidité de sa salive.

« Vous voulez que je parte sans que notre problème soit résolu ? Vous voulez laisser la situation de Pete dans le flou ? Il est là, quelque part sur une route obscure, entre les mains d'un homme qui se prend pour un descendant de Robert E. Lee.

– Et vous, vous descendez de qui ? Qui êtes-vous, putain ? »

Les doigts de la main droite du Prêcheur s'agitèrent silencieusement. « On ne me parle pas comme ça.

– Vous pensez qu'un assassin mérite le respect ?

– Vous ne me connaissez pas. J'ai peut-être des qualités dont vous n'avez pas conscience.

– Vous vous êtes déjà battu pour votre pays ?

– On pourrait dire qu'à ma façon, je l'ai fait. Mais je ne demande rien pour moi.

– Pete a été brûlé dans un tank. Mais là où il a vraiment été amoché, c'est quand il est rentré et qu'il vous a rencontrés, vous et les autres criminels avec qui vous travaillez.

– Votre ami est un idiot, sinon il ne se serait pas fourré dans ce pétrin. Je n'apprécie pas la crudité de vos remarques à mon sujet. »

Une fois de plus, elle sentit une flaque de chaleur se former dans sa tête, comme si le soleil la brûlait, faisait bouillir son sang, la poussait vers les frontières d'un lieu où elle n'était jamais allée. Sa serviette commençait à glisser et elle la serra plus fort autour de ses hanches, appuyant de ses bras son humidité contre sa peau.

« J'aimerais que vous veniez avec moi. Je voudrais me rattraper pour tout le mal que je vous ai fait. Ne parlez pas, écoutez-moi, juste, dit-il. J'ai de l'argent. Et pour un homme qui n'a pas fait d'études, je suis plutôt bien éduqué. Je sais me tenir, et je sais comment m'occuper d'une femme distinguée. Je loue une maison au sommet d'une montagne près de Guadalajara. Là-bas, vous auriez tout ce que vous voulez. Je n'exigerais rien de vous, ni sexuellement ni autrement. »

Elle crut entendre un train dans le lointain, la masse et la puissance de la locomotive écrasant les rails dans un bruit sourd, le tremblement s'étendant à travers le *hardpan* comme les vibrations continues émises par un abcès sur une dent de sagesse.

« Rendez-moi Pete. Ne lui faites pas de mal, dit-elle.

– Que me donnerez-vous en échange ?

– Prenez ma vie.

– Pourquoi je voudrais faire une chose pareille ?

– Je vous ai collé deux balles.

– Vous ne me connaissez pas très bien.

– Vous savez pourquoi vous êtes là. Allez-y, faites-le. Je ne vous résisterai pas. Mais fichez la paix à Pete. » Sa vue devenait floue et se réajustait, la pièce miroitait, un liquide sombre montait de son estomac dans sa gorge.

380

«Vous m'offensez.

– Vos pensées sont une offense, et vous savez mal les cacher.

– Quelles pensées ? De quoi parlez-vous ? »

La peau sous son œil gauche se plissa, comme du mastic en train de sécher.

«Les pensées que vous refusez d'admettre. Les désirs secrets que vous masquez par votre cruauté. Vous me faites penser à un tissu malade sur lequel rampent des insectes. Vos glandes sont en rut, mais vous vous prétendez un gentleman qui veut s'occuper d'une femme et la protéger. Le désir qu'on lit sur votre visage est tel que ça en devient gênant.

– Le désir ? Pour une femme qui m'insulte ? Qui pense qu'elle peut se moquer de moi alors que je l'ai sauvée d'un homme comme Hugo Cistranos ? C'est vrai, Hugo a prévu de vous tuer, vous et votre petit copain. Vous voulez que j'appuie sur la touche d'appel programmé de mon téléphone ? Je peux faire connaître à votre ami une expérience qu'aucun de vous deux ne peut imaginer.

– Il faut que je m'habille. Je ne veux pas que vous me regardiez.

– Vous habiller pour aller où ?

– Hors d'ici. Loin de vous.

– Vous pensez que vous avez le contrôle des événements qui vont se produire ? Vous êtes naïve à ce point ?

– Mes vêtements sont dans la commode. Je vais les porter dans la salle de bains et m'habiller. N'entrez pas. Et ne me regardez pas non plus pendant que je les prends dans la commode. Une fois que je serai habillée, j'irai quelque part. Je ne sais pas encore où. Mais ce ne sera pas avec vous. Peut-être que je finirai ici, dans cette chambre, dans cette chambre sale, dans cet endroit maudit aux confins du monde. Mais vous n'entrerez pas dans ma vie, espèce de sous-merde. »

L'expression du Prêcheur semblait divisée en deux, comme s'il souffrait d'hémiplégie et que les muscles d'un côté de son visage s'effondraient. Sa main droite trembla. «Vous n'avez pas le droit de dire ça.

– Tuez-moi ou sortez. Je ne supporte pas votre présence.»

Il se pencha et ramassa sur la moquette le Derringer bleu sombre à la crosse nacrée. Il respirait par le nez, de manière saccadée, les yeux petits et brûlants sous ses sourcils. Il s'approcha d'elle lentement, sa chemise blanche reflétant l'éclat du néon à l'extérieur, donnant à son visage une teinte rose qui ne lui était pas naturelle. Il se dressa devant elle, l'estomac plat sous sa chemise et sa ceinture serrée au maximum, une odeur de sueur séchée montant de son costume. «Répétez ce que vous venez de dire.

– Je déteste me trouver en présence d'un homme comme vous. Vous êtes ce que redoute n'importe quelle femme. La seule idée de vous toucher me donne la nausée.»

Il leva le canon de son Derringer jusqu'à la bouche de Vikki. À travers le mur, elle entendait le rire synthétique de la télévision des voisins. Elle entendait la locomotive tirant entre les collines un kilomètre de *boxcars*[1] et de wagons plats, dont les vibrations secouaient les fondations du motel. Elle entendait les exhalaisons sèches du Prêcheur juste au-dessus de son front. Il lui mit la main droite sous le menton et lui souleva la tête pour que leurs regards se croisent. Quand elle essaya de se détourner, il lui pinça la mâchoire et, d'un coup sec, lui redressa la tête. «Regardez-moi dans les yeux.

– Non.

– Vous avez peur?

– Non. Oui.

– De quoi?

– De ce que j'y verrai. Vous êtes le démon. Je pense qu'il y a un abîme à l'intérieur de vous.

– Mensonges.

---

1. Wagon de marchandises.

– Dans votre sommeil vous entendez les hurlements du vent, n'est-ce pas ? C'est comme le bruit que fait le vent la nuit sur l'océan. Sauf que le vent est à l'intérieur de vous. Un jour, j'ai lu un poème de William Blake. Il parlait du ver qui vole la nuit dans la tempête. Je pense qu'il pensait à vous en l'écrivant. »

Il la lâcha, comme s'il jetait sa tête. « Je me fiche complètement de vos connaissances littéraires. C'est vous qui êtes l'agent du démon. C'est inhérent à votre sexe. Depuis l'Éden jusqu'à aujourd'hui. »

Elle avait la tête baissée, les bras toujours croisés sur la poitrine, son dos commençait à trembler. Il mit sa main gauche dans sa poche. Elle sentit quelque chose effleurer sa joue.

« Prenez ça », dit-il.

Elle ne répondit pas autrement qu'en se serrant plus fort dans sa propre peau, courbant les épaules et la colonne en une boule plus dense, gardant les yeux fixés sur le haut de ses bras croisés. « J'ai dit : "Prenez ça." »

Il poussa un objet à la fois pointu et mou contre sa joue, lui piquant la mâchoire, essayant de la forcer à lever la tête. « Je vous ai dit de prendre ça.

– Non.

– Il y a six cents dollars dans cette pince. Traversez la frontière et entrez dans l'État de Chihuahua. Mais ne vous arrêtez pas avant Durango. Les gens d'Hugo Cistranos sont partout. Au sud de Durango, vous serez en sécurité. » Il tenait entre deux doigts la liasse de billets devant elle. « Allez-y. Sans engagement. »

Elle cracha sur sa pince à billets, sur ses billets et sur ses doigts. Puis elle se mit à pleurer. Dans le silence qui suivit, l'éclat rose de la chemise du Prêcheur, l'odeur de sa transpiration et la proximité de son sexe semblèrent vider l'air de ses poumons, comme si la seule chose réelle au monde était la silhouette du Prêcheur Jack Collins, menaçante, à quelques centimètres de sa peau. Elle ne s'était jamais rendue compte que le silence pouvait être aussi bruyant. Elle était sûre que son intensité était semblable aux craquements qu'une personne en train de se noyer entend quand elle s'enfonce dans les profondeurs d'un lac.

Il passa le double canon du Derringer sur sa tempe, le long de ses cheveux, le long de sa joue. Elle ferma les yeux et pendant un instant elle crut que le rire synthétique de la télévision était submergé par le moteur d'un train fonçant à travers un tunnel, son sifflement résonnant en hurlements sur les parois, un wagon-restaurant éclairé rempli de fêtards disparaissant dans l'obscurité.

Quand elle rouvrit les yeux, elle vit qu'il avait un portable dans la main, elle vit son pouce appuyer sur une seule touche, elle vit le portable disparaître de son champ de vision en direction de l'oreille du Prêcheur. « Relâche-le », dit-il.

Puis la chambre redevint silencieuse et elle sentit le vent chaud du désert souffler à travers la porte et elle vit un poids lourd passer sur la route, sa remorque entourée de rubans de lumières de fête, les étoiles scintillant au-dessus des montagnes.

Avant même que le soleil ne soit apparu à l'horizon, Hackberry Holland savait que la température atteindrait les 38° à midi. L'influence de l'orage et la promesse qu'il avait offerte s'étaient révélées illusoires. La chaleur avait été tenue en lisière pendant la nuit, se ressourçant sur la pierre, le ciment chaud et les berges de rivières sablonneuses grésillant de sauterelles. À l'aube elle était revenue à la vie, montant avec le soleil en une chaude couverture d'humidité qui miroitait sur les champs et les pentes et donnait les larmes aux yeux quand on regardait l'horizon trop longtemps.

À sept heures et demie, Hackberry hissa le drapeau sur le mât devant son bureau, puis rentra et essaya à nouveau de joindre Ethan Riser. Il ne savait pas ce qui était arrivé à Pete Flores depuis que celui-ci avait appelé d'une cabine, et lui avait dit qu'il se rappelait une lettre et deux chiffres de l'immatriculation de la voiture, ou du moins de l'immatriculation de la Honda brun clair qu'il avait arrosée de cailloux. Hackberry avait transmis la lettre et les deux chiffres au DMV[1] du Texas et lui avait demandé d'essayer toutes les combinaisons possibles jusqu'à ce qu'ils trouvent une Honda qui corresponde. Il avait aussi rappelé Riser, pour l'informer de l'appel de Flores.

Le DMV avait rappelé avec cent soixante-treize possibilités. Riser non seulement n'était pas revenu le voir, mais il avait complètement cessé de répondre aux appels d'Hackberry. Ce qui soulevait une autre question : Riser, comme un trop grand nombre de ses collègues, était-il coopératif et prêt à aider les gens du cru tant qu'ils lui étaient utiles, pour disparaître une fois qu'il avait obtenu ce qu'il voulait ?

Ou peut-être les supérieurs de Riser lui avaient-ils dit de s'écarter d'Hackberry, de moins s'occuper de problèmes locaux, et se concentrer sur la mise à l'écart de Josef Sholokoff.

Parfois, les agences fédérales pratiquaient une forme de tri qui allait au-delà du pragmatisme et pénétrait dans une zone marginale proche de l'illégalité. Des psychopathes étaient remis en liberté sans qu'on en informe les victimes, ni les témoins de l'accusation. Des gens qui avaient confié leur vie au système découvraient qu'ils avaient été utilisés, puis jetés aussi facilement qu'on jette un mégot de cigarette. La plupart de ces gens avaient à peu près autant de pouvoir et d'importance sociale que de la blanchaille.

À dix heures, Hackberry avait laissé deux messages à Riser. Il ouvrit le tiroir de son bureau et en sortit une épaisse enveloppe marron contenant les photos prises sur la scène de crime derrière l'église à Chapala Crossing. En plus de leur sujet morbide, les photos avaient une deuxième particularité : aucun des adjoints en uniforme, aucun infirmier, aucun personnel fédéral, aucun membre de l'équipe médico-légale d'Austin n'avait la moindre expression. Photo après photo,

---

1. Divison of Motor Vehicles.

leurs visages étaient dénués d'émotion, les bouches aux coins tombants, comme s'ils jouaient des rôles dans un film qui n'avait pas besoin de son, ni de la manifestation d'un quelconque sentiment. La seule image avec laquelle il pouvait les comparer, c'était les actualités en noir et blanc filmées durant les inhumations collectives dans les camps libérés par les Américains au début de 1945.

Il remit les photos dans le tiroir.

Qu'était-il arrivé à Pete Flores et à Vikki Gaddis ? Qu'allait faire maintenant le Prêcheur Jack Collins ? Quel genre de cage pouvait contenir le démon qui avait perpétré le massacre à Chapala Crossing ?

À deux heures et demie, cet après-midi-là, Danny Boy Lorca, dans son camion à plateau du surplus de l'armée, roulait sur la deux voies, revenant de la frontière mexicaine, le vent par les fenêtres aussi chaud qu'un chalumeau, le bruit du moteur sans silencieux secouant la cabine, sa jauge d'essence presque à zéro. Il vit les auto-stoppeurs au loin, debout sur un talus entre deux collines dont les flancs avaient été brûlés par un incendie. Il n'y avait pas d'autre voiture. Les silhouettes des deux auto-stoppeurs ondulaient dans la chaleur, leur reflet sur la route comme une flaque de goudron. En s'approchant, il s'aperçut que l'un des auto-stoppeurs était une femme. Un étui de guitare était posé à ses pieds. La transpiration collait sa chemise en jean à sa peau. L'homme à côté d'elle portait un chapeau de paille en forme de cône et une chemise qu'il avait coupée aux aisselles. Le dessus de l'un de ses bras était plissé par un tissu cicatriciel ressemblant à un abat-jour surchauffé.

Avec un coup d'œil las dans son rétroviseur arrière, Danny Boy s'arrêta sur le bord de la route. Il se pencha à la vitre côté passager. « Vous êtes revenus ?

– Vous pouvez nous prendre ? » demanda la femme.

Danny Boy ne répondait jamais aux questions dont la

réponse semblait évidente, pas plus qu'il ne disait bonjour ou au revoir aux gens quand leur présence était évidente.

Pete Flores jeta un sac de voyage sur le plateau et plaça l'étui de guitare de Vikki entre le sac et la cabine. Il ouvrit la portière passager, et aussitôt après souffla sur sa main, attendant que Vikki monte. «Waou ! dit-il en regardant sa main. Combien de temps ton camion est resté au soleil ?

– Il fait 41, dit Danny Boy.

– Merci de vous être arrêté», dit Vikki.

Pete monta et referma la portière. Il commença à tendre la main, mais Danny Boy était concentré sur le rétroviseur.

«Vous savez que les flics vous recherchent ? Les agents fédéraux, les gens de l'État, et aussi le shérif Holland. Un agent fédéral a été tué.

– Je pense qu'ils nous ont trouvés», dit Pete.

Danny Boy revint sur la route, sa chemise ouverte sur sa poitrine parcheminée, le cou perlé de cercles de crasse. «C'est peut-être pas le meilleur endroit pour vous.

– On n'a nulle part d'autre où aller, dit Pete.

– Si j'étais vous, je monterais dans un convoi de fret, j'irais au Canada, et peut-être que je ferais la moisson. Dans leurs équipes, un cuisinier peut se faire pas mal de fric. Je trouverais un endroit qui n'a pas été massacré, et je m'installerais.»

Pete passa le bras par la fenêtre, tournant sa paume vers le courant d'air pour qu'il remonte sous sa chemise. «On y travaille, dit-il.

– Ces gens que t'as fréquentés, ils sont dans le coin.

– Quelles gens ? Dans quel coin ? demanda Vikki.

– La nuit, ils traînent par là. Ils remontent les arroyos. Et ce sont pas des dos mouillés. Ils passent à côté de chez moi. Je les vois dans le champ.

– Ce sont d'inoffensifs ouvriers agricoles, dit Pete.

– Non, c'est pas ça. Regarde le ciel. On a eu une nuit de grosse pluie, comme autrefois. Mais rien de plus. Les dieux de la pluie nous donnaient une chance. Mais ils reviendront pas tant que ces trafiquants de drogue et ces tueurs seront par là. Il y a un trou dans la terre, et à l'intérieur il y a l'endroit d'où venait tout le blé. C'est de là que sort toute la puissance. Plus personne sait où est ce trou. »

Vikki jeta un regard de côté à Pete.

« Dis-lui, dit Danny Boy.

– Lui dire quoi ?

– Que je suis pas bourré.

– Elle le sait. Danny Boy est OK, Vikki. » Pete regarda par la fenêtre, le vent remontant le long de son bras nu, s'engouffrant sous sa chemise. « C'est chez Ouzel Flagler. Je regrette de m'être trouvé là quand ces mauvais *hombres* sont arrivés.

– C'est là que tu les as rencontrés ?

– Sans doute. Je n'en suis pas certain. J'ai passé la plus grande partie de la journée dans un état second. Je sais que ce jour-là, j'ai acheté du mescal à Ouzel. Le mescal d'Ouzel laisse toujours des traces, comme un bulldozer qui vous roule sur la tête. »

Le bungalow de brique d'Ouzel Flagler, fendu en son milieu, bordé par un bar en bois, fut brièvement voilé par un nuage de poussière montant du *hardpan*, des boules d'amarante sautillant sur son toit. Sous un soleil blanc, parmi les fils de fer enchevêtrés et tout le matériel de construction rouillé qu'Ouzel avait tiré dans sa propriété, quelques longhorns aux yeux chassieux étaient rassemblés près d'une mare dans un creux, les flancs de la dépression semés de bouses vertes.

« Ne regarde pas ça, dit Vikki.

– Regarder quoi ?

– Cet endroit. Ça ne fait plus partie de ta vie.

– Ce que j'ai fait cette nuit-là, c'est ma faute, pas celle d'Ouzel.

– Tu veux bien arrêter de parler de ça, Pete ? Tu veux bien arrêter de parler de ça ?

– Il faut que je prenne de l'essence, dit Danny Boy.

– Non, pas ici », dit Vikki.

Danny Boy la regarda, les yeux endormis, le visage flasque. «L'aiguille est sous le V de vide. Et il y a cinq kilomètres jusqu'à la prochaine station.

– Pourquoi vous ne nous avez pas dit que vous étiez en panne d'essence, quand on est montés ?» demanda-t-elle.

Danny changea de vitesse et obliqua sur la route menant à la station-service. Il conduisait à deux mains en position dix heures-deux heures, légèrement penché en avant comme un apprenti chauffeur qui roule seul pour la première fois, le visage impassible. «Vous pouvez traverser la route et peut-être que vous trouverez une voiture pendant que je suis à l'intérieur, dit-il. Il faut que j'aille aux toilettes. J'ai oublié de vous préciser ça quand vous êtes montés, même si c'est mon camion. Si vous n'avez pas trouvé de voiture quand je partirai, je vous reprendrai en passant.

– On va attendre dans le camion. Je suis désolée», dit Vikki.

Danny Boy entra dans la station-service et paya à l'avance dix dollars d'essence.

«Pourquoi tu l'as asticoté ? demanda Pete.

– La station appartient au frère d'Ouzel Flagler.

– Et alors ?

– Tu n'apprendras jamais, Pete. Tu n'apprendras jamais.

– Apprendre quoi ? À propos d'Ouzel ? Il a la maladie de Buerger. C'est quelqu'un de triste. Il vend un peu de mescal. Et après ? Tu as résisté à ce tueur. Je suis fier de toi. On n'a plus à avoir peur.

– Ferme-la, je t'en prie. Au nom du Seigneur, juste pour une fois, ferme-la.» Elle s'épongea les yeux avec un Kleenex, et regarda droit devant elle la nationale qui sinuait dans l'éclat blanc du soleil. Le terrain privé d'ombre, scintillant, rude et semé de rochers, la faisait penser à un lit de rivière à sec avec de monstrueuses fourmilières, ou à une planète déjà morte.

Danny Boy sortit le robinet du réservoir et le remit en place sur la pompe, alla dans les toilettes extérieures et remonta dans sa cabine, le visage encore humide. «Un jour comme ça, y a rien de tel que de l'eau glacée», dit-il.

Aucun d'eux ne remarqua l'homme de l'autre côté du reflet noir de la fenêtre de la station-service. Il venait de l'arrière du magasin et buvait un soda à la bouteille, sa nuque gonflée par une chaîne de tumeurs. Sa tête paraissait enfoncée dans ses épaules, évoquant un charognard perché. Il termina son soda, jeta la cannette dans la poubelle et parut réfléchir un long moment, puis il prit le téléphone.

23

Pete et Vikki descendirent du camion de Danny Boy Lorca, prirent le sac de voyage et l'étui de la guitare sur le plateau et entrèrent dans le bâtiment desséché, brûlé par le soleil et battu par le sable de la route. Leurs vêtements raides de sel, ils s'assirent devant le bureau d'Hackberry comme si l'air conditionné dans la pièce marquait la fin d'une longue traversée du Sahara. Ils lui racontèrent leur rencontre avec le Prêcheur Jack Collins, Bobby Lee et le nommé T-Bone, et dirent que Collins les avait laissé partir.

« On a pris le bus tôt ce matin, mais il est tombé en panne au bout de trente kilomètres. Alors on a fait du stop », dit Pete.

Le regard d'Hackberry se posa sur Vikki Gaddis. « Collins vous a libérée, juste comme ça ? Il ne vous a pas fait de mal ?

– Ça s'est passé exactement comme on vous l'a raconté, dit Vikki.

– Où est allé Collins, à votre avis ? demanda Hackberry.

– Collins, maintenant, c'est votre boulot à vous. Dites-nous ce qu'on doit faire, dit Pete.

– Je n'y ai pas encore réfléchi.

– Vous voulez bien nous répéter ça, s'il vous plaît ? dit Vikki.

– J'ai deux cellules vides. Prenez l'escalier métallique, au fond, et regardez si elles vous conviennent.

– Vous nous proposez des cellules ? demanda Vikki.

– Les portes ne seraient pas fermées. Vous pourrez entrer et sortir comme vous voudrez.

– J'y crois pas…

– Vous pouvez vous servir des toilettes et de la douche à cet étage.

– Pete, tu veux bien dire quelque chose ?

– Ce n'est peut-être pas une si mauvaise idée », dit Pete.

391

Pam Tibbs entra dans le bureau et s'appuya au montant de la porte. «Je vais t'accompagner, mon cœur.

– Avec un peu de chance, on pourra sans doute trouver l'escalier métallique nous-mêmes, dit Vikki. Pardon, j'ai oublié de vous appeler "mon cœur".

– Comme vous voulez, m'dame», dit Pam. Elle attendit qu'ils soient hors de portée d'oreille. «Qu'est-ce que tu penses de toute cette histoire à propos de Collins, de Bobby Lee Motree et de ce dénommé T-Bone?

– Qui sait? Collins a sans doute des crises psychotiques.

– Vikki Gaddis a une grande gueule, non?

– Ce ne sont que des gamins, dit Hackberry.

– Ça ne te force pas à te mettre le cul en marmelade pour eux.

– Ça ne me viendrait pas à l'esprit.»

Maydeen Stolz entra dans la pièce. «Ethan Riser au téléphone. Tu veux que je prenne un message?

– D'où est-ce qu'il appelle?

– Il ne l'a pas dit.

– Demande-lui s'il est en ville.

– Comme ça? "Vous êtes en ville?"

– Oui. Dis-lui que je veux l'inviter à dîner. Tu veux bien faire ça, Maydeen?»

Elle retourna dans son bureau, puis revint. « Il est à San Antonio.

– Passe-le-moi.

– Je vais aller bosser dans un vaisseau spatial», dit-elle.

Quelques instants plus tard, le téléphone de bureau d'Hackberry s'alluma; il décrocha. «Salut, Ethan. Comment allez-vous?

– Vous m'avez appelé par mon prénom.

– J'essaie de mettre quelques éléments en perspective. Il y a du nouveau dans l'affaire Nick Dolan?

– Pas grand-chose.

– Vous l'avez interrogé?

392

– Sans commentaire.

– Donc, il sert toujours d'appât ?

– Ce n'est pas le terme que j'utiliserais.

– Ne quittez pas. » De sa paume, Hackberry recouvrit le récepteur. « Fais en sorte que ces gosses n'entrent pas.

– Je suis plutôt occupé, dit Riser. Que puis-je pour vous ?

– En quoi Pete Flores vous serait-il utile ?

– Dans cette histoire, c'est le maillon faible. Il peut nous donner des noms. Il suffit parfois de tirer sur un fil pour détricoter un pull.

– Je ne pense pas que "maillon faible" soit le terme qui convienne pour un gamin comme ça.

– Peut-être que non. Mais Flores a fait son choix quand il a signé avec la bande qui a assassiné ces femmes. On peut l'utiliser pour témoigner contre les autres. Ce qui veut dire qu'il sera détenu comme témoin matériel.

– Détenu ? En taule ?

– C'est certain. Flores a fait de la fuite une forme d'art.

– Et la protection des témoins ?

– Peut-être à la toute fin. Mais soit il coopère, soit il écope pour les autres. Voyons les choses en face. Ces types qui font entrer de l'héro, de la meth et des filles dans le pays, c'est la mafia d'ici à Mexico. Nos prisons sont remplies de types du MS-13[1] et de tueurs de la mafia mexicaine. Il se peut que Flores se fasse couper la gorge avant d'arriver devant un grand jury. C'est regrettable. Ce gosse est peut-être un héros de guerre, mais ces femmes et ces filles qui se sont mangées des balles de .45 ne seront plus là pour porter le deuil. »

Hackberry écarta le téléphone de son oreille et ouvrit et ferma la bouche pour se libérer d'un bruit de froissement de

---

1. Mara Salvatrucha, ou MS-13, gang criminel actif aux États-Unis, au Mexique et en Amérique centrale.

cellophane. Dehors, le drapeau battait et se raidissait dans un canal de poussière jaune.

« Vous êtes toujours là, shérif ? demanda Riser.

– Ouais, bien reçu. Écoutez-moi. Est-ce que la clef, ce ne serait pas Hugo Cistranos ? Ne me dites pas que vous n'avez pas de tuyaux sur ce type. Pourquoi vous ne mettez pas un peu la pression sur lui, au lieu de pourchasser Flores et Vikki Gaddis ?

– Je ne suis pas complètement maître du jeu, shérif. »

Hackberry sentit que Riser changeait de ton. Par la porte de son bureau, il vit Pam Tibbs escorter Flores et Gaddis dans une petite pièce qui servait aux interrogatoires. « Je comprends votre situation, dit-il.

– Désolé de ne pas vous avoir rappelé. J'ai dû retourner à Washington, et je devrai sans doute reprendre encore l'avion demain. Pourquoi toutes ces histoires ? À votre place, je me calmerais. Vous êtes un vétéran. Parfois, il faut perdre quelques hommes pour la bonne cause. Ça peut paraître darwinien, mais ceux qui croient le contraire seraient mieux dans un monastère.

– Le but de la manœuvre, c'est de coincer Josef Sholokoff, c'est ça ?

– Ce n'est ni vous ni moi qui faisons les règles.

– Bon voyage à Washington.

– Permettez-moi de vous parler franchement. J'essaierai de vous garder dans le circuit. Mais j'ai dit "essayer".

– On ne saurait être plus clair, monsieur Riser. » Hackberry reposa le téléphone sur son socle. Pam Tibbs se tenait à la porte. Il la regarda avec raideur. « J'espère que Bonnie et Clyde apprécieront, dit-elle.

– Fais venir une voiture de patrouille à l'arrière. Bonnie et Clyde ne sont pas venus ici. Précise bien ça à Maydeen en sortant.

– C'est comme si c'était fait, patron.

– Ne m'appelle pas comme ça. »

Le thermomètre venait d'atteindre un pic à 48° quand Nick Dolan sortit de l'aéroport de Phoenix, son sac à la main, et héla un taxi plus cabossé que la moyenne. Le chauffeur venait du Moyen-Orient, et avait décoré l'intérieur de sa voiture d'objets en perle, de photos de mosquées et de citations du Coran. Il faisait brûler de l'encens sur le tableau de bord et passait des cassettes de musique arabe. « On va où, monsieur ? demanda-t-il.

– Je ne sais pas trop. Où est-ce qu'on peut se faire sucer, à La Mecque ?

– Pardon, monsieur ?

– À l'Embassy Suites.

– À Phoenix ?

– Vous vous appelez comment ?

– Mohammed.

– Tiens ? Ça m'étonne. Non, je veux aller à l'Embassy Suites d'Istanbul. Vous prêtez des boules Quiès, avec cette musique ?

– Des boules Quiès ? Quelles boules Quiès, monsieur ?

– L'Embassy Suites, près de Camelback.

– Oui, monsieur. Merci, monsieur. Accrochez-vous, monsieur. » Le chauffeur appuya sur le champignon et fit une embardée, balançant Nick et son bagage à l'autre bout du siège.

« Hé ! on n'est pas en train de faire un casse », dit Nick. Il savait que ses simagrées aux dépens du chauffeur masquaient la peur qui s'était réinstallée dans sa poitrine et lui dévorait le cœur. Son ancien associé dans les services d'escort girls lui avait donné le téléphone de Josef Sholokoff, et il avait pris rendez-vous pour le voir à neuf heures ce même soir. Le fait que Sholokoff ait donné à Nick libre accès à sa maison n'avait fait qu'accroître son impression d'insécurité.

« Hé ! Mohammed, vous avez déjà entendu parler d'un certain Josef Sholokoff ? » demanda Nick. Il regarda par la fenêtre, attendant la réponse du chauffeur. Il vit les palmiers et les maisons de stuc défiler à toute allure le long du boulevard, les jardins éclatant de fleurs.

« Hé ! vous, là-haut, dans les vapeurs d'encens, vous connaissez un type qui s'appelle… »

Dans le rétroviseur, les yeux du chauffeur se fixèrent sur ceux de Nick. « Oui, monsieur. Embassy Suites », dit-il. Il monta le son, remplissant le taxi de flûtes et de sitars.

Nick s'inscrivit à l'hôtel et se mit en short et maillot de corps. Sa suite se trouvait au quatrième étage et dominait la piscine extérieure. Il entendait les enfants s'éclabousser et crier dans l'eau. Il se préparait à entrer dans la salle de bains pour prendre une douche, mais se sentit si faible qu'il crut s'évanouir. Il se prépara un verre de bourbon avec de la glace, s'assit dans un fauteuil et décrocha le téléphone. Il voyait son reflet dans le miroir sur la porte de la salle de bains. C'était celui d'un homme petit, bouffi, rondouillard, en sous-vêtements à rayures, sa main d'enfant tenant un épais verre à eau, ses jambes pâles sillonnées de veines variqueuses, son visage comme un ballon blanc sur lequel auraient été peints des yeux et une bouche. Il composa le numéro du portable de sa femme.

« Allô ? dit-elle.

– C'est moi, Esther.

– Où es-tu donc ?

– À Phoenix.

– En Arizona ?

– Ouais. Qu'est-ce que tu fais ?

– Ce que je fais, *moi* ? J'arrache des mauvaises herbes dans les parterres. Et c'est ce que tu devrais faire aussi. Tu es vraiment en Arizona ? Tu n'es pas juste dans la rue, en train de craquer nerveusement ?

– Je ne te l'ai pas dit pour ne pas t'inquiéter. J'ai un vol de retour à six heures trente-cinq demain matin. Ce n'est pas comme si j'étais vraiment parti.

– Tu es à des milliers de kilomètres, mais tu n'es pas parti ?

– Je vais voir ce Josef Sholokoff. Je l'ai appelé chez lui.

396

– Ce type est pire que Jack Collins.

– Il ne va rien m'arriver. Je me rends dans sa maison. Il ne va pas me faire de mal dans sa propre maison.

– Je crois que je vais m'évanouir. Ne quitte pas, il faut je me mette à l'ombre.

– Tu savais qu'Esther, c'était le prénom de la femme de Bugsy Siegel[1]?

– Et alors? Est-ce que mon mari est complètement fou?

– Je suis en train de te dire que je ne suis pas Benny Siegel, Esther. »

Il y eut un long silence à l'autre bout du fil.

« Tu es là, Esther? Qu'est-ce qui ne va pas? »

Puis il comprit qu'elle pleurait. « Ne sois pas triste, dit-il. Tu es courageuse. J'ai épousé la femme la plus courageuse et la plus jolie de La Nouvelle-Orléans. On va tout recommencer. On a le restaurant. Je t'ai toi, tu m'as moi, et on a les enfants. Le reste ne compte pas. Allô?

– Reviens à la maison, Nick. »

Nick prit une douche et, pendant une demi-heure, resta allongé nu sur son lit king-size, les mains et les pieds étendus en un X géant, comme Ixion attaché à sa roue en feu. Puis il s'aspergea d'eau froide la nuque et le visage, enfila un pantalon, des mocassins et une chemise propre, et appela un taxi. Il sortit de l'hôtel et attendit sous la porte cochère, la tête aussi légère que de l'hélium. Dans le crépuscule d'été, la ville était magnifique, les palmiers immenses et frémissants, les sommets se découpant nettement sur un ciel magenta, les cafés en terrasses remplis de familles et de jeunes gens pour qui la mort était une abstraction, et n'arrivait qu'aux autres.

Le taxi cabossé qui s'arrêta pour le prendre lui parut familier. Nick ouvrit la portière arrière, et un nuage d'encens d'une

---

1. Benjamin Siegel, dit « Bugsy » : mafieux américain de la Yiddish Connection (1906-1947).

douceur écœurante qui le fit penser à une merde de chameau parfumée couvrit sa peau et ses habits. « Mohammed, dit Nick.

– Dites-moi où vous voulez aller, monsieur, dit le chauffeur.

– Chez Josef Sholokoff », dit Nick en montant à l'arrière. Il se demanda s'il n'était pas en train d'essayer d'amener Mohammed à le pousser à renoncer à sa mission. « J'ai l'adresse sur ce morceau de papier. C'est quelque part dans les hauteurs.

– Pas bon, monsieur.

– Quand on sera là-bas, je veux que vous m'attendiez.

– Pas bon du tout, monsieur. Non, pas bon. Très mauvais, monsieur.

– Vous êtes mon homme. Vous devez me soutenir. »

Le chauffeur était complètement retourné sur son siège, regardant son client d'un air effaré. « Je pense qu'on vous a donné très mauvais conseil pour votre visite, monsieur. Ce n'est pas un homme gentil. Vous ne voulez pas aller au match de base-ball ? Ou je peux vous emmener au zoo. Très joli zoo, ici.

– Dans votre pays, les gens se font sauter à coups de bombes. Et vous avez peur d'un connard de Russe qui ne peut sans doute pas bander sans s'exciter avec un de ses propres pornos ? »

Mohammed abaissa le drapeau de son compteur. « Accrochez-vous, monsieur », dit-il.

Le taxi serpenta sur une côte juste au nord d'un terrain de golf. Par la fenêtre, Nick voyait l'immense cuvette dorée de la ville, le flot des phares dans ses rues, les formes linéaires des palmiers le long des boulevards, les canaux de béton débordant d'eau, les chaînes de piscines zébrées de soleil s'étendant sur des kilomètres dans les quartiers riches. Dans la partie ouest de la ville, où vivaient les Blancs misérables et les Latinos pauvres, c'était une autre histoire.

« Vous regardez la télé poubelle, Mohammed ? demanda Nick. *Jerry Springer*, ce genre de conneries ?

– Non, monsieur, dit Mohammed avec un clin d'œil dans le rétroviseur. Peut-être parfois.

– Ces gens, les invités, ils ne sont pas payés pour ça.

– Ils ne sont pas payés ?

– Non.

– Alors pourquoi ils s'imposent ça ?

– Ils pensent que ça les rendra immortels. Ils participent à un film, ou à une émission de télévision, et ils pensent qu'ils ont la même magie que les célébrités. Regardez par ici. C'est la même chose. La réussite.

– Vous êtes un homme très intelligent. C'est pour ça que je ne vous comprends pas.

– Qu'est-ce que vous ne comprenez pas ?

– Pourquoi vous allez chez un homme comme Josef Sholokoff ? »

Mohammed arrêta le taxi devant le portail verrouillé d'une enceinte sculptée dans la montagne. À l'intérieur des murs, la pelouse était d'un vert dense, et frais à l'ombre, le gazon rendu spongieux par les tuyaux d'arrosage, les citronniers lourds de fruits, les balcons des étages chantournés de volutes de fer forgé dans le style espagnol. Le portail s'ouvrit automatiquement, mais on ne voyait aucun personnel de sécurité, ni même de jardinier. Mohammed roula jusqu'à la remise à voitures, et s'arrêta.

« Vous allez attendre, hein ? dit Nick.

– Je pense, monsieur.

– Vous le "pensez" ?

– J'ai une femme et des enfants, monsieur.

– Ce type vend des films cochons. Ce n'est pas Saddam Hussein.

– On dit qu'il tue des gens. »

Ouais, ça aussi, pensa Nick.

Sur le côté de la maison se trouvait un patio dallé et une piscine que l'éclairage sous-marin faisait scintiller comme un diamant. Une demi-douzaine de femmes étaient allongées sur des transats, ou flottaient sur des coussins gonflables. Quatre hommes jouaient aux cartes autour d'une table au plateau de verre. Ils portaient des chemises imprimées de fleurs ou de perroquets, des pantalons de golf et des sandales ou des mocassins. Leur comportement était celui d'hommes qui ne se sentent pas menacés, que leur rôle dans le monde ne met pas mal à l'aise, et qui ne se sentent pas touchés par les histoires de massacres, de famines, ou de souffrances, aux informations du soir. Nick en connaissait beaucoup comme eux, quand il tenait la salle de jeu de Didoni Giacano à La Nouvelle-Orléans. Ils utilisaient leur pouvoir de vie et de mort comme ils utilisaient un interrupteur, et ils ne se considéraient ni comme violents, ni comme déviants. Pour finir, c'était leur détachement par rapport à leurs actes qui les rendait si effrayants.

Le superviseur de leur partie se tenait sur une chaise haute, semblable à celle d'un arbitre sur un court de tennis. C'était un homme de petite taille, à l'ossature frêle, avec une longue mâchoire et un crâne étroit. Son large sourire laissait voir ses dents, qui étaient très longues et tordues, et paraissaient jaunies par le thé et fragiles, comme sur le point de se briser si leur propriétaire mordait dans une surface dure. Son nez portait des cicatrices d'acné, ses narines étaient pleines de poils noirs, la forme de ses yeux plus asiatique qu'occidentale. «Le voilà, juste à l'heure, dit-il.

– Je suis Nick, si c'est de moi que vous parlez. Vous êtes M. Sholokoff?

– C'est lui, les garçons, dit l'homme dans le fauteuil à ceux qui jouaient aux cartes.

– Je pensais qu'on pourrait se parler en privé.

– Appelez-moi Josef. Vous voulez boire quelque chose? Mes femmes vous plaisent? Vous ne quittez pas mes femmes des yeux.

– J'ai l'impression d'être dans une piscine publique.

– Dites-moi ce que vous voulez. Vous avez fait un long voyage. Vous avez peut-être envie de vous reposer dans l'une de mes villas. Vous voyez la Négresse dans le petit bain ? Elle débute sa carrière au cinéma. Vous voulez la rencontrer ?

– Je n'ai rien à voir dans le meurtre de ces femmes que vous faisiez entrer dans le pays. »

Sholokoff parut à peine capable de contenir son hilarité.

« Alors vous me prenez pour un trafiquant de chair humaine ? Et vous êtes venu ici pour me dire que vous ne m'avez jamais causé d'ennuis ? Vous avez peut-être un micro caché. Vous avez un micro caché ? Vous travaillez pour le FBI ?

– C'est Hugo Cistranos qui a fait tuer les femmes. À La Nouvelle-Orléans, il tuait des gens pour Artie Rooney. Je voulais régler mes comptes avec Artie pour des choses qu'il m'a faites il y a très longtemps. Je croyais que c'était lui qui faisait venir des Asiatiques. Je pensais que j'allais les faire travailler pour moi. J'étais arrivé à ces conclusions parce que j'étais un imbécile qui aurait dû se contenter de son restaurant et de son night-club. Je ne veux pas qu'on fasse de mal à ma famille. Je me fiche de ce que vous pouvez me faire à moi. Lever les yeux sur vous me donne un torticolis.

– Allez lui chercher un siège, dit Sholokoff. Et apportez l'œuvre d'art. »

Un des joueurs de cartes alla chercher sur la pelouse un siège en fer forgé peint en blanc pour que Nick puisse s'asseoir ; un autre entra dans la maison, dont il ressortit avec un classeur en papier kraft à la main.

Sholokoff ouvrit le classeur sur ses genoux et y choisit un certain nombre de photos, regardant chacune d'un air de connaisseur, sans que jamais son grand sourire ne quitte son visage.

« Ces types ne sont pas des Russes ? demanda Nick avec un signe de tête en direction des joueurs de cartes.

– S'ils étaient russes, mon petit ami juif, ils vous dévore-raient vivant, jusqu'aux ongles de pied.

– Comment savez-vous que je suis juif ?

– Nous savons tout sur vous. Vous vous appeliez Dolinski. Là, regardez », dit Sholokoff. Il jeta le classeur sur les genoux de Nick.

Les photos s'éparpillèrent entre les mains de Nick : son fils, Jesse, entrant dans la bibliothèque publique de San Antonio, les jumelles traversant une rue passante, Esther déchargeant des courses dans l'allée.

« La famille de votre femme vient des plaines du sud de la Sibérie ? dit Sholokoff.

– Qui a pris ces photos ?

– On dit que les femmes de Sibérie mènent leurs maris par le bout du nez. C'est vrai ?

– Laissez ma famille en dehors de ça. »

Sholokoff appuya les coudes sur les bras de son fauteuil, soulevant les épaules, le visage toujours fendu d'un large sourire. « J'ai un marché à vous proposer. Et s'il ne vous plaît pas, j'en ai peut-être un autre. Mais vous n'avez pas beaucoup d'alternatives. Réfléchissez bien, monsieur Dolinski.

– Je suis venu ici pour vous dire la vérité. Tout le monde dit que vous êtes un bon homme d'affaires, le meilleur pour vendre le produit que vous proposez. Un bon homme d'affaires veut des faits. Il ne veut pas entendre de conneries. Ça, c'est ce que vendent Artie Rooney et Hugo Cistranos, des conneries à 100 %. Si vous ne voulez pas de faits à propos de ces femmes, je me tire.

– Vous avez dit que vous vouliez régler vos comptes avec Arthur Rooney. Que vous a fait Arthur Rooney ? »

Nick jeta un regard de côté aux joueurs de cartes et aux femmes flottant sur des coussins dans la piscine, ou étendues sur des transats. « Quand on était gamins, lui et ses amis m'ont fait un *swirlie*, au cinéma.

– Un "*swirlie*" ? Expliquez-moi.

– Ils se sont servis de mon visage pour récurer la cuvette des toilettes. Et quand ils l'ont fait, elle était pleine de pisse. »

Le rire de Sholokoff tendit ses muscles faciaux, comme le rictus d'un cadavre. Pour le faire cesser, il porta à sa bouche une main raide. Puis ses hommes se mirent eux aussi à rire. «Vous régliez vos comptes avec un type parce qu'il vous avait fait un shampooing à la pisse? Et maintenant vous êtes à Phoenix, en train de livrer à Josef une importante vérité à propos de la façon dont il mène ses affaires? Vous m'impressionnez. Vous êtes ce qu'on appelle un grand capitaine d'industrie. Maintenant, voilà les marchés que je vous propose, monsieur Dolinski. Vous êtes prêt?

«Vous pouvez donner à Josef votre restaurant et votre maison de vacances au bord de l'eau. Alors Arthur Rooney et Hugo ne vous feront plus de *swirlies*. Ou vous pouvez choisir la deuxième solution. C'est celle qui est la plus intéressante, celle que j'aime beaucoup plus. Votre femme a toutes les caractéristiques d'une femme de Sibérie : un visage fort, de gros nichons, un cul bien large. Mais je dois d'abord l'essayer. Vous pouvez la faire venir ici d'un coup d'avion?»

Les hommes qui jouaient aux cartes ne levèrent pas les yeux de leur table, mais rirent sous cape. Le vent chaud qui soufflait sur la paroi de la montagne agitait les palmiers et les callistemons, et éparpillait des fragments de feuilles sur la surface de la piscine. Les corps des femmes paraissaient aussi durs et lisses que des corps de phoques.

Nick se leva. Il avait les pieds en sueur, et l'impression d'avoir de la bouillie dans les chaussettes. «Quand je dirigeais un service d'escort girls, à Houston, j'ai rencontré certaines de vos putes. Elles parlaient souvent de vous. Elles utilisaient des mots comme "rongeur" ou "furet". Mais elles ne parlaient pas que de votre visage. Elles disaient que votre bite ressemblait à une punaise. Elles disaient que c'était pour ça que vous étiez entré dans le porno. Vous avez le désir secret d'être un tampon hygiénique humain.»

Sholokoff se remit à rire, mais beaucoup plus discrètement et de façon beaucoup moins convaincante. Un de ses yeux paraissait figé, comme si une pensée particulière et sale y était cachée.

«Et moi, voilà le marché que je vous propose, espèce de suceur de bites cosaque, continua Nick. Si vous vous approchez de moi ou de ma famille, j'hypothèque mon restaurant, ou je le vends, ce qui sera le plus rapide, et j'utilise jusqu'au dernier dollar pour que la planète soit nettoyée de votre cul maigrichon et inutile. En attendant, vous pourriez passer votre piscine au Lysol et soumettre vos putes à un test de maladies vénériennes. Je crois que j'en ai vu quelques-unes faire la queue devant la clinique gratuite spécialisée dans les herpès, à West Phoenix.»

Nick retraversa la pelouse en direction de la remise à voitures. Il entendit des sièges racler le sol derrière lui et la voix de Josef Sholokoff commencer à s'élever, comme celle d'un homme empêtré entre sa propre colère et son peu de désir d'en révéler l'origine.

Sois là pour moi, Mohammed, pensa Nick.

Mohammed avait ses problèmes à lui. Il avait déplacé sa voiture vers un coin du bâtiment, sans doute, soupçonna Nick, pour éviter de voir des femmes en bikinis. Mais deux des hommes de Sholokoff étaient sortis par-devant et lui bloquaient le passage. Nick se dirigea droit sur le portail électronique. Derrière lui, il entendit Mohammed mettre les gaz, puis le bruit de pneus gémissant sur une surface lisse.

Nick regarda derrière lui et vit les joueurs de cartes de Sholokoff apparaître sur le côté de la maison. Il se mit à trottiner, puis à courir.

Le taxi faisait des embardées à travers la pelouse, laissant échapper de sous son aile des fontaines d'huile noire, d'eau et des mottes d'herbe, faisant exploser sur sa grille un bassin à poissons, détruisant un parterre pour regagner l'allée. Mohammed fit un écart à côté de Nick et pila. «Il vaut mieux monter, monsieur. Je pense qu'on est dans une sacrée merde», dit-il.

Nick se jeta sur le siège arrière et Mohammed appuya à fond sur l'accélérateur. Le taxi s'écrasa sur le portail avant qu'il n'ait pu se refermer, l'expédiant en arrière sur ses gonds, explosant les deux phares. La taxi donna de la bande dans la rue, un enjoliveur rebondissant sur le trottoir opposé, descendant comme une roue d'argent sur la pente de la montagne.

Nick s'enfonça dans le siège, à bout de souffle, le cœur gonflé à la taille d'une grosse caisse, de la sueur lui coulant des sourcils. « Hé, Mohammed, on l'a fait ! hurla-t-il.

– Fait quoi, monsieur ?

– Je ne sais pas trop !

– Pourquoi vous criez, monsieur ?

– Je ne sais pas trop non plus ! Je peux vous offrir un verre ?

– Je ne bois pas d'alcool, monsieur.

– Je peux vous inviter à dîner ?

– Mes oreilles me font mal, monsieur.

– Désolé ! cria Nick.

– Ma famille m'attend pour dîner, monsieur. J'ai une femme et quatre enfants. J'ai une très belle famille.

– Je peux tous vous emmener dîner ?

– C'est très gentil à vous, monsieur. Ça nous plairait beaucoup, à ma famille et à moi, dit Mohammed, s'appuyant une paume sur une oreille, commençant lui-même à crier. Je vous ai entendu parler à ces hommes. Ce sont des hommes très dangereux. Mais vous leur avez parlé comme un héros. Vous êtes un homme très gentil et très courageux. Accrochez-vous, monsieur. »

24

La veille, Hackberry Holland avait laissé la chambre du fond et la moitié de sa salle de bains à Vikki Gaddis et à Pete Flores. Au matin, dans l'éclat argenté à l'horizon, il ne parvenait pas à comprendre pourquoi il agissait ainsi. Sur un plan personnel, il ne devait rien à Flores et à Gaddis. Légalement et politiquement, il courait un risque et, au minimum, il s'attirait l'inimitié permanente de l'ICE et du FBI. L'âge est censé apporter du détachement par rapport aux questions qu'on se pose sur soi-même. Comme la plupart des aphorismes associés à la vieillesse, il considéra celui-ci comme un mensonge.

Il prit une douche, se rasa et alla dans la pâture des chevaux pour nettoyer la citerne de ses fox trotters et la remplir d'eau fraîche. Sur la margelle de la citerne, il avait installé une « échelle » de secours en grillage, pour les mulots et les écureuils qui, sinon, pendant les périodes de sécheresse ou de grosse chaleur, escaladaient pour boire dans les tuyaux d'eau jusque sur le rebord de la citerne, et risquaient de tomber et de se noyer. Le grillage était moulé sur le rebord d'aluminium et descendait dans l'eau, afin que les petits animaux puissent y grimper. Tandis qu'Hackberry écumait des plumes d'oiseaux et des brins de paille de la surface de la citerne, ses deux fox trotters le poussaient du museau, leur respiration chaude sur sa nuque, mordillaient sa chemise quand il ne leur prêtait pas attention.

« Vous voulez une tape, les gars ? » Pas de réaction.

« Pourquoi ai-je amené ces gamins chez nous, les copains ? » Toujours pas de réponse.

Il entra dans la grange et prit un balai-brosse pour commencer à nettoyer la surface de ciment qui courait le long des boxes. Une poussière de paille séchée et de fumier flottait dans la lumière. Par les portes de la grange, il voyait la vaste étendue de terres et de collines arrondies comme les seins d'une femme, et les montagnes au sud, de l'autre côté du Rio Grande, où, en 1916, les *buffalo soldiers* de John Pershing avaient poursuivi en vain les troupes de Pancho Villa. Puis il se rendit compte que ce matin avait quelque chose de différent. La rosée brillait sur l'éolienne et les barrières ; il y avait dans l'aube une douceur qui n'y était pas la veille. L'air était frais, caressé par une brise venue du nord, comme si l'été abandonnait la partie, finissait par se rendre à sa nature saisonnière et à l'arrivée de l'automne. Pourquoi lui-même ne parvenait-il pas à se résigner à accepter la nature des choses, et à cesser de défier notre état de mortel ? Quel était ce passage de l'Ecclésiaste ? « Une race passe, une autre lui succède ; mais la terre demeure ferme pour jamais[1] » ?

Onze mille ans auparavant, des gens qui étaient ou n'étaient pas des Indiens vivaient dans ces collines et se déplaçaient le long de ces mêmes rivières, de ces mêmes canyons, laissant derrière eux des pointes de flèche qui ressemblaient à des *Folsom points*[2]. Ici, des chasseurs nomades suivaient des bisons, et des fermiers primitifs faisaient pousser du blé et des fèves dans la plaine alluviale du Rio Grande, et des conquistadors portant la croix, le glaive et le canon qui pouvait envoyer des boulets de métal sur les villages indiens avaient laissé leurs chariots, leurs armures et leurs os sous des cactus dont les fleurs rouge sang n'avaient rien d'une coïncidence.

Ici même, il avait trouvé l'arrière-plan de toute la comédie humaine. Et quelle leçon en tirer ? Le père d'Hackberry, le professeur d'histoire, avait toujours affirmé que la clef de la compréhension de notre culture se trouvait dans les

---

1. Ecclésiaste, I, 4.
2. Pointes de flèches préhistoriques, découvertes à Folsom, Nouveau-Mexique.

noms de Shiloh et d'Antietam[1]. Ce n'est qu'à la suite de ces batailles que nous avions découvert le nombre de nos propres concitoyens – parlant la même langue, pratiquant la même religion, vivant sur les mêmes terres plates comme un tapis, vertes, ondulées, bordées de pierres – que nous serions prêts à tuer pour soutenir des causes non seulement indéfendables, mais ayant peu à voir avec nos existences.

À six heures du matin, Hackberry vit le véhicule de Pam Tibbs quitter la route goudronnée, passer sous l'arche et remonter son allée. Elle se gara, ôta la chaîne de la porte menant au terrain des chevaux et s'approcha de lui, un grand sac marron en papier dans la main droite.

« Gaddis et Flores sont levés ? demanda-t-elle.

– Je n'ai pas remarqué.

– Tu as mangé ?

– Non.

– Je t'ai apporté quelques sandwichs fromage-œufs-jambon, un peu de café et quelques beignets.

– J'ai l'impression que tu as quelque chose à me dire.

– Adresse-toi au bureau du procureur de l'État. Mets quelqu'un de ton côté.

– Les guerres les plus importantes se passent toujours en des endroits dont tout le monde se fiche, Pam. C'est notre maison. On en prend soin.

– C'est à ça que ça revient, hein ? Le monde extérieur a franchi les douves. »

Hackberry appuya le balai-brosse contre un box et sortit de la sellerie deux chaises pliantes qu'il installa sur la dalle de ciment. Il prit le sac en papier des mains de Pam et attendit qu'elle s'assoie. Puis il en fit autant et ouvrit le sac, sans rien en sortir.

« Certaines de ces Asiatiques avaient des hémorragies causées par des balles. Je vois leurs yeux qui me fixent dans mon

---

1. Deux batailles sanglantes de la guerre de Sécession.

sommeil. Je veux voir Collins mort. Je veux voir cet Arthur Rooney mort, et aussi ce nommé Hugo Cistranos. Les Fédés en ont après un Russe de Phoenix. Leur charge de travail est plus importante que la nôtre, et leurs priorités sont différentes des nôtres. C'est aussi simple que ça.

– Je doute qu'ils montrent pareille tolérance.

– C'est leur problème.

– Flores me semble un brave garçon, mais c'est un fouteur de merde de première catégorie.

– Vous parlez de moi ? » dit Pete depuis la porte.

Le visage de Pam Tibbs devint aussi rouge que si elle avait pris un coup de soleil. Pete souriait, sa silhouette se découpant contre la lumière de l'aube, vêtu d'un T-shirt et d'un jean propre qu'il avait rentré dans ses bottes.

« Nous nous demandions si Vikki et toi aimeriez prendre un petit déjeuner avec nous, dit Hackberry.

– Il y a quelque chose que je n'ai pas dit hier, commença Pete. Je ne pense pas que ce soit d'une grande importance, mais pour Vikki si. Quand Danny Boy nous a pris, il a dû s'arrêter pour faire de l'essence à la station-service qui appartient au frère d'Ouzel Flagler. Je pensais que je vous en avais parlé. »

Pam Tibbs regarda Hackberry, les lèvres pincées, l'œil aux aguets.

« Certains disent qu'Ouzel est mêlé à cette affaire de Mexicains qui servent de mules pour la drogue, mais je n'y crois pas beaucoup. Pour moi, c'est un type plutôt inoffensif. Qu'est-ce que vous en pensez ? » demanda Pete.

Le premier matin où il se réveilla dans la tente du Prêcheur, Bobby Lee sentit la différence de température. Il poussa le rabat et sentit un énorme coussin d'air frais monter de la terre, glaçant de rosée les mesas, les rochers monumentaux, les arbres à créosote, et tachant même le sol de zones sombres d'humidité, comme si une averse fantasque avait parcouru la terre pendant la nuit.

Le Prêcheur dormait encore sur son lit de camp, la tête enfoncée dans un oreiller à rayures dépourvu de housse et taché par la gomina de ses cheveux. Bobby Lee sortit de la tente, se servit des toilettes chimiques et fit un feu dans le poêle à bois. Il remplit un pot de métal muni d'un bec avec de l'eau tirée du réservoir de quatre cents litres que le Prêcheur avait fait monter sur des étais de 2,4 mètres par des Mexicains qu'il avait payés pour cela. Il versa du café moulu dans le récipient qu'il posa sur le poêle. Quand le soleil apparut à l'horizon, la structure en bois de la nouvelle maison du Prêcheur, construite par les mêmes Mexicains – tous sans papiers, et ne parlant pas anglais – se découpait comme un squelette contre l'immensité du paysage, comme si elle n'avait pas sa place ici ou que, si elle l'avait, c'est qu'elle marquait l'imminence d'un grand bouleversement sociétal et environnemental. Le vent se leva, et Bobby Lee regarda les livres brûlés dans la maison du Pêcheur, qu'un bulldozer avait transformée en un tas de gravats, s'envoler en fragments de papier gris et noircis. Un changement quelconque était-il en train de se produire sous les yeux de Bobby Lee ? Était-il le témoin d'événements qui, ainsi que le Prêcheur ne cessait de le suggérer, avaient été prophétisés il y a des milliers d'années ?

Le Prêcheur avait dit à Bobby Lee qu'il serait partie prenante de la nouvelle propriété. Si son nom n'était pas inscrit sur les actes, il serait néanmoins lié au domaine et à la maison par la parole du Prêcheur. Serait-il possible au Prêcheur et à Bobby Lee de laisser le massacre derrière eux, et de résoudre leurs problèmes avec Hugo Cistranos, Artie Rooney, et ce Russe, Sholokoff ? C'était déjà arrivé. Il connaissait à Miami et Hallandale des exécuteurs retirés des affaires, qui avaient tué trente ou quarante personnes à New York, Boston et Jersey City, n'avaient jamais été inculpés pour une affaire sérieuse, et qui, aujourd'hui, vivaient sans être recherchés par personne.

Les types qui avaient tué Jimmy Hoffa et Johnny Roselli n'avaient jamais été en détention, alors même qu'ils avaient peut-être été mêlés au meurtre de John Kennedy. Si des types comme ça pouvaient s'en tirer, tout le monde pouvait le faire.

Quand le café bouillit, il prit un torchon pour remplir un gobelet de fer-blanc directement au pot, puis porta le gobelet à sa bouche. Le café brûlant, le marc et le reste, atterrit sur sa paroi stomacale comme une coupe pleine d'acide.

Il rentra dans la tente. Le Prêcheur était levé, et enfilait son pantalon. «On dirait que tu ne te sens pas très bien, Bobby Lee, dit-il.

— Je crois que j'ai un ulcère.

— Tu as fait du café?

— Je vais t'en chercher.» *Merci de t'inquiéter pour moi*, pensa Bobby Lee. Il sortit et remplit un second gobelet de métal. Il ouvrit le réfrigérateur à la porte de bois, dont il sortit un bidon déjà entamé de lait condensé et une boîte de sucres en morceaux. «Tu prends du sucre ou pas? cria-t-il.

— Tu ne te souviens plus? dit le Prêcheur à travers le rabat.

— J'ai oublié.

— Deux morceaux, et une demi-cuillerée à café de lait condensé.»

Bobby Lee apporta le gobelet dans la tente et le mit dans la main du Prêcheur. «Tu n'es pas diabétique?

— Non, je te l'ai déjà dit.

— Alors tu évites l'alcool plus par principe que pour des raisons de santé?

— Pourquoi ça t'intéresse, Bobby Lee?

— Juste comme ça. Un jour, Liam et moi, on se demandait si t'avais des problèmes de santé.»

Le Prêcheur était debout près de son secrétaire, pas rasé, portant une chemise blanche froissée. Il but une gorgée, effleurant des lèvres, avec précaution, le rebord du gobelet. «Pourquoi parliez-vous de ma santé, Liam et toi?

— Je ne me souviens plus dans quelles circonstances.

411

– Tu crois que j'ai un problème de santé dont je devrais parler ?

– Non, Jack, je sais que tu t'occupes bien de toi. Liam et moi, on faisait juste la conversation.

– Mais un homme comme Liam Eriksson était particulièrement concerné par mon bien-être ?

– Je n'aurais pas dû parler de ça.

– C'est Liam qui a mis ce sujet sur le tapis ?

– Peut-être. Je ne m'en souviens plus. »

Le Prêcheur s'assit sur son lit de camp en désordre et posa le café sur son secrétaire. Avant d'aller au lit, il avait joué au black-jack contre lui-même. Le jeu était étalé à l'envers sur la table. Deux cartes avaient été retournées devant le joueur imaginaire. La carte fermée du croupier était à l'envers. La deuxième carte du croupier n'avait pas été retournée. « Qu'est-ce qui t'a donné cet ulcère, à ton avis ?

– Tout est parti en vrille à cause de ces Asiatiques. C'était juste une erreur. On ne devrait pas avoir à en payer le prix, toi et moi. Ce n'est pas juste.

– T'es toujours un bleu.

– *Quoi* ?

– On ne détournait pas ces femmes. On détournait l'héroïne qu'elles avaient dans l'estomac. Elles ont commencé à s'énerver contre nous, et Hugo a décidé de démolir toute la bande, et de se servir du terrain derrière l'église comme d'une zone de stockage. Il avait l'intention de les déterrer plus tard.

– C'est à gerber.

– Mais ce Holland est arrivé, et il a changé toute la donne. Ce que je suis en train de te dire, c'est qu'il n'y a pas de hasard. »

Bobby Lee n'était pas prêt à entrer dans le cadre de référence psychotique du Prêcheur. « Et si on quittait le pays un moment ? Le temps que tout ça se calme ?

– Tu me déçois.

– Allons, me parle pas comme ça, mec.

– Il faut qu'on s'occupe d'Arthur Rooney et d'Hugo. Sholokoff va envoyer une nouvelle équipe de tueurs contre nous. J'ai tous ces Fédés qui me tombent dessus à cause du type de l'ICE. Et je ne pense pas non plus en avoir fini avec le shérif Holland. Il m'a craché dessus. Et la fille aussi.

– Seigneur, Jack.

– Et j'ai aussi mes engagements avec la famille juive.

– Ce dernier point, ça passe pas. Je comprends pas ce mec. Ça me dépasse complètement.

– Que je ne sois pas ennuyé que madame Dolan se soit énervée et m'ait agressé ?

– En un mot, ouais.

– Madame Dolan est une reine juive. Pour certains, une femme est une paire de cuisses et de seins, quelque chose dans quoi on peut planter sa graine. Mais je ne pense pas que tu sois comme ça, Bobby Lee. »

Bobby Lee laissa l'image glisser. « J'ai un truc à te demander.

– Si ma mère est vraiment enterrée sous cette tente ?

– C'est en partie ça.

– Et quoi d'autre ?

– Que lui est-il arrivé ?

– Comment elle a fini ses jours ?

– Ouais, je veux dire, si elle était malade, ou si elle était vieille, ou si elle a eu un accident ?

– C'est une question complexe. Tu vois, je ne sais pas si elle est sous cette tente, ou s'il n'y a qu'une partie d'elle. Je l'ai enterrée après une période de grand gel. J'ai dû faire un feu sur le sol et me servir d'une pioche pour creuser la tombe. Alors je n'ai pas creusé très profond. À cette époque je ne connaissais pas grand-chose aux prédateurs, et je n'ai pas recouvert la tombe de pierres. Quand je suis revenu un an après, des créatures l'avaient déterrée, et dispersée sur quarante ou cinquante mètres. J'ai remis dans le trou ce que j'ai pu, mais pour tout te dire, je ne sais pas exactement quelle quantité d'elle se trouve sous nos pieds. Il y avait un tas d'os tout autour.

– Jack, est-ce que tu…

– Quoi ?

– Il arrive des merdes. Tu avais quelque chose contre ta mère ?

– Ouais, il arrive des trucs. Ressers-moi un peu de café, tu veux bien ? Ma jambe me fait mal. »

Bobby Lee sortit avec le gobelet du Prêcheur à l'instant où les Mexicains arrivaient pour reprendre leur travail sur la charpente de la maison. Bobby Lee rentra dans la tente, ayant oublié d'ajouter du sucre et du lait condensé. Le Prêcheur regardait dans le vide, son expression comme une hache émoussée. Il prit le gobelet de la main de Bobby Lee. Le café était encore plus chaud que lorsque Bobby Lee l'avait fait.

« Réponds à ma question, Jack.

– Est-ce que j'ai tué ma propre mère ? Seigneur Jésus, non, mon fils. Pour qui tu me prends ? Laisse-moi te montrer quelque chose. » Le Prêcheur prit le jeu étalé sur le secrétaire et tassa les cartes entre ses paumes. Il retourna la carte fermée du croupier, et la regarda d'un œil vague. C'était l'as de pique. Les deux cartes du joueur imaginaire étaient un dix et un as de cœur. Le Prêcheur souleva du pouce la carte sur le dessus du jeu, et la retourna sur l'as du croupier. « Reine de pique, dit-il. Black-jack. Tu vois, l'histoire est déjà écrite, Bobby Lee. Il suffit de se montrer patient, et la reine arrive.

– Tu as vraiment laissé la fille Gaddis te cracher dessus ? »

Le Prêcheur porta son gobelet de fer-blanc à sa bouche et le but jusqu'au fond sans ciller, ses lèvres se décolorant sous le coup de la chaleur. Il réfléchit longtemps. « Elle a fait ça parce qu'elle avait peur. Je ne lui en veux pas. En plus, ce n'est pas la femme que je veux, ou qui m'est destinée.

– Je n'arrive jamais à te comprendre.

– La vie est un puzzle, non ? » dit le Prêcheur.

« Tu sais tailler un sabot de cheval ? demanda Hackberry.

Pete nettoyait un box à l'arrière de la grange avec une grande pelle à charbon. Il se redressa, sa peau et ses cheveux humides dans la pénombre. « Pardon ? »

Hackberry répéta sa question.

« Je l'ai fait une fois ou deux, dit Pete.

– Bien, alors tu peux m'aider. Tu as déjà procédé à l'examen pénien d'un cheval ?

– Je ne m'en souviens plus.

– Tu t'en souviendrais. » Ils passèrent des brides aux deux poulains, en attachèrent un au poteau devant la grange, et conduisirent le palomino nommé Santa Fe à l'ombre, de l'autre côté.

« Santa Fe n'aime pas qu'on s'occupe de ses pattes arrière, alors il a tendance à ruer, dit Hackberry.

– Oui, monsieur.

– Tiens la bride.

– Oui, monsieur, je la tiens.

– Tu dis que tu l'as déjà fait ?

– Sûr.

– Quand tu tiens la bride et que le maréchal-ferrant travaille à l'arrière, ne reste pas dans sa diagonale. Si le cheval rue, il s'écartera de toi, et il tombera en arrière sur le maréchal-ferrant.

– Ça serait embêtant.

– Merci. » Hackberry se pencha, serra contre ses cuisses le sabot arrière gauche du cheval et commença à rogner les arêtes du sabot, les demi-lunes de corne tombant dans la poussière. Il sentit Sante Fe pousser et essayer de redresser sa patte et de tirer sur la longe. « Tiens-le, dit Hackberry.

– Je fais quoi, à votre avis ? », dit Pete.

Hackberry adoucit avec sa râpe les arêtes du sabot, luttant toujours contre la résistance d'un cheval de trois ans qui pesait onze cents livres. « Sacré nom d'un chien, mon garçon, tiens-le.

– J'aimerais bien bosser dans votre service. Je parie que c'est marrant », dit Pete.

Hackberry laissa tomber la jambe de Santa Fe et se redressa, fermant les yeux, attendant que la douleur en bas de son dos s'installe.

« Vous avez une sciatique ?

— Sors les chaises de la sellerie, tu veux bien ?

— Oui, monsieur. »

Hackberry appuya les mains sur le mur de la grange et tendit une jambe après l'autre derrière lui, comme un homme qui essaie de pousser un immeuble. Il entendit Pete déplier les chaises et les poser sur le sol. Hackberry s'assit, retira son chapeau, et s'essuya le front du dos de la main. Il faisait bon à l'ombre, la chaleur du jour emprisonnée dans le soleil, le vent ébouriffant le mûrier dans le jardin.

« Qui était le tireur, à l'église ? demanda Hackberry.

— Celui qui a vraiment tiré ?

— C'était qui ?

— Le Prêcheur, je crois.

— Tu crois ?

— Je ne l'ai pas vu. Je suis sorti du camion pour pisser, et je me suis enfui quand la fusillade a démarré.

— Qui avait la Thompson ?

— Le nommé Hugo. Elle était dans un sac de toile avec les munitions. Il a dit qu'elle appartenait à l'homme le plus dangereux du Texas.

— As-tu vu le Prêcheur ?

— Non, monsieur, je ne l'ai jamais vu. Le seul type que j'ai vu de près, c'est Hugo. À la lumière du tableau de bord du camion. Il y avait d'autres types dans l'obscurité, mais je ne sais pas qui c'était. L'un d'eux avait une barbe, je crois. Je l'ai vu juste une seconde dans les phares. Il me semble que la barbe était rouge ou orange.

— Il s'appelait Liam, ou Eriksson ?

— Je ne sais pas, monsieur.

— Qui t'a engagé pour ce boulot ?

– Un vieux type avec qui je buvais. Mais je ne l'ai pas vu avec le convoi.

– Convoi ?

– Il y avait un camion, un SUV et plusieurs voitures.

– Tu buvais où, quand le type t'a embauché ?

– Chez Ouzel. Du moins il me semble.

– Comment s'appelait ce vieux type ?

– Je ne sais pas. J'étais bourré.

– Alors, pour autant que tu saches, le tireur aurait pu être Hugo, et pas le Prêcheur ?

– Ça aurait pu être n'importe qui. Je vous l'ai dit, monsieur, je me suis enfui.

– As-tu vu les femmes ?

– Oui, monsieur. »

Pete était assis sur l'une des deux chaises pliantes qu'il avait installées, regardant ailleurs, les épaules arrondies en point d'interrogation. Il croisa les bras et baissa la tête.

« As-tu parlé aux femmes ?

– Une fille est tombée en montant dans le camion, et je l'ai aidée à se relever. »

Hackberry entendait les rafales de vent à travers les herbes et les moustiquaires au bout de la grange. « À ce moment-là, tu savais que tu ne transportais pas de dos mouillés ?

– Oui, monsieur.

– Tu pensais que c'était qui, ces femmes ?

– Je ne voulais pas le savoir.

– Des bonnes ?

– Non, monsieur.

– Des ouvrières agricoles ?

– Non, monsieur.

– Tu pensais qu'elles allaient ouvrir une blanchisserie ?

– J'imaginais que c'était des prostituées. Et j'imaginais que si ce n'était pas déjà des prostituées, quelqu'un avait prévu d'en faire des prostituées. » Quand il jeta un regard en coin à Hackberry, Pete avait les yeux brillants.

« Tu trouves que je suis trop dur avec toi ?

– Non, monsieur.

– C'est bien, parce que les Fédés seront beaucoup plus durs.

– Je m'en fiche. Je dois vivre avec ce que j'ai fait. Qu'ils aillent se faire foutre.

– Ils font juste leur boulot, Pete. Mais ça ne signifie pas qu'on ne fera pas le nôtre.

– Je pige pas.

– Ce que je veux dire c'est qu'à mon avis, aux yeux de la loi, tu ne vaux pas plus que de la pisse de cheval sur un rocher.

– C'est bon, ou c'est mauvais ?

– Je suppose qu'on ne tardera pas à le savoir, toi et moi. »

Pete, troublé, regarda le ciel, le vent dans les arbres et le scintillement du soleil sur l'eau qui débordait de la citerne pour les chevaux. « Je regrette de ne pas avoir pris une balle de kalachnikov à Bagdad. »

Le samedi, Hackberry avait dit à Pete et à Vikki de ne pas s'éloigner de la maison, puis il avait pris son pick-up pour aller en ville faire des courses. Pete et Vikki étaient assis sur la galerie dans la brume de fin d'après-midi, buvant de la citronnade dans un pichet perlé d'humidité sorti du frigidaire. À l'ouest, de gros nuages orange et mauves s'élevaient des collines, comme si un feu de broussailles remontait les arroyos sur la pente opposée. Vikki accorda sa Gibson Sunburst, plaqua un accord en *mi*, et passa le médiator sur les cordes, les notes roulant hors de la caisse de résonance.

Ils étaient à l'ombre, mais Pete portait quand même son chapeau de paille. « Tu as entendu parler de ces énormes troupeaux que les bouviers amenaient du Mexique par la Chisholm et la Goodnight-Loving[1] ? Certains sont passés par ici. Un grand nombre de ces bêtes allaient jusqu'au Montana.

---

1. Deux pistes célèbres empruntées pas les cow-boys et leurs troupeaux.

– À quoi tu penses ?

– Au Montana.

– Peut-être que le Montana, ce n'est pas ce que tu imagines.

– Je pense que c'est ça, et encore plus. On dit que la Colombie-Britannique est encore mieux. On raconte que Lake Louise est aussi vert que les Caraïbes, qu'il y a un grand glacier blanc tout au bout, et des coquelicots jaunes tout autour de ses rives. Tu imagines d'avoir un ranch dans un endroit pareil ?

– C'est toi le rêveur, Pete.

– Et c'est une musicienne qui me traite de rêveur ?

– J'ai dit "le" rêveur. De nous deux, c'est toi qui as une véritable vision.

– Tu chantes des spirituals dans des bars.

– Ce ne sont pas vraiment des bars. Et ce que j'ai fait n'a donc rien de particulier. C'est toi le poète. Tu as foi en des choses dans lesquelles on n'a pas de raison de croire.

– Tu veux qu'on marche un peu ?

– Le shérif Holland ne veut pas qu'on s'éloigne.

– Il est samedi après-midi, et on est assis sur un porche comme des vieux, dit-il. Quel mal y a-t-il à aller se promener ? »

Elle posa sa Gibson, referma l'étui, et le porta dans la maison. Dans la prairie du sud, les *quarter horses* s'étaient déplacés dans l'ombre des peupliers. Le ciel était doré, et le vent avait l'odeur tannique des feuilles mortes. Sur le flanc d'une colline, Vikki crut voir un reflet, un éclat éphémère, comme un rayon de soleil sur un morceau de papier d'alu pris dans les branches d'un cèdre. Puis il disparut. « Je vais lui laisser un mot », dit-elle.

Ils remontèrent le chemin dans l'ombre d'une colline, la brise dans le dos, les deux fox trotters les accompagnant de l'autre côté de la barrière. Ils suivirent une courbe et virent une trace de biche partir sur l'autre flanc de la colline. Vikki s'abrita les yeux d'une main et regarda l'endroit où la trace disparaissait dans un arroyo semé de cailloux ressemblant à des silex jaunes. Elle fixa le flanc de la colline jusqu'à en avoir les yeux embués.

« Qu'est-ce que tu regardes ? demanda Pete.

– J'ai cru voir un reflet derrière ce gros rocher, là-haut.

– Quel genre de reflet ?

– Comme un rayon de soleil sur du verre.

– Je ne vois rien.

– Moi non plus. Du moins plus maintenant.

– En Afghanistan, je priais pour qu'il y ait du vent.

– Pourquoi ?

– S'il y avait beaucoup d'arbres et que le vent se mettait à souffler et que quelque chose dans les arbres ne bougeait pas avec le vent, c'est de là que venait la prochaine roquette.

– Pete ? »

Le changement dans sa voix fit tourner la tête à Pete, et il oublia le reflet sur la colline, ou son histoire à propos de l'Afghanistan. « J'ai peur, dit-elle.

– Tu n'as jamais eu peur de rien. Tu es plus courageuse que moi.

– Je crois que pour le Montana ou la Colombie-Britannique, tu as raison. Je pense qu'on s'apprête à livrer nos vies à des gens qu'on ne connaît pas, et en qui on ne devrait pas avoir confiance.

– Le shérif Holland paraît un type correct.

– C'est un shérif de comté dans un endroit dont tout le monde se fiche. C'est un vieil homme dont le dos part en compote.

– Qu'il ne t'entende jamais dire une chose pareille.

– C'est la bonté en toi qui te fait le plus de mal, Pete.

– Quand tu es près de moi, rien ne me fait mal. »

Il lui mit le bras sur les épaules et tous deux longèrent la dernière barrière de la propriété d'Hackberry Holland avant de suivre une piste entre deux collines, qui menait à un ruisseau et à l'arrière d'une église afro-américaine où la congrégation s'était rassemblée à l'ombre de trois peupliers géants. Le ruisseau était de la couleur du sable rouge, et avait été barré par des briques et des morceaux de ciment, qui formaient une piscine débordant dans les racines des arbres.

Les hommes étaient vêtus de costumes usés, de chemises blanches et de cravates mal assorties à leurs vestes, et les femmes, soit de robes blanches, soit de couleurs sombres qui absorbaient la chaleur aussi vite que la laine peut le faire.

«Regarde ça, dit Vikki.

– Tu n'as pas été plongée dans l'eau quand tu as été baptisée ?

– Il n'y a pas un seul Blanc. Je crois qu'on est indiscrets.

– Ils ne font pas attention à nous. Si on s'en va en faisant du bruit, ça sera pire. Il y a un saule, là-bas. On va s'asseoir dessous une minute ou deux.»

Le ministre accompagna une énorme femme jusqu'à la piscine. La robe qu'elle portait pour être immergée remontait en ballons de gaze blanche autour de ses genoux. Le ministre mit une main derrière sa nuque et la fit basculer en arrière dans l'eau. Sous sa robe, ses seins étaient aussi fermes, sombres et lourds que des pastèques. La surface de l'eau se referma sur ses cheveux, ses yeux, son nez, sa bouche, et elle agrippa le bras du ministre avec une rigidité traduisant sa peur. Sur la rive, les feuilles des peupliers semblaient trembler dans le vent, avec une lueur changeante d'un vert doré.

Le ministre leva les yeux sur ses ouailles. «Jésus a dit aux apôtres de ne pas aller chez les Païens. Il a commencé par les envoyer chez les opprimés et les abandonnés. Et c'est ainsi, mes frères, mes sœurs, que nos chaînes ont été brisées. Sœur Dorothée je te baptise, au nom du Père, du Fils et du Saint-Esprit. Et nous accueillons maintenant nos frères blancs qui nous regardent depuis l'autre rive de notre petit Jourdain.»

Vikki et Pete étaient assis sur un carré d'herbe à l'ombre du saule. Pete coupa un brin d'herbe, long et fin, qu'il se mit dans la bouche. «Au temps pour notre anonymat», dit-il.

Vikki chassa une mouche du visage de Pete, puis regarda le dos de sa main d'une façon bizarre.

«C'est quoi ? dit-elle.

– De quoi tu parles ? » demanda Pete. Il avait les bras noués autour des genoux, les yeux fixés sur la cérémonie du baptême.

« Il y avait un point rouge sur ma main.

– À l'instant ?

– Oui, il s'est déplacé sur ma main. Je l'ai vu quand il a touché ton visage. »

Il se leva et l'aida à se redresser, levant les yeux sur le flanc de la colline à travers les feuilles. Il la poussa derrière lui, l'enfonça dans l'ombre, à l'abri de l'arbre.

« Donne-moi ta main, dit-il.

– Qu'est-ce que tu fais ?

– Je cherche une piqûre d'insecte.

– Je n'ai pas été piquée pas un insecte. »

Encore une fois, depuis le couvert des arbres, il regarda la colline, balayant les rochers clairsemés, les pins et les genévriers piqués dans un sol constitué presque uniquement de gravier, les ombres dans un arroyo et les callistemons qui poussaient le long de ses rives, le schiste qui avait dégringolé depuis une route coupe-feu effondrée. Puis il vit un reflet vitreux au sommet d'une crête et, pendant une seconde, un point électrique courir devant ses pieds.

« C'est une visée laser, dit-il en reculant d'un pas. Va te mettre derrière le tronc. Ils n'ont pas encore trouvé l'angle.

– Qui ? Quel angle ?

– Ce salopard d'Hugo, ou je ne sais qui travaille pour lui. C'est ce que Collins a dit, non ? Qu'Hugo voulait nous descendre tous les deux ? Ils n'ont pas encore la vue dégagée.

– Il y a un sniper là-haut ?

– Quelqu'un avec une visée laser, c'est sûr. »

Elle inspira à fond, puis expira. Elle ouvrit son portable et le regarda fixement. Ses yeux bleu-vert étaient brillants dans l'ombre. « Pas de réseau, dit-elle.

– On n'a pas beaucoup de temps. Ça ne servirait à rien d'appeler le 911.

– Que veux-tu qu'on fasse ? »

Que sa question implique des choix semblait témoigner de la qualité qu'il admirait le plus chez elle, à savoir son refus de laisser les autres contrôler sa vie, quels que soient les risques encourus. Il avait envie de la serrer contre sa poitrine. «On va attendre, dit-il.

– Et s'ils descendent de la colline?»

Le sang martelait ses tempes. S'il appelait les congréganistes, ils s'éparpilleraient et se mettraient à courir, et le tireur sur la colline n'aurait aucune raison de ne pas tirer en rafales à travers les branches du saule.

«Je préférerais mourir que vivre de cette façon, Pete.

– De quelle façon?

– Se cacher, avoir tout le temps peur. Il n'y a rien de pire.

– Il arrive qu'on doive vivre pour pouvoir se battre un jour de plus.

– Mais on ne se bat pas un jour de plus. On se cache. En ce moment, on est en train de se cacher.

– Tu as dit à Jack Collins qu'il aille au diable. Tu as craché sur lui.

– Je lui ai dit de me violer s'il le voulait. Je lui ai dit que je ne lui résisterais pas.»

Pete se passa la paume sur la bouche. Sa main était sèche et calleuse, et faisait un bruit de râpe sur sa peau. «Tu ne m'avais pas dit ça.

– Parce que je ne voulais pas te faire de mal.

– Si je rattrape ce type, je crois que je vais le tuer. Tu penses que je ne le ferais pas, mais il y a une part de moi que tu ne connais pas.

– Ne parle pas comme ça.

– Reste là. Ne bouge sous aucun prétexte. Donne-moi ta parole.

– Que vas-tu faire?

– Je vais les attaquer.

– C'est de la folie.

– C'est la dernière chose à laquelle ces types s'attendent.

– Non, tu ne vas pas aller là-bas tout seul.

– Lâche-moi, Vikki.

– On y va ensemble, Pete. »

Il essaya de dégager son bras des mains de Vikki. «Je peux escalader ce gros rocher, là-bas, puis remonter l'arroyo.

– Alors je viens avec toi. »

Il n'y avait rien à faire. «On va traverser le ruisseau et entrer sous les peupliers. Puis on passera par la porte au fond de l'église, et on ressortira par-devant.

– Et les Noirs ?

– On n'a pas le choix. »

Les deux hommes avaient suivi le couple en contrebas en commençant par escalader la colline, avant de suivre la crête, jetant quand c'était nécessaire un coup d'œil par-dessus, se frayant un chemin à travers les rochers et les troncs noueux des genévriers décolorés par le soleil. L'un d'eux portait un fusil à verrou au bout d'une lanière de cuir. Une grosse lunette était montée au-dessus de la chambre, son objectif protégé par un cache. Les deux hommes respiraient fort, suaient beaucoup et essayaient d'éviter de regarder en face le soleil de l'ouest.

Quand ils rampèrent sur la crête et virent le couple se mettre sous le couvert d'un saule, ils n'en crurent pas leurs yeux.

«On est tombé sur un baptême de Noirs, dit l'homme au fusil.

– Envisage les choses de plus haut, T-Bone. Laisse les Noirs s'occuper de leurs affaires », dit l'autre homme.

T-Bone regarda dans le viseur et aperçut un éclair de peau à travers les branches. Il activa son laser et le déplaça à travers les feuilles jusqu'à ce qu'il éclaire le côté d'un visage. Puis il y eut une rafale de vent et la cible disparut. Il s'arrêta et réessaya, mais tout ce qu'il voyait, c'était la pâle uniformité verte de la canopée. « Celui-là, je l'aurais effacé, Hugo, dit-il.

– T'es pas à ma place », dit Hugo. Sa peau brunie était poudrée de poussière, et le blanc de ses yeux paraissait cru et théâtral dans son visage. Il plia un mouchoir en quatre et le posa sur le rocher, de façon à pouvoir se mettre à genoux sans être trop mal installé. Il pianota sur une scorie volcanique tout en prenant la mesure de l'homme qui l'accompagnait, dissimulant à peine son impatience et son irritabilité. « Garde la tête baissée, T-Bone.

– Ça fait un moment. J'ai l'impression que mon dos ressemble au ressort d'un diable dans une boîte.

– Il ne faut pas que ta silhouette se découpe au sommet de la colline, et il ne faut pas que le soleil se reflète sur ton visage. C'est comme quand on lève les yeux sur un avion. Autant faire signe avec un miroir. Une autre leçon basique d'infanterie : tu n'aurais pas dû prendre sur toi tous ces bijoux.

– Merci, Hugo. Mais à mon avis, on va attendre qu'il fasse nuit et on recommence tout à la maison. »

Hugo ne répondit pas. Il se demandait s'ils ne pourraient pas suivre l'arroyo, tirer au moins deux coups, puis remonter sur la crête et redescendre à leur véhicule avant que les Noirs aient réalisé ce qui s'était passé.

« T'as entendu ce que j'ai dit ? demanda T-Bone.

– Oui, j'ai entendu. On s'en occupe maintenant.

– Je comprends pas ce qui se passe. Pourquoi est-ce que le Prêcheur et Bobby Lee s'en prennent à nous, maintenant ? Pourquoi ils ont pas buté ce gosse et sa nana quand ils en avaient l'occasion ?

– Parce que le Prêcheur est un psychopathe, et que Bobby Lee est une sale petite merde de traître.

– Alors on fait ça pour Arthur Rooney ?

– Te prends pas la tête.

– Ces motards que le Prêcheur a descendus ?

– Et alors ?

425

– Ils travaillaient pour Josef Sholokoff ?

– C'est possible, mais c'est pas notre problème », dit Hugo en posant une main sur l'épaule de T-Bone. Ce dernier avait sué et sa chemise était aussi trempée qu'un torchon mouillé. Il baissa les yeux sur le sommet du saule, sur le ruisseau au fond de sable rouge, sur le ministre noir et ses ouailles, qui paraissaient distraits par une chose que faisait le couple blanc.

« Prépare-toi, dit Hugo.

– À quoi ?

– Nos amis s'apprêtent à jouer leur coup. Mets-y un peu plus de cœur. Ce garçon, là en bas, s'est foutu de toi, non ?

– J'ai jamais dit ça. J'ai dit que Bobby Lee nous avait doublés. J'ai jamais dit que quelqu'un s'était foutu de moi. Personne se fout de moi.

– Désolé, je me suis mal exprimé.

– J'aime pas ça. Toute cette affaire est pourrie.

– On s'en occupe maintenant. Concentre-toi sur ton tir. La priorité, c'est le garçon. Occupe-toi de la fille si tu peux. Fais-le, T-Bone. Pour ça, t'es vraiment bon. Je suis fier de toi. »

T-Bone entortilla la lanière du fusil autour de son avant-bras gauche, et retira la sécurité. Il trouva une position plus confortable, son coude gauche appuyé sur une zone sableuse où il n'y avait pas de cailloux pointus, les bouts métalliques de ses chaussures de chantier à clous enfoncés dans le flanc de la colline, ses bourses fouettant le sol.

« Ils bougent. Tire, dit Hugo.

– Le ministre accompagne une petite fille au ruisseau.

– Tire.

– Flores et la fille se tiennent par la main. Je ne vois pas bien pour ajuster mon tir.

– Qu'est-ce que tu racontes ?

– Le ministre et la petite fille sont juste derrière eux.

– Tire !

– Arrête de crier.

426

– Tu veux que je le fasse moi-même ? Tire !

– Il y a des Noirs partout. Si on en bute un, c'est un crime racial.

– Ils peuvent se permettre d'en perdre quelques-uns. Tire !

– J'essaie.

– Donne-moi ce fusil.

– Je vais le faire. Laisse-moi attendre qu'ils soient bien visibles. »

T-Bone souleva légèrement le canon, anticipant le trajet de sa cible, sa mâchoire mal rasée appuyée sur le fût, son œil gauche fermé. « Ah ! Magnifique. Oui, oui, oui. Adieu, mon petit alligator. »

Mais il ne tira pas.

« Que se passe-t-il ? » demanda Hugo.

T-Bone s'écarta de la crête, le visage luisant et vide, comme celui d'un homme affamé à qui on vient de refuser l'accès à la table. « Ils ont pris l'escalier qui mène au fond de l'église. Je les ai perdus dans l'obscurité. Il aurait fallu que je tire au hasard. »

Hugo tapa du point sur le sol, grinçant des dents.

« C'est pas ma faute, dit T-Bone.

– C'est la faute de qui, alors ? »

T-Bone manipula le verrou de son fusil et ouvrit la culasse, éjectant la balle non tirée. C'était une .30-06 à tête ronde, son cuivre d'un or mat dans le crépuscule. Du pouce, il la replaça dans le magasin, remit le verrou en place et le referma de façon que la chambre soit vide. Il roula sur le dos et plissa les yeux pour regarder Hugo par en dessous, ses sourcils humides de transpiration. « Tu m'inquiètes.

– *Moi*, je t'inquiète ?

– Ouais.

– Tu veux bien me dire pourquoi ?

– Parce que c'est la première fois que je te vois avoir peur. Ce vieux Jack Collins t'a dans son viseur ? Parce que si tu veux mon avis, quelqu'un te fout une trouille monstre. »

25

Quand Hackberry revint de l'épicerie, le soleil s'était fondu en une mare cuivrée quelque part dans le lointain derrière les collines à l'ouest de sa propriété. Les pales de son éolienne n'étaient pas enchaînées et tournaient rapidement dans la brise du soir, et dans l'ombre de sa pâture sud, il voyait bien l'eau jaillir d'un tuyau dans la citerne des chevaux. Encore une fois, il crut sentir dans le vent une odeur de chrysanthèmes, ou de gaz, ou peut-être s'agissait-il de lichen ou de champignons, du genre de ceux qui poussent comme de la moquette dans l'ombre perpétuelle, qu'on voit souvent sur des tombes.

Depuis des années, il n'aimait pas les samedis soir. Après le coucher du soleil, il avait une conscience accrue de l'absence de sa femme, du silence et de la lumière qu'elle faisait dans la cuisine en préparant un repas qu'ils mangeaient sur la table de pique-nique du jardin. Ils avaient toujours eu des plaisirs simples : le temps passé avec leurs enfants, le film qu'ils voyaient tous les samedis soir en ville, peu importe lequel, dans un cinéma où Lash La Rue[1] s'était produit une fois sur scène avec son fouet ; la messe dans une église de campagne où l'homélie était toujours dite en espagnol ; le fait de désherber leurs parterres ensemble et, au printemps, de semer des légumes, empilant les paquets de graines vides, craquants et raides, au bout de chaque planche.

Quand il pensait trop longtemps à l'une de ces choses, il était rempli d'un sentiment de perte si intense qu'il hurlait dans le silence, un cri sec, sans honte, s'il ne commettait pas un

---

1. Acteur de western de séries B des années 1940, célèbre pour son adresse au fouet.

acte encore plus fou. Ou il téléphonait à son fils, le skipper, à Key West, ou à l'autre jumeau, l'oncologue, à Phoenix, et faisait semblant de vouloir prendre de leurs nouvelles. Avaient-ils besoin d'aide pour construire une nouvelle maison ? Et s'il instituait un fonds pour l'éducation des petits-enfants ? Les maquereaux rayés étaient-ils arrivés ? Est-ce que les petits-enfants aimeraient aller voir la mine d'or du Hollandais perdu, dans les Superstition Mountains ?

C'étaient de bons fils ; ils l'invitaient chez eux et venaient le voir dès qu'ils le pouvaient, mais la solitude du samedi soir était toujours la solitude du samedi soir, et le silence dans la maison pouvait être plus sonore que des échos dans une tombe.

Hackberry sortit de son pick-up les courses et deux cartons de pizzas chaudes, et les porta dans la cuisine par la porte de derrière.

Pete Flores et Vikki Gaddis l'attendaient à la table, tout deux visiblement tendus. À vrai dire, dans l'ambiance de formica immaculé, de perfection de plastique et de porcelaine qui régnait dans la cuisine d'Hackberry, ils avaient l'attitude de gens qui ont fait la route, et doivent expliquer la raison de leur présence. S'ils avaient été fumeurs, un cendrier débordant de mégots aurait été sur la table ; leurs mains auraient été occupées à allumer de nouvelles cigarettes, à refermer des briquets ; ils auraient soufflé des volutes de fumée du coin de la bouche avec une indifférence feinte pour les ennuis dans lesquels ils s'étaient mis. Mais là, leurs avant-bras étaient bien à plat sur la table jaune, et ils avaient dans les yeux une lueur qui, pour Hackberry, évoquait des enfants à qui un parent cruel allait ordonner d'aller se couper eux-mêmes une baguette pour se faire battre.

Quel que soit ce qui les préoccupait, Hackberry n'appréciait pas de se voir traité comme une figure d'autorité à qui ils devaient rendre compte de leurs actes. Il posa sur la table les sacs de courses et les cartons de pizza. « J'ai raté quelque chose ?

– Quelqu'un a essayé de nous tirer dessus, dit Pete.

– Où ?

– Sur les hauteurs, au-delà de la pâture nord. De l'autre côté de la colline, il y a une église près d'un ruisseau.

– Tu as dit "essayé". Vous avez vu le tireur ?

– On a vu la visée laser, dit Pete.

– Que faisiez-vous près de cette église ?

– On se promenait un peu, dit Vikki.

– Vous avez suivi le chemin ?

– En gros, oui, dit Pete.

– Alors que je vous avais dit de ne pas vous éloigner de la maison ?

– On regardait des gens se faire baptiser. On était assis sous un saule. Vikki a vu le point rouge sur mon visage et sur sa main, et ensuite je l'ai vu sur le sol, dit Pete.

– Tu en es sûr ?

– Avec un machin pareil, on ne peut pas se tromper.

– Pourquoi le tireur n'a-t-il pas fait feu ?

– Il avait peut-être peur de toucher un des Noirs, dit Pete.

– La bande à qui on a affaire n'a pas ce genre de scrupule, dit Hackberry.

– Vous croyez qu'on a inventé tout ça ? dit Vikki. Vous croyez qu'on a envie d'être là ? »

Hackberry alla à l'évier et se lava les mains, se savonnant jusque haut sur les bras, les rinçant un long moment, les essuyant avec d'épais carrés de papier torchon, le dos tourné pour dissimuler son expression à ses hôtes. Quand il se retourna, il avait retrouvé son attitude neutre. Il regarda les jambes du pantalon de Pete. « Vous avez traversé le ruisseau ? demanda-t-il.

– Oui, monsieur. Et on est entrés dans l'église. On peut dire qu'on s'est magnés le cul.

– Vous croyez que c'était Jack Collins ?

– Non, dit Vikki. Il en a terminé avec nous.

– Comment savez-vous ce qui se passe dans la tête d'un fou ? dit Hackberry.

– Collins nous a laissé la vie sauve, et comme ça il a l'impression d'être plus fort que nous. Il ne se remettra pas en question, dit-elle. Il a voulu me donner de l'argent. J'ai craché sur son argent et j'ai craché sur lui. Ce n'est pas un fou. Tout ce qu'il fait a rapport avec la fierté. Il ne va pas courir le risque de la perdre à nouveau.

– Alors qui était le type avec la visée laser ? demanda Hackberry.

– Ça devait être Hugo Cistranos, dit Pete.

– Je pense que tu as raison », dit Hackberry. Il ouvrit un des cartons de pizza. « Vous avez craché sur Jack Collins ?

– Vous trouvez ça drôle ? dit-elle.

– Non, j'ai fait la même chose. Peut-être qu'il va s'y habituer.

– Où allez-vous, shérif ? demanda Pete.

– Passer un coup de fil. » Hackberry traversa le hall pour gagner la petite pièce au fond qui lui servait de bureau. Il entendit des pas derrière lui.

« Je m'excuse de ma grossièreté, dit Vikki. Vous vous êtes montré très gentil avec nous. Mon père était officier de police. J'ai conscience du risque professionnel que vous prenez pour nous. »

Contente-toi de ça, pensa Hackberry. Il s'assit derrière son bureau et appela Maydeen, dans le service, pour lui dire d'envoyer chez lui une voiture de patrouille. Puis il laissa des messages aux deux numéros qu'il avait pour Ethan Riser. Par la fenêtre latérale, il voyait bien la pâture sud. Ses *quarter horses*, l'éolienne et les peupliers se découpaient sur la couleur pourpre à l'ouest, comme les composants d'une estampe à peine éclairée, à contre-jour. Mais la baisse de la lumière, et l'aura grise qui semblait monter de l'herbe lui donnaient une impression de finitude qui était comme une lame de couteau dans sa poitrine. S'il n'avait pas eu ces deux jeunes gens chez lui, quelle que soit l'heure, il aurait été sur la tombe de sa femme.

D'une certaine façon, Vikki Gaddis et Pam Tibbs lui rappelaient Rie. Ses détracteurs la traitaient de communiste et l'avaient mise en prison, ainsi que ses amis, et avaient fermé les yeux sur les violences commises à leur encontre à l'intérieur et à l'extérieur de la prison, mais jamais elle ne s'était autorisée à avoir peur.

Hackberry éteignit sa lampe de bureau et, par la fenêtre, regarda l'obscurité qui semblait s'étendre sur la terre. Était-ce une prémonition de la Grande Ombre que nous craignons tous ? se demanda-t-il. Ou un signe avant-coureur de ce que certains appellent la fin des temps, cette obsession apocalyptique morbide de fanatiques qui donnent l'impression de se réjouir de la possibilité que le monde soit détruit ?

Mais la question la plus importante, celle qu'il avait au fond du cœur, c'était de savoir s'il reverrait ou non sa femme, de l'autre côté, lui tendant la main à travers la lumière pour prendre la sienne et l'aider à franchir le passage.

Le téléphone le fit sursauter. C'était Ethan Riser.

«Vous avez demandé que je vous rappelle. Qu'y a-t-il ? dit Riser.

– Il se peut qu'Hugo Cistranos rôde autour de chez moi, dit Hackberry. Quel genre de bride avez-vous mise au cou de ce type ?

– Vous êtes en train de me demander s'il est sous surveillance ?

– Je sais que vous l'avez mis sur écoute. Où est-il ?

– Je l'ignore. Quelqu'un l'a vu ?

– On a peut-être dans le coin un type avec une visée laser, mais je ne peux pas le confirmer. Avez-vous eu d'autres retours à propos de ces numéros de permis qui sont peut-être ceux de Jack Collins ?

– Pour l'instant, je suis au mariage de ma petite-fille. Je vous rappelais par courtoisie professionnelle. Soit vous me dites précisément ce que vous avez en tête, soit vous me rappelez lundi pendant les heures de bureau.

– J'ai besoin d'assurances concernant Pete Flores.

– Des assurances concernant quoi ?

– Si je vous l'amène, vous ne le mettez pas dans la broyeuse.

– On ne met personne dans des broyeuses.

– Dites ça à quelqu'un d'autre. » La ligne resta silencieuse. Hackberry sentit dans sa tête une montée de sang qui le rendit nauséeux. Il déglutit jusqu'à ce que sa bouche soit à nouveau sèche, et attendit pour parler que la raideur disparaisse de sa gorge. « Flores n'a pas vu le massacre. Tout ce qu'il peut faire, c'est impliquer Cistranos. Et vous savez déjà que Cistranos est mouillé là-dedans. Maintenant vous devez en avoir des preuves enregistrées. Vous devez avoir des informations des CI[1]. Vous avez peut-être déjà fait tomber Arthur Rooney. Je pense que la seule raison pour laquelle vous n'avez pas arrêté Cistranos, c'est qu'il vous sert d'appât. Vous n'avez pas besoin du gosse, n'est-ce pas ?

– Si vous êtes en contact avec Pete Flores, dites-lui qu'il ferait mieux d'amener son cul dans un bureau du FBI.

– Ce gamin s'est fait griller dans un tank parce qu'il avait foi en son pays. Vous trouvez que sa place est dans une prison fédérale, ou à Huntsville ?

– J'aimerais pouvoir dire que ça m'a fait plaisir de vous parler. Mais je pense que je vais me contenter de vous dire au revoir.

– Ne me lâchez pas, agent Riser. Vous êtes décidé à pendre Josef Sholokoff à un croc de boucher, et ça vous est égal de savoir comment vous l'aurez amené là. »

Mais Hackberry parlait déjà dans le vide.

Tôt le dimanche matin, le soleil était à peine levé au-dessus des collines quand la voiture de patrouille conduite par Pam

---

1. Criminal Investigation.

433

Tibbs, avec Hackberry sur le siège passager, entrait chez Ouzel Flagler. Ils brinquebalèrent sur la *cattle guard*, le nuage de poussière soulevé par le véhicule s'envolant parmi les épaves de tracteurs et d'engins de construction, les citernes rouillées et les écheveaux emmêlés de fil de fer qui jonchaient la propriété. Le silence du dimanche matin était palpable, presque surnaturel, contrastant avec les souvenirs visuels du passage des clients du samedi soir au bar clandestin d'Ouzel : canettes de bière, gobelets de plastique rouge et cartons de fast-food éparpillés sur près d'un tiers d'hectare, une capote aplatie sur une trace de pneu, cendriers, et au moins une couche en plastique sale abandonnés sur le sol.

«On arrive à temps», dit Hackberry en regardant par le pare-brise.

Ouzel, sa femme et ses deux petits-enfants sortaient par le côté de leur maison. Ils étaient tous habillés pour l'église, Ouzel portant des souliers marron, une cravate bleue semée de dizaines de minuscules étoiles blanches et un costume de polyester sombre aussi luisant que de la brillantine.

« Tu veux le faire rentrer ? » demanda Pam.

Mais l'attention d'Hackberry était fixée sur les machines abandonnées.

«Tu m'as entendue ?

– Je crois que j'ai sous-estimé le potentiel d'Ouzel, dit Hackberry. Coupe la route à son véhicule. Et tiens sa femme éloignée d'un téléphone pendant que je lui parle.

– Tu donnes l'impression que quelqu'un a mis des punaises dans les céréales de ton petit déjeuner.

– Cet endroit est vraiment une horreur, non ? Pourquoi diable laisse-t-on exister une chose pareille ?»

Elle le regarda, intriguée. Quand ils sortirent de la voiture, elle prit sa matraque entre les sièges et la glissa dans l'anneau de sa ceinture. Hackberry s'avança d'un pas devant Ouzel et leva la main. «Attendez, partenaire. Ce matin, vous serez en retard au sermon, dit-il.

– Qu'est-ce qui ne va pas ? demanda Ouzel.

– Demandez à votre famille de rentrer. Mon adjointe restera avec eux.

– On a fait trop de bruit hier soir ?

– Adjointe Tibbs, donnez-moi votre matraque », dit Hackberry.

Elle lui jeta à nouveau un œil intrigué, puis glissa la matraque hors de son anneau et la lui tendit, méfiante.

« Je n'y comprends rien », dit Ouzel.

Pam mit les mains sur les épaules des deux jeunes enfants, et commença à les diriger vers la porte. Mais la femme – une imposante paysanne avec une grosse tête, célèbre pour son mauvais caractère et ses magnifiques cheveux brun clair – ne bougea pas, et regarda Hackberry en face, ses yeux sombres comme des morceaux de charbon incapables de produire de la chaleur.

« Ce sont nos petits-enfants, dit-elle.

– Ah bon ?

– On les emmène à l'église parce que leur mère ne le fait pas. Ce sont de braves gosses, ils n'ont pas besoin de ça.

– Vous n'êtes pas des victimes, votre mari et vous, madame Flagler, dit Hackberry. Si vous vous inquiétiez pour ces enfants, vous ne seriez pas de mèche avec des criminels qui transportent de l'héroïne et de la meth à travers votre propriété. Maintenant, rentrez chez vous, et ne ressortez pas avant qu'on vous le dise.

– Vous l'avez entendu, m'dame », dit Pam. Avant d'entrer dans la maison, elle se retourna vers Hackberry, cette fois l'air vraiment soucieux.

La Lexus d'Ouzel, de façon incongrue, était garée sous un peuplier, ses vitres teintées et sa carrosserie lustrée d'une splendeur sombre.

« Vous n'avez pas peur que des oiseaux corrodent votre peinture ? demanda Hackberry.

– Je l'ai garée là il y a quelques minutes pour qu'elle soit fraîche quand on y monte, expliqua Ouzel.

– Il y a dans le coin un type avec un fusil à visée laser. Je pense que c'est vous qui l'avez fait venir ici.

– Je sais rien de cette histoire. Non, monsieur, je connais rien en fusils. Jamais rien connu. Jamais été intéressé.» Le regard d'Ouzel balaya le vaste panorama de plaines et de montagnes vers le sud, comme s'il était juste en train de passer un moment à bavarder avec un ami.

Hackberry plaça sa paume sur le capot de la Lexus. Puis il retira une feuille coincée dans le ventilateur et la laissa s'envoler dans le vent. «Combien elle vous a coûté? Soixante mille, dans ces eaux-là?

– Pas autant. J'ai eu un prix.» Depuis l'ombre de l'arbre, Ouzel regarda sa maison. Quand il tourna la tête, les gonflements pourpres bulbeux sur sa gorge frottant contre son col dur, ses petits yeux devenus comme des points noirs, Hackberry crut déceler une odeur qui lui rappelait une tombe profanée, ou la puanteur dégagée par un incinérateur dans lequel on fait brûler des cadavres d'animaux. Il se demanda s'il n'était pas en train de franchir une ligne invisible.

«Pourquoi vous me regardez comme ça? demanda Ouzel.

– On a glissé sur le fait que vous vendiez clandestinement de l'alcool, parce que c'était plus facile de garder un œil sur vous que de contrôler une demi-douzaine de vendeurs qu'on ne pouvait pas suivre à la trace. Mais ça a été une grosse erreur de notre part. Vous vous êtes mis en cheville avec les trafiquants de drogue de l'autre côté du fleuve, et depuis ils transitent par votre propriété. Quelle proportion de tout ce matériel de construction est opérationnelle?

– Rien du tout. C'est de la ferraille, je la vends en pièces détachées.

– Quand avez-vous vu Hugo Cistranos pour la dernière fois, Ouzel?

– Ce nom me dit rien.»

Hackberry posa la matraque de métal de Pam Tibbs sur le capot de la voiture. Elle roula, rebondissant sur le pare-chocs avant de toucher la terre dans un tintement. Il la ramassa et la reposa sur le capot, puis la rattrapa quand elle se remit à rouler, la remettant en place jusqu'à ce qu'elle trouve son équilibre, les minuscules égratignures dans la peinture semblables à des moustaches de chat. Il regarda la matraque d'un air contemplatif et la déplaça encore une fois, la poussant de façon ostensible sur la surface du capot. «Hier, deux jeunes gens ont failli être tués. C'est vous qui les avez donnés au tireur. Et maintenant vous êtes en route pour l'église avec vos petits-enfants. Vous êtes un drôle de type, Ouzel.» Hackberry fit tourner la matraque sur le capot comme il aurait fait tourner une bouteille. «Comment on devrait réagir, à votre avis ?»

Les yeux d'Ouzel allaient et venaient entre la matraque et le visage d'Hackberry. «À quel sujet ? dit-il.

– Je vais faire venir ici une équipe d'experts. Ils vont examiner toutes les niveleuses, tous les bulldozers, toutes les pelleteuses. Ils prendront des échantillons de terre sur les lames, les godets, sur le filetage, et ils verront si ça correspond au terrain derrière l'église de Chapala Crossing. Si votre matériel a servi à l'ensevelissement, l'ADN des victimes sera toujours sur le métal. Ça fera de vous le complice d'un massacre. Si vous n'avez pas droit à la piqûre, vous serez enfermé pour le restant de vos jours. Je parle d'Huntsville, Ouzel. Vous savez à quoi ça ressemble, Huntsville ?

– Je savais rien de ces Asiatiques avant de les voir à la télé.

– Qui s'est servi de votre matériel ?

– Je contrôle pas ce qui se passe ici. Parfois je vois des lumières dans le noir au sud de ma propriété. Peut-être que quelqu'un a mis un des bulldozers sur un camion plat et l'a emporté. Je garde les stores fermés. Le matin, il était revenu. D'autres gens ont les clefs de tout ce que je possède ici.

– Quelles gens ?

– Ils sont au Mexique. Il y en a peut-être un ou deux qui viennent d'Arizona. Ils ne me disent pas tout. Après le retour du bulldozer, quelques types sont venus me voir.»

Ouzel s'effleura le poignet et le dos de la main gauche, une lueur triste dans le regard.

« Ils…

– Ils quoi ?

– Ils m'ont amené à mon cabanon, et m'ont mis la main dans mon propre étau.

– Hugo Cistranos était-il parmi eux ?

– Je ne connais pas son nom de famille. Mais le prénom, c'était Hugo.

– Qui avez-vous appelé à propos de mes jeunes amis ?

– Tout ce que j'ai, c'est un numéro de téléphone. Je n'ai pas le nom qui va avec. Quand il se passe quelque chose, quand je vois quelque chose d'important, je suis censé appeler ce numéro. Parfois Hugo répond. Parfois c'est une femme. Parfois d'autres types.

– Donnez-moi ce numéro. »

Ouzel sortit un stylo à bille de sa poche et un morceau de papier de son portefeuille, les mains tremblantes. Il commença à écrire sur le dessus de son capot, puis mit un pied sur le pare-chocs, aplanit le papier sur sa jambe et écrivit le numéro sans risquer de rayer la voiture.

« Quand avez-vous appelé ce numéro pour la dernière fois ?

– Vendredi.

– Quand vous avez vu Vikki Gaddis et Pete Flores ?

– J'étais à la station-service de mon frère. Ils étaient dans le camion de Danny Boy Lorca. Ils se sont arrêtés pour prendre de l'essence. » Les yeux d'Ouzel se tournèrent vers la matraque. « Vous pouvez enlever ça de ma voiture ?

– Avez-vous une idée de la souffrance dont vous êtes en partie responsable ?

– Je n'ai jamais causé de souffrance à personne. Vous croyez que j'ai envie que ces bêtes sauvages dirigent mon existence ? Je suis désolé pour ces femmes qui sont mortes. Mais dites-moi une chose : elles ne savaient pas ce qui se passe quand on se prostitue et qu'on émigre clandestinement dans un autre pays ? Et ce qu'ils ont fait à ma main ? Et les ennuis que j'ai ? Je voulais juste conduire mes petits-enfants à l'église ce matin. »

Hackberry dut attendre longtemps avant de pouvoir répondre. « Vous avez autre chose à me dire, Ouzel ?

– J'aurai l'immunité, non ?

– Je ne suis pas sûr que vous m'ayez vraiment dit quoi que ce soit. Votre mémoire va et vient, et une grande partie de ce que vous dites est incompréhensible. Je pense aussi que pour une déclaration exacte que vous faites, vous dites quatre mensonges.

– Écoutez un peu ça. Celui qu'on appelle le Prêcheur. Ce nom vous dit quelque chose ?

– Et alors ?

– Il était ici.

– Quand ?

– Hier. Il cherchait le nommé Hugo. Je lui ai donné le numéro, comme je vous l'ai donné à vous. C'est celui d'un club de vacances quelconque. Dans le fond, j'ai entendu des gens parler de tuer des pumas et des animaux africains, ceux qui ont des cornes tordues sur la tête. Je l'ai donné au Prêcheur, il l'a regardé, et il a dit : "C'est donc là que se trouve le petit homme." Si vous voulez me coincer, me mettez pas les menottes devant les enfants. Je monterai dans la voiture de moi-même. »

Hackberry prit la matraque sur le capot et la laissa pendre dans sa main droite. Elle paraissait à la fois lourde et légère. Il sentait la chaleur confortable et solide du métal dans sa paume, et le sang qui pulsait dans ses poignets. Dans sa tête, il avait des visions de choses en train de se briser – du verre, un moulage de chrome, des filaments lumineux.

« Shérif ? dit Ouzel. Vous ne laisserez pas ces enfants me voir menotté, hein ?

– Hors de ma vue », dit Hackberry.

Sur le chemin du retour, Pam Tibbs au volant, le vent commença à se lever. Droit au nord, d'énormes nuages jaunes montaient en haut du ciel, assombrissant les mesas, les collines et les fermes comme l'aurait fait une précieuse brume jaune. Hackberry baissa sa vitre et mit la main dans le courant d'air. La température avait chuté d'au moins dix degrés et l'air était semé de mouchetures de pluie qui frappaient sa paume comme des cristaux de sable.

« Je pouvais avoir douze ans, et on habitait à Victoria, quand on a eu un déluge, par un jour de soleil, qui a littéralement fait pleuvoir des poissons dans les rues, dit-il à Pam.

– Des poissons ?

– C'est un fait. Je ne l'ai pas inventé. Il y avait de la blanchaille dans les caniveaux. Mon père pensait qu'un cyclone avait sans doute soulevé une masse d'eau dans un lac ou dans le golfe, et l'avait déversée sur nos têtes.

– Pourquoi tu penses à ça maintenant ?

– Sans raison. Juste que c'était une bonne époque, même si c'était la guerre. »

Elle retira ses lunettes de soleil et l'observa de côté. « Depuis ce matin, tu te conduis de façon un peu bizarre.

– Tu ferais mieux de regarder la route.

– Que veux-tu faire de ce numéro de téléphone qu'Ouzel t'a donné ?

– Trouve à qui il appartient, et fais ton maximum pour le localiser.

– Qu'as-tu l'intention de faire, Hack ?

– Je ne suis pas très doué pour la double vue », dit-il. Il l'entendit pianoter sur le volant.

Au bureau, Maydeen Stolz lui dit que Danny Boy Lorca avait été ramassé pour ivresse sur la voie publique et cuvait dans une cellule à l'étage. « Pourquoi quelqu'un ne l'a-t-il pas ramené chez lui ? demanda Hackberry.

– Il agitait les bras au milieu de la rue, dit-elle. Le Greyhound a failli lui passer dessus. »

Hackberry monta l'escalier métallique en spirale au fond du bâtiment et se dirigea vers la cellule, au bout du couloir, où on gardait les ivrognes pendant la nuit jusqu'au moment où on pouvait les virer le matin, en général sans les inculper. Danny Boy était endormi sur le sol de ciment, la bouche et les narines comme des pièges à mouches, les cheveux souillés de cendre, tout son corps auréolé d'une puanteur d'alcool et de tabac.

Hackberry s'accroupit en se tenant à un barreau de métal, un large tentacule de lumière parcourant sa colonne vertébrale, enveloppant ses fesses et ses cuisses.

« Comment ça va, mon pote ? » demanda-t-il.

La réponse de Danny Boy consista en une longue expiration, de minuscules bulles de salive apparaissant au coin de ses lèvres.

« On a le même problème, tous les deux, mon gars. On n'a pas notre place dans l'époque où on vit », dit Hackberry. Puis il eut honte de se montrer aussi pompeux et solennel. Y avait-il plus grand imbécile que celui qui se prend pour le Gilgamesh oublié de son temps ? Il n'avait pas bien dormi cette nuit-là, et ses rêves, une fois de plus, l'avaient ramené au camp 5 de No Name Valley, où il avait levé les yeux à travers une grille d'égout sur la présence de gargouille du sergent Kwong, avec sa mitraillette à l'épaule, sa veste à carreaux et sa casquette à oreillettes, le tout sur fond rose de soleil levant.

Hackberry sortit du placard un épais matelas qu'il disposa devant la cellule de Danny Boy, et s'allongea, les genoux relevés devant lui pour soulager la pression sur sa colonne vertébrale, une main sur les yeux. Il fut étonné de voir avec quelle rapidité le sommeil s'emparait de lui.

Ce n'était pas un sommeil profond, juste un sommeil de repos et de détachement total, dû peut-être à son indifférence vis-à-vis du caractère excentrique de sa conduite. Mais sa conduite iconoclaste, si on pouvait dire les choses ainsi, se fondait sur une leçon qu'il avait apprise lycéen, alors qu'il passait l'été dans le ranch de son oncle Sidney, au sud-est de San Antonio.

C'était en 1947, et un syndicat basé en Californie essayait d'organiser les travailleurs saisonniers locaux. Par dépit, parce qu'il avait été menacé par ses voisins, l'oncle Sidney avait embauché une demi-douzaine de syndiqués pour sarcler son potager. Quelqu'un avait fait brûler une croix dans son jardin, et avait cloué des bandes de pneus dessus pour que le feu donne plus de chaleur et dure plus longtemps. Mais au lieu de mettre fin à sa querelle avec les terroristes du cru, l'oncle Sidney avait dit à Hackberry et à un ramasseur de coton alcoolique du nom de Billy Haskel, qui avait été lanceur pour Waco avant la guerre, de monter le sommet de la croix carbonisée sur le toit de son pick-up et d'en arrimer la hampe au plateau du véhicule. Puis l'oncle Sidney, Billy Haskel et Hackberry avaient roulé à travers tout le pays, faisant face à tous les hommes que l'oncle Sidney soupçonnait d'avoir participé au feu de la croix sur sa pelouse.

À la fin de la journée, l'oncle Sidney avait dit à Hackberry de jeter la croix dans un ruisseau. Mais Hackberry avait ses propres problèmes. Il avait été ostracisé par ses pairs pour être sorti avec une Mexicaine avec qui il ramassait des tomates dans les champs. Il avait demandé à son oncle s'il pouvait garder la croix sur le pick-up quelques jours de plus. Le samedi soir, il conduisit sa copine mexicaine à ce même drive-in où il avait déjà été battu lors d'une bagarre sanglante à poings nus après avoir essayé d'affirmer que la discrimination envers les Mexicains était différente de la discrimination envers les Noirs.

Alors que le demi-jour s'était éteint et que les spectateurs arrivés en avance pour les bandes-annonces passaient au compte-gouttes devant le stand des boissons, les lycéens copains d'Hackberry s'étaient rassemblés autour du pick-up, appuyés à la carrosserie, buvant des cannettes de bière, effleurant la chaîne d'arrimage de la croix, effleurant le bois noirci, pareil à un coquillage, la croix elle-même, parlant de plus en plus fort, leur nombre croissant au fur et à mesure que le symbole martyrisé d'un rejet se transformait en source d'anoblissement pour tous ceux qui avaient le privilège de se tenir en sa présence. Cet instant et ce qu'il impliquait, Hackberry ne devait jamais les oublier.

Il ne s'était peut-être pas passé plus d'un quart d'heure quand il ouvrit les yeux et se trouva en train de regarder Danny Boy Lorca.

«Pourquoi agitais-tu les bras en plein milieu de la rue? demanda Hackberry.

– Parce que mes visions ont pas de sens. Parce que tout ce qui nous entoure, c'est du petit bois attendant de brûler. Un ivrogne peut jeter une allumette dans les mauvaises herbes en bord de route et mettre le feu au monde. Des pensées de ce genre me poussent toujours à sortir là en agitant les bras.»

Danny Boy ne précisa pas où se trouvait «là», et Hackberry ne lui posa pas la question. Il dit: «Mais tu as fait ton boulot. C'est notre faute à nous si on n'écoute pas les types comme toi.

– Alors pourquoi on m'a fait ce cadeau? De me trouver enfermé comme un ivrogne dans une cellule de Blanc?

– Vois les choses autrement. Tu préfères passer la nuit dans ma prison, ou être un de ces types qui ont des oreilles et qui n'entendent pas?»

Danny Boy s'assit, ses épais cheveux comme un casque sur sa tête, le regard toujours voilé. Il fixa le plafond, le couloir et les nuages de poussière jaune qui se déplaçaient dans le ciel. Puis il tourna la tête et accommoda sa vue sur le visage d'Hackberry. Ses yeux semblaient dotés de la mauvaise vue d'un bleu glacé qui est celle d'un homme affligé d'une grave cataracte. «Vous allez trouver l'homme que vous cherchez, dit-il.

– Un certain Prêcheur?

– Non, c'est un Chinois, ou un type dans le genre. Le mec que vous avez toujours voulu tuer sans jamais vouloir l'admettre.»

443

« On a localisé le numéro de téléphone, dit Pam depuis le haut de l'escalier métallique. C'est une réserve de chasse dans les Glass Mountains. » Elle dévisagea Hackberry. « Tu t'es endormi ?

– J'ai somnolé un petit peu.

– Tu veux contacter le shérif de Pecos ou de Brewster ?

– Arrange-toi pour qu'on ait une voiture à l'aéroport.

– On n'est pas certains que Cistranos soit à la réserve.

– Quelqu'un y est. Il faut qu'on sache qui.

– Il y a autre chose. Maydeeen a reçu un appel d'un type qui n'a pas voulu dire son nom. Il ne voulait parler qu'à toi. Son numéro était masqué. Elle lui a dit de rester en ligne le temps qu'elle aille chercher de quoi noter. Et il lui a raccroché au nez.

– C'était qui, à ton avis ?

– Il a dit que vous aviez une affaire en cours, lui et toi. Il a dit que vous étiez les deux faces opposées d'une même médaille. Il a dit que tu comprendrais ce qu'il voulait dire.

– Collins ?

– Tu connais quelqu'un d'autre qui donne des coups de fil comme ça ?

– Fais préparer l'avion », dit-il.

Une heure plus tard, ils décollaient dans le mauvais temps, des courants venteux qui secouaient les ailes et le fuselage du monomoteur, et faisaient vibrer toutes les aiguilles sur le tableau de bord. Plus tard, en dessous d'eux, Hackberry aperçut les pointes des pics cristallins appelés Glass Mountains, les mesas s'élevant comme des colonnes rouges et nues de débris volcaniques, ou d'une plaine alluviale devenue molle, flexible et ondulante, aussi brune que les terres au bord du Nil, semée de buissons verts, tout ça assiégé par une tempête de vent qui aurait pu sabler la peinture d'un château d'eau.

Puis ils se trouvèrent au-dessus d'une grande étendue entourée de barrières, où animaux domestiques et sauvages vagabondaient au milieu des mesquites, des chênes noirs et des *cottonwood*[1], comme la reproduction d'une savane créée par un philanthrope porté sur l'écologie.

« Que penses-tu de ces réserves de chasse ? demanda Pam.

— Ce sont des endroits super pour les cadres d'entreprise, pour les bons à rien des fraternités, les gens qui veulent tuer quelque chose, mais ne peuvent pas y arriver sans leur carnet de chèques.

— Tu me choques dès que tu ouvres la bouche », dit-elle.

---

1. Espèce de peuplier aux feuilles triangulaires.

26

Nick Dolan avait cessé d'envisager le temps en termes d'unités sur un calendrier, ou même de périodes de vingt-quatre ou de douze heures. Il ne l'envisageait pas non plus en termes d'événements, ou de vieilles rancœurs, ou de jalousie, ou de réussite en affaires. Il ne se laissait plus aller à des rêves secrets de vengeance contre les bourreaux de sa jeunesse, en particulier des connards d'Irlandais, en particulier Artie Rooney. Tandis qu'il regardait fondre ses comptes en banque et ses portefeuilles d'actions, tandis que l'IRS ciblait ses tirs sur ses récentes déclarations de revenus, Nick se rappelait son père parlant de la vie en Amérique pendant la Grande Dépression, quand les Dolinski étaient arrivés par un bateau sur lequel, à Hambourg, ils étaient montés à force de pots-de-vin.

Le père de Nick avait toujours parlé de cette époque avec nostalgie, plus qu'il n'évoquait les privations et les difficultés que la famille avait connues pendant les années passées dans le Lower East Side de New York et, plus tard, près de l'Industrial Canal, à La Nouvelle-Orléans. Quand Nick se plaignait de devoir aller à l'école où des brutes le tabassaient à tour de rôle ou lui volaient l'argent de son déjeuner, son père parlait avec tendresse des maisons communautaires de New York et des écoles publiques de La Nouvelle-Orléans, parce qu'elles étaient chauffées à la vapeur, et lui avaient offert du secours, de l'éducation et des chances à une époque où les gens mouraient dans les camps de concentration d'Hitler. Nick avait toujours envié les expériences et les émotions de son père.

Maintenant, alors que ses biens et son argent semblaient partir en morceaux dans un ouragan, Nick commençait à comprendre que les bons souvenirs de son père n'étaient pas un don, mais une prolongation de la force de caractère qui le définissait. Que ce soit dans le Bowery ou dans une école pour cols bleus dans les Iberville Projects, le père de Nick avait dû résister au même type de brutes croqueuses de Juifs qui avaient empoisonné la vie de Nick dans le Neuvième District. Mais son père n'avait pas laissé ses ennemis envahir sa vie d'adulte.

Sa nouvelle mesure du temps et de son passage tenait plus à des images mentales qu'à des dates de calendrier : ses enfants descendant la Comal River sur des bouées pneumatiques, la lumière du soleil glissant doucement sur leurs corps humides et bronzés ; le regard amusé et affectueux d'Esther après son retour de Phoenix et sa victoire verbale sur Josef Sholokoff (dont il ne lui parla pas et ne parlerait jamais à personne, de peur de perdre le nouveau sentiment de fierté que ça lui avait procuré) ; les sourires des employés de son restaurant, en particulier des Noirs ; et, ce qui n'était pas le moins important, la cartouche intacte de cigarettes qu'il avait arrosée d'essence et enflammée dans sa fosse à barbecue, disant aux nuages et à ceux qui y vivaient : *Devinez qui vient de fumer sa dernière cigarette ?*

Il avait même cessé de se faire du souci à propos d'Hugo Cistranos. Nick avait résisté à Josef Sholokoff, sous les yeux de ses sbires, sur sa propriété, sans autre parachute qu'un chauffeur de taxi pakistanais qui n'aurait pas dû avoir la licence pour rouler dans un tacot bon pour la casse. Qui étaient les véritables gladiateurs ? Des gens banals, hésitants, dénués de pouvoir, qui se redressaient alors que la brigade d'Hugo Cistranos fonçait vers un abri antiatomique.

Nick avait une autre raison de se sentir en sécurité. Ce cinglé appelé le Prêcheur Collins avait déployé sur sa famille le manteau de sa protection. Esther, c'est vrai, l'avait assommé avec une casserole, mais le grand avantage qu'il y avait à avoir un fêlé bigot à ses côtés, c'est que ses motivations n'avaient rien de rationnel. Collins fichait une trouille d'enfer aux méchants. Que demander de plus ?

Comme le disait toujours Esther, même accomplie par un cosaque, une bonne action reste une bonne action.

Nick avait commencé à soulever de la fonte dans un gymnase. Après la douleur initiale, il était étonné de la résilience que possédait encore son corps. En moins de deux semaines, il voyait une différence dans la glace, ou du moins il pensait la voir. Ses vêtements lui allaient bien. Il avait les épaules carrées, les yeux clairs, ses joues étaient moins molles. Se pouvait-il que ce fût aussi facile ? Et pourquoi pas ? Il venait d'une famille de travailleurs. Son grand-père n'avait été découragé par aucun travail physique, et s'était montré merveilleux et ingénieux avec ses mains quand il avait lui-même construit sa maison et créé un potager florissant au milieu de la pourriture urbaine. Le père de Nick était un petit cordonnier sec et nerveux, mais il était capable d'enfiler une paire de gants Everlast et de transformer un punching-ball en un lambeau de cuir. Même la mère de Nick, ronde et compulsive, qui le nourrissait trop et le surprotégeait et parfois le traitait comme un caniche, grattait son plancher à genoux deux fois par semaine, depuis la galerie jusqu'à l'escalier arrière. La famille Dolan, comme on les appelait en Amérique, ne s'arrêtait jamais.

Tandis que Nick se regardait de profil dans le miroir, rentrant son ventre, redressant le menton, ses bras agréablement raides, un peu douloureux d'avoir soulevé une barre de trente kilos, il pensa : *Pas mal pour Mighty Mouse.*

Même s'il n'aimait pas voir du sang couler du moindre orifice de son portefeuille d'actions, ses finances étaient encore, fondamentalement, formidablement solides. Il possédait toujours le restaurant, un endroit comme il faut, qui servait de la bonne nourriture et proposait de la musique de mariachis, et personne ne le lui enlèverait, du moins pas Josef Sholokoff ou Hugo Cistranos. Il avait toujours une hypothèque sur sa maison de San Antonio, mais pas sur sa maison de week-end à New Braunfels, sur la Comal, et il était déterminé à s'y accrocher pour ses enfants. Esther et lui avaient commencé avec quasiment rien. Pendant les cinq premières années de leur mariage, elle avait dû renoncer à ses cours à l'Université de La Nouvelle-Orléans et travailler à plein temps comme caissière à la Perle, pendant que Nick dirigeait la salle de jeu de Didoni Giacano jusqu'à cinq heures du matin, servant des boissons et du café et préparant des sandwichs pour des pétroliers texans qui faisaient devant lui des plaisanteries racistes, antisémites et sexistes, comme s'il était sourd. Puis il nettoyait leur pisse et leur vomi dans les toilettes, tandis que le soleil se levait et qu'un ventilateur poisseux ronronnait au-dessus de sa tête.

Mais cette époque était derrière lui. Esther était redevenue son Esther, et ses enfants étaient ses enfants. Ils ne formaient pas seulement une famille. Ils étaient amis et, plus important, ils s'aimaient et aimaient être ensemble. Ce qu'il possédait, il avait travaillé pour l'avoir. Que le monde aille se faire foutre. Que l'IRS aille se faire foutre. Nick Dolinski était arrivé, et c'était un sacré dur.

C'était le samedi après-midi, et Nick se détendait sur la terrasse de sa maison de week-end sur la Comal, lisant le journal et buvant un gin tonic. Des lucioles brillaient dans les arbres, et l'air avait des fragrances de feuilles, d'allume-charbon sur un gril, de fumée de viande s'étendant sur les lourdes ombres vertes au bord de l'eau.

Esther avait amené les enfants porter une boîte de ses brownies beurre de cacahuète-chocolat à une amie malade dans les faubourgs de San Antonio. Elle avait dit qu'ils ne rentreraient pas plus tard que six heures et demie, avec un dîner froid acheté chez un traiteur, qu'ils mangeraient sur le porche. Il regarda sa montre. Il était plus de sept heures. Mais parfois, sur une impulsion, elle décidait d'emmener les enfants au cinéma. Il ouvrit son portable pour vérifier les appels en absence, mais il était certain qu'il n'avait pas sonné de l'après-midi. Il posa son journal et appela le portable d'Esther. Il tomba sur sa messagerie.

« Esther, où êtes-vous. Je commence à penser que vous avez été enlevés par des extra-terrestres. »

Il entra dans la maison et vérifia le téléphone de la cuisine. Pas de nouveaux appels. Il tourna en rond. Il alla dans le salon et effectua un autre cercle. Puis il rappela le portable d'Esther :

« Ce n'est pas drôle. Où êtes-vous ? C'est Nick, l'homme qui vit avec toi. »

Il essaya le numéro de Jesse et tomba sur la messagerie. Mais Jesse était l'un de ces rares adolescents s'intéressant peu aux ordinateurs, aux portables, ou à la technologie en général. Il lui arrivait de laisser son portable coupé pendant des jours. Concernant son fils, la question la plus importante pour Nick était : Jesse s'intéresse-t-il à quelque chose ? Le gosse avait un QI de 160, et passait son temps à écouter de vieux disques de Dave Brubeck, à jouer aux fléchettes tout seul dans le jardin, ou à traîner avec les trois autres membres de son club d'échecs.

Nick se rendit compte qu'il s'inventait d'autres formes de souci pour ne plus penser qu'il ne parvenait pas à contacter Esther. Il sortit dans le crépuscule et prit son gin tonic sur l'accoudoir du fauteuil en cèdre rouge. Il le but debout, une main sur la hanche, broyant la glace entre ses molaires, suçant et avalant la tranche de citron, les yeux fixés sur les rapides bouillonnant, et sur le tourbillon plus loin sur la rivière. Il se toucha le front, et le trouva aussi tendu et dur qu'une planche à laver.

À l'intérieur, le téléphone sonna. Il faillit se casser un orteil sur les marches de derrière pour décrocher avant qu'il ne bascule sur la messagerie. « Allô ? haleta-t-il, hors d'haleine.

– Papa ?

– Tu t'attendais à tomber sur qui ? dit-il, en se demandant pourquoi il choisissait ce moment pour se montrer dur et impatient avec son fils.

– Maman t'a appelé ?

– Non. Tu ne sais pas où elle est ?

– Elle nous a laissés chez Barnes and Nobles. Elle est retournée chercher quelque chose chez le traiteur. Ça fait une heure.

– Kate et Ruth sont avec toi ? Vous êtes encore à San Antonio ?

– Oui, mais le traiteur n'est qu'à trois rues d'ici. Où a-t-elle pu aller ?

– Elle n'est pas retournée chez madame Bernstein ?

– Non, madame Bernstein est allée à Houston avec sa fille. On a fait tout ce chemin pour lui porter des brownies, et elle n'était pas là.

– Avez-vous vu des types étranges autour de vous ? Comme si quelqu'un vous observait ou vous suivait ?

– Non, quels types étranges ? Je croyais que tous les trucs qui t'inquiétaient étaient finis. Où est maman ? »

Pam Tibbs et Hackberry Holland, dans leur véhicule d'emprunt, suivaient une deux voies sinueuse qui longeait un ruisseau à sec bordé de *cottonwoods* ployés par le vent, leurs feuilles déchiquetées emportées très haut dans l'air. À l'est ils voyaient des pâturages irrigués et une longue formation calcaire horizontale qui ressemblait à une muraille romaine traversant le bas d'une colline. La voiture vibrait dans le vent, des gravillons et des feuilles de genévrier semblables à des aiguilles cliquetant contre le pare-brise. Ils pénétrèrent dans ce qui paraissait être un autre domaine, sec et semé de broussailles, de plantes pointues et d'épais buissons, un terrain qui semblait abandonné aux puissances darwiniennes, le tout entouré d'une immense barrière en barbelé pour le gibier, comme on en voit le long des routes dans les Rocheuses canadiennes.

« Merde, c'était quoi, ça ? » dit Pam, tournant brusquement la tête sur le côté.

Pendant qu'elle conduisait, Hackberry regarda par la vitre arrière. « Je crois que ça s'appelle un oryx, ou quelque chose

451

comme ça. Les endroits comme celui-là me donnent toujours une idée. Et si les visiteurs avaient le droit de se chasser mutuellement ? Les barrières pourraient être électrifiées, et les gars pourraient y entrer avec des permis de trois jours pour se buter dans les broussailles. Je trouve que l'idée vaut qu'on s'y attarde. » Il l'entendit rire sous cape. « *Quoi ?* dit-il.

– Mon Dieu, tu es un cas.

– Je suis censé être ton supérieur, Pam. Pourquoi est-ce que je n'arrive pas à te mettre ce concept simple dans la tête ?

– Va savoir, patron. »

Il abandonna et resta silencieux tandis qu'ils suivaient la route. Maintenant, il n'y avait plus de *cottonwoods* ni de lit de ruisseau semé de gravier ; le terrain était constitué d'arroyos tortueux, de collines couvertes de broussailles, de plates étendues de *hardpan* où paissaient des animaux sauvages, tels que des bisons, des élans, des gazelles. C'était un lieu irréel, fermé par des collines qui semblaient absorber la lumière dans leur ombre, couvertes par des nuages aussi jaunes et rêches que du soufre.

« J'ai quelque chose à te dire », dit Pam.

Il continua à regarder par la fenêtre sans répondre.

« Je pense qu'il t'arrive de te réfugier dans un endroit de toi-même qui n'est pas bon pour toi. Je pense que c'est là que tu es maintenant. Je pense que c'est là que tu as été toute la journée.

– Et où se trouverait cet endroit ?

– Comment le savoir ? Tu n'en parles à personne, et surtout pas à moi. »

Il fixa longtemps son profil, imaginant qu'il la forcerait à le regarder en face, pour lui faire admettre la nature de son agression sur sa sensibilité. Mais elle était concentrée sur la route, ses mains posées sur le volant en position dix heures-deux heures.

« Quand ça sera terminé... dit-il.

– Tu feras quoi ?

– Je t'emmènerai dîner. Ou je te donnerai quelques jours de vacances. Un truc comme ça. »

Elle ferma les yeux une seconde, puis les rouvrit comme si elle sortait d'une transe. « Tout ce que je peux dire, c'est que jamais de ma vie je n'ai rencontré quelqu'un comme toi, dit-elle. Absolument personne. Jamais. »

Ils suivirent un virage et virent une arche au-dessus d'une *cattle guard* et, à l'extrémité d'une route goudronnée, un bâtiment de rondins de deux étages avec un toit pointu de métal vert. Les rondins du bâtiment n'avaient pas été écorcés et, au fil des ans, ils avaient été assombris par la pluie et la fumée des feux d'herbes, et donnaient l'impression rustique typique des casinos et des bars de bord de route, dans l'Ouest. À la même hauteur, devant la bâtisse, les drapeaux américain et texan battaient sur deux poteaux de métal différents. Des bois de cerfs et ce qui ressemblait à des ossements de bétail étaient entassés, comme un cairn, près de l'arche, un ruban rouge incongru flottant depuis l'orbite d'un crâne de vache. Un SUV et deux pick-up neufs étaient garés près du porche, leur peinture cirée de frais et poudrée de la poussière de la tempête. Chaque détail semblait raconter une histoire. Mais il n'y avait personne en vue, et une fois de plus Hackberry se rappela les toiles d'Adolf Hitler, capable de reproduire le moindre détail d'un décor urbain, excepté les êtres humains.

« Ralentis, dit Hackberry.

– Qu'y a-t-il ?

– Arrête. »

Pam appuya doucement sur le frein, balayant des yeux l'avant du bâtiment, la terrasse d'un côté et les tables extérieures munies de parasols. Hackberry baissa sa vitre. Il n'y avait aucun bruit, hormis celui du vent. Aucune lumière, sauf une seule, dans les profondeurs de la maison. Aucun des parasols insérés dans les tables n'avait été fermé en prévision de la tempête, et trois d'entre eux avaient été retournés, leur toile frémissant autour des tiges d'aluminium. Un cheval sellé broutait sur la pelouse de derrière, tirant ses rênes derrière lui, son crottin frais brillant sur l'herbe. Un étrier était accroché au pommeau, comme si quelqu'un l'avait mis de côté pour raccourcir la sangle, et avait été interrompu dans son travail.

« Regarde le tas de bois près de la clôture, dit-il. Quelqu'un coupait du bois et a laissé tomber sa hache. Cette pelouse est comme un green de golf, mais quelqu'un laisse son cheval se soulager dessus.

– On est dimanche. Peut-être qu'ils sont bourrés.

– Avance jusqu'à la porte.

– Tu veux que je demande des renforts ? On peut annuler, si on veut.

– Non. Passe par-derrière. Moi j'entrerai par-devant. N'entre pas avant que leur attention ne soit fixée sur moi.

– Pourquoi ?

– Parce que je le dis. »

Elle coupa le moteur et fit le tour de la maison, sa chemise kaki enfoncée dans son jean, la main droite posée sur la crosse du .357 dans son holster. En cet instant, des détails concernant Pam frappèrent Hackberry comme jamais : sa croupe tendue contre son jean, les rondeurs de bébé sur ses flancs, la minceur de ses épaules, et la symétrie parfaite de ses bras, ses seins ronds pressés contre sa chemise, la façon dont ses cheveux couleur acajou aux pointes bouclées se soulevaient dans le vent et dégageaient ses joues.

Pam, crut-il s'entendre dire. Mais s'il avait prononcé son nom, il s'était perdu dans le vent.

La porte de devant était entrouverte. Il mit la main sur son revolver et fit pivoter la porte sur ses gonds. Il se trouva dans un vestibule sombre, bordé de patères de cuivre inutilisées. Plus loin, il voyait un grand salon avec une cheminée de pierre et un foyer, de lourdes tables de chêne et des fauteuils de cuir sombre rembourrés. Au fond il y avait une salle à manger, une longue table dressée, avec de l'argenterie, des assiettes, des verres, et une cuisine remplie de fumée et de l'odeur de la viande carbonisée.

Sur la droite du foyer, il y avait un bar, les portes-fenêtres légèrement ouvertes. À travers la vitre, il vit des trophées de chasse fixés sur les murs. Le dessus du bar était propre et brillant, les bouteilles de bourbon, de scotch, de gin, de vermouth, étincelant des reflets multicolores d'un antique juke-box Wurlitzer.

Il poussa l'une des portes-fenêtres et entra dans la pièce. Quelque part dans l'ombre, dans un coin du bar, il entendait un son irrégulier, comme un objet dur au bout d'une ficelle frappant sur un morceau de bois. Il sortit son .45 de son holster et arma le percuteur, le canon toujours pointé vers le sol.

Une flèche de lumière surgit dans le fond et Hackberry comprit que Pam Tibbs venait d'entrer par-derrière et avançait vers le bar, tenant son .357 des deux mains. Il leva la paume pour qu'elle voie la lumière se refléter sur sa peau. Elle s'arrêta et attendit, son arme dirigée vers le haut à 45 degrés.

La fumée de la cuisine s'insinuait dans le salon, la puanteur de la viande brûlée différente de toutes celles dont il avait le souvenir. Puis il vit les douilles sur le sol, toutes des .45, éjectées en une telle profusion qu'elles ne pouvaient venir que d'un seul type d'arme.

Il pointa son revolver devant lui, fit le tour des tables et obliqua vers le bar, se rapprochant du coin de la pièce où continuaient les bruits de chocs irréguliers. Il voyait maintenant les trous dans le capitonnage de vinyle des boxes, les éclats arrachés aux boiseries, et encore d'autres trous comme cousus sur les murs. Il voyait les pieds des verres de bière et les bouteilles à long col explosées sur le dessus des tables. Il voyait les hommes qui soit avaient été pris par surprise dans la première rafale, soit avaient été rassemblés contre un mur avant de se faire descendre, incrédules, sans doute, terrifiés et essayant de marchander jusqu'à la fin.

«Dieux du ciel», dit Pam derrière lui. Elle pointait toujours son arme des deux mains devant elle. Elle regarda à droite et à gauche, puis effectua un cercle complet avant de rengainer. «Qui sont ces types?

– Je l'ignore. Appelle quelqu'un. Dis au répartiteur d'envoyer tout le personnel médical disponible.»

Trois hommes étaient morts dans un box. Leurs nuques avaient explosé sur le revêtement de pin du mur. Deux autres hommes étaient allongés derrière une table de poker. Leurs jetons étaient encore empilés, leurs cartes retournées sur le feutre. Les balles, en ressortant dans leurs dos, avaient aspergé le mur à plus d'un mètre du sol là où ils étaient tombés.

«D'où vient ce bruit de chocs?» demanda Pam.

Hackberry s'approcha de l'extrémité du bar. Un homme était allongé sur le dos dans l'ombre. Il avait un trou tout en haut de la cuisse, un dans le ventre et un dans la nuque. Ses lèvres étaient serrées en cône, comme s'il suçait un bonbon, ou qu'il essayait de comprimer un terrible éclat de douleur qui pénétrait dans ses viscères. Une flaque de sang s'étendait de son flanc sur le sol. Il avait un visage rond et blanc, qui contrastait avec ses sombres pattes de péquenaud et ses yeux qui brillaient comme des obsidiennes, enfouis dans les replis de sa peau.

Il portait des bottes pointues en autruche, et son pied gauche frappait spasmodiquement le côté du bar. Hackberry remit son revolver dans son holster et s'agenouilla à côté de lui. « Qui vous a fait ça, mon gars?»

L'intérieur de la bouche de l'homme était rouge de sang, sa voix à peine plus qu'un murmure. «Collins. Le Prêcheur Collins. Lui et Bobby Lee.

– Bobby Lee Motree?»

En guise de réponse, l'homme ferma et ouvrit les yeux. Il dit :

«Oui, monsieur.

– Quel est votre nom?

– T-Bone Simmons.

– Pourquoi Collins vous a-t-il descendu ?

– Il a tiré deux cent mille balles à Hugo. Mais il voulait aussi Hugo. »

Hackberry tourna la tête vers les autres corps. « Hugo Cistranos ?

– Oui, monsieur.

– Collins a enlevé Cistranos ? »

T-Bone étouffait dans son sang et sa salive, et n'essaya pas de répondre. Pam tendit à Hackberry un torchon qu'elle avait trouvé derrière le bar. Hackberry approcha le torchon de la tête de T-Bone. « Je vais tourner votre tête sur le côté pour vider votre bouche. Tenez bon. Une ambulance est en route. Où sont partis le Prêcheur et Bobby Lee ?

– Sais pas. Ils avaient une…

– Prenez votre temps, mon gars.

– Une femme dans leur voiture.

– Il y avait une femme avec le Prêcheur et Bobby Lee ?

– La femme du Juif. On devait la descendre. Elle devait s'en prendre une dans la bouche.

– Vous parlez de la femme de Nick Dolan ? »

T-Bone ne répondit pas. Une odeur métallique montait de sa bouche.

« Vous perdez beaucoup de sang, dit Hackberry. Je vais vous rouler sur le flanc et on va boucher ce trou que vous avez dans le dos. Vous êtes d'accord ?

– J'ai la colonne brisée. Je ne sens plus rien en dessous.

– Où le Prêcheur a-t-il emmené Cistranos et madame Dolan ?

– En enfer, j'espère.

– Allons, mon vieux. Ne laissez pas le Prêcheur et Bobby Lee s'en tirer comme ça. Où ont-ils pu aller ?

– Le Prêcheur peut faire des choses que personne d'autre peut faire. »

C'était inutile. Une étrange transformation avait commencé à se produire dans les yeux de T-Bone, une transformation qu'Hackberry avait vue dans les antennes médicales militaires,

457

et dans une cabane pour prisonniers de guerre, où il faisait en dessous de zéro, et où des hommes avec des cristaux de glace dans la barbe regardaient intensément tout ce qui les entourait, comme s'ils prenaient la mesure du monde, alors qu'en réalité ils ne voyaient rien, ou du moins rien dont ils aient pu faire part au monde.

« Mon rôti, dit T-Bone.

– Pardon ?

– Mon rôti est en train de brûler. C'est de l'addax. Ça coûte cinq mille dollars pour en tuer un.

– Ne vous inquiétez pas de ça. On va s'en occuper, dit Hackberry en levant les yeux sur Pam Tibbs.

– Je cuisine bien, dit T-Bone. Depuis toujours. » Puis il ferma les yeux et mourut.

Pam Tibbs s'éloigna, les mains sur les hanches. Elle resta immobile, les yeux fixés sur le sol, le dos tourné à Hackberry.

« Qu'y a-t-il ? demanda-t-il.

– J'ai vu une caméra de surveillance installée dans le coin du bâtiment. L'objectif est dirigé sur le parking. »

Il jeta un coup d'œil sur la télé au-dessus du bar. En dessous, il y avait un écran de contrôle. « Regarde s'il y a une bande. »

Bobby Lee Motree mit la main sur l'épaule d'Hugo Cistranos et l'accompagna au bord de la falaise, comme deux amis qui profitent d'une vue panoramique sur un paysage aussi vieux que la création. Tout en bas, Hugo Cistranos apercevait le sommet des *cottonwoods* le long du lit de rivière asséché par la fin de l'été, et dont les rives étaient souillées de débris automobiles pointant du sol comme des lames de rasoir rouillées. Plus loin de la falaise, il y avait un bouquet d'arbres dont les branches portaient encore des fleurs. Au-delà du lit du ruisseau et des arbres, il y avait une longue étendue plate où le vent projetait dans l'air d'épais grumeaux de poussière jaune. La vue qui s'étendait devant Hugo Cistranos ne ressemblait à rien de ce qu'il avait jamais vu, comme si ce lieu et les événements qui s'y déroulaient avaient été inventés spécialement pour cet instant, injustement, sans qu'il ait consenti à y participer. Il écarquilla les yeux et cracha dans le vent, s'écartant de Bobby Lee, désireux de manifester sa déférence et son intérêt. « Je venais juste apporter l'argent, dit-il.

– C'est sûr, Hugo. On est contents que tu l'aies fait », dit Bobby Lee.

Le plateau était en calcaire, couvert d'une douce moquette de terre et d'herbe étonnamment verte. Le vent était frais, semé de pluie, et sentait les feuilles humides et peut-être le commencement d'une nouvelle saison. À vingt mètres de là, le Prêcheur Collins parlait en espagnol à deux Mexicains qui avaient le don de l'écouter, absorbant le moindre de ses mots, sans jamais discuter ni le conseiller, leur mutisme comme une affirmation de sa volonté.

Leur pick-up était garé près de la Honda du Prêcheur, dont la vitre arrière était percée d'un trou qui ressemblait à un œil de cristal. La femme était assise sur le siège arrière, avec une expression traduisant moins la colère que la réflexion, son sac à main et une boîte de brownies à côté d'elle. Qu'est-ce que le Prêcheur avait l'intention de lui faire ? Pas du mal, certainement. Et si le Prêcheur n'avait pas l'intention de lui faire de mal, il ne ferait peut-être pas de mal à Hugo, du moins pas en sa présence, se disait Hugo.

« Magnifique, n'est-ce pas ? dit Bobby Lee. Ça me rappelle la vallée de Shenandoah, avec moins de verdure.

– Ouais, je vois ce que tu veux dire », dit Hugo. Il baissa la voix. « Je suis un soldat comme toi, Bobby Lee. Parfois, j'exécute des ordres qui me plaisent pas. On a fait beaucoup de choses ensemble. Tu me comprends, fiston ? »

Bobby Lee serra l'épaule d'Hugo de façon rassurante.

« Regarde là-bas. Regarde les biches qui courent dans le vent. Elles jouent. Elles savent que l'automne est dans l'air. On peut le sentir. C'est comme les feuilles humides. J'adore ça. »

En regardant en face le visage de Bobby Lee, il comprit pour la première fois de sa vie la différence entre ceux qui ont une prise ferme sur le jour et le lendemain, et ceux qui n'en ont pas.

Le Prêcheur termina sa conversation avec les Mexicains et s'approcha de la falaise. «Donne-moi le portable d'Hugo», dit-il à Bobby Lee.

Le Prêcheur portait une veste de costume, un feutre chiffonné et un pantalon sans pli, un revers rentré dans sa botte. Tandis qu'il composait un numéro sur le portable, le vent soulevait sa veste. «Quand Arthur Rooney répondra, tu lui diras : "J'ai fait ce que tu m'as demandé, Artie. Tout s'est bien passé." Puis tu me tendras le téléphone.»

Hugo dit : «Artie va rien comprendre, Jack. Pourquoi je dirais : "Tout s'est bien passé"? J'apportais juste l'argent. Artie pourrait dire n'importe quoi, parce qu'il ne saurait pas ce que je veux dire. Et ça pourrait te donner une mauvaise impression. Tu vois ?»

Le Prêcheur sortit de sa poche une boîte d'Altoids. Il ouvrit le couvercle et se mit une pastille sur la langue. Il en donna une à Bobby Lee et en proposa une à Hugo, mais Hugo secoua la tête.

«Tu vois ces arbres, là-bas, avec ces fleurs dans les branches ? dit le Prêcheur. Certains les appellent des arbres à pluie. D'autres disent que ce sont des mimosas. Mais beaucoup de gens les appellent arbres de Judas. Tu sais pourquoi ?

– J'y connais rien dans tout ça, Jack, tu le sais bien.» Et pendant un instant la confiance et l'impression de familiarité qu'exprimait sa propre voix convainquirent presque Hugo que les choses étaient comme avant, et que Jack Collins et lui étaient encore associés en affaires, et même frères d'armes.

«L'histoire, c'est qu'après avoir trahi Jésus, Judas était désespéré. Avant de se pendre, il alla sur une falaise dans le désert et jeta dans l'obscurité ses trente deniers d'argent. Et à chaque endroit où une des pièces a atterri, un arbre a poussé.

Sur chaque arbre, il y avait ces fleurs rouges. Ces fleurs représentent le sang de Jésus. Voilà l'histoire de l'origine des arbres de Judas. Tu as froid ? Tu veux une veste ?

– Parle-lui, Bobby Lee.

– Ça dépend pas de moi, Hugo. »

Jack fit un clin d'œil à Hugo, appuya sur le bouton « Envoi » et mit le portable dans la paume d'Hugo.

Hugo haussa les épaules, le visage neutre, comme s'il cherchait à calmer un ami déraisonnable. Les cinq sonneries dont il espérait qu'elles l'enverraient sur la messagerie vocale furent les plus longues qu'il ait jamais entendues. À l'instant où il pensait qu'il allait être sauvé, Artie Rooney décrocha.

« C'est toi, Hugo ? dit Artie.

– Ouais, je…

– Où es-tu ? J'ai appris que ce cinglé de fils de pute avait enlevé la vieille de Nick Dolan.

– J'ai fait ce que tu m'as demandé. Tout s'est bien passé. »

Le Prêcheur prit le portable à Hugo, et le colla contre son oreille.

« J'espère qu'il est mort en frissonnant comme un chien qui marche sur du verre brisé, dit Rooney. Dis-moi que madame Dolan était avec lui, et ma journée sera parfaite. Ne me cache rien, Hugo. Je veux le moindre détail. Tu lui en as collé une dans la bouche, à cette garce, c'est ça ? Rien que d'y penser, ça me fait bander. »

Le Prêcheur referma le portable et le laissa tomber dans la poche de son pantalon. Il fixa le mélange de poussière et de brume passant sur le canyon, l'air contemplatif, la bouche comme une incision chirurgicale. Il se mit le petit doigt dans une oreille et en retira quelque chose. Puis il sourit à Hugo.

« Tout va bien ? dit Hugo.

– Parfaitement, dit le Prêcheur.

– Parce que avec le téléphone, il arrive que les mots soient brouillés, ou qu'on se comprenne mal.

– Pas de problème, Hugo. Viens faire un tour avec moi.

– Un tour où ?

– Un homme doit toujours avoir le choix. T'as déjà lu Ernest Hemingway ? Il disait que la mort n'est mauvaise que quand elle est prolongée et humiliante. Quand je rumine sur des choses comme ça, je vais faire un tour.

– Je comprends pas ce que tu me dis. Où on va ?

– C'est justement le problème. C'est à toi de choisir. Pancho Villa laissait toujours le choix à ses prisonniers. Ils pouvaient se mettre contre un mur avec un bandeau sur les yeux, ou se mettre à courir. Si c'était moi, je ne pense pas que j'aurais couru. Je me serais dit "Et merde". Je me serais pris une balle de Mauser. Les Winchester et les Mauser c'était la norme pour les troupes de Villa. Tu le savais ?

– Parlons une minute, Jack. Je ne sais pas ce qu'a dit Artie, mais il lui arrive de s'exciter. On aurait cru que les deux cent mille balles que je t'ai apportés étaient tirés de ses veines. Il arrêtait pas de hurler à propos de ce que tu lui as fait à la main, comme s'il l'avait pas cherché, ce que tout le monde sait. Allons Jack, calme-toi. Il faut mettre les choses en perspective, comme la dame dans ta voiture là-bas, je sais que tu veux prendre soin d'elle, tout le monde sait que tu t'es toujours conduit en gentleman et que t'as un code d'honneur que la plupart des gens ont pas, attends, pas la peine de continuer à marcher n'importe où, restons là une seconde, je veux dire là où on est en train de parler, je suis pas très bon pour les hauteurs, je l'ai jamais été, j'ai pas peur, je veux juste être raisonnable et m'assurer que tu comprennes que je vous ai toujours trouvés d'équerre, toi et Bobby Lee et, écoute, mec, t'as deux cents plaques et j'en soufflerai jamais un mot à personne, t'as ma parole, si tu veux te tirer du pays, si tu veux mon appart' à Galveston, t'as qu'à le dire, hein, Jack allons, waouh, je te dis la vérité, j'ai le vertige, mon cœur va pas tenir.

– Ne t'en veux pas pour ça, Hugo. Tu as fait ton choix. Bobby Lee et moi, on respecte ça, dit le Prêcheur. Garde les yeux sur moi. C'est ça, t'es un mec courageux. Tu vois, il n'y a pas de quoi avoir peur. »

Hugo Cistranos recula d'un pas dans l'air, les yeux fermés, les doigts tendus devant lui comme un aveugle qui tâtonne dans l'obscurité. Puis il plongea de cent mètres, à travers la canopée des *cottonwood* dans la rivière caillouteuse de la couleur de la neige sale.

27

Ce soir-là, il était presque dix heures quand Hackberry rentra chez lui. Lorsqu'il essaya de dormir, l'intérieur de ses paupières était sec et abrasif, comme si elles contenaient du sable, ou que ses cornées avaient été brûlées par l'éclair d'un chalumeau. À chaque fois qu'il pensait réussir à glisser dans le sommeil, il se sentait réveillé en sursaut par les images des hommes morts dans le bar de la réserve de chasse, ou, de façon moins dramatique, par la banalité d'un homme habité par le mal et qui, en mourant, regrettait d'avoir gâché le rôti d'un animal exotique qu'il avait payé le droit de tuer cinq mille dollars.

La bande que Pam Tibbs avait retirée de la caméra de surveillance leur avait été de peu d'utilité. Elle avait montré l'arrivée d'une Honda et d'un pick-up Ford. Elle avait montré le dos d'un homme vêtu d'un feutre, d'une veste de costume et d'un pantalon que le vent collait à son corps. Elle avait montré deux hommes de grande taille, pas rasés, en chemises western colorées et jeans délavés moulants qui soulignaient leurs parties génitales. L'un d'eux portait un objet allongé vaguement emballé dans un imperméable. La bande montrait aussi un homme avec un haut-de-forme cabossé et cerclé de sueur, le visage dans l'ombre, sa salopette à rayures bien repassée.

Mais elle ne montrait pas la plaque d'immatriculation du pick-up, ne révélant qu'une lettre et un chiffre de la Honda : un S et un 2. La valeur de la bande était minime, en dehors du fait que le S et le 2 confirmaient que le véhicule bombardé de pierres par Pete Flores était conduit par Jack Collins, et qu'il était possible qu'il en soit le propriétaire, éventuellement sous un nom d'emprunt.

Peut-être le regroupement de lettres et de chiffres sur la plaque réduirait-il la liste fournie par le DMV du Texas.

Le matin, Hackberry rappellerait Austin, et recommencerait. En attendant, il fallait qu'il dorme. En tant qu'aide-soignant dans la Navy, il avait depuis longtemps appris que Morphée n'octroie pas ses bienfaits si facilement, ni à si bas prix. Le sommeil auquel aspirent la plupart de gens survient rarement de ce côté de la tombe, sauf peut-être chez les véritables innocents, ou ceux qui sont prêts à hypothéquer leur lendemain. Se mettre un garrot, et regarder le sang monter dans une seringue hypodermique, ou teinter de quatre doigts de Jack Daniel's black un verre de glace pilée avec un peu de menthe écrasée, on était certain que ça marchait. Mais le prix à payer, c'est qu'on s'installait dans une contrée qu'aucune personne raisonnable n'a jamais eu envie de connaître.

Pendant toute la nuit, il entendit le vent secouer les volets anti-tempête contre leurs crochets, et s'engouffrer sous sa maison. Il vit des éclairs dans les nuages, l'éolienne dans sa prairie sud, momentanément apaisée, frémissant contre le ciel nocturne, ses chevaux courant dans l'herbe, se cognant contre les rails des barrières. Il entendit le tonnerre se déchaîner dans le ciel, comme un toit de métal lentement mis en pièces par les mains de Dieu. En sous-vêtements, il s'assit au bord de son lit, serrant dans sa main son lourd revolver bleu sombre à la crosse nacrée.

Il pensait à Pam Tibbs, à la façon dont elle le protégeait, et ne cessait de lui apporter à manger. Il pensa à la façon dont sa croupe remplissait son jean, à la hardiesse de son attitude, à son humeur fluctuante qui oscillait entre un éclair martial dans le regard et une chaleur intrusive qui le faisait reculer d'un pas et se mettre les mains dans les poches arrière.

Pourquoi penser à elle maintenant, en cet instant, assis sur le bord de son lit avec le froid d'un pistolet sur sa cuisse, comme un vieux fou qui pense toujours qu'il peut être celui qui donne la mort, et pas celui qui la reçoit ?

Parce qu'il était seul, que ses fils étaient loin, et parce que chaque seconde inutilisée qui tictaquait sur le réveil constituait un vol auquel il acceptait de participer.

Le lundi matin, il entra dans son bureau à sept heures, accrocha son chapeau tourterelle sur une patère de bois et sortit de son tiroir le fax du DMV contenant les cent soixante-treize assurés possibles de la Honda conduite par le Prêcheur Jack Collins. Il aplanit les pages sur son sous-main, plaça une règle sous le nom du premier assuré et commença à parcourir la liste. Il en était au septième nom quand le téléphone sonna. Celui qui appelait n'était pas quelqu'un qu'il avait envie d'entendre.

« Ethan Riser, dit Hackberry en essayant de dissimuler la résignation dans sa voix.

– J'ai appris que vous aviez passé une mauvaise journée à la réserve de chasse, dit Riser.

– Pas aussi mauvaise que les types que Jack Collins a expédiés dans l'autre monde.

– Deux de mes collègues ont dit que c'était un sacré bordel. Ils ont apprécié votre aide.

– C'est drôle. Je ne me souviens pas les avoir entendus dire ça.

– Alors vous êtes au courant pour la femme de Nick Dolan ?

– Non, pas les détails. Juste ce que m'a dit ce T-Bone Simmons. » Hackberry se pencha en avant, le dos raide. « Alors ?

– Elle a été arrêtée alors qu'elle était en voiture, ou enlevée, je suppose que ça dépend de la façon dont on voit les choses. On a retrouvé son véhicule sur une petite route près de l'I-10, à l'est de Segovia.

– Quand avez-vous appris ça ?

– Le jour où ça s'est passé, samedi après-midi. M. Dolan est un peu perturbé. Je pensais qu'il vous avait peut-être appelé.

– Répétez-moi ça. Vous avez su que madame Dolan a été enlevée samedi après-midi, mais moi je dois l'apprendre d'un criminel agonisant un jour après ? Et vous pensiez que j'avais sans doute eu un appel du mari de la victime ?

– Ou de mes collègues, dit Riser d'un ton las. Écoutez, shérif, ce n'est pas pour ça que je vous appelle. On a eu une information selon laquelle vous donnez asile à Vikki Gaddis et à Pete Flores.

– Je ne sais pas d'où vous tenez ça, mais ça ne m'intéresse pas vraiment. Vous savez pourquoi les cinglés d'extrême droite du coin ne font pas confiance au gouvernement ?

– Non, je l'ignore.

– C'est précisément le problème, monsieur. Vous l'ignorez. Tout le problème est là. »

Hackberry raccrocha. Trente secondes plus tard, la sonnerie retentit à nouveau. Il regarda qui appelait, prit le récepteur et, sans dire un mot, raccrocha une deuxième fois, son regard revenant à la liste de noms fournie par le fax du DMV.

Pam Tibbs entra dans son bureau et regarda par-dessus son épaule : « D'après le ton que tu avais, j'ai eu l'impression que tu parlais à Ethan Riser, dit-elle.

– Rien de tel qu'une conversation avec Riser. Les deux voix qu'on entend, c'est la sienne et son écho.

– Tu as assez dormi, cette nuit ? »

Il leva la tête. La silhouette de Pam se découpait contre la fenêtre, les pointes de ses cheveux éclairées par le soleil du matin. Derrière elle, il apercevait le mât argenté, et le drapeau qui battait fort dans le vent. « Je n'ai pas pris de petit déjeuner. Allons au café.

– J'ai une pile de papiers à trier dans ma corbeille, dit-elle.

– Non, tu n'as rien à trier », dit-il en prenant son chapeau à la patère.

Au café il commanda un steak, trois œufs brouillés, des céréales, des pommes de terre rissolées avec de la sauce, des tomates grillées, des toasts, de la confiture, un jus d'orange et du café.

« Tu penses que tu pourras tenir jusqu'au déjeuner ? » dit-elle. Elle avait les doigts noués sur le dessus de la table. Ses ongles étaient nets, sans verni et coupés court. Il y avait un éclat dans ses cheveux comme la lumière sur de l'acajou ciré. Derrière elle, des amarantes rebondissaient dans les rues, le toit de métal d'un vieil atelier de réparations faisant un bruit de ferraille, des éclairs frappant les collines au sud. «Tu essaies de me mettre mal à l'aise ? dit-elle.

– Pourquoi ?

– La façon dont tu me regardes.

– De quelle façon je te regarde ?»

Elle détourna les yeux, avant de le regarder à nouveau. «Tu me prends pour ta fille ?

– Non.

– Eh bien…

– Eh bien quoi ?

– Mon Dieu !» dit-elle.

Un calendrier était accroché sur un poteau non loin de leur box. Personne n'avait tourné la page depuis le mois de juin. Les jours de juin avaient été rayés au feutre noir jusqu'au 21. Hackberry se demanda quel événement de juin avait été important au point que quelqu'un ait indiqué que tous les jours antérieurs devaient être oubliés. Puis il se demanda pourquoi les événements d'après le 21 juin étaient à ce point insignifiants que personne n'avait pris la peine de tourner la page du calendrier jusqu'au mois suivant.

«Tu sais pourquoi, en prison, les gens utilisent l'expression "entasser du temps" ? demanda-t-il.

– Ça donne à une bande de débiles l'impression d'être intelligents ?

– Non, ça leur donne l'impression d'être normaux. Pour la plupart des gens, le but consiste à se débarrasser du temps. J'ai appris ça à No Name Valley, sous la grille d'égout. Je comptais les fils de mon pull pour ne pas avoir à penser au temps qui m'était volé.»

Elle tourna sur son doigt une chevalière de l'Université de Houston. La serveuse apporta le café et s'éloigna. Pam regarda un bus scolaire passer dans la rue, ses phares allumés dans le mélange de pluie et de poussière. «Tu es l'homme le plus inhabituel que j'aie jamais connu, mais pas pour les raisons que tu pourrais imaginer», dit-elle.

Il essaya de sourire, mais la voix étonnamment haute de Pam le gênait.

« Tu es doué d'une bonté innée que les communistes n'ont pas pu t'enlever. Mais je pense que, dans ta tête, Jack Collins est devenu le gardien qui t'a torturé en Corée du Nord. Collins veut te transformer à son image. Si tu le laisses faire, il l'emportera, et aussi le gardien du camp de prisonniers.

– Tu te trompes. Collins est juste une amibe défectueuse. Il ne vaut pas la peine qu'on y pense.

– Mens à Dieu, mens à tes amis, mais ne te mens pas à toi-même.

– Si tu veux faire avec moi de la psychologie de bazar, tu peux baisser la voix ?

– Il n'y a que nous dans la salle. »

Il jeta un regard de côté sans répondre.

« N'essaie pas de m'ignorer, Hack. » Elle avança la main droite sur la table et frappa la main de Hack de l'extrémité de ses doigts raidis.

«Tu crois que je ferais une chose pareille ? Tu crois qu'un homme intelligent manquerait de respect à une femme comme toi ?»

Elle se mordit un ongle et le regarda de façon bizarre.

Devant le bureau, Hackberry jeta un coup d'œil sur le ciel, déverrouilla la chaîne du mât, et descendit le drapeau en prévision de la tempête. Il le plia et le rangea dans son tiroir, puis se remit au travail sur la liste des assurés que lui avait fournie le DMV. Il parcourut deux fois toute la liste. Il commençait à voir flou. À quoi bon ? Si le FBI n'avait pu localiser Collins, comment le pourrait-il, lui ? Collins avait-il un pouvoir magique ? Était-il un griffon libéré de sa fosse, un souvenir de la graine du Mal présente dans le patrimoine génétique humain ? Il était toujours plus facile de penser au Mal comme

étant produit par des individus plutôt que par un effort pla-
nifié et couronné de succès de la part de sociétés et d'organi-
sations opérant avec un mandat. Des hommes comme Collins
n'étaient pas uniquement le produit de leur environnement.
Auschwitz et le massacre de Nankin n'étaient pas sortis du
vide.

Son téléphone sonna à nouveau. L'appel était masqué. « Vois
si c'est Ethan Riser ! » cria Hackberry à travers la porte. Il
entendit Maydeen prendre l'appel dans l'autre pièce. Quelques
instants plus tard, elle se tenait sur le seuil. « Il vaudrait mieux
que tu le prennes, dit-elle.

– Qui est-ce ?

– Le même trou-du-cul – pardon – le même type qui a
appelé hier et qui a dit que vous étiez les deux faces d'une
même médaille. »

Hackberry décrocha. « Collins ? dit-il.

– Bonjour, dit la voix.

– Je commence à en avoir marre de vous.

– Je vous ai observé aux jumelles, hier après-midi.

– On revisite les lieux de ses petits travaux meurtriers ?

– Je crains que vous n'ayez une fois de plus les idées
embrouillées, shérif. Je n'ai assassiné personne. Ils ont essayé
de me coincer. Et ils m'ont attaqué d'abord. Je n'étais même
pas armé. Un associé portait mon arme pour moi.

– Un associé ? Le terme est superbe. Le type avec l'imperméable sur le bras ?

– La caméra de surveillance a filmé ça ?

– Vous avez délibérément laissé la caméra de surveillance
intacte, n'est-ce pas ?

– Je n'y ai pas beaucoup réfléchi.

– Pourquoi avez-vous enlevé madame Dolan ?

– Qu'est-ce qui vous fait croire que j'ai fait une chose
pareille ?

– Vous avez laissé un témoin. »

470

Hackberry entendit Collins inspirer, comme s'il faisait passer de l'air entre ses dents pendant qu'il réfléchissait à sa réponse.

« Je ne le crois pas, dit-il.

– Vous croyez mal. Vous le rencontrerez à votre procès. J'ai une question à vous poser, ducon.

– Ducon ? »

Hackberry se pencha dans son fauteuil, un coude sur le sous-main, se massant une tempe. Maydeen et Pam le regardaient toutes les deux depuis la porte de son bureau. « Je ne vous connais pas très bien, mais vous semblez avoir un code de conduite. À votre façon, vous êtes peut-être même un homme d'honneur. Pourquoi voulez-vous à ce point faire du mal à madame Dolan ? Elle a trois enfants et un mari qui ont besoin d'elle. Libérez-la, mon vieux. Si vous avez un problème avec moi, très bien, mais ne punissez pas les innocents.

– Qui êtes-vous pour me faire la leçon ?

– Un alcoolique, et un coureur de jupons sans aucune autorité morale, monsieur Collins. Tel est l'homme auquel vous parlez. Laissez partir Esther Dolan. Elle n'est pas un personnage de la Bible. Elle est faite de chair et de sang, et elle est sans doute terrorisée à l'idée de ne jamais revoir son mari ni ses enfants. Vous voulez avoir ça sur la conscience ?

– Esther sait qu'avec moi, elle ne craint rien.

– Où est Hugo Cistranos ?

– Oh, vous le trouverez. Regardez le ciel. Ça prendra deux ou trois jours, mais vous le verrez tourner.

– Et vous pensez qu'elle n'a pas peur ? »

Il y eut un long silence.

« Bien essayé. J'ai toujours entendu dire qu'inculquer la culpabilité était une méthode de papiste.

– J'ai une enveloppe remplie de photos des neuf femmes terrifiées que vous avez passées à la mitraillette. Est-ce qu'elles ont hurlé quand elles sont mortes ? Est-ce qu'elles vous ont supplié dans une langue que vous ne compreniez pas ? Est-ce

471

qu'elles se sont dissoutes en une brume sanglante quand vous les avez aspergées avec une Thompson ? Est-ce que je décris la scène correctement ? Corrigez-moi si je me trompe. Dites-moi avec vos propres mots, je vous prie, quel effet ça vous a fait d'abattre neuf être humains sans défense, qui avaient si désespérément envie d'une vie nouvelle qu'elles ont permis qu'on leur remplisse le ventre de ballons d'héroïne ? »

Il entendait le Prêcheur respirer fort. Puis la communication fut interrompue.

Maydeen remplit une tasse café dans l'autre pièce et la lui apporta sur une soucoupe. Pam et elle le regardaient sans parler.

« Vous avez quelque chose à faire ? demanda-t-il.

– On l'aura, dit Pam.

– Je le croirai quand ça arrivera », dit-il en reprenant les feuilles de fax sur son sous-main, ses pouces froissant le bord du papier au point de le déchirer.

Au fil de la matinée, un détail apparemment insignifiant de sa conversation avec Jack Collins chatouillait sa mémoire et ne le laissait pas en paix. C'était le bruit de la respiration de Collins. Non, ce n'était pas ça. C'était la façon dont Collins respirait, et l'image de l'Hollywood du passé que ce son suscitait en lui. Collins semblait faire passer de l'air entre ses dents. Sa bouche devenait une fente, ses paroles laconiques et entrecoupées, son visage sans expression, comme celui d'un homme qui parle non à d'autres gens, mais à la persona qui vit en lui. Peut-être parlait-il comme un homme qui a un tic nerveux, qui étouffe et qui est en guerre contre les Furies.

Un homme aux lèvres sèches, avec une voix qui râpe comme si son larynx était grillé par les cigarettes ou le whisky, ou obstrué par la rouille. Un homme qui se faisait raser les tempes et se coiffait en arrière sur le dessus, un homme qui portait un chapeau et des vêtements d'une autre époque, son étroite ceinture remontée haut sur les hanches et son pantalon pas repassé rentré dans ses bottes western, peut-être comme un prospecteur d'autrefois, toute sa conduite marquée de la distinction démodée de la Frontière.

Hackberry retria les feuilles du fax et trouva la troisième page dans l'appareil. Il regarda le listing comme s'il le voyait pour la première fois. À quel point un homme de loi peut-il se montrer stupide, en particulier s'il se considère comme un spécialiste de sa propre époque ?

« Viens un peu ici, Pam », dit-il.

Elle resta à la porte. « Qu'y a-t-il ?

– Jette un œil aux noms sur cette page.

– Et alors ?

– Lequel se grave dans ton esprit ?

– Aucun.

– Regarde encore.

– Je ne comprends pas. »

Il mit son pouce sous un nom. Elle se tenait derrière lui, penchée, une main sur son bureau, son bras frôlant l'épaule d'Hackberry.

« F. C. Dobbs. Qu'a-t-il de si particulier ?

– Ce nom de F. C. Dobbs ne te dit rien ?

– Non.

– Tu n'as pas vu *Le Trésor de la Sierra Madre* ?

– Il y a longtemps.

– Humphrey Bogart joue le rôle d'un chercheur d'or complètement incapable, d'un perdant dont les vêtements sont en loques, et les lèvres si crevassées qu'elles sont sur le point de craquer. Quand il pense qu'il va être roulé, il fait une grimace à la caméra et dit : "Le jour où Fred C. Dobbs se fera avoir est pas encore arrivé."

– Collins se prend pour le personnage d'un film ?

– Non, Collins est un caméléon et un clown. C'est un type qui a fait son éducation lui-même, et qui est persuadé qu'une

473

carte de bibliothèque le rend plus intelligent qu'un diplômé du MIT. Il aime se moquer de nous.

– Peut-être que F. C. Dobbs existe vraiment. Peut-être que c'est juste une coïncidence ?

– Avec un type comme Jack Collins, il n'y a pas de coïncidences. Il est incompatible avec le monde.

– Il n'y a pas d'adresse pour Dobbs, juste une boîte postale à Presidio County ?

– Oui.

– Laisse-nous quelques minutes, à Maydeen et à moi. »

Mais quand Pam et Maydeen lâchèrent leurs téléphones, il était presque l'heure de partir. Pendant ce temps, Hackberry en avait plein le dos de Nick Dolan, qui avait appelé trois fois, de plus en plus énervé et irrationnel.

« Vous avez ma parole, monsieur Dolan. Dès que j'apprends quoi que ce soit au sujet de votre femme, je vous appelle en premier, dit Hackberry.

– C'est ce que dit le FBI. J'ai l'air d'un idiot ? Je donne l'impression d'être un idiot ? Je *suis* un idiot ? Dites-moi, dit Nick.

– Nous la retrouverons.

– Ils me suivaient. Ils mettaient ma ligne sur écoute. Mais ils n'ont pas pu protéger ma femme.

– Vous devriez voir ça avec le FBI, monsieur.

– Où êtes-vous ?

– Je suis assis dans mon bureau, là où vous venez de m'appeler pour la troisième fois.

– Où êtes-vous, sur une carte ?

– Vous n'avez pas à venir ici, monsieur Dolan.

– Je suis censé jouer avec mon zizi pendant que ce dingue kidnappe ma femme ?

– Restez chez vous, monsieur.

– Je monte dans ma voiture. Je suis en route.

– Non, vous n'êtes pas en route. Vous êtes… »

Communication interrompue.

Pam Tibbs pianota sur le montant de la porte. Elle avait un

bloc-notes dans la main gauche. «Voilà ce que j'ai trouvé. Il y a deux ans, un homme utilisant le nom de F. C. Dobbs avait un permis de conduire du Texas, mais il ne l'a plus. Sa location d'une boîte postale à Presidio a expiré. Il y a dix ans, un nommé Fred Dobbs, sans initiale intermédiaire, a acheté à une vente judiciaire deux cents hectares de terres sur le Big Bend. Il y avait quatre grandes parcelles. Il les a revendues six mois plus tard.»

Hackberry jouait avec son oreille. « Qui possédait le terrain avant Dobbs?»

Pam regarda ses notes. «Une certaine Edna Wilcox. J'ai parlé au shérif de Brewster. Il m'a dit que la femme Wilcox avait épousé un cheminot mort d'un empoisonnement alimentaire. Il dit qu'elle est morte d'une chute sans laisser d'héritier.

– Qu'est-il arrivé à Dobbs?

– L'employé du tribunal l'ignore, et le shérif aussi.

– Alors on est dans un cul-de-sac, dit Hackberry.

– Les bureaux sont fermés. On pourra recommencer demain. C'est encore Nick Dolan qui rappelait?

– Oui, il dit qu'il est en route pour venir ici.» Hackberry s'enfonça dans son fauteuil pivotant. La pluie battait les carreaux, et les collines autour de la ville disparaissaient dans la grisaille de l'après-midi. «À qui Fred Dobbs, sans lettre intermédiaire, a-t-il revendu le terrain?»

Pam tourna la page et étudia ses notes. «Je ne sais pas si je l'ai noté. Attends une seconde, j'y suis. L'acheteur s'appelait Bee Travis.»

Hackberry se croisa les mains derrière la tête.

«T-R-A-V-I-S, tu es sûre que c'est la bonne orthographe?

– Je crois. Il y avait des grésillements sur la ligne.»

Hackberry pianota des doigts sur le sous-main et regarda sa montre. « Appelle l'employé avant la fermeture du tribunal.

– Personne ne t'a dit que tu étais obsessionnel?» Elle vit son expression. «OK, je le fais.»

Deux minutes plus tard, elle revint dans son bureau. «Le prénom est bien l'initiale *B*, et pas BEE avec deux *e*. Le nom de famille est Traven, pas Travis. Je l'avais mal noté.» Elle détourna les yeux, puis le regarda et soutint son regard, la poitrine palpitante.

Mais il ne se préoccupait pas de ce qu'elle éprouvait.

«Collins s'est vendu le terrain à lui-même. Il a blanchi son nom, et il a blanchi l'acte.

– Je ne te suis pas.

– B. Traven était un écrivain excentrique qui a écrit *Le Trésor de la Sierra Madre*.

– Va dire ça à Ethan Riser.

– Je n'essaierais même pas. Réserve un véhicule, et prends tes affaires de nuit.»

Elle alla à la porte et la referma, puis retourna à son bureau. Elle s'appuya sur les paumes, sa poitrine pendant lourdement sous sa chemise. «Réfléchis à ce que tu fais. Si quelqu'un pouvait déchiffrer les pseudonymes de Collins, ça devait être quelqu'un qui a ta culture. Tu ne crois pas qu'il le sait? S'il est là-bas maintenant, c'est qu'il veut que tu le trouves?

– Son vœu risque d'être exaucé.»

28

« C'est de la grêle, dit le Prêcheur à la femme assise sur le lit de camp à côté de lui. Vous entendez ? Elle arrive tôt, cette année. Mais à cette altitude, on ne peut jamais savoir. Je vais ouvrir le rabat. Regardez dehors. Vous voyez, on dirait des boules de naphtaline qui rebondissent sur le désert. Regardez-les tomber. »

Le visage de la femme était gris, ses yeux sombres et remplis de colère, ses cheveux noirs tirés en arrière. Dans la pénombre de la tente, elle avait plus l'air d'une Andalouse que d'une Juive. Elle portait une robe d'été beige et des sandales romaines, et son visage, ses épaules et ses aisselles étaient encore humides du linge mouillé avec lequel elle s'était lavée.

« Un avion sera là demain. Le vent est trop fort pour qu'il atterrisse aujourd'hui, dit-il. Le pilote doit franchir ces falaises, c'est difficile quand le vent vient du nord.

– Vous devrez me droguer.

– Je vous demande juste de me donner un an. Est-ce un si grand prix à payer, alors que j'ai protégé votre famille et que j'ai épargné la vie de votre mari, qu'Arthur Rooney voulait voir mort ? Vous savez où est Arthur Rooney aujourd'hui, peut-être en cet instant même ? »

Il attendit qu'elle réponde, mais le seul bruit dans la tente était le cliquettement des grêlons à l'extérieur.

« Monsieur Rooney est sous les vagues, dit-il. Pas tout à fait encore sur la plaque continentale, mais pas loin.

– Je ne vous donnerais pas les rognures de mes ongles. Je m'ouvrirais les veines plutôt que de vous laisser me toucher. Si vous vous endormez, je vous coupe la gorge.

– Vous voyez, quand vous parlez comme ça, je sais que vous êtes Celle-là.

– Qui, celle-là ?

– Comme votre homonyme dans le Livre d'Esther. Elle était née reine, mais il a fallu Xerxès pour qu'elle en devienne une.

– Vous n'êtes pas seulement un criminel, vous êtes un imbécile. Vous ne distingueriez pas le Livre d'Esther d'un annuaire. »

Bobby Lee Motree se pencha dans l'ouverture de la tente, vêtu d'une veste en jean, son haut-de-forme retenu par une écharpe. Il tenait dans chaque main une assiette de fer-blanc. Les deux assiettes contenaient un unique sandwich, une cuillerée d'épinards en boîte et une de cocktail de fruits.

« Molo a acheté quelques trucs à l'épicerie, dit Bobby Lee. J'ai assaisonné les épinards avec du bacon et du Tabasco. J'espère que vous allez aimer.

– C'est quoi, cette merde ? dit le Prêcheur en regardant son assiette.

– Ce que ça à l'air d'être, Jack. Cocktail de fruits, épinards et sandwichs beurre de cacahuète-confiture », dit Bobby Lee.

Le Prêcheur jeta son assiette par l'ouverture de la tente. « Va en ville et achète quelque chose de correct, vide ces saloperies du frigidaire et enterre-les.

– Tu manges des sandwichs tous les jours. Tu manges dans des cafés dont la cuisine est plus insalubre que les toilettes. Pourquoi tu es toujours sur mon dos, mec ?

– Parce que je n'aime pas les sandwichs beurre de cacahuète-confiture. C'est si difficile à comprendre ?

– Hé ! Molo, le Prêcheur dit que ta bouffe est dégueulasse, cria Bobby Lee.

– Tu crois que je plaisante ? dit le Prêcheur.

– Non, Jack, je sous-entends juste que tu ne sais peut-être pas qui sont tes amis. Que dois-je faire pour que tu me reconnaisses ?

– Pour commencer, arrête de me servir ce genre de merde.

– Alors va te chercher à manger toi-même. J'en ai marre de te servir de Nègre.

– Je t'ai déjà interdit de parler comme ça devant moi. »

Bobby Lee referma le rabat et s'éloigna sans l'avoir fixé au piquet de la tente, ses semelles cloutées écrasant les grêlons. Le Prêcheur l'entendit parler aux tueurs mexicains, la plupart de ses mots perdus dans le vent. Mais un fragment d'une de ses phrases parvint à la tente, fort et clair : « Sa Grâce le bébé capricieux… »

Au début, Esther Dolan avait posé son assiette sur la table, avec l'intention évidente de ne rien manger. Mais après qu'elle eut écouté l'échange entre Bobby Lee et l'homme qu'ils appelaient le Prêcheur, ses yeux sombres étaient progressivement devenus plus pensifs, voilés, tournés vers l'intérieur. Elle prit l'assiette et la posa sur ses genoux, puis, avec son couteau en plastique, coupa son sandwich en quatre. Elle mordit un coin de l'un des carrés et le mâcha lentement, l'œil vague comme déconnectée de ce qui se passait autour d'elle.

Le Prêcheur attacha le rabat au piquet de la tente et s'assit lourdement sur son lit de camp. Il but une gorgée de café, son feutre bien ajusté bas sur son front, la calotte bordée d'une fine bande de sel séché.

« Vous devriez manger quelque chose, dit-elle.

– Mon repas principal est toujours celui du soir. Et malgré tout, ce n'est qu'un demi-repas. Vous savez ce que c'est ?

– Vous êtes au régime ?

– Un cheval a toujours une demi-citerne en lui. Il a assez de carburant dans l'estomac pour s'occuper de ses ennemis, ou les éviter, mais pas trop, pour ne pas le ralentir. »

Elle feignait de prêter attention à ses paroles, mais il était évident qu'elle n'écoutait pas. Bobby Lee avait mis une serviette en papier sous son assiette. Elle la retira et posa dessus un des quarts de sandwich. « Prenez ça. C'est riche à la fois en protéines et en sucre.

– Je n'en veux pas.

– Votre mère vous a donné trop de sandwichs beurre de cacahuète-confiture quand vous étiez petit ? C'est peut-être pour ça que vous êtes toujours un peu bizarre.

– Ma mère préparait tout ce qu'un ouvrier d'entretien apportait dans le wagon où on vivait. C'est aussi là qu'elle gagnait sa vie. Derrière une couverture suspendue à une corde.

– Qu'est-elle devenue ?

– Elle est tombée d'un rocher. »

Comme Esther ne répondait pas, il dit : « Après avoir empoisonné son mari. Ou lui avoir délibérément donné de la nourriture avariée. Ça lui a pris un moment, pour mourir.

– C'est vous qui inventez tout ça. » Avant qu'il ait pu répondre, elle emballa le morceau de sandwich dans la serviette et le posa sur le genou du Prêcheur.

« J'ai toujours entendu dire que les femmes juives sont des nourrisseuses compulsives. Merci, mais non merci », dit-il en posant sur la table le carré de sandwich.

Elle continua à manger, les épaules légèrement voûtées, avec un air pudique qui semblait à la fois intriguer et exciter le Prêcheur.

« Une femme comme vous, on n'en rencontre qu'une fois dans sa vie, dit-il.

– Vous êtes très gentil », dit-elle, les yeux baissés.

La nuit tombée, Hackberry et Pam Tibbs n'avaient pas réussi à trouver la maison peut-être occupée par l'homme qui prenait le nom de B. Traven. Sur les petites routes, au milieu de la pluie battante, des amarantes et de l'obscurité, ils trouvèrent peu de bornes kilométriques, de boîtes aux lettres rurales portant des numéros, ou de maisons éclairées. Une équipe sur un camion municipal leur dit qu'il y avait eu une panne de courant géante à Fort Stockton, près de la frontière. Personne, y compris les services du shérif, n'avait jamais entendu parler d'un nommé B. Traven. Un adjoint qui avait travaillé auparavant aux impôts déclara que Traven était un propriétaire absent qui résidait au Nouveau-Mexique, et louait sa propriété à des hippies ou à des gens qui allaient et venaient au gré des saisons, ou avaient tendance à vivre en marginaux.

À neuf heures et demie, Hackberry et Pam prirent des chambres contiguës dans un motel au sud d'Alpine. Le motel avait un groupe électrogène qui produisait suffisamment d'électricité pour rester fonctionnel pendant la tempête, les lumières extérieures brillant avec la faible intensité et le jaune terne des lampes à sodium. Un certain nombre de fêtards y avaient trouvé refuge, parlant à voix haute sur le parking et sur la coursive, claquant des portes métalliques si fort que les murs en tremblaient, portant dans leurs chambres des packs de bière et des cartons de fast-food. Lorsque Hackberry regarda par la fenêtre l'obscurité de la nuit, les éclairs dans les nuages, les étincelles électriques crépitant d'un transformateur endommagé qui essayait de se remettre en route, il pensa à des bougies papillonnant dans un cimetière.

Il ferma son rideau, s'assit sur le lit dans le noir et appela le service. Maydeen Stolz décrocha.

« Tu n'es pas de service, ce soir, dit-il.

– Vous l'êtes bien, Pam et toi. Pourquoi pas moi ?

– Jusque-là, on n'a rien trouvé sur B. Traven, ou sur le type qui se fait appeler Fred C. Dobbs. Des nouvelles d'Ethan Riser ?

– Rien. Mais Nick Dolan est venu. Pour venir, il est venu !

– Que s'est-il passé ?

– Je me suis mis des boules Quiès. J'en ai *vraiment* mis, je veux dire. Ce type a une voix comme une horde de Pygmées. Il est entré sans permission dans ton bureau, et il a dit qu'il attendrait que tu reviennes. Mais ce n'est pas tout.

– Quoi, encore ?

– Tu avais plié le drapeau dans ton tiroir ?

– Ouais.

– Je crois qu'il l'a emporté. Quand il est parti, le tiroir était ouvert, et le drapeau avait disparu.

– Que peut-il vouloir faire d'un drapeau ?

– Pose-lui la question.

– Et maintenant, où est-il ? »

481

– Je ne sais pas trop. Je crois qu'il est allé chez toi.

– Ne me dis pas une chose pareille.

– Qu'est-ce que Dolan peut faire, chez toi ?

– J'ai donné à Vikki Gaddis et à Pete Flores une idée approximative de là où on allait. Je pensais que Collins avait peut-être dit à Gaddis quelque chose qui ait un rapport avec les terrains qu'il a achetés et vendus sous un nom d'emprunt.

– C'était la chose à faire, Hack. Ne t'inquiète pas.

– Tôt demain matin, passe un coup de fil à Riser.

– Que veux-tu que je lui dise ?

– Donne-lui les informations qu'on a sur Collins. Dis-lui d'envoyer la cavalerie, ou de rester chez lui. C'est son problème.

– Hack ?

– Quoi ?

– Pam pense que Collins essaie de te voler ton âme.

– Et alors ?

– Pam ne pense pas de façon objective.

– Qu'es-tu en train de me dire ?

– Ne prends pas de risques avec Collins.

– Cet homme a une otage.

– D'une façon ou d'une autre, ils en ont tous. C'est leur arme la plus efficace contre nous. Fais sauter le caisson à ce salopard.

– Maydeen, tu es une brave femme, mais tu as un sérieux défaut. Je ne sais jamais vraiment quelle est ta position sur un problème. »

Après avoir refermé son portable, il resta assis sur le bord de son lit dans le noir, bientôt rattrapé par sa dure journée. Quelqu'un avait laissé tourner le moteur d'un véhicule diesel juste devant la fenêtre d'Hackberry. Le son faisait vibrer le mur et le sol, tachait l'air de fumées nuisibles et d'un martèlement incessant qui était comme un assaut délibéré sur les sens. C'était un acte typique d'un équivalent moderne des Vandales d'autrefois – dépourvus de sensibilité, stupides, en guerre avec la civilisation, comme quelqu'un qui fait des graffitis sur un mur fraîchement peint en blanc, ou qui étale ses déjections sur des meubles.

Les nazis n'étaient pas des idéologues. C'étaient des brutes, des saccageurs de civilisation. Leur éthique était aussi simple que ça. Hackberry avait le sentiment d'être entré dans une époque où les gangs qui vendaient du crack à leurs semblables et tiraient des coups de feu depuis une voiture avec des armes automatiques étaient traités comme des icônes culturelles. Dans le même temps, des motards blancs hors-la-loi faisaient passer de la meth dans chaque ville des États-Unis. Quand ils tombaient, c'était uniquement parce qu'ils étaient assassinés par des gens de leur sorte. Ils étaient comme des créatures sorties d'un scénario de *Mad Max*. Et comme toute forme de dissonance cognitive dans une société, ils existaient parce qu'ils étaient tolérés, et même célébrés.

À qui la faute ? Peut-être à personne. Ou peut-être à chacun.

Il ouvrit la porte et sortit sur la coursive. Un énorme pick-up rouge vif à cabine allongée était garé à moins d'un mètre de lui. Le moteur diesel faisait un tel bruit qu'il dut ouvrir et refermer la bouche pour se dégager les oreilles. Il entendait le grondement d'une fête à deux portes de là. Il traversa la pelouse jusqu'au parking et prit une brique au bord d'un parterre. La brique était fraîche et lourde dans sa main, et sentait légèrement la terre humide et l'engrais chimique.

Il retourna au pick-up et cassa avec la brique la vitre côté conducteur, déclenchant l'alarme. Puis il passa la main à l'intérieur, déverrouilla la porte et arracha le fil sous le tableau de bord. Il jeta la brique dans un buisson.

Une minute plus tard, le chauffeur, un homme pas rasé au jean couvert de graisse, arriva à son pick-up, horrifié. « C'est quoi cette merde ?

– Ouais, c'est vraiment dommage, dit Hackberry. À votre place, je porterais plainte.

– Vous l'avez vu ?

– C'était un type avec une brique », dit Hackberry.

483

Pam Tibbs avait ouvert la porte de sa chambre et buvait une bière sur le seuil. Elle portait un jean et un T-shirt bordeaux des Texas Aggies. « Je l'ai vu traverser la pelouse en courant, dit-elle.

– Regardez ma putain de bagnole.

– Le monde marche vraiment sur la tête », dit Pam.

Quelques instants plus tard, elle frappa à la porte verrouillée qui séparait sa chambre de celle d'Hackberry. « Tu craques nerveusement ? demanda-t-elle.

– Moi ? Jamais, dit-il.

– Je peux entrer ?

– Je t'en prie.

– Pourquoi tu restes assis dans le noir ?

– Pourquoi gâcher de l'électricité ?

– Tu penses à Jack Collins ?

– Non, je pense à tout. » Il était assis à la petite table de bois contre le mur. Dessus, il y avait un téléphone, et rien de plus. La chaise sur laquelle il était assis était utilitaire, comme peut l'être le bois. Pam s'avança dans une bande de lumière qui venait de la fenêtre, de façon qu'il pût voir son visage. « Tu penses qu'on tire dans le vide ? dit-elle.

– Non. Collins est dans le coin. Je le sais.

– Où, dans le coin ?

– En un endroit qu'on ne soupçonne pas. Qui ne fait pas partie du paysage. Pas un endroit dans lequel on va rechercher les malfaiteurs. Il ne sera pas entouré de putes, ni de dope, ni de biens volés, ni même d'armes. Il sera dans un endroit aussi naturel que les rochers et la boue.

– Qu'es-tu en train de dire, Hack ? »

Il haussa les épaules et sourit. « Où est ta bière ?

– Je l'ai bue.

– Ouvres-en une autre, ça ne me dérange pas.

– Je n'en ai acheté qu'une seule. »

Il se leva, la dominant de toute sa taille. L'ombre de Pam semblait se dissoudre contre son corps. Elle baissa la tête et croisa les bras. Il l'entendait respirer dans le noir.

« Je suis vraiment vieux, dit-il.

– Tu l'as déjà dit.

– Mon passé est trouble, et j'ai un mauvais jugement.

– Pas pour moi. »

Il posa les mains sur ses épaules. Elle glissa ses pouces dans ses poches arrière. Il vit une mèche grise dans ses cheveux soyeux. Il se pencha sur elle, les bras dans son dos, les mains lui effleurant les côtes et remontant entre ses omoplates et l'épaisseur de ses cheveux sur sa nuque. Puis il passa les doigts sur sa joue, au coin d'un œil, écarta de son front une boucle de cheveux.

Il sentit qu'elle se mettait sur la pointe des pieds, et avant qu'il ait pu s'en rendre compte, elle avait levé sa bouche à quelques centimètres de la sienne, le goût de levure de la bière touchant ses lèvres.

Quand le Prêcheur remonta la fermeture éclair de la tente en polyéthylène de Bobby Lee, la tempête s'était calmée, et le ciel était à nouveau d'un noir d'encre, éclatant d'étoiles qui s'étendaient d'un bout à l'autre de l'horizon, les mesas à l'est roses et à peine visibles sur le fond des rares cumulo-nimbus qui crépitaient encore d'éclairs.

Bobby Lee sortit la tête de son sac de couchage, les cheveux aplatis, les yeux embués de sommeil. « L'avion est arrivé ?

– Pas encore. Mais j'ai fait du café. Lève-toi. Je veux régler quelques trucs, dit le Prêcheur.

– Il fait froid.

– Mets ta veste et ton chapeau. Prends mes gants.

– Je n'ai jamais vu un froid pareil à cette époque de l'année.

– Je vais te chercher du café. Où sont tes chaussures ?

– Que se passe-t-il, Jack ? »

Le Prêcheur baissa la voix. « Je veux te donner ton argent maintenant. Ne réveille pas Molo et Angel. La femme non plus.

– Tu l'emmènes vraiment avec nous ?

– Tu pensais que j'allais faire quoi ?

– Tirer ton coup et te purifier le système ? »

Le Prêcheur était accroupi, en équilibre. Il regarda les flammes monter en spirale avant de s'aplatir sous la cafetière de fer-blanc qu'il avait posée sur la grille du réfrigérateur montée sur un cercle de pierres noircies. À la lueur du feu, il avait les yeux aussi vides que du verre, ses épaules pointant à travers sa veste de costume. « La grossièreté vis-à-vis des femmes ne fait pas honneur à un homme, mon fils.

– Tu as couché avec elle, dans la tente ? dit Bobby Lee en enfilant ses chaussures.

– Non. Jamais je n'aurais fait une chose pareille sans y avoir été invité.

– Elle nous a invités à la kidnapper ? Il y en a pas deux comme toi, Jack. » Bobby Lee s'extirpa de la tente, enfilant une veste de cuir noire doublée de mouton, étoilée de craquelures. « Où est la thune… »

Le Prêcheur mit un doigt sur ses lèvres et commença à suivre le chemin qui menait à l'ouverture de la grotte au flanc de la montagne, son corps légèrement penché en avant, une lanterne à batterie à la main. Il regarda derrière lui la grande tente où dormaient les deux tueurs mexicains, puis adressa à Bobby Lee un sourire énigmatique. « La fraîcheur d'avant l'aube n'a pas d'équivalent », dit-il. Quand il entra dans la caverne, l'obscurité l'enveloppa comme une cape.

« Jack ? demanda Bobby Lee.

– Ici », dit le Prêcheur. Il alluma la lanterne, qui produisit une lueur grise et voilée, et dessina sur les parois des ombres effilées.

Bobby Lee s'assit sur un rocher et regarda le Prêcheur sortir une mallette de derrière une palette de bois sur laquelle il lui arrivait de faire sécher ses vêtements.

« Je t'ai promis 10 %. Ça fait vingt mille dollars, dit le Prêcheur, qui s'accroupit pour dénouer la courroie de la mallette. Ça fait joli, ces liasses bien entourées de rubans de caoutchouc, non ? Qu'est-ce que tu vas faire de tout cet argent, Bobby Lee ?

– Je pensais louer un immeuble à Key West et y lancer une affaire de décoration. Là-bas, c'est rempli de riches enculés qui bâtissent des immeubles.

– J'ai une question à te poser, dit le Prêcheur. Tu te souviens quand tu m'as dit que Liam t'avait parlé de ma santé, de ce que je mangeais ou pas, ce genre de choses ? Je n'arrive pas à me sortir ça de la tête. Pourquoi ça vous intéressait tant que ça, ce que je mangeais, vous deux ? C'est un centre d'intérêt un peu bizarre pour des jeunes gens. Pas vrai ?

– Je ne me souviens même plus de quoi on parlait. » Bobby Lee bâilla. La fatigue brouillait son regard. Il tourna le visage vers l'air frais qui soufflait par l'entrée de la caverne. «Les étoiles sont magnifiques, au-dessus de ces falaises.

– Je ne parle pas de ce que tu manges ni de ce que tu bois, Bobby Lee. Ça n'a aucun intérêt pour moi. Alors pourquoi Liam et toi discutiez-vous de mon régime ?»

Bobby Lee secoua la tête. «On ne parle pas de ça maintenant.

– T'as toujours été loyal envers moi, Bobby Lee. C'est la vérité, non ? Pas de tentations, pour ainsi dire ?

– J'ai calqué ma vie sur la tienne.

– Tu vois cette petite fente de lumière, à l'est ? Derrière ces nuages. Une petite déchirure dans le noir. Notre pilote va nous conduire juste à travers ce trou de lumière, jusque dans le soleil. Ensuite, on effectuera un grand virage vers le sud, et puis on survolera le Mexique et on volera jusqu'à l'océan. Cet après-midi, on mangera des ananas et des mangues sur une plage, et on regardera des gens faire courir des chevaux dans les vagues. Mais il faut d'abord que tu me dises la vérité, sinon notre relation sera à jamais endommagée. Et il ne faut pas qu'il arrive une chose pareille, mon garçon !

– La vérité à propos de quoi ? Comment pourrais-je endommager notre relation ?

– Tu complotais avec Liam pour me faire du mal, Bobby Lee.

Les gens sont faibles. Ils ont la trouille et ils trahissent leurs amis. Je te pardonne pour ça. Tu t'es dit que tu jouerais au plus malin. Mais tu dois le reconnaître. Sinon, la seule conclusion que je pourrai tirer, c'est que tu me trouves stupide. Tu crois que je supporterais quelqu'un qui agit comme si j'étais stupide ?

– Tu n'es pas stupide, Jack.

– Qu'est-ce que je suis, alors ?

– Pardon ?

– Si je ne suis pas stupide et ignorant, alors je suis quoi ? Quelqu'un que tu peux tromper sans en payer le prix ? Quelqu'un sans honneur ni respect de soi-même, qui laisse les autres s'essuyer les pieds sur lui ? Alors, quoi ? »

Bobby Lee mit ses mains sur ses cuisses. Il regardait ses pieds, l'ouverture de la grotte et le paysage qui commençait à devenir gris avec l'aube. « Tout le monde pensait que tu perdais les pédales. Moi aussi, du moins pendant un moment. Mais tu as raison, j'étais égoïste et je pensais à moi. Puis je me suis rendu compte que tu étais le seul type que j'admirais, que Liam, Artie et Hugo et les autres n'étaient pas de véritables soldats, mais que toi, si.

– Vous alliez me buter, Liam et toi ?

– Ça n'allait pas jusque-là. »

Le Prêcheur souriait. « Allons, Bobby Lee. Tu as témoigné honnêtement de tes propres failles. Ne mets pas d'eau dans ton vin maintenant. Tu ternirais le courage et les principes que tu m'as montrés.

– Ouais, on a parlé de te descendre.

– Toi et Liam ?

– J'ai dit à Liam que c'était l'ordre d'Artie Rooney et d'Hugo. Mais j'ai conclu que c'était tous une bande de sacs à merde, et je t'ai téléphoné de mon portable pour te dire à quel point je te respectais.

– C'était juste avant que tu décides de laisser Liam se prendre une balle à bout portant dans les toilettes des femmes ?

488

Je dois te reconnaître ça. Tu sais louvoyer et te remodeler aussi vite que du vif-argent. »

Bobby Lee commença à parler, avant de se rendre compte que le Prêcheur avait déjà mis fin à la conversation et se tenait dans l'entrée de la grotte, les mains sur les hanches, regardant le vent rider les tentes en contrebas, observant la mystérieuse transformation du désert, de l'obscurité à une immobilité couleur d'étain évoquant une photographie qui se dessine dans un bain de révélateur. Puis le Prêcheur dit une chose que Bobby Lee n'entendit pas.

« Tu veux bien répéter ? » demanda Bobby Lee.

Le Prêcheur se tourna et tendit la main derrière la palette de bois. Inconsciemment, Bobby Lee ferma le bouton du haut de sa veste craquelée doublée de mouton, comme s'il se protégeait d'un courant d'air froid.

« Je t'ai toujours dit que je voulais que tu sois partie prenante de cette propriété, dit le Prêcheur. Ce sentiment n'a pas varié d'un iota. »

Plus bas, les tueurs mexicains et Esther furent réveillés par une explosion de mitraillette, et par le tintement de cosses de cuivre sur la pierre. Mais les sons furent si rapidement absorbés dans la terre que chacun se demanda s'il n'avait pas rêvé.

À la première lueur de l'aube, Hackberry et Pam Tibbs parlèrent à un vieillard et à un jeune garçon qui ramassaient des ordures dans un fossé à un carrefour boueux. Le terrain était plat et dur, marqué uniquement par des barrières et des chicanes grises de rouille et heurté par les amarantes. Au loin, vers l'est, le soleil était pâle et humide derrière une rangée de collines basses qui semblaient revêtues de givre, leurs crêtes découpées comme du verre.

« Traven ? dit le vieil homme. Non, il y a personne de ce nom par ici.

– Et Fred Dobbs ? demanda Hackberry.

– Non, monsieur, jamais entendu parler de lui non plus ». Le vieil homme était très grand et droit pour son âge, les mains durcies de cals, le visage allongé, aussi gros qu'une cruche, ses rides si profondes qu'elles abritaient des ombres. Il portait une salopette, une veste de toile jaune, et pas de casquette. Il étudia l'insigne sur la porte de la voiture, remarquant visiblement qu'Hackberry se trouvait en dehors de sa juridiction.

« Il y a un sacré gel, ce matin, hein ? » dit-il.

Hackberry lui montra des photographies de Jack Collins, de Liam Eriksson, de Bobby Lee Motree et d'Hugo Cistranos.

« Non, monsieur. S'ils habitent dans le coin, je les ai jamais vus. Qu'est-ce qu'ils ont fait, ces types ?

– Imaginez ce que vous voulez, dit Hackberry depuis la vitre côté passager. Connaissiez-vous une nommée Edna Wilcox ?

– Elle est pas morte d'un accident, ou d'une chute ?

– Je crois que si, dit Hackberry.

– Elle possédait un bon bout de terrain à une quinzaine de kilomètres, un peu plus loin, à l'est. Les gens le louaient de temps en temps, mais la maison a brûlé. Il y a des Mexicains qui travaillent là-bas. Montrez vos photos à mon petit-fils. Quand vous parlez, regardez-le bien en face. Il entend pas.

– Comment il s'appelle ?

– Roy Rogers. »

Hackberry ouvrit la portière passager et se pencha pour être au niveau des yeux du petit garçon. Les cheveux du garçon étaient noirs de jais, sa peau brune, ses yeux remplis d'une luminosité sombre parfois caractéristique des gens qui vivent enfermés en eux-mêmes.

« Tu connais un de ces hommes, Roy ? » demanda Hackberry.

Les yeux du garçon glissèrent sur les photographies qu'Ethan Riser avait envoyées au bureau d'Hackberry. Il resta immobile, le vent ébouriffant ses cheveux, le visage aussi inexpressif que de la glaise. Dans le silence, il s'essuya le nez du dos du poignet. Puis il jeta un regard de côté à son grand-père.

« Vous voulez bien m'aider ? demanda Hackberry au grand-père.

– Il remarque tout. Roy est un petit garçon intelligent.

– Monsieur ?

– Vous avez pas voulu me dire ce que ces hommes ont fait, mais vous voulez que lui et moi on vous aide. Apparemment, ça lui semble un marché à sens unique. »

Hackberry sortit du véhicule et s'accroupit, ravalant la douleur qui lui enflammait le bas du dos. « Ces hommes sont des criminels, Roy. Ils ont fait de très vilaines choses. Si je peux, je vais les mettre en prison. Mais j'ai besoin de gens comme toi et ton grand-père pour me dire où ils sont. Si tu as vu l'un d'eux, montre-le-moi du doigt. »

Le petit garçon regarda à nouveau son grand-père.

« Vas-y », dit le grand-père.

Le petit garçon effleura une des photos du bout du doigt.

« Où as-tu vu ce type ? demanda Hackberry.

– Au magasin, au printemps, dit le garçon, ses mots comme des blocs de bois aux arêtes arrondies.

– On a une boutique au carrefour voisin », expliqua le grand-père.

Hackberry tapota l'épaule du garçon et se leva. « Combien de maisons y a-t-il sur l'ancienne propriété Wilcox ? demanda-t-il au grand-père.

– Une cabane ici et là, des loges à sudation, des tipis, des trucs dans lesquels une bande de hippies fume de la marijuana.

– Vous avez dit qu'il y a un endroit qui a brûlé ?

– C'est là que les Mexicains faisaient du nettoyage. C'est là que vivait la femme Wilcox. Au fait, vous êtes le deuxième ce matin à poser des questions à propos de ces gens.

– Qui d'autre est venu ?

– Un petit bonhomme rondouillard dans une Cherokee avec un drapeau américain, et un jeune homme et une jeune fille avec lui. Le jeune homme avait une cicatrice sur le visage, comme si quelqu'un lui avait collé dessus une paille rose. Vous êtes un peu bizarres, dans le coin d'où vous venez.

– Où sont-ils allés ?

– Ils ont continué la route. Je peux vous dire comment y aller, mais les Mexicains vont sans doute s'enfuir en vous voyant arriver.

– Ils sont sans papiers ?

– Oh, bien sûr que oui. »

Hackberry nota la direction et remonta dans la voiture. Pam passa une vitesse et remonta lentement la route qui menait vers le nord, attendant qu'il parle. Un morceau de lune était encore bas dans le ciel, comme un glaçon sculpté.

« Le garçon a repéré Liam Eriksson, le seul dont on soit certain qu'il est mort, dit-il.

– Tu veux parler aux Mexicains ?

– Même si ça n'apporte rien, pourquoi pas ? »

Sans vouloir se montrer pompeuse, Esther pouvait dire qu'elle n'avait jamais redouté la mort. L'accepter sous la forme qu'elle prenait pour la plupart des gens – dans leur sommeil, à l'hôpital, ou à la suite d'une crise cardiaque – lui semblait pas cher payé, étant donné le fait que naître ne donnait de droit à personne. Les histoires de morts violentes que lui racontaient son grand-père et sa grand-mère, qui avaient survécu aux pogroms en Russie, étaient une autre affaire.

Le mot « pogrom » venait d'un ancien mot russe qui signifiait « tonnerre ». Il signifiait la destruction et la mort causées par des forces irrationnelles. Il signifiait la haine et la souffrance qui tombaient sur des gens impuissants sans cause, sans motif, sans raison. Et ceux qui les infligeaient appartenaient toujours à la même catégorie : ceux qui voulaient infecter le monde de ce mépris d'eux-mêmes qui était comme le triple six[1] tatoué qu'ils portaient depuis les limbes.

Après la fusillade, elle était restée immobile devant la tente, le froid aspirant la force de son corps, le vent gonflant la tente

---

1. Le chiffre du diable.

sur ses piquets, le flanc de la montagne noir contre un ciel qui, à l'est, se fondait en un bleu sombre.

Elle regarda l'homme appelé le Prêcheur descendre de la grotte, serrant d'une main sa mitraillette sur son flanc, le col de sa veste remonté, le rebord de son feutre baissé, de la fumée s'échappant du canon de son arme. Il était attentif à chacun de ses pas sur le sol durci, comme si sa vie, sa sécurité, son bien-être, étaient d'une importance énorme, tandis que l'homme qu'il venait de tuer s'effaçait de sa mémoire.

Les tueurs mexicains étaient aussi sortis de leur tente. La fumée du feu avait une odeur dense et douce, comme de la sauge qui brûle, ou des fleurs en boutons consumées par les flammes. Le Prêcheur se pencha et, à main nue, prit la cafetière de métal bouillante sur la grille du réfrigérateur et versa du café dans un gobelet de fer-blanc, sans jamais poser sa Thompson. Il but une gorgée, souffla sur le gobelet. Il regarda le givre sur les collines. « Ça va être une belle journée, dit-il.

– *Donde esta Bobby Lee ?* demanda Angel.

– Le garçon a trouvé la paix. Ne t'inquiète pas pour lui.

– *Esta muerto ?*

– S'il est pas mort, il faut que je me fasse rembourser cette arme.

– *Chingando, hombre.*

– Tu peux préparer des *huevos rancheros*, Molo ? Je pourrais en manger des brouettes. Fais-les cuire sur les braises. Je n'ai pas allumé le poêle ce matin. Un homme ne devrait pas en faire plus qu'il n'est exigé de lui. C'est une forme d'avidité. Je ne sais pas pourquoi, mais je n'ai jamais réussi à mettre ces concepts dans la tête de Bobby Lee. »

Tandis qu'il parlait, le Prêcheur ne regardait pas Esther en face. Il lui tournait le dos, sa carcasse aussi raide qu'un épouvantail sous sa veste, la Thompson pendant droit au bout de son bras. Il leva le visage au ciel, gonflant les narines. Puis il se tourna lentement vers elle, jaugeant son humeur, son regard paraissant fouiller à l'intérieur de sa tête. « Je vous ai fait peur ? dit-il.

– C'était votre ami.

– Qui ?

– L'homme dans la mine.

– Ce n'est pas une mine, c'est une grotte. Vous connaissez l'histoire d'Élie dormant devant la grotte, attendant d'entendre la voix de Yahvé ? On ne pouvait pas entendre la voix dans le vent, ni dans le feu, ni dans un tremblement de terre. On pouvait l'entendre à l'entrée d'une grotte. »

En le regardant en face et en entendant ses paroles, elle fut persuadée qu'elle était enfin arrivée à comprendre la totale vacuité qu'il y avait dans ses yeux. « Vous allez tous nous tuer, n'est-ce pas ?

– Non.

– Vous ne m'avez pas écoutée. J'ai dit que vous alliez tous nous tuer.

– Que voulez-vous dire ?

– Et vous allez vous tuer aussi. Tout arrive à ça. Vous devez mourir. Mais pour l'instant vous n'avez trouvé personne pour le faire à votre place.

– Le suicide est l'acte d'un lâche, madame. J'estime que vous devriez me traiter avec plus de respect.

– Ne m'appelez pas madame. L'homme dans la grotte était-il armé ?

– Je ne lui ai pas posé la question. Quand Molo aura fini de cuisiner, servez-moi une assiette, et une pour vous. L'avion sera là à dix heures.

– Vous servir une assiette ? Pour qui vous vous prenez ?

– Pour votre époux, et ça signifie que vous avez sacrément intérêt à faire ce que je vous dis. Entrez dans la tente, et attendez-moi là.

– *Señora*, mieux faire ce qu'il dit, intervint Angel en agitant un doigt. Molo lui a déjà donné nourriture qui le rendu très malade. *Señor* Jack est pas de très bonne humeur. »

Elle retourna dans la tente, le sang battant contre ses tempes. Elle s'assit sur le lit de camp et prit dans la boîte un des brownies qu'elle avait préparés pour madame Bernstein. Elle se mit la main sur la poitrine et attendit que les battements de son cœur ralentissent. Elle n'avait rien mangé depuis la veille au soir ; elle avait la tête qui tournait et des points noirs lui dansaient devant les yeux.

Elle retira la ficelle de la boîte, sortit un brownie et mordit dedans. Elle n'en était pas certaine, mais elle avait l'impression d'avoir dans la main une arme formidable, si du moins ses intuitions concernant le refus du Prêcheur de manger des sandwichs beurre de cacahuète-confiture étaient justes. Elle tenait la recette de sa grand-mère, une femme à qui une vie de privations avait appris à créer des miracles culinaires à partir des ingrédients les plus simples. Les brownies fourrés de beurre de cacahuète donné par le gouvernement, mais cuits avec suffisamment de chocolat et de poudre de cacao pour déguiser leur base banale, étaient l'un de ses grands succès.

Esther ferma les yeux et vit Nick, son fils et ses jumelles aussi clairement que si elle les regardait depuis la fenêtre de leur maison sur Comal River. Nick faisait cuire un poulet au barbecue, debout sous le vent, les yeux agités, sa chemise hawaïenne voyante imbibée de fumée, piquant une fourchette dans la viande comme si ça devait améliorer la catastrophe culinaire qu'il préparait. Dans le fond, Jesse, Ruth et Kate faisaient des cabrioles dans l'herbe, leurs corps bronzés quadrillés par la lumière du soleil brillant à travers un arbre, la rivière froide, rapide et semée de cailloux derrière eux.

Pendant un instant, elle crut qu'elle allait perdre la tête. Mais ce n'était le moment ni de se rendre, ni d'accepter les conditions de l'ennemi. Comment disait sa grand-mère, déjà ? *On n'a pas donné nos vies. Ce sont les cosaques qui nous les ont volées. Un cosaque se nourrit de la faiblesse, et sa soif de sang est décuplée par la peur de sa victime.*

C'est ce que lui avait appris sa grand-mère. Si Esther Dolan faisait les choses à sa façon, l'homme qu'on appelait le Prêcheur allait apprendre une leçon venue des plaines du sud de la Sibérie.

Quand le Prêcheur ouvrit le rabat de la tente, elle entraperçut des mesas au loin, un lever de soleil orange colorant une bande de nuages bas pleins de pluie. Il referma le rabat derrière lui et commença à le nouer au piquet d'aluminium de la tente, puis ça l'agaça et il laissa tomber les liens. Il ne portait pas son arme. Il s'assit sur le lit de camp, du côté opposé à elle, les genoux écartés, la pointe de ses bottes dirigée vers l'extérieur, comme une patte de canard.

« Vous avez connu des hommes qui ne méritaient pas votre respect, dit-il. Et votre irrespect envers les mâles est devenu une habitude acquise à laquelle vous ne pouvez rien.

– J'ai grandi non loin du Garden District de La Nouvelle-Orléans. Je n'ai pas eu de rapports avec des criminels.

– Vous en avez épousé un. Et vous n'avez pas grandi dans le Garden District. Vous avez grandi à Tchoupitoulas, non loin des immeubles sociaux.

– La maison de Lillian Hellman, sur Prytania Street, était à deux rues de chez nous, si ça vous intéresse.

– Vous pensez que je ne sais pas qui était Lillian Hellman ?

– Je suis sûre que vous le savez. La bibliothèque publique accorde des cartes à n'importe quel fainéant ou à n'importe quel traîne-savates qui en demande une.

– Vous savez combien de femmes paieraient cher pour être assise à votre place ?

– Je suis sûre qu'il y a de nos jours parmi nous nombre de créatures désespérées. »

Elle vit la chaleur lui monter au visage, ses narines devenir blanches, sa bouche tombante, pincée. Elle prit du bout des doigts un petit morceau de brownie qu'elle se mit dans la bouche. Elle sentait qu'il la regardait, affamé. « Vous n'avez pas mangé ? demanda-t-elle.

– Molo a fait brûler le repas.

– Je les ai faits pour mon amie madame Bernstein. Je ne pense plus jamais avoir l'occasion de les lui donner. Vous en voulez un ?

– Qu'est-ce qu'il y a dedans ?

– Du sucre, du chocolat, de la farine, du beurre, un peu de poudre de cacao. Vous craignez que je n'y aie mis du hachich ? Vous pensez que je prépare pour mes amies des pâtisseries aux narcotiques ?

– J'en veux bien un. »

Elle lui tendit la boîte d'un air indifférent. Il y plongea la main et en sortit un épais carré qu'il souleva jusqu'à sa bouche. Puis il s'interrompit et observa attentivement son visage.

« Vous êtes une femme superbe. Vous avez déjà vu le portrait de la maîtresse de Goya ? Vous lui ressemblez, juste un peu plus âgée, plus mûre, sans signe de débauche sur la bouche.

– Sans *quoi* sur ma bouche ?

– Le stigmate d'une putain. »

Il mordit dans le brownie et le mâcha, puis déglutit et en prit une nouvelle bouchée, les yeux embrumés soit d'un désir secret, soit d'un souvenir sexuel dont elle soupçonna qu'il naissait de lui-même à chaque fois qu'il tirait sur l'une de ses victimes.

29

Pam Tibbs conduisit la voiture sur le bord du chemin de terre, et s'arrêta entre deux falaises qui donnaient sur la vue à couper le souffle d'une large plaine, de collines et de mesas qui, paradoxalement, paraissaient modelées par les éons, et cependant intouchées par le temps. Hackberry sortit du véhicule et ajusta ses jumelles sur le pied des collines au loin, déplaçant son objectif sur des pentes rocheuses, et des ravins bordés de mesquites et d'énormes blocs de pierre qui avaient basculé de la crête et semblaient aussi durs et dentelés que du chert jaune. Puis ses jumelles détaillèrent des gravats entassés au bulldozer, essentiellement du stuc et des poutres carbonisées, quatre tentes en polyéthylène bleu pastel, des toilettes chimiques, un poêle à bois et un tambour de métal surélevé, qui contenait sans doute de l'eau. Un pick-up et un SUV étaient garés au milieu des tentes, leurs vitres sombres dans l'ombre, des grêlons en train de fondre sur leurs surfaces de métal.

« Qu'est-ce que tu vois ? » demanda Pam. Elle était debout côté conducteur, les bras sur la portière ouverte.

« Des tentes et des véhicules, mais personne.

– Peut-être que les ouvriers mexicains vivent là.

– C'est possible », dit-il en abaissant ses jumelles. Mais il continua à fixer à l'œil nu la plaine inclinée, les collines dénudées, le givre qui glaçait les rochers là où ils n'avaient pas encore été touchés par le soleil. Il regarda vers l'est la tache orange qui grossissait dans le ciel, et se demanda si la journée serait chaude, s'il n'y aurait plus dans le vent ce froid hors de saison, si le sol deviendrait moins dur sous ses pas. Pendant une seconde, il crut entendre un clairon résonner dans un arroyo.

« Tu as entendu ça ? dit-il.

– Entendu quoi ?

– Le vieil homme là-bas a dit qu'il y avait par là des hippies qui vivent dans des tipis et qui fument de l'herbe. Il y a peut-être des musiciens parmi eux.

– Ton ouïe doit être bien meilleure que la mienne. Je n'ai rien entendu. »

Il remonta dans la voiture et ferma la portière. « On va s'amuser !

– À propos de cette nuit ?

– Quoi, cette nuit ?

– Tu n'as pas dit grand-chose, c'est tout. »

Il regarda, droit devant lui, les collines, les mesquites ébouriffés par le vent, l'immensité du paysage, biseauté, festonné, usé par le vent et la sécheresse, et strié par le sel des océans disparus, un lieu où des hommes qui avaient peut-être même précédé les Indiens avaient chassé avec des bâtons pointus, et s'étaient mutuellement défoncé le crâne pour une simple flaque d'eau brune.

« Tu es embêté pour cette nuit ? dit-elle.

– Non.

– Tu penses que tu as abusé d'une subalterne ?

– Non.

– Tu penses juste que tu es un vieil homme qui ne devrait pas avoir d'aventure avec une femme plus jeune ?

– La question de mon âge ne se discute pas. Je *suis* vieux.

– Tu aurais pu me tromper.

– Regarde la route.

– Tu es un sacré puritain, voilà ce que tu es.

– La religion fondamentaliste, et le fait de tuer des gens, ma famille a ça dans les gènes. »

Pour la première fois de la matinée, elle se mit à rire.

Mais Hackberry ne parvenait pas à se libérer de son état dépressif, dont la cause avait peu à voir avec les événements de la nuit précédente, au motel. Après son retour de Corée, il avait rarement parlé de ce qu'il avait connu là-bas, sauf une fois quand on lui avait demandé de témoigner en cour martiale à propos d'un transfuge qui, pour une cabane plus chaude, quelques têtes de poisson supplémentaires et des boulettes de riz dans le camp pour progressistes, avait vendu ses amis. Même à ce moment-là ses déclarations avaient été légalistes, dépourvues d'émotions, et pas de nature autobiographique. Les six semaines qu'il avait passées sous une grille d'égout en plein cœur de l'hiver intéressaient peu ceux qui étaient dans la salle. Et le public du tribunal ne s'intéressait pas non plus, du moins à l'époque, à un événement historique qui s'était passé en une aube glacée de la troisième semaine de novembre 1950.

À la première lueur du jour, Hackberry s'était réveillé dans un fossé gelé au grondement des avions de chasse qui fendaient le ciel au-dessus de lui, un F-80 américain solitaire pourchassant deux MiG de fabrication russe jusqu'en Chine, au-delà du Yalou. Le pilote américain effectua un large virage, puis la boucle de la victoire, tout en restant au sud de la rivière, obéissant à l'interdiction de pénétrer dans l'espace aérien de la Chine rouge. Pendant la nuit, depuis l'autre côté d'une rizière couverte de neige semée de mauvaises herbes brunes, le son des clairons avait flotté dans les collines, en provenance de différentes crêtes et ravins, parfois à travers un mégaphone, pour l'amplifier. Résultat : personne ne dormait.

À l'aube, une rumeur courut, selon laquelle deux prisonniers chinois avaient été ramenés par la patrouille. Puis quelqu'un dit que l'interprète coréen ne connaissait absolument rien aux dialectes locaux, et que les deux prisonniers étaient des cultivateurs de riz illettrés enrôlés par les communistes.

Une heure plus tard, un feu de barrage volant avait été déclenché, qui devait à jamais rester pour Hackberry l'une des expériences les plus proches de l'enfer que la terre soit capable de produire. Il avait été suivi pendant toute la journée par l'assaut frontal d'une vague humaine, division après division de troupes régulières chinoises, poussant devant elles des civils en guise de boucliers humains, les morts éparpillés sur des kilomètres dans la neige, certains chaussés de tennis.

Les Marines mettaient de la neige sur les canons de leurs mitraillettes de calibre .30, passant avec leurs moufles de la neige sur l'acier surchauffé. Quand les canons explosaient, ils devaient parfois les dévisser et les changer à mains nues, laissant de la chair sur le métal.

Le fossé était jonché de douilles, le porteur du BAR[1] fouillait la neige à la recherche de son ultime magasin, la culasse du moindre M-1 autour d'Hack était ouverte, le chargeur vide s'éjectant dans un cliquettement. Hackberry se rappela le grand silence qui avait suivi le moment où les Marines s'étaient trouvés à court de munitions, le sifflement des shrapnels explosant dans la neige, puis le clairon qui retentit de nouveau.

Maintenant, tout en regardant à travers le pare-brise du véhicule, il était de retour dans le fossé, on était en 1950, et pendant une seconde il crut entendre une série de détonations sourdes, comme des rubans de pétards chinois en train d'exploser. Mais quand il baissa la vitre, il n'entendit que le vent. «Arrête la voiture, dit-il.

– Qu'y a-t-il?

– Il y a quelque chose qui ne cadre pas dans cette scène. Le vieil homme a dit que les Mexicains qui travaillent là sont sans papiers. Mais les véhicules sont neufs, et coûteux. Et des travailleurs illettrés n'installent pas non plus un camp permanent sur leur lieu de travail.

– Tu crois que Collins est là?

– Il apparaît là où on l'attend le moins. Il n'éprouve aucune culpabilité. Il pense que ce sont les autres qui ont un problème, et pas lui.

---

1. Brown Automatic Rifle: fusil automatique capable de tirer de 200 à 350 cartouches à la minute.

« – Qu'as-tu l'intention de faire ?

– Appelle les locaux en renfort, puis appelle Ethan Riser.

– À mon avis, tu devrais laisser les Fédés en dehors de ça. Depuis le départ, ils ne nous font que des embrouilles. Où tu vas ?

– Passe les appels, Pam. »

Il remonta le chemin de terre sur une vingtaine de mètres. Le vent soufflait plus fort et aurait dû être plus froid, mais sa peau était insensible, ses yeux étaient humides, ses paumes si raides et si sèches qu'il avait l'impression que s'il les pliait, elles se fendraient. Il voyait une brume de fumée blanche suspendue au-dessus du sol près des tentes. Un vautour à tête rouge s'envola au-dessus de lui, glissant si vite sur ses ailes étendues que son ombre se brisa sur un tas de rochers et disparut avant qu'il ait eu le temps de le voir.

Était-ce un présage dans une vallée qui aurait pu être un ossuaire, le genre de charnier qu'on associe aux civilisations mortes ? Ou était-ce juste le type de terrain inutile et dévasté dont tout le monde se fiche, un terrain comme on en trouve dans les fractures culturelles, ou les sociétés impérialistes ?

Il sentait comme une bande lui serrant les tempes, une vapeur froide monter autour de son cœur. À quel stade de sa vie un homme n'avait-il plus à se préoccuper de sentiments aussi basiques que la peur ? Est-ce que l'acceptation de la tombe, et l'éventualité soit de l'oubli, soit d'une avancée sans carte au milieu des étoiles, ne libérait pas de la terreur ancestrale qui encrasse le sang et réduit les hommes à l'état d'enfants qui appellent leurs mères dans leurs derniers instants ? Pourquoi l'âge ne procurait-il pas la paix ?

Mais il n'avait plus le temps ni le luxe de réfléchir à ces abstractions. Où étaient les hommes qui habitaient dans ces tentes, qui faisaient cuire de la nourriture dans un cercle de feu peu différent de ceux sur lesquels nos ancêtres faisaient la cuisine, dans cette même vallée, il y a plus de onze milliers d'années ?

La grotte sur le flanc de la montagne paraissait une bouche noire, non, une bouche engorgée, striée de ravines de résidus miniers verts, gris, orange, ou de rochers qui s'étaient fendus et étaient tombés à force d'exposition à la chaleur et aux températures négatives.

C'était le genre d'endroit où, il y a longtemps, quelque chose de terrible s'était passé, le genre d'endroit qui s'accrochait à ses morts et aux vestiges spirituels des gens les pires qui y aient vécu.

Hackberry se demanda ce que son grand-père, le vieux Hack, aurait dit d'un endroit pareil. Comme si le vieux Hack avait décidé de lui parler dans le vent, il crut entendre la voix sonore et l'humour cynique qui avaient rendu son grand-père si malencontreusement fameux : « Je suppose que ça dépend des moments, tête de con, mais pour tout dire, c'est le genre de trou merdique qu'un imbécile moralement déficient comme John Wesley Harding aurait trouvé délicieux. »

Hackberry sourit tout seul et coinça sa veste derrière la crosse de son revolver dans son holster. Il fit demi-tour vers la voiture. Pam Tibbs était toujours assise au volant, finissant d'appeler Ethan Riser.

Mais quelque chose dans le rétroviseur avait attiré son attention. Elle posa le téléphone, se retourna sur son siège et regarda en direction des falaises jumelles, puis sortit de la voiture avec la longue-vue qu'elle régla sur un véhicule qui s'était arrêté entre les falaises. « Regarde, dit-elle.

– Quoi ?

– Un grand Cherokee avec le drapeau américain au bout d'une hampe attachée au pare-chocs arrière.

– Nick Dolan ?

– Je ne sais pas. On dirait qu'il est perdu.

– Oublie-le.

– Flores et Gaddis sont sans doute avec lui.

– On fonce, baby. Sous le drapeau noir. Tu m'as bien compris ?

– Non, je n'ai rien entendu.

– Si, tu as entendu. Collins a tué des tas de gens dans sa vie. Qu'y a-t-il dans le fusil à pompe ?

– De la mitraille 00.

– Mets-en plein tes poches. »

Le Prêcheur mangeait son deuxième brownie quand il ressentit sa première crampe. Cette sensation, ou peut-être la perception de ce qu'elle signifiait, ne fut pas instantanée. Au début, il sentit seulement un léger spasme, pas très différent d'une irritation inattendue de la paroi stomacale. Puis la douleur se fit plus aiguë et s'étendit vers son côlon, comme un éclat de fer-blanc dentelé cherchant à se libérer. Il serra les fesses, ne sachant encore pas trop ce qui se passait, légèrement embarrassé devant une femme, essayant de dissimuler l'inconfort qui lui tordait le visage.

Le spasme suivant lui fit tomber la mâchoire et lui vida le sang de la tête. Il se pencha en avant, essayant de reprendre sa respiration, de la sueur apparaissant sur sa lèvre supérieure. Son estomac barattait, l'intérieur de la tente devenait flou. Il déglutit, une déglutition sèche, et essaya de voir la femme plus nettement.

« Vous êtes malade ? dit-elle.

– Vous demandez si je suis malade ? Je suis empoisonné. Il y a quoi, là-dedans ?

– Ce que je vous ai dit, du chocolat, de la farine et… »

Un goût métallique, bilieux, monta dans sa bouche. La constriction de ses boyaux s'étendait vers le haut, dans le bas de sa poitrine, comme des chaînes s'enroulant autour de ses côtes et de son sternum, vidant l'air de ses poumons. « Ne mentez pas, dit-il.

– Moi aussi, j'ai mangé des brownies, dit-elle. Ils sont tout à fait bons. »

Il eut une toux violente, comme s'il avait avalé un morceau de cornière métallique. « Il doit y avoir du beurre de cacahuète là-dedans.

– Vous avez un problème avec le beurre de cacahuète ?

– Espèce de salope. » Il tira le rabat de la tente pour faire entrer l'air frais. « Espèce de salope vicieuse.

– Regardez-vous, un adulte qui insulte les gens parce qu'il a mal au ventre. Un homme qui tue des femmes et des jeunes filles traite les autres de tous les noms parce qu'un brownie l'a dérangé. Votre mère aurait honte de vous. Où avez-vous grandi ? Dans une cour de ferme ? »

Le Prêcheur se leva et se retint d'une main au piquet de la tente jusqu'à ce que la terre cesse de danser sous ses pieds.

« De quel droit osez-vous parler de ma mère ?

– Il me demande de quel droit ! Je suis la mère que vous avez enlevée à son mari et à ses enfants. La mère que vous avez enlevée pour en faire votre concubine, voilà qui je suis, espèce de gangster minable. »

Il sortit en titubant dans le vent et l'air froid, ses cheveux humides de sueur sous son chapeau, sa peau brûlante comme si elle avait été trempée dans de l'acide, une main serrée contre son ventre. Il se dirigea vers sa tente, où la Thompson était posée en travers du secrétaire, le tambour rempli de cartouches, un deuxième chargeur plein à côté. C'est alors qu'il vit une voiture de shérif arriver sur le chemin de terre et, tout au loin, un deuxième véhicule qui semblait appartenir à une illusion d'optique suscitée par le choc anaphylactique ravageant son système nerveux. Le second véhicule était un SUV bordeaux avec un drapeau américain battant au bout d'une hampe fixée au pare-chocs arrière. Qui étaient ces gens ? Qu'est-ce qui leur donnait le droit de pénétrer sur ses terres ? Sa colère ne fit qu'exacerber le feu dans ses entrailles et comprimer ses poumons comme si sa poitrine avait été touchée par les filaments d'une méduse.

« Angel ! Molo ! appela-t-il d'une voix rauque.

– *Qué pasa, señor Collins ?*

– *Maten los !* dit-il.

– *Quién ?*

505

– Todos que estan en los dos vehiculos. »

Les deux tueurs mexicains se tenaient devant leur tente. Ils se retournèrent et virent la voiture de patrouille qui approchait. «*Nosotros los matamos todos ? Hombre, esta es une pila de mierda*, dit Angel. *Chingando*, fils de poute, vous êtes sûr que vous êtes pas un *marijuanista, señor Collins* ? Oops, *siento mucho, solamente, estoy bromeando.* »

Mais ce qu'avaient à dire les Mexicains n'intéressait pas le Prêcheur. Il était déjà à l'intérieur de sa tente, prenait sa Thompson, fourrait sous son bras le tambour de réserve, convaincu que la voix qu'il avait cherchée dans le vent, dans le feu et même dans un tremblement de terre, allait lui parler maintenant dans la grotte, avec la femme juive.

« Un type vient de sortir de la tente, dit Pam en se penchant sur le volant, appuyant sur l'accélérateur. Merde, je ne le vois plus. Le tas de gravats me le cache. Attends une seconde. Deux autres types sont en train de lui parler. »

L'angle de vue depuis le siège passager était mauvais. Hackberry lui tendit les jumelles. Elle les adapta à sa vue et mit au point, respirant de façon audible, sa poitrine palpitant irrégulièrement. « Ils ont l'air latinos, dit-elle. Ce sont peut-être des ouvriers du bâtiment, Hack.

– Où est l'autre type ?

– Je sais pas. Il a disparu. Il a dû entrer dans une des tentes.

– C'est Collins. »

Elle écarta les jumelles de ses yeux et le regarda longtemps, intensément. « Tu as cru entendre un clairon. Je crois que tu entends et que tu vois des choses qui n'existent pas. On ne peut pas se permettre d'erreur. »

Il ouvrit la boîte à gants et en sortit un Beretta 9 millimètres. Il tira la glissière, fit monter une balle et mit le cran de sûreté. « Je ne me trompe pas. Arrête-toi à l'arrière du tas de gravats.

On sort simultanément de chaque côté et on s'écarte. Si tu vois Collins, tu l'abats.

– Hack, écoute-moi…

– Non, il ne faut pas que Collins ait l'occasion de se servir de sa Thompson. Tu n'as jamais vu quelqu'un se faire tuer par une arme de cette puissance. On l'abat à vue, et on s'occupe des détails légaux ensuite.

– Je ne peux pas accepter un ordre comme ça.

– Si, tu peux l'accepter.

– Je te connais, Hack. Je sais ce que tu penses avant que tu l'aies pensé. Tu veux que je me protège à tout prix, mais tu as ton propre compte à régler avec ce type.

– On a laissé monsieur Freud en route », dit-il. Il sortit sur le *hardpan* à l'instant où le soleil apparaissait au-dessus de la colline, éclatant comme des aiguilles d'or, le bas de la pente encore plongé dans l'ombre.

Pam Tibbs et lui avancèrent et se séparèrent devant le tas de gravats de la maison, scrutant les quatre tentes, les yeux humides dans le vent et la fumée qui venait d'un feu qui sentait les ordures ou la nourriture brûlées.

Mais à cause de l'angle, ils avaient perdu de vue les deux Latinos, qui étaient retournés dans leur tente ou se cachaient derrière les véhicules. Tandis qu'Hackberry s'enfonçait plus profondément dans l'ombre, le soleil qui s'était brisé sur la crête disparut et il vit nettement les tentes, le pick-up, le SUV et la montagne, et il comprit l'erreur qu'il avait commise : ne jamais donner à un ennemi l'occasion de devenir ce qu'on appelle un suspect barricadé. Plus important encore : ne jamais permettre à son ennemi de devenir un suspect barricadé avec un otage.

Pam Tibbs se tenait sur sa gauche, la crosse de son Remington à canon scié nichée contre son épaule, les yeux balayant de droite à gauche, de gauche à droite, sans jamais ciller, le visage dilaté comme si elle affrontait en face une tempête de pluie verglaçante. Il entendit ses pas marquer une pause et sut qu'elle avait vu Collins au même instant que lui, poussant une femme devant lui sur un sentier qui menait à l'ouverture dans la montagne.

Collins agrippait du poing gauche l'étoffe de la robe de la femme, et tenait de la main droite la Thompson par la crosse, le canon dirigé vers le bas. Il se retourna une fois sur Pam et Hackberry, le visage blafard, rétréci, tendu, sous son chapeau, puis il poussa la femme devant lui dans la grotte et disparut derrière elle.

« Il a pris de la hauteur, il faut qu'on ait un des véhicules entre nous et lui », dit Hackberry.

La tente des deux Latinos était la plus grande des quatre. Le SUV était garé non loin de son rabat ; le pick-up était entre les deux autres tentes. On n'entendait que le froissement du vent sur les surfaces de polyéthylène, un rocher basculant de la crête, et le moteur du SUV bordeaux qui remontait le chemin de terre depuis les falaises.

Hackberry se retourna et leva un poing, espérant que Pete Flores reconnaîtrait le signe militaire universel de s'arrêter. Mais soit Flores ne le vit pas, soit le chauffeur, qui était sans aucun doute Nick Dolan, choisit de continuer d'avancer.

Hackberry changea de direction, traversant derrière Pam Tibbs, son .45 armé, le Berettta fourré à l'arrière de sa ceinture. « Je vais dégager la première tente. Couvre-moi », dit-il.

Avec les dents, il ouvrit son couteau Queen et s'approcha rapidement de l'arrière de la tente, à longues enjambées, surveillant les autres tentes et les deux véhicules garés, tous deux avec des vitres teintées. La lame de son couteau aurait pu couper des poils sur ses bras. Il trancha les cordes fixées aux sardines et aux piquets supportant la tente, et regarda la tente se dégonfler et s'effondrer en tas.

Rien ne bougea à l'intérieur. Il traversa derrière Pam Tibbs, levant les yeux vers l'entrée de la grotte sur la montagne. Le gros tas de gravats était maintenant derrière eux, le stuc partant en poudre, les plaques d'amiante brisées s'éparpillant dans le vent. Si Collins faisait feu sur eux, la seule couverture possible était le pick-up ou le SUV, et il ne pouvait être certain que l'un ou l'autre fût inoccupé.

Il se sentait nu comme on se sent nu en rêve, dans un lieu public, devant une large assistance. Mais dans leur cas, à Pam et à lui, l'impression de nudité allait bien plus loin. C'était le genre de sensation qu'un artilleur en position d'observation connaît quand la première balle qu'il a tirée touche son but, et que sa position est révélée. C'était le genre de nudité qu'un Marine connaît quand il court sous le feu d'armes automatiques pour atteindre un camarade blessé. C'était un peu la même sensation qu'avoir la peau arrachée par une paire de tenailles.

Puis il se rendit compte que, malgré leur passé criminel, ses adversaires, au moins l'un d'eux, avaient commis l'erreur de tous les amateurs : sa vanité, ou sa libido, ou quelle que soit la passion mégalomane qui le définissait, était plus importante pour lui que le pragmatisme d'un tueur froid et d'un survivant comme Jack Collins.

Un homme portait des bottes de cow-boy en lézard, aux bouts et aux talons chromés. Elles lançaient des éclairs d'une sourde lueur argentée sous le marchepied de l'autre côté du pick-up.

«Pam ! À trois heures !» dit Hackberry.

Au même instant, l'homme derrière le pick-up fit feu avec un Uzi ou un MAC-10 à travers le capot, puis recula rapidement derrière la cabine. Mais son tir à une main était imprécise, et les balles touchèrent le tas de gravats, piquetèrent la citerne et tracèrent une ligne sur le hardpan, faisant gicler de la terre, ricochant sur les rochers et gémissant dans le lointain avec le bruit atténué d'un ressort de lit cassé.

Hackberry visa des deux mains avec son .45, et dit feu à travers la vitre teintée du côté conducteur, faisant dégringoler du verre sur les sièges et exploser la vitre du côté opposé. Il tira deux autres balles, une par la fenêtre de la cabine allongée, l'autre par la portière arrière, laissant une coupure bien nette, polie, et un trou de la taille d'une pièce de monnaie. Mais les trois balles qu'il avait lâchées ne lui furent d'aucune utilité. L'homme à l'arme automatique se déplaça derrière la cabine et aspergea à l'aveugle toute la zone, sans doute pour couvrir soit l'autre Latino, qu'on ne voyait nulle part, soit Jack Collins dans la grotte.

La fusillade s'arrêta. Hackberry avait reculé derrière le tas de gravats, et Pam était quelque part sur sa gauche, dans l'ombre, ou derrière les fondations de ciment de la maison détruite. Selon toute probabilité, le tireur changeait de magasin. Hackberry se mit à quatre pattes, puis à plat ventre. Il entendit un déclic métallique, comme un mécanisme d'acier à loquet qu'on insère dans une cavité. Il tendit son .45 devant lui, à deux mains, les coudes dans la terre, la douleur dans sa colonne vertébrale irradiant dans ses côtes.

Hackberry vit les bottes de lézard chromées du tireur s'écarter de l'arrière du pneu. Il aligna le long canon de son .45 là où le revers de la jambe droite du jean du tireur rejoignait le haut de son pied. Il tira.

Le tireur hurla lorsque la balle déchira sa botte. Il tomba sur le sol et hurla encore, tenant son pied et sa cheville fracassés, du sang lui coulant entre les doigts, son autre main toujours agrippée à son arme.

Pam Tibbs courut vers le pick-up, tenant son fusil à pompe devant elle, le cran de sécurité libéré, levant le canon, faisant un arc autour du capot du pick-up, un peu comme une danseuse fantasque, se mettant en position de façon à être vue du tireur. Pendant tout ce temps, elle criait comme si elle s'adressait à un homme privé d'ouïe et de vue. « Arrêtez ! Arrêtez ! Arrêtez ! Tout de suite ! Tout de suite ! Jetez votre arme ! Les mains sur le sol ! Tout de suite ! Non, ne faites pas ça ! Les deux mains par terre ! Vous m'entendez ? »

Puis elle tira. À moins de deux mètres, l'homme qui ne lâchait pas son arme avala un paquet de chevrotine gros comme sa main et vit sa cervelle asperger le flanc de son pick-up.

Quand Hackberry arriva près d'elle, elle avait déjà éjecté la cartouche utilisée de la chambre et, avec le pouce, elle en mettait une autre dans le magasin, ses mains toujours tremblantes.

« Tu as vu l'autre type ? demanda Hackberry.

– Non. Où il est ? » Ses yeux ronds comme des billes s'agitaient dans leurs orbites.

« Je ne l'ai pas vu. On est exposés. Va derrière le pick-up.

– Où est Collins ?

– Dans la grotte. Va derrière le pick-up. Tu m'entends ?

– Quel est ce bruit ?

– Quel bruit ? » dit-il. Mais ses oreilles tintaient toujours des balles de .45 qu'il avait tirées, et il ne distingua pas ses mots.

« C'est cet imbécile de Dolan », dit-elle

Ils ne crurent pas leurs yeux de ce qu'ils virent ensuite. Le SUV de Nick Dolan avait quitté le chemin de terre, faisait une embardée sur la plaque de ciment sur laquelle se dressait autrefois la maison de stuc, et maintenant il arrivait à fond sur le *hardpan*, des cailloux et de la boue giclant sous le châssis, la caisse secouée sur ses amortisseurs.

« Il est devenu fou ? » dit Pam.

Nick Dolan écrasa la tente la plus proche de la montagne, arrachant ses sardines de métal, entortillant autour de la calandre et du capot la toile de polyéthylène et les piquets d'aluminium détruits. Mais au milieu du bruit de la tente qui se déchirait, des cordes qui lâchaient, des sardines qui fouettaient le SUV, Hackberry avait entendu un impact écœurant contre le capot du SUV.

Nick écrasa ses freins, et le fouillis de toile, de piquets et d'un lit de camp brisé roula de son véhicule dans la boue, le corps d'un deuxième Latino à l'intérieur.

« Je l'ai vu entrer dans la tente. Il était armé », expliqua Nick par la fenêtre. Il avait une paire de jumelles suspendue autour du cou.

511

« Votre femme aurait pu être à l'intérieur, dit Pam.

– Non, on a vu Collins la tirer dans la grotte. Allons-y », dit Nick.

Vikki Gaddis était assise côté passager, et Pete Flores à l'arrière, penché sur le siège avant.

« Restez où vous êtes, ordonna Hackberry.

– Je monte avec vous, dit Nick.

– Non, vous ne montez pas.

– C'est ma femme, insista Nick en ouvrant la portière.

– Vous allez vous retrouver menotté, monsieur Dolan », menaça Pam.

Hackberry vida dans sa paume les douilles utilisées et rechargea les chambres vides. Il se dirigea vers Pam Tibbs et commença à marcher avec elle en direction de la montagne, ignorant les trois nouveaux arrivés, espérant qu'ils avaient bien compris ses derniers mots.

« Tu ne veux pas attendre les locaux ? dit-elle.

– Mauvais choix. Je remonte le sentier tout droit. Je veux que tu arrives par ce côté, et que tu restes juste à l'entrée de la grotte.

– Pourquoi ?

– S'il me croit seul, Collins ne tirera pas.

– Pour quelle raison ?

– Il est trop fier. Avec Collins, il ne s'agit pas d'argent, ni de sexe. Il pense qu'il est l'élu des dieux, et qu'il occupe le centre de la scène. »

Nick Dolan, Vikki Gaddis et Pete Flores sortirent du SUV.

« Remontez dans votre véhicule, tous les trois, retournez sur la route, et restez-y.

– Pas question, dit Nick.

– Donnez-moi une arñme et laissez-moi monter avec vous, shérif, dit Pete.

– Impossible, mon gars. Fin de la discussion, dit Hackberry. Miss Gaddis, assurez-vous que ces deux hommes restent ici. Si vous voulez que madame Dolan ressorte vivante de cette grotte, ne vous mêlez pas de ce qui va se passer. »

Hackberry commença à remonter seul le sentier, tandis que Pam Tibbs, son fusil en diagonale contre le corps, coupait à travers les résidus miniers verts, orange et gris qui striaient la pente.

Hackberry s'arrêta à l'entrée de la grotte, son .45 dans son holster, le Beretta toujours glissé à l'arrière de sa ceinture. Il respirait une odeur désagréable, humide et froide, comme des crottes de souris, ou du guano de chauve-souris ou de l'eau croupie dans le creux d'une pierre. Il sentit le vent passer sur sa peau, s'engouffrer dans la grotte. «Collins? Vous m'entendez?»

Pas de réponse. Hackberry pénétra dans l'obscurité de la grotte comme s'il glissait du monde de la lumière à celui d'une obscurité éternelle.

Le corps d'un homme était allongé derrière un gros rocher. Il portait d'énormes blessures dans le ventre, sur la poitrine et aux jambes. La quantité de sang qui faisait une flaque autour de lui, et qui imprégnait sa veste de cuir doublée de mouton et son pantalon de travail orange clouté semblait plus que son corps n'en pouvait contenir.

«Vous pouvez faire une bonne action, Jack!» cria Hackberry. Après que l'écho se fut éteint, il crut entendre un crépitement dans le noir, plus loin dans la grotte.

«Vous m'avez entendu, Jack?

– Vous avez le soleil dans le dos, shérif, dit une voix du fond de la grotte.

– C'est exact. Vous pouvez me descendre quand vous voulez.» Hackberry marqua une pause. «Vous n'êtes pas au-dessus d'une bonne action, non?

– Par exemple?

– Madame Dolan a des enfants. Ils veulent qu'elle revienne. Qu'est-ce que vous en dites?

– Je vais y réfléchir.

– Je ne pense pas que vous soyez homme à vous dissimuler derrière une femme.

– Je n'ai à me dissimuler derrière personne. Vous entendez ce bruit ? Si vous vous approchiez un peu plus, pour contrôler votre environnement ?

– Il y a des serpents à sonnette qui nichent ici ?

– Sans doute pas plus de deux douzaines. Aplatissez-vous contre la paroi.

– Votre voix me paraît un peu étrange, Jack.

– Il fait une réaction allergique au beurre de cacahuète. Ça peut être fatal, expliqua une voix de femme.

– La ferme, dit Collins.

– C'est vrai, Jack ? Vous voulez aller à l'hôpital ? » demanda Hackberry.

Mais il n'y eut pas de réponse.

« J'ai été infirmier chez les Marines, dit Hackberry. Une allergie grave peut causer des troubles respiratoires et un arrêt cardiaque, mon vieux. C'est une mauvaise façon de mourir, s'étrangler dans sa salive, le sphincter qui se relâche, ce genre de choses.

– Je peux appuyer sur cette gâchette, et vous serez transformé en pétroglyphe.

– Mais ce n'est pas ça le problème, hein ? Vous êtes hanté par les femmes et les jeunes filles que vous avez tuées, non pas parce que vous leur avez volé leur vie, mais parce que c'était l'acte d'un lâche. Vous ne cherchez pas la rédemption, Jack. Vous cherchez l'approbation, la justification de ce que vous savez indéfendable.

– Shérif Holland, n'essayez pas d'appâter cet homme ni de raisonner avec lui. Tuez-le, pour qu'il arrête de tuer les autres. Je n'ai pas peur », dit la femme.

Hackberry grinça des dents, agacé par Esther Dolan. « Je ne suis pas là pour ça, Jack. Je ne suis pas votre exécuteur. Je ne suis pas digne de vous. Vous l'avez déjà dit, je suis un alcoolique qui a abusé sexuellement de pauvres filles du tiers-monde. Je dois vous reconnaître ça, pour le meilleur ou pour le pire, vous faites partie des immortels. Vous avez merdé derrière l'église, mais je pense que c'est Hugo Cistranos qui a

514

donné l'ordre du massacre, et que ce n'était pas votre idée. Il est important de se souvenir de ça, Jack. Vous n'êtes pas un lâche. Vous pouvez le prouver ce matin. Libérez madame Dolan et tentez votre chance avec moi. C'est ça avoir de vraies *cojones*, non ? On se dit : "Et merde ! Je fonce !" Et on saute par-dessus l'abîme. »

Il y eut un long silence. Hackberry sentait des bouffées de vent autour de lui, un air froid sur sa nuque et derrière ses oreilles. Il entendit encore un crépitement, comme le crépitement menu de graines dans une cosse de pavot séchée.

« Il y a une chose que je voudrais savoir, dit Collins.

– Demandez-moi.

– La nuit où je suis entré chez vous, vous avez dit que ma mère aurait voulu avorter, que j'étais méprisé avant la naissance. Pourquoi me traiter avec tant de haine et de mépris ?

– Ma remarque n'était pas dirigée contre vous.

– Contre qui, alors ? »

Hackberry marqua une pause. « On ne choisit pas ses parents.

– Ma mère n'était pas comme ça, comme ce que vous avez dit. Elle n'était pas du tout comme ça.

– Peut-être que non. Peut-être que je me trompais complètement.

– Alors dites-le.

– Je viens de le faire.

– Vous pensez que vos paroles vont me rendre clément ?

– Sans doute que non. Peut-être que j'ai tiré dans le vide.

– Sortez d'ici, madame Dolan. Retournez à votre famille. »

Et, de façon incroyable, Hackberry vit Esther Dolan se précipiter hors de l'obscurité, les épaules plaquées à la paroi de droite, les bras croisés sur la poitrine, le visage détourné d'une chose qui se trouvait sur la gauche de la grotte.

Hackberry l'agrippa et la poussa derrière lui, dans la lumière. Il se retourna et rentra dans la grotte, sortant son revolver de son holster. « Vous êtes toujours là, Jack ?

– Je suis à votre disposition.

– Il faut que je vienne vous chercher ?

515

– Vous pouviez m'attendre dehors. Le fait que vous ayez choisi une autre solution me dit que c'est vous qui cherchez le salut, shérif, pas moi. Il s'est passé en Corée une chose dont vous ne parlez pas à beaucoup de gens ?

– Possible.

– Je serais heureux de vous faire plaisir. J'ai cinquante balles dans mon chargeur. Vous savez à quoi vous ressemblerez, quand j'aurai fini ?

– Et alors ? Je suis vieux. J'ai eu une belle vie. Allez vous faire foutre, Jack. »

Mais il ne se passa rien. Dans l'obscurité, Hackberry entendait un bruit d'écoulement, comme de petits cailloux glissant le long d'une pente.

« On se reverra peut-être au bout de la route, shérif », dit Collins.

Soudain, une fusée éclairante s'enflamma au fond de la grotte. Collins la balança sur une plate-forme rocheuse, où des crotales aussi gros que le poignet d'Hack s'entortillaient les uns autour des autres, leurs sonnettes cliquetant comme des maracas. Hackberry vida son .45 dans le conduit de la grotte, puis sortit le Beretta de l'arrière de sa ceinture et lâcha ses quatorze balles, celles-ci rebondissant sur les parois de la grotte, s'enfonçant avec un bruit sourd dans des couches de moisi et de guano de chauve-souris, ricochant profondément sur le sol.

Quand il cessa de tirer, il était presque sourd, ses tympans aussi insensibles qu'un chou-fleur. L'air était chargé de fumée, d'une odeur de cordite et de déjections animales, et de celle, musquée, de rats et d'oiseaux dérangés dans leurs nids. Il voyait les serpents se tordre et s'enrouler sur leur plate-forme, les yeux comme des têtes d'épingles lumineuses dans l'éclat rouge et chaud de la fusée. Des tarentules du diamètre d'une balle de base-ball, aux pattes noires velues, dégringolaient de la plate-forme sur le sol de la grotte. Hackberry ouvrit et referma la bouche, déglutit et souffla par le nez.

« Je viens vous chercher, Jack ? » dit-il.

Il attendit une réponse, la tête légèrement penchée. Mais tout ce qu'il entendit, ce fut des pas qui s'enfonçaient dans le conduit, plus profondément dans la montagne, et la voix d'un homme perdu qui disait : «Ma, c'est toi ? C'est Jack, ton fils. Ma ?»

Les semaines passèrent, puis les mois, et la vie d'Hackberry Holland retrouva sa routine. Des équipes de recherche et des spéléologues rampèrent loin dans le tunnel où Jack Collins avait disparu. Un géologue de l'Université du Texas, dont le rapport avait un fumet de poésie, décrivit le tunnel comme « de forme serpentine, en de certains endroits aussi étroit que le col de l'utérus, le sol et le plafond bordés de roches saillantes qui lacèrent à la fois les mains, les genoux et le dos, l'air semblable dans sa fétidité à un puits renfermant une vache morte ».

Tous ceux qui entrèrent dans la grotte admirent que quelque part de l'autre côté de la montagne, il y avait une source d'air, peut-être un petit conduit caché derrière des buissons poussant dans le roc, en tout cas une ouverture quelconque permettant à l'eau, à la lumière et à de petits animaux de pénétrer à l'intérieur de la montagne, car à l'extrémité de l'endroit où le tunnel s'enfonçait avant de remonter à 45 degrés, il y avait des graines de pins à pignons venues d'en haut et, sur un roc plat, une dépression était creusée, qui avait sans doute servi de meule aux Indiens.

Le rapport officiel du représentant du gouvernement indiqua que Jack Collins avait sans doute été blessé par une balle, qu'il était mort dans la montagne, et que ses restes ne seraient probablement jamais retrouvés. Mais les gens du cru commencèrent à signaler qu'ils avaient vu un homme émacié fourrager dans les décharges et les bennes à ordures, affublé de loques noires de crasse retenues par une ficelle en guise de ceinture, et dont la barbe descendait au milieu de la poitrine. L'homme émacié portait des bottes de cow-boy dont les semelles tenaient par du sparadrap, et un feutre percé.

Quand un journaliste demanda à Hackberry Holland ce qu'il pensait d'avoir été le destin de Jack Collins, il réfléchit un instant et dit : « Quelle différence ?

— Pardon ? dit le journaliste.

— Les gens comme le Prêcheur ne meurent pas aussi facilement. Si Jack n'est plus là, il a un successeur.

— Vous semblez avoir eu avec lui une relation personnelle.

— Je suppose qu'on pourrait dire que je l'ai connu en Corée du Nord.

— Je ne comprends pas, dit le journaliste. En Corée ? Vous êtes en train de dire que ce type était un terroriste ?

— Et si je vous invitais à prendre un café en face ? » dit Hackberry.

Pete Flores ne fut pas inculpé, en grande partie parce qu'on pensait morts les coupables du massacre derrière l'église, et qu'aucun officier de police, locale ou fédérale, n'avait envie de voir un homme fondamentalement innocent et honnête mêlé à un processus qui, une fois entamé, devient irréversible et finit par détruire des vies sans aucune utilité. S'il y eut quelque chose de spectaculaire dans la suite des événements qui eurent lieu sur le flanc de la montagne au-dessus de la maison brûlée et rasée de Jack Collins, ça se passa dans un moment de calme, lorsque Vikki Gaddis, en fouillant dans son sac à la table de la cuisine, y trouva une carte de visite qu'elle avait mise de côté et oubliée.

« Qu'est-ce que c'est ? demanda Pete en train d'essuyer la vaisselle, et qui se retourna vers elle depuis l'évier.

— Un type du Nitty Gritty Dirt Band l'a laissée au bar. Il aimait ma musique.

— Tu l'as rappelé ?

— Non.

— Pourquoi non ?

— Pourquoi je le rappellerais ? »

Il n'avait pas de réponse. Quelques minutes plus tard, il prit la carte sur la table, sortit et franchit un monticule semé de bouquets de figuiers de Barbarie. Du sommet du monticule, il voyait une demi-douzaine de puits de pétrole pompant méthodiquement sur une plaine en pente qui semblait saigner dans le crépuscule. L'air sentait le gaz, la créosote, et un tas de vieux pneus que quelqu'un avait fait brûler. Derrière lui, l'éternelle poussière montait de la route et flottait en un nuage gris sur la maison en planches qu'ils louaient, Vikki et lui. Il ouvrit son portable et composa le numéro noté sur la carte.

Six semaines plus tard, Vikki Gaddis enregistrait son premier disque à Nashville, au studio Blackbird de Martina et John McBride.

Pour Hackberry Holland, la fin de l'histoire ne consistait pas dans le destin de Jack Collins, Hugo Cistranos, Arthur Rooney ou d'un quelconque de leurs sbires. Elle ne consistait pas non plus dans le fait que justice ait été rendue à Pete Flores, ou que le talent de sa femme, Vikki Gaddis, ait été reconnu par ses pairs, ni même dans le fait que Vikki et Pete, plus tard, achetèrent un ranch au pied des pentes bleues des Canadian Rockies. Pour lui, la conclusion de l'odyssée qui l'avait mené du camp 5 de No Name Valley à une plaine alluviale au nord des Chisos Mountains résidait dans un événement étrange qui resta, du moins pour lui, un moment emblématique plus grand que le récit qu'on pouvait en faire.

Il consistait en l'arrivée inattendue de Nick Dolan, l'ancien patron de bar à putes, sur la propriété de Collins, au volant d'un SUV qui avait la brillance laquée d'une sucette couleur bordeaux et un drapeau américain volé, avec un manche à balai en guise de hampe, sur le pare-chocs arrière, avec comme passagers une étudiante col-bleu de *community college*[1] qui trouvait parfaitement naturel de chanter dans un bar des spirituals de la Carter Family, et un ancien militaire américain qui était si courageux qu'il avait oublié d'avoir peur.

---

1. Système d'universités parallèles, destinées aux classes les plus pauvres.

Tous trois constituaient une improbable distribution de héros. Peut-être que, tels d'anciens Romains regardant le Vésuve se gonfler et devenir rouge et translucide avant d'exploser en une pluie d'étincelles sur une mer sombre, ils ne reconnaissaient pas l'importance des événements se déroulant autour d'eux, ni le fait qu'ils participaient à un grand drame historique. Ils auraient été les derniers à affirmer qu'ils avaient prévu leur charge à travers le *hardpan* dans le camp de Jack Collins. Mais pour les comprendre, c'était la clef : leur humilité, la différence de leurs passés respectifs, le courage qu'ils ne savaient pas avoir, les choix qu'ils faisaient par instinct plus que par réflexion, ces caractéristiques constituaient le ciment qui les maintenait en tant qu'individus et en tant que personnes. Les empires vont et viennent. La nature indomptable de l'esprit humain demeure.

C'est du moins les leçons qu'Hackberry Holland et Pam Tibbs essayèrent de tirer de leur propre histoire.

conception
réalisation
mise en page

pca

44405 Rezé cedex